Een duister verleden

Van Peter Straub zijn verschenen:

Mr. X
Koko
Complot
Kelen
Duivelsbroed
Magie & Doodsangst
De nachtkamer
Jongen, meisje, verloren
Een duister verleden
Julia[e]
Een duister verleden[e]

De Talisman (samen met Stephen King)
Zwart Huis (samen met Stephen King)

[e] Ook als e-book verschenen

Peter Straub

EEN DUISTER VERLEDEN

Uitgeverij Luitingh

Uitgeverij Luitingh en Drukkerij HooibergHaasbeek vinden het belangrijk om op milieuvriendelijke en verantwoorde wijze met natuurlijke bronnen om te gaan.

Oorspronkelijke titel: *A Dark Matter*
Vertaling: Marga Blankestijn
Omslagontwerp: Peter te Bos / Twizter.nl
Omslagillustratie: Arcangel Images / Hollandse Hoogte

ISBN 978 90 245 7445 2
ISBN E-BOOK 978 90 245 3364 0
NUR 332

www.boekenwereld.com
www.uitgeverijluitingh.nl
www.watleesjij.nu

Voor Judy en Ben Sidran

Is er een leemte die wij allen delen?
    En dan bedoel ik, vóór het einde?
Hemel en aarde verlaten zich op deze klaarte,
    Hemel én aarde.
Onder gouden dubloenen van gevallen esdoornbladen
Graaft zich de onderwereld in
    Doodziek van het licht.

CHARLES WRIGHT, *Littlefoot*

IN HET BEGIN

Een paar jaar geleden, laat in het voorjaar

De grote openbaringen van mijn volwassenheid begonnen met het geschreeuw van een verloren ziel in het ontbijtcafé bij mij in de buurt.

Ik stond in de rij bij de Corner Bakery op de hoek van State en Cedar, een halve straat verwijderd van mijn mooie bakstenen huis, te wachten om een Swiss Oatmeal (muesli) of een Berry Parfait (*granola*) te kunnen bestellen, iets bescheidens in elk geval. De hardste geluiden in het café waren het getik op de toetsen van een laptop en het geritsel van iemands krantenpagina's. Plotseling begon de man vooraan in de rij, met een maniakale verontwaardiging die uit het niets leek te komen, het woord *recalcitrant* te mompelen. Eerst op een toon die net boven het geluidsniveau van een gewoon gesprek lag. Tegen de tijd dat hij zijn ritme gevonden had, was zijn stem bijna twee keer zo luid en werd gaandeweg luider. Als je toch een woord moest kiezen om herhaaldelijk in het openbaar te roepen, zou je dan niet iets minder onhandigs nemen? Toch hield hij vol, hij draaide die vier onbuigzame lettergrepen in alle mogelijke bochten, als om te kijken welke hem het beste beviel. Zijn beweegreden – niets komt immers echt uit het niets – werd al snel duidelijk.

Recalc*itrant*? ReCALCItrant? RECALCITRANT? Re-*calci*?-TRANt? REcalcitrant?

Juffrouw, vind je me nu al recalcitrant? Dat bedoelde hij. *Geef me nog een paar tellen, dan zal ik je leren wat recalcitrant is.*

Bij elke herhaling klonk zijn vraag dringender. De tijdelijk met stomheid verslagen jonge vrouw achter de toonbank had hem beledigd, en hij wilde haar laten weten hoe ernstig. De man meende ook een slimme, zelfs geestige indruk te wekken, maar volgens alle omstanders was het raaskallende waanzin waar hij blijk van gaf.

Zijn variaties werden steeds fantasierijker.

Re*caaal*citrant? Recal*ciii*trant? RecalciTRANT?

Om de man te kunnen zien deed ik een stap opzij en keek de vrij lange rij langs. Ik wou bijna dat ik dat niet had gedaan.

Dat deze man niet zomaar een grap maakte, werd me meteen duidelijk. De man achter hem in de rij hield minstens drie meter afstand. Dat zouden mensen zelfs in de beste omstandigheden doen bij deze figuur. Zijn grijs-witte haar stond in golvende, stugge pieken van een centimeter of twintig om zijn hoofd. Hij droeg een gescheurd ruitjespak dat eruitzag alsof hij het van een vogelverschrikker had gestolen en er vervolgens in had geslapen. Zijn gezwollen voeten glommen onder een raster van korsten, vuile vegen en blauwe plekken op hel, bloedeloos wit. Net als ik droeg hij kranten onder zijn elleboog, maar de prop nieuws die hij tegen zijn zij klemde, deed zo te zien al minstens vier of vijf dagen dienst. De opgezwollen blote voeten waren het ergste, geschaafd en versleten als schoenen.

'Meneer?' zei de vrouw achter de toonbank. 'Meneer, u moet nodig mijn zaak uit. Gaat u alstublieft bij de toonbank vandaan, meneer. U moet echt weg.'

Twee enorme jongens in sweatshirts van de Southern Illinois University, pas afgestudeerd zo te zien, schoven hun stoelen met een ruk achteruit en kwamen met grote stappen op het opstootje aangesneld. Dit is immers Chicago, waar grote, atletisch ogende knullen tussen de stoeptegels ontspruiten als paardenbloemen aan een gazon in een buitenwijk. Zonder een woord gingen ze aan weerszijden van de dakloze staan, grepen hem bij zijn ellebogen en hesen hem naar buiten. Als hij zich in hun greep had laten verslappen, zou het hun meer moeite hebben gekost, maar hij was verstijfd van angst en bezorgde hun even weinig problemen als zo'n houten indiaan voor een sigarenwinkel. Hij was even stram als een marmeren beeld. Toen hij langs mij werd gedragen, zag ik zijn blubberende lippen en zijn bruine, gebroken tanden. Hij had een glazige blik in zijn bloeddoorlopen ogen. De man bleef *recalcitrant recalcitrant recalcitrant* prevelen, maar het woord had geen betekenis meer voor hem. Hij gebruikte het ter bescherming, als een mantra, en hij dacht dat hij buiten gevaar zou zijn zolang hij het bleef herhalen.

Toen ik in die uitdrukkingsloze, niets ziende ogen keek, werd ik verrast door een volstrekt onvoorziene gedachte. De impact ervan was als een klap in mijn gezicht en bracht een raadselachtig soort helderheid met zich mee, even kortstondig als het opvlammen van een lucifer.

Ik kende zo iemand. Deze doodsbange man met zijn enkelvoudige woordenschat herinnerde me zo levendig aan iemand, dat hij diegene wel had kunnen zijn, zoals hij nu de deur uit geschopt werd, op Rush Street. Maar... wie was het in vredesnaam? Ik kende niemand die ook maar in de verte leek op deze beschadigde figuur, die nu op en neer strompelde op de stoep aan de andere kant van de grote ruiten, onderwijl nog steeds zijn mantra fluisterend.

Een stem die alleen ik kon horen, zei: *Niemand? Denk eens goed na, Lee.* Diep in mijn borst roerde zich iets groots en onmiskenbaars in zijn slaap – iets wat ik letterlijk tientallen jaren lang had genegeerd en uit het zicht had geduwd – en trok met zijn leerachtige vleugels. Wat er ook bijna ontwaakt was, het smaakte deels naar schaamte, maar dat was bij lange na niet alles.

Hoewel ik me in eerste instantie afkeerde van wat die innerlijke beroering ook had veroorzaakt (en dat deed ik met alle aangeboren vastberadenheid die ik op kon brengen), klemde de herinnering dat ik een onverklaarbaar inzicht had gekregen zich aan me vast, als een kat die op mijn rug was gesprongen en zijn nagels in mijn huid klauwde.

Mijn volgende handeling was een typisch geval van onbewuste zelfmisleiding – ik probeerde te geloven dat mijn onrust werd veroorzaakt door het stomme taalgebruik van het meisje achter de toonbank. Misschien klinkt dat snobistisch, en misschien is het dat ook wel, maar ik heb acht boeken geschreven en ik let op de manier waarop mensen woorden gebruiken. Misschien te veel. Toen ik dus eindelijk voor de jonge vrouw stond die de arme stakkerd had verteld dat hij 'nodig' haar 'zaak' uit moest, uitte ik mijn onvrede door een Anaheim Scrambler te bestellen, een portie roereieren met spek, cheddar, avocado en een heleboel andere dingen zoals gebakken aardappels, en een maïsmuffin. (Ik ben helaas zo iemand die voedsel gebruikt om ongewenste emoties te ontduiken.) Hoe dan ook, wanneer zijn mensen ermee begonnen hun bevelen te formuleren in de vorm van een behoefte? En sinds wanneer noemen mensen in de horeca hun etablissementen 'zaken'? Beseften ze niet hoe lelijk en onnauwkeurig dergelijke onzin was? Het schepsel binnen in mij zakte weer tijdelijk gesust weg in zijn ongemakkelijke slaap.

Ik zette me aan een lege tafel, sloeg mijn krant open – de *Guardian Review* – en vermeed de grote ramen aan de voorkant tot ik een medewerker hoorde aankomen met mijn dienblad. Om de een of andere reden draaide ik me om en wierp een blik uit het venster, maar natuurlijk was die zielige, half krankzinnige figuur gevlucht. Wat kon het mij trouwens schelen wat er met hem was gebeurd? Niets, behalve dat ik een vaag soort mededogen met hem voelde. En die arme ziel deed me helemaal niet denken aan iemand die ik kende of ooit had gekend. Er was gewoon een paar tellen lang sprake geweest van een soort vals déjà vu. Iedereen wist dat een déjà vu niets meer was dan een tijdelijke hersenschim. Het bezorgde je een vreemde roes van herinnering die aanvoelde als esoterische kennis, maar het was slechts geestelijk drijfhout, zonder enige waarde.

Drie kwartier later liep ik terug naar huis en hoopte dat het werk die dag goed zou gaan. De kleine opschudding in de Corner Bakery was zelfs nauwelijks meer een herinnering, behalve dan toen ik mijn sleutel in het slot van de voordeur stak en weer die glazige, bloeddoorlopen ogen voor me zag en hem *recalcitrant recalcitrant* hoorde fluisteren. 'Jij moet daar nodig mee ophouden,' zei ik hardop en probeerde te glimlachen toen ik mijn helder verlichte, comfortabele gang in liep. Toen zei ik: 'Nee, ik ken echt niemand die ook maar enigszins op jou lijkt.' Een halve seconde lang dacht ik dat iemand me zou vragen waar ik het over had, maar mijn vrouw bracht een lang bezoek aan Washington, D.C. en in dat grote, prachtige huis van mij kon geen levend wezen me horen.

Werken had helaas geen enkel nut. Ik was van plan geweest de dagen dat mijn vrouw afwezig was te gebruiken om flink door te werken aan een nieuwe roman die op dat moment *Haar Strakke Blik* heette. De beroerde titel deed er niet toe; die zou ik veranderen zodra ik een betere verzon. Boven op mijn extra grote bureau lag naast mijn iMac een dikke map die uitpuilde van de aantekeningen, opzetjes en ideeën voor hoofdstukken, en in een veel minder dikke map ernaast zaten de tien onhandige bladzijden die ik er tot dusver uit had weten te persen. Toen ik eraan begon te prutsen, bleek de roman die zo veelbelovend had geleken toen hij nog slechts een zweem van een belofte was, te zijn veranderd in een traag voortbewegend, grauwend beest. De mannelijke held leek ook nogal traag. Ik wilde het niet toegeven, maar de hoofdpersoon – de vrouw met de verontrustende strakke blik uit de titel – lustte hem rauw.

In mijn achterhoofd speelde een kwestie waar ik die dag eigenlijk niet over wilde nadenken, een veel te verleidelijke suggestie die mijn agent, David Garson, een paar, jezus, misschien wel vijf jaar geleden, had gedaan. Hij vertelde me indertijd dat mijn uitgever hem bij een lunch had voorgesteld, geen idee hoe serieus, dat ik ten minste één keer een non-fictie boek zou moeten schrijven, en dan niet zozeer een biografie, maar een boek dat echt ergens over ging.

'Lee, schrik nou niet, hij zei niet dat hij wilde dat je geen romans meer schreef, natuurlijk niet,' had Dave gezegd. 'Ze vinden dat jij een interessante kijk op dingen hebt, dat is hun voornaamste punt, en ze denken dat het nuttig zou zijn als Lee Harwell eens een keer – en dan bedoel ik echt één keer – dat lezersvriendelijke maar uitdagende trekje van hem zou loslaten op iets in de echte wereld. Dat zou een enorm iets kunnen zijn, of iets kleiners en persoonlijkers. Hij zei erbij dat hij dacht dat zo'n boek het commercieel gezien waarschijnlijk goed zou doen. Daar heeft hij trouwens ook een punt. Ik bedoel, ik denk dat het een buitengewoon interessant idee is. Wil je het overwegen? Waarom denk je er niet gewoon een paar dagen over na, om te zien wat er bij je opkomt? Gewoon, als een suggestie.'

'David, wat mijn bedoeling ook is, alles wat ik schrijf wordt uiteindelijk fictie, inclusief brieven aan mijn vrienden,' was mijn antwoord geweest. Maar David is een fijne vent, en hij zorgt goed voor me. Ik beloofde dat ik erover na zou denken, wat niet eerlijk van me was, want ik speelde eigenlijk al met de mogelijkheid van een non-fictie boek. Een onuitgegeven en onpubliceerbaar manuscript dat ik een paar maanden geleden had gevonden op eBay, een soort autobiografische verhandeling van een rechercheur moordzaken uit Milwaukee, George Cooper, leek een serie oude, officieel onopgelost gebleven moorden te heropenen, waar mijn vrienden en ik veel belangstelling voor hadden gehad op de lagere en de middelbare school. Nog interessanter voor mij op dit moment was dat deze 'Ladykiller'-moorden in ieder geval zijdelings verband leken te houden met een duistere kwestie waar die vrienden van mij in ons laatste jaar op de middelbare school bij betrokken waren geweest (onder wie het fantastische meisje dat later mijn vrouw zou worden), maar ikzelf niet. Daar wilde ik echter niet over nadenken. Er was een jongen bij betrokken, ene Keith Hayward, een kwaadaardig, geestesziek kind, wiens ziekte en kwaadaardigheid werden gevoed en gestimuleerd door een werkelijk demonische figuur, zijn oom. Dat stond in de halve memoires die rechercheur Cooper had opgeschreven in zijn schuine, ouderwetse handschrift, en zelfs terwijl ik het verhaal reconstrueerde, was ik vastbesloten om de aantrekkingskracht die het op me uitoefende te weerstaan. Het immense theologische probleem van het kwaad leek me te groot, te complex voor de gereedschappen en de wapens die mij ter beschikking stonden. Waar ik goed in was, was verhalen en de voortgang ervan vertellen, en een simpele aanleg voor vertellen volstond niet om de diepgang van Haywards verhaal weer te geven. Daarnaast stond het feit dat mijn vrouw en onze vrienden in aanraking waren geweest met die enge Keith Hayward me tegen.

Zoals gebruikelijk werd ik om halftwee door de honger naar de keuken gelokt waar ik een salade in elkaar flanste, wat soep opwarmde en een halve sandwich maakte met roggebrood, rauwe ham, koolsla en cocktailsaus. Normaal gesproken zou mijn assistente Dinah Lion ook aanwezig zijn geweest, maar omdat zij op maandag niet werkte, bleef het isolement van de ochtend intact. Dinah zou trouwens de komende twee weken nog wegblijven; in overleg met mijn accountants hadden we een regeling getroffen waardoor ze met behoud van de helft van haar salaris op bezoek kon bij haar ouders in Toscane, in ruil voor wat gejongleer met de vakantiedagen die ze normaal gesproken opnam in augustus.

Zodra ik me aan mijn eenzame, kleine maaltijd zette, kreeg ik om de een of andere reden het gevoel te moeten huilen. Er was me iets essentieels aan het ontglippen en deze keer was het niet slechts een fantasie over de roman die ik aan het schrijven was. De enorme golf verdriet die zich opbouwde in mijn binnenste hield verband met iets veel belangrijkers dan *Haar Strakke Blik*; iets waar ik al veel langer mee leefde dan met mijn mislukkende boek. Tranen welden op in mijn ogen en bleven daar trillend liggen. Gedurende een ondraaglijk moment had ik de absurde gewaarwording dat ik rouwde om een persoon, een plek of een situatie die buiten mijn blikveld bleef. Iemand die mij dierbaar was geweest, was gestorven toen wij beiden nog heel jong waren – dat gevoel was het – en tot op dit moment was ik zo misdadig stom geweest om niet te rouwen over dat verlies. Dat moest de oorsprong zijn van de schaamte die ik had geproefd voordat ik roereieren, avocado en kaas in mijn mond begon te proppen. *Ik had diegene laten verdwijnen.*

Bij de gedachte aan het ontbijt dat ik naar binnen had gewerkt in de Corner Bakery, verging me de honger. Het eten dat ik op tafel had gezet zag er giftig uit. Tranen stroomden over mijn gezicht en ik stond op om papieren zakdoekjes van het aanrecht te pakken. Nadat ik mijn gezicht had afgeveegd en mijn neus had gesnoten, stopte ik de sandwich in een zakje, spande plasticfolie over de slabak en knalde de soepkom in de magnetron, waar ik hem ongetwijfeld zou vergeten tot de volgende keer dat ik het ding opendeed. Toen dwaalde ik doelloos de keuken rond. Het boek waaraan ik was begonnen leek me te hebben buitengesloten, wat ik meestal beschouwde als een aanwijzing dat het verhaal wachtte op een andere, jongere schrijver die het wel op de juiste manier wist aan te pakken. Het zou nog minstens een dag duren voordat ik mijn bureau weer onder ogen kon komen, en dan zou ik waarschijnlijk een ander project moeten verzinnen.

Haar Strakke Blik had me toch al nooit lekker gezeten. In principe was het een keurig verhaaltje over een zwakke man en een vrouw als een wild beest, dat ik had willen brengen als een soort postmodern liefdesverhaal. Het boek had eigenlijk in de jaren vijftig moeten worden geschreven door Jim Thompson, van *The Getaway*.

Weer sloeg er een grimmige, zwaarmoedige vlaag van rouw door me heen, en deze keer leek ik te rouwen om de dood, de werkelijke dood, van mijn hele kindertijd en mijn jeugd. Ik kreunde hardop, verbijsterd door wat me overkwam. Een schatkamer aan schoonheid en levenslust, heel die van plezier, verlies en verdriet doortrokken, scherp omrande tijd was verdwenen, weggevaagd, en ik had het nauwelijks gemerkt. Mijn ouders, mijn oude buurt, mijn ooms en tantes, een heel tijdperk leek me te roepen, of ik hen, en snel achter elkaar, als in een reeks dia's, zag ik:

de vallende sneeuw op een decemberavond in 1960, de grote vlokken die zacht als veertjes neerdaalden uit een onmetelijke zwarte lucht;

een magere hond die door de diepe sneeuw onder onze sleeheuvel rende;

de bladderende lak op de bovenkant van onze sleeën, en de bikken en deuken in de lange, koele glijders;

een glas water dat van binnenuit glansde op het zondagse witte tafelkleed van mijn moeder.

Terwijl ik half verblind door tranen om het marmeren werkblad in mijn keuken in Chicago heen liep, zag ik de schitterende, onelegante westkant van Madison, Wisconsin, waar ik was opgegroeid en waaraan ik zo snel als ik kon was ontsnapt. Mijn fantastische vriendin, nu mijn vrouw, Lee Truax, was met me mee gevlucht – we reden het hele land door naar New York, waar ik naar de universiteit ging en zij als serveerster en barkeepster werkte tot ze zich ook kon inschrijven en opwinding en onrust kon veroorzaken waar ze maar kwam. Wat mij nu wenkte, was echter niet onze tijd aan de universiteit en in de East Village, maar de westkant van Madison, zo anders toen en zo hetzelfde, de plek waar Lee Truax en ik elkaar als kinderen hadden leren kennen en naar school gingen met al onze gestoorde, geweldige vrienden.

Daarop zag ik ze allemaal voor me, onze vrienden, die ik had moeten overtuigen dat ik geen eikel was, ook al was mijn vader professor aan de universiteit in plaats van afwezig, of niets, helemaal niets, zoals die van hen. Even glansden hun gezichten zo helder als het glas water op mijn moeders geliefde witte tafelkleed dat zich in mijn herinnering had gegrift... hun jonge gezichten gericht op het fijnbesneden, adembenemende gelaat van de Eel.

Het volgende moment, voordat ik ze echt goed kon opnemen, klapte er een gordijn omlaag als een verbod. Boem! *Meer krijg je niet, maat.*

'Alsjeblieft,' zei ik smekend, en toen: 'Wat is er met me aan de hand?' Zo'n onthutsend moment, vol vreselijke pijn – de pijn van *wat ik niet had gedaan*, van *wat ik was kwijtgeraakt omdat ik alles wat ik niet had gedaan, niet had gedaan.* Wat het was, wist ik niet, ik wist alleen dat ik het *niet had gedaan.*

Toen zag ik als op een reusachtig scherm de bewegende lippen voor me, het ongeschoren gezicht, de gewonde, afschuwelijke voeten, en ik hoorde de raspende, bijna mechanische stem op de vier lettergrepen zuigen die veiligheid betekenden voor een verscheurde ziel. Op dat moment, buitengesloten van iets wat ik lang geleden zo gretig had achtergelaten, verlangde ik naar een mantra om me te beschermen tegen Madison – de bladderende laklaag op de Flexible Flyer, de rennende hond; het geluid van dichtslaande kluisjes in de gang van een middelbare school; de exacte manier waarop het licht door de ramen in lokaal 138 op het gezicht van de Eel en van Dill Olson viel bij aanvang van onze bovenbouwles Engels, en hun een prachtige, verwassen glans verleende.

Om aan de beelden te ontsnappen zette ik de radio aan, zoals gewoonlijk afgestemd op de publieke omroep NPR. Een man wiens naam ik even kwijt was, al herkende ik zijn stem, zei: 'Wat echt onverwacht is, is hoe melodieus Hawthorne klinkt als je hem voorleest. Dat zijn we kwijtgeraakt, denk ik, het besef dat het geluid van het geschrevene ook belangrijk is.'

En Nathaniel Hawthorne bleek de sleutel; Hawthorne ontsloot het verloren rijk voor me. Niet het idee om hem voor te lezen, maar om zijn woorden te horen: het geluid van zijn schrijven, zoals de man op NPR zei. Ik wist precies hoe de Hawthorne van *De Rode Letter* klonk, want ik had ooit een jongen gekend die het vermogen bezat om alles te onthouden wat hij las, en die jongen citeerde vaak lange stukken uit de roman van Hawthorne. Hij bracht in gewone gesprekken ook vaak de gekste woorden te berde die hij had ontdekt in een boek met de naam *Captain Leland Fountain's Dictionary of Unknown, Strange, and Preposterous Words*, ofwel het Woordenboek van Onbekende, Vreemde en Belachelijke Woorden van Kapitein Leland Fountain. (Ooit had hij me verteld hoe buitengewoon vreemd hij het vond dat nostologie weliswaar de studie van seniliteit was, maar nostomanie helemaal niets van doen had met de oude dag, en gewoon een ernstig geval van heimwee betekende.) Zijn naam was Howard Bly, maar wij, ons vriendengroepje, noemden hem allemaal 'Hootie'. Om de een of andere reden hadden we allemaal rare bijnamen. Omdat Eel en ik allebei Lee heetten, draaiden we haar naam om. De Eel paste bij haar, ze was lenig en ze kon zo glad zijn als een aal. Hoewel ik ook wel Twin werd genoemd – tweelingbroer – heb ik er nooit echt zo uitgezien.

Hootie kon er niets aan doen dat hij alles onthield wat hij las. Als er een reeks woorden via zijn ogen bij hem binnenkwam, werd die afgedrukt op een eindeloze rol in zijn hersenen. Hoewel ik dat talent graag zou hebben gehad, heb ik niet het flauwste idee hoe het werkt, en het leek ook niet echt nuttig voor Hootie Bly, die helemaal niet literair was aangelegd.

Toen we in het laatste jaar op Madison West zaten en hij zeventien was, zag Hootie eruit als dertien of veertien, klein, blond, blozend en engelachtig. Hij had porseleinblauwe poppenogen en zijn haar hing in een pony over zijn voorhoofd. Stel je Brandon de Wilde voor in de western *Shane*, maak hem een paar jaar ouder en je ziet Hootie. Meestal vonden de mensen hem erg aardig, al was het maar omdat hij er zo schattig uitzag en niet veel zei. Hij was niet slim zoals de Eel, mijn vriendin Lee Truax, maar hij was ook niet dom of traag – Eel was gewoon heel erg slim. En Hootie was helemaal niet agressief of brutaal of opdringerig. Ik denk dat hij van nature bescheiden geboren was. Dat betekent niet dat hij passief was of onbeduidend, want dat was hij niet.

Zo was Hootie: als je naar een groepsfoto kijkt, vooral naar een foto van een groep mensen die bijvoorbeeld door een weiland wandelen of ergens in een bar hangen, is er altijd iemand bij die geestelijk aan de zijlijn staat, en geniet van het tafereel dat zich voor hem afspeelt. 'Digging it,' zou Jack Kerouac het noemen. Soms vond Hootie het prettig om zich achteraf te houden en, nou ja, te 'diggen' wat er om hem heen gebeurde.

Een ding kan ik je wel vertellen over Hootie Bly: hij was door en door goed. Er zat werkelijk geen greintje kwaad in Hootie. Helaas werd hij nu en dan lastig gevallen door minder goedhartige mensen, pestkoppen en eikels, vanwege zijn lengte en zijn uiterlijk. Ze vonden het leuk om hem te treiteren, hem te pesten, maar dan zo dat het verder gingen dan pesten, hem soms zelfs fysiek lastig te vallen, en af en toe vonden wij als zijn beste vrienden dat we tussenbeide moesten komen om hem te beschermen.

Hootie kon zich echter best zelf redden. De Eel vertelde me dat toen een echt lelijke en nare corpsbal Hootie een keer had beledigd in een groezelige koffietent die de Tick-Tock Diner heette, maar de Aluminium Room werd genoemd, Hootie de idioot onheilspellend had aangekeken en had verbluft met een citaat uit *De Rode Letter*: 'Bent u als de Zwarte Man die de bossen rondom ons onveilig maakt? Heeft u mij een gelofte laten afleggen om u meester te maken van mijn ziel?' Binnen een minuut had de student aan de Universiteit van Wisconsin in zijn beledigingen ook Hooties ouders vervat die, zoals de jongen wist omdat hij ze daar allemaal wel had gezien, Badger Foods bezaten, het driehoekige kruidenierswinkeltje dat zich twee straten verderop aan State Street bevond. Hootie sloeg terug met nog een stuk Nathaniel Hawthorne: 'Wat is het toch een vreemde, treurige man! Als het donker is, roept hij ons en houdt uw hand vast en de mijne, zoals toen wij met hem daar op het schavot stonden!'

De corpsbal, diezelfde zieke, verknipte Keith Hayward over wie ik onlangs had gelezen in de onaangename memoires van rechercheur Cooper, was hem aangevlogen, maar werd tegengehouden door zijn huisgenoot en enige vriend, Brett Milstrap, die niet uit de Aluminium Room verwijderd wilde worden voor de (vermoedelijke) aankomst van het mooie blonde meisje naar wie ze zo verlangden dat haar alleen koffie te zien drinken hen al drie of vier dagen lang warm en gelukkig maakte. Meredith Bright was haar naam, en net als Hayward en Milstrap speelde ze een grote rol in het verhaal dat ik in de daaropvolgende weken en maanden zou gaan uitzoeken. Ze moest een van de mooiste jonge vrouwen zijn geweest die ooit op die campus waren, en dat zou ze ook zijn geweest als ze naar de Universiteit van Californië was gegaan in plaats van die van Wisconsin. Meredith Bright had een hekel aan Keith Hayward en zag niets in Brett Milstrap, maar vanaf de eerste keer dat ze Hootie Bly en Lee Truax zag, was ze van hen gecharmeerd. Om diverse redenen.

Je kunt wel zeggen dat het hele lange, krankzinnige verhaal dat ik uiteindelijk probeerde op te diepen aanving toen Meredith Bright, in haar eentje in de achterste nis van de Aluminium Room, haar ogen van haar editie van *Love's Body* opsloeg, de bar rondkeek en Hootie en de Eel in het oog kreeg, die ze vervolgens beiden van hun stuk bracht door hen toe te lachen.

Maar voordat ik nog verder op mijn verhaal vooruitloop, moet ik eerst terug naar waar ik was en nog een paar dingen uitleggen over Hootie en ons vriendengroepje.

Ik zei dat het horen van een van die troostrijke NPR-stemmen over de ervaring van een hardop voorgelezen Hawthorne het enige was wat ik nodig had – dat wil zeggen wat ik nodig had om die intense, onverwachte stortvloed van emoties te begrijpen die me door de kamer joeg sinds ik in de bloeddoorlopen ogen van meneer Recalcitrant had gekeken toen twee achterhoedespelers van Carbondale hem voorbij droegen op weg naar de deur. Ik had me zo koppig verzet tegen het plotselinge gevoel van herkenning, dat me in één pijnlijke vlaag ongefilterde delen en gebeurtenissen uit mijn kindertijd te binnen schoten. De reden voor mijn – uiteindelijk vergeefse – koppigheid was dat Recalcitrant me aan Hootie deed denken, die vier decennia had doorgebracht in een psychiatrisch ziekenhuis in Wisconsin, uitsluitend communicerend in losse woorden uit *Captain Fountain* en, als hij een bijzonder nostomanische bui had, in zinnen als 'Heeft u mij een gelofte laten afleggen om u meester te maken van mijn ziel?' *De Rode Letter* en de obscure woorden uit de *Captain*: dat is geen waanzin, dat is angst, dezelfde absolute doodsangst die van Recalcitrant een mummelend standbeeld had gemaakt.

Ik wilde meer weten over die angst. Ik besefte dat ik deze ader tot het einde wilde volgen, nu ik hem eenmaal gevonden had. Als ik de oorzaken van Hooties verlamming eenmaal begreep, dacht ik, zou een laag van de werkelijkheid waar ik bijna veertig jaar lang niet bij had gekund, eindelijk zichtbaar worden.

Maar het ging niet allemaal over mij, bij lange na niet.

In de loop van de decennia die verstreken waren sinds halverwege de jaren zestig had deze verborgen wereld – de hele kwestie van de zwervende goeroe Spencer Mallon, wat hij had bereikt, wat hij niet had bereikt, wat hij nog betekende voor de mensen die hem hadden bemind en bewonderd – me van tijd tot tijd dwarsgezeten, meer dan dwarsgezeten, een voortdurende twijfel en ellende opgeroepen die me aankleefden als een schaduw wanneer de hele affaire weer in beeld kwam. Een deel van deze blijvende onrust was geworteld in het zwijgen van een enkele persoon. Zij wilde er niet met me over praten, en de anderen ook niet. Ze sloten me buiten. Ik bedoel, ik wil niet moeilijk doen over iets wat zo lang geleden is gebeurd, maar is dat wel helemaal eerlijk? Alles ging goed en het was allemaal gezellig en alleen omdat ik niets te maken wilde hebben met die nagemaakte Mallon, sloten ze de gelederen tegen mij. Zelfs mijn vriendin, die er zogenaamd uitzag als mijn tweelingzus!

Weet je wat er gebeurde? Als een dom kind dat ik dacht dat ik was, maakte ik mezelf wijs dat ik me aan mijn principes hield, terwijl de hele kwestie van die verbazingwekkende man die naar Tibet was geweest en in een bar had gezien dat iemand iemands hand afhakte, een man die over het Tibetaanse Dodenboek praatte en over een filosoof die Norman O. Brown heette en die bovendien banden had met eeuwenoude magie, me eigenlijk angst aanjoeg. Het klonk als volslagen onzin, maar het leek me ook vér boven mijn pet te gaan – want wie weet zou er iets van waarheid in kunnen zitten. Ik denk dat ik bang was dat ik onvermijdelijk ook in die vent zou gaan geloven als ik hem ontmoette.

De Eel wist precies hoe ik me voelde, zo slim was ze wel. Ze begreep dat mijn reactie veel gecompliceerder was dan ik wilde toegeven, en het feit dat ik terugdeinsde vanwege een angst die zij sowieso al minderwaardig vond, betekende dat ze een belangrijk deel van haar respect voor mij verloor. Aangezien ik geen zin had om te doen alsof ik een student was en daarom thuisbleef toen mijn vrienden voor het eerst naar de Aluminium Room gingen, had ik twee kansen om het goed te maken: ik had mee kunnen gaan naar het Italiaanse restaurant waar ze Mallons verhaal voor het eerst hoorden, en ik had mijn verzuim kunnen corrigeren door met de rest mee te gaan naar de tweede Mallon-seance, in het appartement aan Henry Street waar Keith Hayward en Brett Milstrap bleken te wonen. Dat waren mijn twee kansen. Maar toen ik voor de tweede keer nee zei, klapte de deur dicht en bleef ik alleen buiten staan, waar ik mezelf opzettelijk had neergezet.

Terwijl zij allemaal achter Mallon aan liepen, maakte ik in mijn eentje lange wandelingen en ging uiteindelijk soms eenzaam basketballen in de ring gooien op het speelterrein van een lagere school. Of dat in elk geval proberen. Ik herinner me dat ik een keer vijftien worpen op rij miste, de een na de ander. Op de grote dag zelf, zondag zestien oktober 1966, bleef ik op mijn kamer en herlas *Of Time and the River* van Thomas Wolfe, een roman waar ik stapeldol op was omdat hij mij exact leek te beschrijven: Lee Harwell, een gevoelige, eenzame, briljante jonge knul, duidelijk voorbestemd om een literair genie te worden. Of, als hij mij niet precies beschreef, dan toch degene die ik zou zijn als ik Harvard eenmaal had afgemaakt en Europa had gedaan... o verdwaalde, o verdoolde woordenvolle zwerver op deez' aarde, een steen een blad een ongeziene deur.

Twee hele dagen lang had ik geen idee waar ze was. Toen ik eindelijk wat te horen kreeg, was het gekmakend beperkt. Dit was precies het enige wat ik weten mocht: op de een of andere manier, onder omstandigheden die voor altijd voor mij verborgen zouden blijven, was de zaak uit de hand gelopen. Er was een bijeenkomst geweest, een samenkomst, een soort ritueel misschien, en bij die gebeurtenis was alles spectaculair misgegaan. Eén jongen was niet alleen gedood, maar gruwelijk verminkt, aan flarden gereten. Een van de onvermijdelijke geruchten die na de catastrofe de ronde deden, was dat de dode jongen door gigantische tanden was verscheurd. En in de daaropvolgende maanden, of eigenlijk de volgende vier decennia, had de enige die ik nog kende die destijds deel had uitgemaakt van Mallons noodlottige entourage – mijn vrouw – geweigerd om ook maar iets van een verklaring te geven voor wat hen was overkomen.

Een week lang klapte ze gewoon dicht. De enige details die ze me wilde vertellen, betroffen het gedrag van de politie tijdens het onderzoek, de verwarring en de woede van haar nutteloze vader, haar ongeduld met onze leraren en medeleerlingen, en haar wanhoop over de arme Hootie. Toen iedereen weer wat tot rust was gekomen en het mysterie van Hooties verblijfplaats was opgehelderd, probeerde Eel hem ten minste twee keer te bezoeken in het Lamont Ziekenhuis, waar hij al die tijd bleek te zijn geweest. De eerste keer dat ze daar iemand te spreken kreeg, wie dat ook geweest moge zijn (kennelijk was het tijdverspilling om op dergelijke details in te gaan), werd het haar verboden om te komen: de toestand van meneer Bly was te ernstig, te onbestendig. Een maand later probeerde ze het nog eens. Deze keer nodigde de conciërge haar uit om het ziekenhuis te bezoeken en was het Hootie Bly zelf die haar afwees. Met van Hawthorne geleende woorden weigerde hij haar zelfs maar te zien. Ooit. Zijn weigering hield stand tijdens ons laatste jaar, en ik veronderstel dat Lee het uiteindelijk opgaf. Nadat we naar New York waren vertrokken, sprak ze nooit meer over hem.

Van tijd tot tijd dacht ik aan die glimlachende jongen met zijn blauwe ogen en vroeg me af wat er van hem was geworden. Hij was nog steeds belangrijk voor me, en ik wist dat hij heel veel moest hebben betekend voor mijn vrouw, die uiteindelijk ophield de Eel te zijn en in bepaalde kringen bekendheid verwierf onder de naam waarmee ze geboren was. Ik wenste hem alle goeds. Na een maand of zes of acht, dacht ik, zou hij wel uit het ziekenhuis zijn ontslagen en zijn leven weer hebben opgepakt. Hij was waarschijnlijk weer bij zijn ouders ingetrokken. Na hun pensionering zou hij Badger Foods hebben overgenomen en misschien een beetje hebben opgeknapt. Of hij was uit Madison vertrokken, getrouwd met een meisje dat veel op hem leek, was op een kantoor gaan werken en had twee of drie blonde, engelachtige kinderen opgevoed. Mensen zoals Hootie Bly hoorden nu eenmaal kalme, voornamelijk onbeproefde, maar intens gewaardeerde, waarachtig geleefde levens te leiden. Als de wereld voor hen al niet goed uitpakte, was er voor de rest van ons helemaal geen hoop.

Zijn werkelijke lot bleef me onbekend tot de zomer van 2000, toen mijn vrouw en ik op een van onze zeldzame vakanties naar Bermuda gingen. Ik neem meestal geen vakantie en mijn vrouw bezoekt liever plaatsen die ze al kent, waar ze zowel vrienden heeft als iets te doen. Ze brengt veel tijd door op conferenties en directievergaderingen en ze leidt een druk, nuttig en volstrekt bewonderenswaardig leven. Gehuwd zijn met een romanschrijver kan even eenzaam blijken als zelf schrijver zijn, maar dan ook nog zonder het gezelschap van verzonnen personages. Ik ben blij dat Lee zo'n bevredigend leven voor zichzelf heeft gecreëerd, en ik geniet van de weinige keren dat wij samen zomaar ergens heen gaan om te ontspannen en te wandelen. (Natuurlijk neem ik mijn werk altijd mee, en Lee neemt haar eigen gadgets mee op reis.)

We zaten dus gezellig te lunchen in een restaurant in Hamilton dat Tom Moore's Tavern heette, en aan de andere kant van het vertrek zag ik een man van ongeveer mijn leeftijd met blond, grijzend haar, een goedig, gebruind, karaktervol gezicht, aan een tafel met een heel aantrekkelijke vrouw die nogal op hem leek. Als mijn vrouw er niet was geweest, had de blonde vrouw gemakkelijk de knapste vrouw in het restaurant kunnen zijn, ondanks haar leeftijd. De voormalige Eel is zich daar nog altijd niet van bewust en raakt geïrriteerd als iemand het opmerkt, maar Lee Truax is, waar dan ook, altijd de mooiste vrouw in de zaal. Dat meen ik. Altijd.

De welvarende, innemende man aan de overkant zou een volwassen, welgestelde Hootie Bly kunnen zijn geweest, als Hootie alle juiste keuzes had gemaakt en een flinke dosis geluk had gehad. 'Schatje, die man aan de overkant zou Hootie Bly kunnen zijn,' zei ik. 'En hij ziet er geweldig uit.'

'Dat is Hootie niet,' zei ze. 'Sorry. Maar ik wou dat het waar was.'

'Hoe kun je daar zo zeker van zijn?' vroeg ik.

'Omdat Hootie nog altijd in dat ziekenhuis zit. Het enige wat er aan hem is veranderd is dat hij ouder is geworden, net als wij.'

'Zit hij daar nog?' vroeg ik onthutst. 'In het Lamont?'

'Ja, daar zit-ie nog, de ziel.'

'Hoe weet je dat?'

Ik keek hoe ze haar vis de maat nam met haar vork, er vervolgens een stukje afhaalde en dat voorzichtig op de tanden prikte. Andere mensen valt dit zelden op, maar mijn vrouw heeft een hele aparte manier van eten. Ik vind het altijd leuk om haar de benodigde handelingen te zien uitvoeren.

'Ik heb zo mijn bronnen,' vertelde ze me. 'Van tijd tot tijd communiceren mensen met mij.'

'En dat is alles wat je me erover gaat vertellen, hè?'

'Dit gesprek gaat over Hootie, niet over mensen die me dingen laten weten.'

En dat was dat. Haar weigering om meer te zeggen bracht ons terug naar die oude, vertrouwde stilte, waarin ik geen recht had om iets te vragen omdat ik om te beginnen had geweigerd om op de universiteitscampus rond te hangen, en toen, zelfs nog afkeurenswaardiger, om Spencer Mallon te ontmoeten, laat staan te aanbidden. Mijn vrienden, zelfs de Eel, verafgoodden die vent zo ongeveer. Vooral de Eel, zou ik moeten zeggen. Wie denk je dat ze meende te beschermen door haar bronnen niet te noemen?

Dat is wel genoeg over Mallon, in elk geval voor een poosje.

Van de vijf mensen in ons groepje op Madison West hadden er drie ernstige problemen met hun vaders. Destijds was ik al van mening dat dat veel verklaarde over de aantrekkingskracht die Mallon uitoefende, en dat denk ik nog steeds. Zo te horen aan wat mijn vrienden me vertelden, had Spencer Mallon in commissie ontworpen kunnen zijn om een hypnotiserende aantrekkingskracht uit te oefenen op avontuurlijke zeventien- en achttienjarige jongeren die op de een of andere manier beschadigd waren door hun waardeloze vaders. Hij wist mijn vrienden in elk geval direct te boeien, hij haalde ze zo binnen. Hij *verleidde* ze – daar komt het op neer. En omdat ze gehypnotiseerd en verleid waren, volgden ze deze figuur naar een obscuur stuk grond van de landbouwfaculteit van de universiteit en deden vrolijk mee met wat het dan ook was dat voor hen allemaal, stuk voor stuk, uiteindelijk zo vernietigend bleek te zijn.

De vader van de Eel verdiende al geen hoofdprijs, maar toen haar kleine broertje met zes of zeven maanden, dat weet ik niet meer, aan wiegendood overleed, stortte hij op spectaculaire wijze in. Carl Truax had een paar octrooien verworven die bewezen dat hij ooit uitvinder was geweest, en op de meeste dagen sleepte hij zichzelf uit zijn stinkende bed om een paar uur door te brengen in de schuur in de achtertuin die hij zijn 'werkplaats' noemde. Tegen de tijd dat zijn dochter in haar laatste schooljaar zat, deed hij niet eens meer alsof hij daar nog iets anders deed dan drinken. Als de eerste fles van de dag nog slechts een dierbare herinnering was, vertrok hij op zijn ronde langs sjofele cafés en bars, schooiend om een paar dollar voor nog meer alcohol. Hoe kerels zoals hij aan geld komen is mij een raadsel, maar die goeie oude Carl wist bijna altijd genoeg bij elkaar te krijgen om zijn drankzucht van die dag te bevredigen en nog een paar dollar over te houden. Soms bracht hij een cadeautje mee om de enige andere persoon die in zijn bouwval woonde te paaien, zijn fantastische dochter, degene die, als hij thuiskwam voor het avondeten, voor hem kookte en haar best deed om het krot schoon en hygiënisch te houden. Haar houding tegenover haar vader varieerde over het algemeen van doffe woede tot razende minachting.

Net voordat Dilly Olson met het briljante idee kwam om naar plaatsen als de Tick-Tock te gaan en zich daar voor te doen als studenten om zo uitgenodigd te worden op corpsfeesten, de list die hen rechtstreeks naar Keith Hayward, Meredith Bright en Mallon leidde, wankelde Carl binnen met een poster die hij in de smerigste kroeg van heel Madison had gewonnen met pokeren. Het was een reproductie van een beroemd schilderij van Cassius Marcellus Coolidge, *A Friend in Need*, waarop een stuk of zes aangeklede honden een potje poker speelden. Hij was ervan overtuigd dat ze het ding geweldig zou vinden. Een sigaarrokende buldog die onder tafel een schoppenaas doorgaf aan een geel straathondje, was dat nou niet het schattigste wat je ooit had gezien? De Eel had een hekel aan het sentimentele kreng, maar de drie jongens, die zichzelf herkenden in het schilderij, werden verliefd op *A Friend in Need* en praatten er dagenlang onophoudelijk over. Ze konden de bouwval vrijelijk in en uit lopen en hadden dus voortdurend toegang tot het schilderij, omdat Lurleen Henderson Truax – de vrouw van Carl en de moeder van Eel – ongeveer een week na de dood van haar zoontje was vertrokken, zonder de schok van haar afwezigheid te verzachten met een voorafgaande waarschuwing of een afscheidsbrief. Vier dagen na de begrafenis van de baby, toen haar man op zijn rondes was en haar negenjarige dochtertje op school zat, propte ze wat spullen in een goedkope koffer van het Leger des Heils, liep het krot uit en verdween.

Na de verdwijntruc van haar moeder voedde de Eel, Lee Truax, zichzelf op. Ze dwong zichzelf om huiswerk te maken, ze deed boodschappen en bereidde maaltijden, ze hielp zichzelf met haar huiswerk en stuurde zichzelf 's avonds naar bed, en ze ontdekte dat alles wat je deed gevolgen had op de lange termijn. Ze leerde dat mensen van alles over zichzelf vertellen door de manier waarop ze zich gedragen en de dingen die ze zeggen. Je hoefde alleen maar op te letten. Mensen gaven dingen prijs en spreidden van alles tentoon zonder het zelf te weten.

Hoewel ze niet lesbisch was, besloot de Eel al jong dat ze er liever als een jongen uit wilde zien dan als een meisje, omdat jongens altijd de leiding hadden en bevelen gaven. Dus pakte ze de goede schaar, mat zichzelf een bloempotkapsel aan, en ging spijkerbroeken en houthakkershemden dragen. In die kleren en met haar bizarre kapsel zag ze eruit als het platonische ideaal van een kwajongen. Maar als je de tijd nam om haar te bekijken met dezelfde aandachtige concentratie die ze jou schonk, bleek ze op de een of andere manier ongelooflijk schattig. Nam je haar echter alleen maar even verveeld op en liet je je blik afdwalen, dan vond je haar waarschijnlijk nogal gewoontjes. Je zou zelfs kunnen denken dat ze een jongen was.

Hootie hield van haar, God weet dat ik van haar hield, en als de twee andere jongens in onze groep niet precies diezelfde soort gevoelens koesterden in hun relatie met haar, waren ze in elk geval op een comfortabele, ongecompliceerde manier aan haar gehecht – bijna alsof ze echt gewoon een jongen van hun leeftijd was, maar dan wel eentje die ze wilden beschermen. Ze deden ook hun best om Hootie te beschermen, dus het was niet omdat ze een meisje was. Ik denk dat ze de helft van de tijd eigenlijk vergaten dat ze niet echt een jongen was. Zelf was ik enorm op die jongens gesteld en ik vertrouwde ze volkomen: dit waren de maten met wie ik het grootste deel van de dag doorbracht, met wie ik rondhing in de avonden en na school praatte aan de telefoon. Toen Boats Boatman en Dilly Olson eenmaal begrepen dat ik geen snob was, ondanks het minpuntje dat ik in een huis woonde dat volgens hun normen behoorlijk chic was en ook nog eens in het bezit van een compleet stel ouders, ontspanden ze zich en behandelden mij net als ze elkaar behandelden, met een ruw soort grootmoedigheid. Net als Hootie, net als mijn vrouw op haar eigen manier, waren deze twee jongemannen voorgoed beschadigd, meende ik, door wat het ook mocht zijn dat Spencer Mallon daar op dat vervloekte veld had laten gebeuren.

Als ik iets verder terugkeek, zou ik ook kunnen zeggen dat hun waardeloze vaders hun levens hadden verwoest door ervandoor te gaan, zodat zij ontvankelijk werden voor een rondtrekkende koopman in wijsheden als Spencer Mallon. Niemand heeft het er ooit over, maar in de jaren zestig liepen er overal van die oplichters rond, vooral in universiteitsstadjes. Soms waren het lieden van eigen bodem, academici die van het gebaande pad raakten en hun klaslokalen als preekstoelen inzetten, maar even zo vaak kwamen ze zomaar aanwaaien, voorafgegaan door een ballonnetje van veelbelovende opwinding, in de wereld geholpen door acolieten die waren bekeerd tijdens het vorige bezoek van de goeroe/filosoof/wijze man. Meestal bleven ze een paar maanden, sliepen op de bank of het logeerbed van hun bewonderaars, 'leenden' kleding van hun gastheren, aanvaardden gratis eten en gratis drank, en sliepen met hun vriendinnen en andere vrouwelijke bewonderaars. Volgens deze mensen was alles van iedereen, dus bezaten zij een natuurlijk recht op alle bezittingen van hun volgelingen. Het concept eigendom was moreel verdacht. Spencer Mallon vertelde de Mallonieten: 'Alles is alles,' waarmee het destijds gebruikelijke niet-bezitterige gedachtegoed zich uitstrekte tot de kosmos. Zelfs toen ik zeventien was, vond ik dat allemaal grote onzin, een nonsensvariant van nonsens waar vooral roofdieren van profiteerden. Maar ik was dan ook grootgebracht in een redelijk huis door redelijke mensen.

Jason Boatman, die wij om twee vanzelfsprekende redenen Boats noemden, werd door zijn moeder Shirley vrijwel alleen opgevoed. Wij mochten Shirley Boatman allemaal graag, en zij ons ook, en dan vooral de Eel, maar het was geen geheim dat het lichte drankprobleem dat ze al had voordat haar man haar in de steek liet, zich daarna ontwikkelde tot iets veel ernstigers. Shirley was nog een eind verwijderd van de hartstochtelijke overgave aan de alcohol die Carl Truax bezielde, maar ze dronk bier bij het ontbijt en nam de hele middag slokjes uit de ginfles. Tegen negen uur 's avonds was ze zo ver heen dat ze meestal in haar stoel in slaap viel.

Zeven jaar voordat Spencer Mallon in Madison opdook had de vader van Boats, die een slechtlopende scheepsbouwonderneming bezat in Milwaukee en drie of vier keer per week heen en weer forensde, aangekondigd dat hij verliefd was op een twintig jaar oude leerling-scheepsbouwer, Brandi Brubaker. Ze was bij hem gekomen vanuit het boothuis van de UW, net als zoveel van zijn onderbetaalde assistenten en leerlingen. Brandi en hij zouden woonruimte huren in de buurt van de scheepswerf aan Lake Michigan en in de toekomst zou hij vooral naar Madison komen om zijn activiteiten voor het roeiteam voort te zetten en zijn zoon te bezoeken.

De bezoeken aan zijn zoon namen al snel af tot eens per maand en hielden toen helemaal op. Het ging beter met zijn bedrijf en hij had waarschijnlijk minder tijd om aan zijn voormalige gezin te besteden. De slimme kleine Brandi produceerde algauw een tweeling, Candee en Andee. Ze waren 'aanbiddelijk'. Boats verloor elke belangstelling die hij ooit had gehad voor schepen en scheepsbouw en hij zou zijn vader graag hebben ingeruild voor een van de vaders van de anderen, van allemaal, zelfs die van Dilly Olson, die tien jaar geleden was weggelopen en nooit meer van zich had laten horen.

Op zijn zeventiende en achttiende jaar was Jason een vrij knappe jongen, tot je hem naast Dilly zette; dan leek hij stiekem en slinks. Dat hij ook een beetje stiekem en slinks was, deerde degenen onder zijn vrienden die met hem op de lagere school had gezeten niet. Voordat zijn vader hem in de steek liet, was Boats redelijk vlot, vrolijk en makkelijk in de omgang geweest. Hij was mager en vrij lang, een van die aardige, vriendelijke jongens die altijd met de anderen meedoen. Nadat zijn vader was vertrokken, begroef hij zijn gevoel voor humor en werd chagrijnig. Hij praatte minder en hij liet de schouders hangen. Hij liep met zijn handen in zijn zakken naar de grond te turen, alsof hij iets zocht wat hij had verloren. Aan school gaf Boats helemaal de brui. In de klas zat hij bijna dwars in de bank en bekeek het bord met die argwanende blik die je kunt hebben voor iemand die je van leugens verdenkt. Zijn overheersende stemming was er een van milde verbittering. Als je bij hem thuis kwam, zei hij in plaats van 'hallo' iets als 'dat werd tijd'. Hij las geen boeken meer en deed niet meer aan sport. Hij werd zwijgzaam en sprak bijna met tegenzin, behalve als hij klaagde. Klagen riep een herkenbare versie op van de Boats die wij ons van de lagere school herinnerden: opmerkzaam, rad van tong, helemaal aanwezig. Zijn klaagzangen betroffen onze leraren, de boeken die zij verwachtten dat we zouden lezen, het huiswerk waarvan ze verwachtten dat we het elke avond zouden maken, het weer, de botheid van atleten, de slordigheid van de schoolconciërge, de vaagheid van zijn moeder naarmate de avond vorderde. Boats en de Eel wisselden verhalen uit over dronken ouders als een saxofonist en een drummer vierkwartsmaten. Maar hoe verreikend zijn klachten over de toestand van de wereld ook waren, nooit zei Boats iets over zijn vader. Eens in de zoveel tijd schudde hij zonder duidelijke aanleiding zijn hoofd en mompelde: 'Brandi Brubaker,' de naam van zijn vaders nieuwe vrouw ophoestend als een haarbal.

De andere grote verandering in Jason 'Boats' Boatman nadat zijn vader was verdwenen, was een meedogenloze obsessie met winkeldiefstal. Hij begon op heroïsche schaal te stelen. Het was een soort braspartij, maar dan één die nooit ophield. Hoe noem je dat, een orgie? Boats gaf zich over aan een levenslange steelorgie. In de vijfde stalen al mijn vrienden wel eens wat, zoals chocoladerepen, strips, pocketboeken en schoolspullen uit de buurtwinkels, maar er zat geen vast patroon in. We deden het geen van allen de hele tijd, en ik deed het minder vaak dan de meeste anderen. Soms konden Eel of Dilly Olson zich het nieuwe schrift of de balpen die een leraar op onze tafeltjes wilde zien liggen niet veroorloven, en de enige manier om dan aan het vereiste voorwerp te komen was door het te stelen bij de kantoorboekhandel. Boats deed precies hetzelfde, tot ongeveer een maand nadat zijn vader was vertrokken. Daarna liep hij overal waar hij kwam winkels binnen en gapte wat hij te pakken kon krijgen; hij stal alles wat hij op zijn lichaam mee kon dragen. Hij gaf ons zoveel truien en sweatshirts cadeau dat sommige van onze ouders wantrouwig werden. (De vader van de Eel niet, natuurlijk.) Shirley Boatman zag wat er aan de hand was en waarschuwde Boats dat hij op een dag gepakt zou worden en voor de rechter zou moeten verschijnen. De waarschuwing had geen effect.

Volgens de Eel – en dat klonk zelfs toen al logisch – gebruikte hij al die schoenen, sokken, onderbroeken, T-shirts met het logo van de UW, gummetjes, schriften, potloden, nietmachines en boeken om een gapende leegte in zichzelf op te vullen. Toen Mallon op het toneel verscheen en hen allemaal in zijn ban kreeg, stuurde hij Boats af en toe op pad om dingen voor hem te jatten. Volgens de theorieën van Mallon stal Boats niets; hij was bezit aan het herverdelen. Omdat alles alles was, was niemand eigenaar van de goederen die ze dachten te bezitten, en zeker winkeleigenaars niet. Eel en ik vonden het altijd een grappig idee dat Boats, als hij werkelijk in Mallons theorieën zou geloven, onmiddellijk zou stoppen met stelen. Wat hem betrof was het hele punt van diefstal juist dat wat je onder je jas stopte eigenlijk van iemand anders was – daarom voelde je je beter als jij het onder jouw jas propte. Dat vluchtige gevoel van superioriteit hielp om die innerlijke leegte op te vullen. Maar natuurlijk werd alles wat die wrede plek bereikte onmiddellijk verteerd.

Ik heb al verteld dat Dill Olson met het idee kwam om in de Aluminium Room in State Street te gaan doen alsof we UW-studenten waren, en dat was typerend voor de rol van Donald Olson in ons groepje. Don Olson zou op elke school een aanvoerder zijn geweest: hij was een van die jongens met een aangeboren, ingebouwd gezag dat zijn oorsprong lijkt te vinden in diepgeworteld, persoonlijk fatsoen. Ongetwijfeld nam dat toch al aanzienlijke gezag toe door zijn uiterlijk. Op de lagere school was hij altijd langer dan wij, en tegen het laatste jaar van de middelbare school was hij uitgegroeid tot een meter negentig. Zijn lengte zou onbelangrijk zijn geweest, als die niet in zekere zin uitvergroot of benadrukt werd door het effect van diepliggende donkere ogen onder scherp getekende donkere wenkbrauwen, hoge jukbeenderen, een beweeglijke en expressieve mond, een gladde, smetteloze olijfkleurige huid, halflang donker haar tot bijna op zijn kraag, en zijn altijd moeiteloos onberispelijke houding. Hij stond even rechtop als een marinier, maar dan elegant, alsof er niets zo natuurlijk was als een volmaakte houding.

Als Dilly Olson zijn knappe uiterlijk voor eigen gewin had gebruikt, als hij had laten blijken dat hij zich bewust was van het effect ervan en daar genoegen in had geschept, als hij ook maar een spoor van eigenliefde had getoond, zou hij verloren zijn geweest; op een andere manier, bedoel ik, dan hoe hij uiteindelijk te gronde werd gericht door zijn levensloop. Maar hij leek er geen idee van te hebben dat hij ongelooflijk knap was, of misschien had hij het idee dat zijn opvallend knappe trekken niet relevant waren voor waar het werkelijk om ging in zijn leven. Wat dat zou kunnen zijn, was nog onbekend. Als we in New York City of in Los Angeles hadden gewoond, had er vast wel iemand geopperd dat Dill Olson acteur moest worden, maar wij woonden in Wisconsin en kenden niemand die ooit acteur was geworden, of wat voor soort kunstenaar dan ook, trouwens. We keken wel veel films, maar de mensen die daarin acteerden waren duidelijk het product van een ander, meer verheven wereld. Ze stonden ver van ons af, die acteurs. Zelfs de lucht die zij inademden was van een andere substantie dan het alledaagse spul dat wij inhaleerden.

In tegenstelling tot ikzelf, las Dill geen boeken alsof die net zo goed bedoeld waren om geïnhaleerd te worden en vervolgens je ideeën en daden te inspireren. Hij ging nooit helemaal op in een boek, hij had geen enkele academische of wetenschappelijke aanleg, en het zag ernaar uit dat hij nooit het pad zou volgen waarop Lee Truax en ik onze zinnen hadden gezet: naar de universiteit gaan en ons tastend een weg naar de toekomst zoeken via de gebruikelijke methode van een studietraject. Studeren kon hij zich toch niet veroorloven. Zijn moeder en haar nieuwe kleingeestige, alcoholische vriendje, een bankbediende met als liefste wens dat Donald Olson het ouderlijk huis voorgoed zou verlaten, hadden hem laten weten dat ze geen studie voor hem zouden betalen.

Dat Dill een gewone kantoorbaan zou krijgen of winkelbediende zou worden leek onmogelijk en oneerlijk, en de rekruteringscommissie, die anders jongemannen zoals hij maar al te graag verslond, had zijn diensten al afgewezen vanwege een gebrekkige hartklep; in een vlaag van verveling en wanhoop had hij, uiteraard zonder het iemand te vertellen, geprobeerd om dienst te nemen en was 1-Y verklaard, medisch ongeschikt tot het moment dat er helmen en geweren werden uitgedeeld aan schoolkinderen, wat de rekruteringsbeambten evenzeer verbaasde als het hem teleurstelde, voor even. Met het verstrijken van de tijd en het luidruchtiger en frequenter worden van de demonstraties kreeg Dill genoeg te horen over de gebeurtenissen in Vietnam om tegelijkertijd ontzet te zijn over de oorlog en dankbaar voor zijn vrijstelling.

In feite bezorgde het conflict in Vietnam hem een doel dat hielp om hem af te leiden van de deprimerende vraag wat hij na zijn eindexamen moest gaan doen. Het beleid op Madison West verbood elke vorm van openlijke politieke expressie en ons schoolhoofd, een veteraan van de Tweede Wereldoorlog, zou waarschijnlijk zijn best hebben gedaan om iedere student te schorsen die brutaal genoeg was om een antioorlogsdemonstratie op het schoolterrein te organiseren of bij te wonen. Die hoefden we echter niet zelf te organiseren, want we konden zo meedoen met de *speak-ins* of *teach-ins* en demonstraties en manifestaties die altijd op en vlak bij de campus van de universiteit plaatsvonden. Tegen 1966 was Madison hard op weg naar het verongelijkte, kolkende kookpunt van 1968, en de vele protestbijeenkomsten en demonstraties gaven Dilly alle gelegenheid om studentes te ontmoetten en tegelijkertijd uit volle overtuiging tegen de oorlog te protesteren.

En Boats was ook tegen de oorlog, want hij vreesde op de dag van zijn eindexamen van de middelbare school door het leger in zijn kraag te worden gegrepen, maar hij was veel meer geïnteresseerd in studentes en corpsfeesten.

Tenzij ik er helemaal naast zit, lag de aantrekkingskracht die Mallon op Dilly Olson uitoefende deels in zijn houding ten opzichte van Vietnam. Mallon maakte duidelijk dat hij de oorlog op dat specifieke moment noodzakelijk vond – hij leek een semireligieus idee te hebben over geweld, dat hij als een soort geboorte beschouwde – maar liet doorschemeren dat zijn uiteindelijke doel, dat hij dacht te bereiken door een bepaalde occulte ceremonie, het gebruik van heilig geweld impliceerde als een manier om onze aarde zodanig te transformeren dat de oorlog in Vietnam vanzelf zou ophouden, als onkruid dat te lang geen water kreeg. Het vuur zou het vuur verslinden, de cycloon zou de vernietigende tyfoon verdelgen. Of zoiets dan toch. Op al deze vernietiging zou dan een wedergeboorte volgen waarvan de dimensies en de aard door Mallon en zijn uitverkorenen vreugdevol zouden worden verkend. Ik moet die oplichter wel nageven dat hij Dilly, Boats, mijn vrouw, en zijn drie andere volgelingen – Meredith Bright, Keith Hayward en Britt Milstrap – waarschuwde dat de grote transformatie en wedergeboorte misschien maar een seconde of twee zouden duren, en ook dat die misschien alleen in hun geest zou plaatsvinden, bijvoorbeeld door het openen van een nieuw gezichtspunt, een oprechtere, essentiëlere manier van zien. Ondanks de schade die hij deze jongelui zonder uitzondering toebracht, moet ik zijn eerlijkheid op dat punt respecteren. Net als iedere andere namaakwijze en nepprofeet die van het midden tot aan het einde van de jaren zestig in studentensteden ronddwaalden, beloofde Spencer Mallon het einde der tijden en een nieuwe Apocalyps; in tegenstelling tot de meeste anderen gaf hij toe dat het einde der tijden misschien maar een moment zou duren, of alleen het opengooien van een geestelijk raam zou betekenen. Ik heb een hekel aan die vent; ik denk dat hij een oplichter was die een mazzel heeft gehad van de kwalijkste soort, maar dit blijk van wat mij als wijsheid voorkomt, moet ik respecteren. Als het geen wijsheid was, dan toch een geweten.

Mijn vriendin – Lee Truax, de Eel – en haar metgezellen gingen naar de Tick-Tock Diner, de Aluminium Room genoemd vanwege de vreemde, spiegelende, aluminiumfolieachtige muurbekleding, en in dat onwaarschijnlijke tentje werden de Eel en Hootie door een verbijsterend knap blond meisje met de naam Meredith Bright uitgenodigd in de achterste nis, waar ze in haar eentje een boek zat te lezen, *Love's Body* van Norman O. Brown (een van Spencer Mallons gidsen en leraren, letterlijk, in dit geval). Voor in het eetcafé bekeken de afschuwelijke Keith Hayward en zijn huisgenoot Milstrap het tafereel met jaloezie en afkeer. (Vermeld moet worden dat zowel Hootie als mijn vrouw Keith Hayward al bij de eerste ontmoeting vreemd onaangenaam vonden.) Zoals bij de tijd paste, zij het niet bij haar type, had Meredith enige kennis van het tekenen van horoscopen, en het bleek dat ze Mallon, haar goeroe en minnaar, had overgehaald om haar een uurhoekhoroscoop te laten trekken, of misschien een reeks horoscopen, ik weet niet zeker hoe dat werkt, om vast te stellen welke dierenriemtekens het meest wenselijk waren in zijn volgelingen. Volgens haar berekeningen had de groep een Stier en een Vissen nodig, precies wat Eel en Hootie waren, om hun doelstellingen te bereiken. Ze hadden ook, al was het minder dringend, behoefte aan een Schorpioen en een Kreeft, de tekens van Dilly en Boat. Ze waren dus van het begin af aan vervloekt, allemaal. Het stond in hun sterren geschreven.

Ik weet zeker dat dit oprecht was: ik geloof niet dat Meredith een namaakhoroscoop verzon na haar ontmoeting met mijn vrienden in de Aluminium Room. Hoewel ik zulke opvattingen slechts als waanideeën kan bestempelen, geloof ik toch dat Meredith Bright vanaf het moment dat ze hen naar haar zag kijken vanaf de andere kant van de bar begreep dat Eel en Hootie aan haar cruciale astrologische behoeften voldeden. Ik kan me voorstellen hoe onschuldig ze eruit moeten hebben gezien, hoe onschuldig ze feitelijk waren, en wat een aanlokkelijk onschuldige indruk ze op Mallon gemaakt moeten hebben, die onschuld met huid en haar verslond. Toen Meredith had geraden wat slechts bevestiging behoefde, wenkte ze Eel en Hootie met een blik naar zich toe, en nadat ze hun namen had gevraagd vroeg ze naar hun astrologische teken. Bingo! In de roos! En wat een geluk, aan het andere eind van de bar zaten een Stier en een Kreeft, hoe kon het zo uitpakken, en ze moesten allemaal naar een bijeenkomst komen over twee dagen, om acht uur 's avonds, in de kelderruimte van La Bella Capri. Alsjeblieft, alsjeblieft, alsjeblieft. Dat zei Meredith Bright echt.

Omdat ze een dergelijke uitnodiging van 's werelds begeerlijkste vrouw onmogelijk konden weerstaan, stemden ze er onmiddellijk mee in naar het Italiaanse restaurant in State Street te komen dat ze hun hele leven al kenden. De Eel vroeg me om mee te gaan, Dilly probeerde me over te halen om mee te gaan, maar ik had niet in de sprekende, bodemloze ogen van Meredith Bright gekeken en ik zei nee. Het was niet eens omdat ze zich nog steeds voordeden als studenten, want Meredith Bright had al meteen begrepen dat ze nog op de middelbare school zaten. Mijn vrienden en mijn minnares – Lee en ik gingen al sinds onze vijfde date met elkaar naar bed – probeerden me te overtuigen van het mysterie en de glamour van Spencer Mallon (zoals beschreven door juffrouw Bright), maar slaagden daar niet in.

En de volgende keer dat we alleen waren, vroeg Eel: 'Wil je echt niet mee? Het wordt zó cool, zó interessant! Zo'n vent als Mallon heb je nog nooit ontmoet. Kom nou, schatje, wil je geen echte, hoe noem je het, magiër ontmoeten? Een reizende wijze man die ons iets te leren heeft?'

'Ik word al misselijk bij het idee van een reizende wijze man,' zei ik. 'Het spijt me, zo is het gewoon. Dus nee, ik ga niet beneden bij La Bella Capri naar het gebazel van die vent zitten luisteren.'

'Hoe weet je dat het gebazel wordt?'

'Ik weet dat het gebazel wordt omdat het niets anders kan zijn.'

'Nou, Lee...'

Het was echt aangrijpend. Haar onvermogen tot spreken, haar aanhoudend zwijgen, drukte een hopeloosheid uit die niemand wil zien in zijn meisje, zijn naaste kameraad, zijn geliefde en intieme vriendin. Ze liet me weten dat ik er niet alleen helemaal naast zat, maar er waarschijnlijk ook nooit iets van zou begrijpen. Toen vroeg ze: 'Vind je het erg als ik wel ga?'

In die seconde had ik haar toekomst kunnen herschrijven. Op dat moment. En de mijne. Maar ik kon het niet over mijn hart verkrijgen. Ze wilde zo graag haar tijd verdoen aan de voeten van die rondtrekkende oplichter dat ik geen bezwaar kon maken. Het had onschadelijk moeten zijn; de enige consequentie had de herinnering aan een saai en verwarrend uurtje of twee moeten worden. Ik zei: 'Nee, ik vind het niet erg, je moet doen wat je zelf wilt.'

'Ja,' zei ze. 'Dat is zo.'

Ze ging, ze gingen alle vier, en ze waren vroeg en ze namen een tafeltje bij de muur en bestelden een pizza die ze verorberden terwijl de echte studenten arriveerden, waaronder Brett Milstrap en de verontrustende Keith Hayward, die spottend naar hen grijnsde voordat hij en zijn huisgenoot een tafel voorin in beslag namen. Al snel zat het clubachtige vertrek beneden vol studenten, aangetrokken door wat ze dan ook gehoord mochten hebben over de sterattractie van de avond. Om tien over acht klonk er een vlaag gepraat en gelach van boven aan de trap die ieders aandacht trok. Ze wendden hun gezichten naar de gewelfde, grotachtige ingang aan de voet van de trap om de grootse entree te aanschouwen van de blonde Meredith Bright, een donkere, weelderige schoonheid die later werd voorgesteld als Alexandra, en Spencer Mallon, die vergezeld van zijn mooie acolieten het vertrek binnenkwam in een verwarrende mengeling van knappe gezichten, warrig blond haar, safari-jack en verweerde bruine laarzen. 'Als een god,' vertelde Hootie Bly me later.

Pas vijftien jaar later, in 1981, vormde ik een helder mentaal beeld van dit wezen, toen ik in mijn eentje naar de eerste middagvoorstelling van *Raiders of the Lost Ark* ging en Indiana Jones in de persoon van Harrison Ford door wolken stof en zand zag struinen. Een safari-jack, een zwierige hoed, een verweerd gezicht, niet oud en niet jong. Hardop zei ik: 'O mijn god, het is Spencer Mallon,' maar niemand hoorde me, hoop ik. De bioscoop was maar voor een derde gevuld en ik zat aan het einde van de derde rij van achteren, omringd door lege stoelen. Veel later beschreef Lee Mallons gezicht in een zeldzaam moment als 'vosachtig' en paste ik mijn Indiana Jones-model iets aan, maar niet veel.

Binnen een paar tellen na zijn verschijning aan de voet van de trap maakte Spencer Mallon zich los van hem adorerende vrouwen en ging hen voor naar de voorste tafel, draaide een stoel achterstevoren, ging er schrijlings op zitten en begon – betoverend – te praten. 'Bij ieder ander zou zijn manier van praten zingen zijn,' vertelde een eerbiedige Hootie me. Niet dat de goeroe zangerig sprak, maar hij had een ongelooflijk muzikale stem met een enorm bereik, die zich onderscheidde door de schoonheid van zijn timbre, zoals je dat denk ik zou moeten noemen. Hij moet toch iets hebben gehad, en een uitzonderlijk mooie stem kan heel overtuigend zijn.

Mallon beschreef zijn zwerftocht door Tibet; hij praatte over het Tibetaanse Dodenboek, in de latere jaren zestig zo'n beetje de bijbel voor namaakhippies. In Tibetaanse bars, zo vertelden Eel en Hootie, had Spencer Mallon tot twee keer toe – twee keer! – een man de hand van een ander zien afhakken; hij had het bloed over de hele bar zien stromen, en de man met de bijl de hand zien oppakken om hem naar een wachtende hond te gooien. Het was een teken geweest, een signaal, en hij was hier om de betekenis ervan uit te leggen.

Toen ze beiden wat minder zwijgzaam werden, verklaarden zowel Hootie als mijn vriendin dat het ondanks de afgehakte handen en de stromen bloed was alsof ze naar muziek luisterden, maar dan muziek waar betekenis doorheen stroomde. 'Hij liet je dingen zien,' zeiden ze allebei, al vonden ze het moeilijk om zijn boodschap te beschrijven als ze niet in tegenwoordigheid van de goeroe verkeerden. 'Ik kan dat allemaal niet herhalen,' zei Hootie tegen me; de Eel zei: 'Sorry, maar als je er niet bij was, kan ik onmogelijk uitleggen wat hij tegen ons zei.'

Toen voegde ze eraan toe: 'Omdat hij het tegen *ons* zei, snap je?'

Ze sloot me opzettelijk buiten, plaatste me aan de andere kant van de streep die zij in het zand had getrokken. Zij waren uitverkoren, mijn vier vrienden, ze waren tot zo'n grote hoogte verheven dat ik nauwelijks meer zichtbaar was. Mallon had hen met een gebaar gevraagd om achter te blijven toen de studenten vertrokken, en toen zij en de twee vriendinnen, spectaculair als goochelaarsassistenten, in de kelderruimte achterbleven, voor één keer zonder Hayward en Milstrap, vertelde de wijze man hun dat zij hem zouden helpen om eindelijk iets te bereiken, een doorbraak, ik weet niet zeker wat hij erover zei, maar het zou in ieder geval een doorbraak worden, het hoogtepunt van al zijn werk tot dan toe. Dat dacht hij, dat hoopte hij. De kruiken waren aan scherven, had hij gezegd, en hemelse vonken schoten door de gevallen wereld. Die hemelse vonken verlangden naar hereniging en als ze eenmaal verenigd waren, zou de gevallen wereld een schitterend tapijt worden. Misschien zouden zij het voorrecht kennen om de transformatie bij te wonen, in welke zin, in welke vorm en voor hoe lang dan ook. Het groepje uit Madison was essentieel in zijn ogen, hij had ze nodig... Zo was het, een gevoel van immanentie, van dringende noodzaak, van belofte.

'Vertrouw op mij,' zei hij, misschien tegen hen allemaal, maar vooral tegen Dill. 'Als het getij keert, zullen jullie aan mijn zijde staan.'

Olson vertelde me dit in een privémoment en ik geloof niet dat hij opschepte: voor een keer leek Dilly vrede te hebben met zichzelf. Ik veronderstel dat ik toen bang begon te worden. Of misschien bedoel ik verontrust. Wat bedoelde die mysterieuze vent eigenlijk met 'Als het getij keert'? Welk getij, en hoe zou dat 'keren'?

Voordat ze afscheid namen vroeg hij mijn vrienden om twee avonden later naar hem toe te komen, en gaf hun het adres van het appartement van Keith Hayward en Brett Milstrap aan Gorham Street. Gedurende de twee schooldagen daarop beefden mijn vrienden van opwinding, en nadat ik de uitnodiging van mijn vriendin om ook in het konijnenhol te duiken tot twee keer toe had afgeslagen, werd ik verder uitgesloten van hun toenemende verwachtingen. Ze sloten de gelederen. Ik had mijn laatste kans gemist. Maar natuurlijk wilde ik helemaal niet achter hen aan het konijnenhol in. Wat ik wilde was in ieder geval de Eel ervan overtuigen dat zij en de anderen werden gebruikt door een aantrekkelijke oplichter die dan wel beweerde dat hij geïnteresseerd was in het met occulte middelen veroorzaken van grootse transformaties, maar ongetwijfeld aardsere doelen nastreefde.

In feite begon de reputatie van de goeroe al voor de bijeenkomst in Gorham Street te tanen. De schoonheid die Alexandra heette, een van Mallons metgezellen tijdens zijn eerste optreden, kwam naar Hootie toe in de Tick-Tock (waar ze nu elke middag heen gingen, meteen uit school) en probeerde hem tegen de man te waarschuwen. Helaas – tegen die tijd aanbad Hootie zijn held al en hij was namens Mallon gekwetst door Alexandra's verhalen over zijn immoraliteit en zijn bedrog. Hootie meende dat ze haar verhaal grotendeels verzonnen moest hebben; het feit dat Spencer deze zigeunerachtige juffrouw met haar grote ogen en wilde haren op de een of andere manier tot een hysterische huilbui had gebracht, maakte geweldig veel indruk op Hootie. En dat Mallon uit een studentenhuis of twee was geschopt klonk als overdrijving, of als een leugen – iemand loog er in elk geval, waarschijnlijk de studenten, omdat ze boos waren dat Mallon naar elders was verhuisd. Toen de tierende vrouw Hootie waarschuwde dat Mallon waarschijnlijk zou proberen om bij een lid van zijn groep in te trekken, bloosde hij van opwinding en hoopte dat hij het zou zijn! En niet lang na de bijeenkomst in Gorham Street bracht Spencer Mallon inderdaad een paar nachten door in de kelder van Badger Foods, het kruidenierswinkeltje van de familie Bly.

Niet dat ik Mallons verblijfplaats kende, want dat was niet het geval. De Eel, met wie ik anderhalf jaar lang bijna elke avond van elke schooldag en elk weekend had doorgebracht, bleef in de klas wel naast me zitten, maar gedroeg zich verder alsof ze was vertrokken op een luxe cruise die ik om onverklaarbare redenen niet met haar had willen maken. 's Avonds gunde ze me nauwelijks vijf minuten aan de telefoon. Ik had, bijna letterlijk, de boot gemist, en de Eel was zo betoverd door de details van haar reis dat ze weinig tijd over had voor mij.

Het enige wat ik wist van de seance in Gorham Street, was dat mijn vriendin uiteindelijk aan tafel kwam te zitten naast Keith Hayward tijdens Mallons betoog. 'Hij was geweldig, maar je zou het niet begrijpen, dus ik ga niet eens proberen om het je uit te leggen,' vertelde ze me. 'Maar jeetje, ik ga nooit meer zo dicht bij die Keith Hayward zitten. Weet je wel, die knul waar ik het over had, met dat smalle gezicht en dat gerimpelde voorhoofd? En allemaal littekens van puistjes? Die is echt heel erg fout.'

Had hij geprobeerd haar te versieren? Voor mensen met ogen in hun hoofd was de Eel zo aantrekkelijk dat ik het hem nauwelijks kwalijk kon nemen.

Mijn vraag maakte haar boos. 'Nee, idioot. Het gaat niet om wat hij deed, maar om wat hij ís. Die knul is eng. Ik bedoel, écht eng. Hij werd ergens boos over – dat wil zeggen, Spencer wees hem terecht omdat hij naar zijn vriendin zat te staren, die Meredith, die hem trouwens niet verdient – en hij vond het niet leuk om daarop aangesproken te worden, helemaal niet, en, ik weet niet, ik denk dat ik tegen hem grinnikte omdat hij boos werd, en toen ik hem aankeek leken de ogen van die knul wel zwarte gaten. Ik maak geen grapje. Zwarte poelen waar gruwelijke, gruwelijke dingen rondzwemmen, helemaal in de diepte. Er is echt iets mis met die Hayward. En Spencer weet het ook, maar hij ziet niet hoe ziek die eikel wérkelijk is.'

Ik dacht ze daar waarschijnlijk gelijk in had, in zekere zin in elk geval. De Eel had een helderder en sneller inzicht in mensen dan ik, en dat heeft ze ongetwijfeld nog steeds. In Rehoboth Beach in Delaware heeft ze ooit haar favoriete organisatie, de Amerikaanse blindenvereniging, een tactvolle dienst bewezen die mij volkomen verbijsterde toen ze me er later over vertelde. Wat ze daar deed, was zuiver psychisch speurwerk en het was zonder meer succesvol. In elk geval las ik in de memoires van rechercheur Cooper hoe correct Lee Keith Hayward had ingeschat, en het idee dat ze ooit vijf minuten in zijn gezelschap heeft doorgebracht, jaagt me nu nog doodsangsten aan. Indertijd klonk hij niet al te gevaarlijk, alleen maar onevenwichtig, wanhopig ongelukkig, waarschijnlijk in zichzelf gekeerd en verbitterd. Dat zijn een heleboel mensen en de zeventienjarige Eel Truax zou velen van hen als getroebleerd hebben beschouwd; Keith Hayward was daarentegen net zo ziek als ze hem tegen mij, Mallon, en alle anderen in hun groep beschreef. Alleen Hootie geloofde haar op haar woord, en natuurlijk besteedde niemand enige aandacht aan wat Hootie vond.

Tijdens de bijeenkomst in Gorham Street vertelde Spencer Mallon zijn volgelingen twee verhalen, en ik heb ze hier opgeschreven zoals ze aan mij verteld werden.

Verhaal #1

Een paar weken na aanvang van het nieuwe schooljaar zwierf Mallon een week of wat van studentenhuis naar pension naar studentenhuis rond de universiteit van Austin, in Texas. Hoewel er nog niets ongewoons of verhelderends had plaatsgevonden, voorvoelde hij dat er iets uitzonderlijks ophanden was. (En er gebeurde ook iets heel uitzonderlijks, al speelde dat geen rol in het verhaal dat hij wilde vertellen.) Die ochtend wandelde hij over de gloeiend hete stenen stoep van East 15th Street naar zijn favoriete koffiehuis, de Frontier Diner. Al snel merkte hij dat er een man in een pak en een das met hem opliep aan de overkant van de straat. Om de een of andere reden, misschien vanwege zijn formele kleding, voelde Mallon zich onbehaaglijk en zelfs bedreigd door die man. Hij moest toegeven dat zijn onrust deels werd veroorzaakt door het volkomen irrationele gevoel dat deze man, ondanks zijn verschijning, geen menselijk wezen was. Mallon dook een zijstraat in en liep snel naar de volgende kruising, waar de man op hem bleek te wachten, nog steeds aan de overkant van de straat.

Mallon vond dat hij geen keus had: hij beende de straat over om zijn achtervolger aan te spreken. De man in het grijze pak trok zich terug, met een frons op zijn gezicht. Tegen de tijd dat Mallon de straat was overgestoken, was de man er op de een of andere manier in geslaagd te verdwijnen. Mallon had niet gezien dat hij een winkel binnenging of zich achter een geparkeerde auto verschool, hij had hem helemaal niets zien doen. Het ene moment was de man die (volgens hem) slechts in schijn menselijk was, met een afkeurende blik op zijn gezicht achteruit aan het lopen; het volgende moment was hij opgegaan in de lichte baksteen van het gebouw achter hem.

Had Mallon even weggekeken, al was het maar een seconde?

Hij draaide zich om en zette zijn weg voort naar het eetcafé. Toen hij de hoek om was en weer op 15th Street liep, werd hij achter zich een beweging gewaar en keek met tintelende zenuwen over zijn schouder. Een tiental meters achter hem stond de niet-echt-menselijke gestalte in het grijze pak ineens stil en staarde recht voor zich uit.

'Waarom loopt u achter me aan?' vroeg Mallon.

Het wezen in het kostuum duwde zijn handen in zijn zakken en haalde zijn schouders op. 'Heeft u zich ooit afgevraagd wat er nog meer achter u aan zou kunnen lopen?' Maar ondanks de vreemde, mechanische klank was zijn stem bijna volmaakt menselijk.

'Heeft u enig idee hoe zinloos die vraag is?'

'Wees voorzichtig, meneer,' zei de gestalte. 'Dat meen ik oprecht.'

Mallon draaide zich om en liep snel, maar zonder echt te rennen, naar het eetcafé. Hij had nog steeds het gevoel dat de man achter hem aan kwam, maar als hij omkeek, was zijn achtervolger nergens te bekennen.

In het café liep hij de hele bar langs, voorbij de nissen, de lege zitplaatsen negerend. Marge, de serveerster, vroeg hem wat er aan de hand was.

'Ik probeer iemand af te schudden,' vertelde hij haar. 'Kan ik door de keuken naar buiten?'

'Spencer mijn jongen, jij mag op elk moment door mijn keuken lopen,' zei ze.

Mallon kwam via de keuken uit in een brede steeg met rechts tegen de muur een aantal vuilnisbakken. Een ervan, zilverkleurig tussen de andere, donkerder gekleurde, zag eruit alsof hij die ochtend pas was gekocht. Op het glimmende deksel was met plakband een gele, ongelinieerde systeemkaart geplakt waarop een paar woorden waren geschreven.

Hij wist dat die kaart daar voor hem was achtergelaten. Hoewel er een giftige mist boven leek te hangen, kon hij zich er niet toe brengen om weg te lopen zonder de woorden te lezen. Hij trok de kaart van het glimmende deksel en bracht hem naar zijn ogen. In blauwzwarte inkt die nog nat leek, stond er op de kaart: STOP NU JE NOG ACHTERLIGT, SPENCER. ONZE HONDEN HEBBEN LANGE TANDEN.

Verhaal #2

Een jaar later was Mallon in New York beland, een stad die hij zelden bezocht, en weldra had hij te weinig geld en nog minder te doen. De studenten aan de Columbia Universiteit die zo veelbelovend hadden geleken toen hij met hen begon te werken, waren dilettanten zonder enige nieuwsgierigheid gebleken. Een behulpzame bewonderaar had hem een valse collegekaart bezorgd en nu zijn laatste geld opraakte, bracht hij zijn dagen door in de bibliotheek met het lezen van esoterische en occulte literatuur. Als hij tijdens zijn onderzoek een bijzonder nuttig boek tegenkwam keek hij of het de afgelopen tien jaar was geraadpleegd; zoniet, dan 'leende' hij het van de bibliotheek.

Toen hij op een dag langs de rijen boeken dwaalde, meende hij een vreemd licht te zien dat tussen de lange boekenplanken doorsijpelde. Het licht leek van ergens in het midden van de bibliotheek te komen. Eerst besteedde hij er geen aandacht aan, omdat het zwak was en slechts met tussenpozen verscheen, niet meer dan een bij tijd en wijle vanuit een ooghoek opgemerkt, rozig pulseren. Een vreemde gewaarwording in een bibliotheek misschien, maar er gebeurden wel vaker vreemde dingen op de universiteit van Columbia.

Toen het licht feller en irritanter werd, begon Mallon de boekenplanken af te zoeken naar de oorsprong. Vermeld moet worden dat geen van de studenten die door de boeken struinden de pulserende, oranjeroze gloed opmerkte. Het licht voerde hem langs de stellages in de richting van de liften, werd steeds sterker naarmate hij verder liep, en bracht hem ten slotte bij de gesloten metalen deur van een studeercel. Het leed geen twijfel dat de studeercel de bron was van de kleurige gloed, want het licht stroomde vanuit de kieren aan de bovenkant, de zijkanten en de onderkant van de metalen deur naar buiten. Voor een keer wist Mallon niet zeker wat hem te doen stond. Het scheen hem toe dat hij dicht bij het bepalende mysterie van zijn leven was aangekomen – de grote transformatie die zijn leven de betekenis zou geven waarvan hij wist dat het die moest hebben – en het belang van wat hij had gevonden verlamde hem.

Twee studenten die door de nauwe gang buiten de studeercel liepen keken hem bevreemd aan en vroegen wat er aan de hand was.

'Zien jullie soms iets van een kleur in de lucht om die deur heen?' vroeg hij hen, wijzend naar de pulserende, flakkerende waterval van stralend oranjeroze licht die op hen af stroomde.

'Kleur?' vroeg een van de studenten. Beiden draaiden zich om en keken naar de deur van de studeercel.

'Iets helders,' zei Mallon, en de waterval van stralend licht leek twee keer zo intens te worden.

'Jij moet nodig een poosje naar bed, kerel,' zei de jongste, en de studenten vertrokken.

Toen ze uit het zicht waren, verzamelde Mallon al zijn moed en klopte zwakjes op de deur. Er kwam geen antwoord. Hij klopte nog eens, iets harder. Deze keer riep een geïrriteerde stem: 'Wat is er?'

'Ik moet u spreken,' zei Mallon.

'Wie is daar?'

'U kent me niet,' zei Mallon. 'Maar in tegenstelling tot alle andere mensen in dit gebouw, kan ik licht uit uw cel zien komen.'

'Je ziet licht uit mijn studeercel komen?'

'Ja.'

'Studeer je hier?'

'Nee.'

Stilte.

'Je bent toch hoop ik niet van de faculteit?'

'Nee, dat ben ik niet.'

'Hoe ben je deze bibliotheek binnengekomen? Werk je hier?'

'Iemand heeft me een valse collegekaart gegeven.'

Hij hoorde de man in de studeercel zijn bureaustoel naar achteren schuiven. Voetstappen naderden de deur.

'Oké, welke kleur heeft het licht dat je ziet?'

'Ongeveer de kleur van cranberrysap gemengd met sinaasappelsap,' zei Mallon.

'Je kunt maar beter binnenkomen, denk ik,' zei de man.

Mallon hoorde het slot klikken, en de deur zwaaide open.

Is dat alles? Het verhaal is afgelopen als die vent de deur openmaakt? Dat zul je nog wel zien. Alles is afgelopen als je de deur openmaakt.

Ongeveer een week later, op zondag 15 oktober 1966, gingen ze alle acht – Mallon, de Eel, Hootie, Boats, Dill Olson, Meredith Bright, Hayward en Milstrap – naar het landbouwveld aan het eind van Glasshouse Road, klommen over de betonnen scheidingsmuur en voerden een generale repetitie uit die Mallon tevreden leek te stellen. Die avond trokken ze allemaal naar een feest in het Bèta Delta-huis, de thuishaven van de studentenvereniging waar Hayward en Milstrap lid van waren. Ik was niet uitgenodigd en hoorde er pas later over. Die avond kreeg ik de Eel uiteindelijk pas rond middernacht aan de lijn, toen ze in een meer dan onsamenhangende staat van dronkenschap verkeerde. De volgende dag was ze te katterig om met me te praten, en die avond ging zij met de rest van het noodlottige gezelschap en Spencer Mallon terug naar het veld.

Daarna heerste er alleen maar stilte; er klonken geruchten over een 'zwarte mis', een 'heidens ritueel', dat soort onzin, aangewakkerd door de verdwijning van een jongeman en de ontdekking van het gruwelijk verminkte lijk van een andere. Brett Milstrap was van de aardbodem verdwenen, en het afschuwelijk verminkte lichaam was dat van Keith Hayward. Een tijdlang stalkte de politie ons thuis, op school, overal waar we maar gingen en stelde steeds weer dezelfde vragen. In hun kielzog volgden verslaggevers, fotografen, en mannen met tennisbalkapsels in donkere pakken die zich aan de zijlijn ophielden, toekeken en aantekeningen maakten, zonder dat hun aanwezigheid ooit werd verklaard. Lee logeerde een week of twee bij Jason en weigerde met iemand anders te praten dan met Hootie en Boats, en met degenen die haar konden dwingen om tegen hen te praten. Mallon was gevlucht, daar waren alle drie de partijen het over eens, met Dill Olson in zijn kielzog; Meredith Bright was hard weggerend, had haar kleren ingepakt en op het vliegveld gekampeerd tot ze een vlucht naar huis in Arkansas kon nemen, waar de politie haar urenlang ondervroeg, dagen achtereen, totdat duidelijk was dat ze hun vrijwel niets te vertellen had.

Mallon en Dilly kreeg de politie nooit te pakken; ze ontkwamen aan een verhoor zonder er echt moeite voor te doen: na een korte periode van herstel in Chicago (overigens in hetzelfde appartement in Cedar Street dat ik vele jaren later kocht, in een gebouw tegenover mijn huidige woning), gingen ze als duo-act de universiteiten af. Mallon nam Dill helemaal over, absorbeerde hem, uiteraard met de volledige medewerking van zijn slachtoffer. Olson hield ook van Mallon, net als mijn vriendin en Boats, en ik veronderstel dat hij er tevreden mee was om zijn idool door het hele land te volgen, en te doen wat hij hem opdroeg. Mijn informatie over het lot van Dill Olson heb ik van Lee, die met tussenpozen een knipperend, maar desalniettemin betrouwbaar contact met hem onderhield. Ik zou er natuurlijk nooit de details van weten, omdat ik de boot immers definitief had gemist, waardoor mij de mysterieuze ervaring die de rest van hun leven zou bepalen bespaard was gebleven. Er was een magische kring, en daar stond ik buiten.

Hier volgt een overzicht van de mensen binnen de kring en wat er uiteindelijk van hen geworden is:

Zoals we al hebben gezien, werd Hootie Bly een permanente bewoner van de psychiatrische afdeling van het Lamont Ziekenhuis, waar hij slechts sprak in citaten van Hawthorne en in uitbarstingen van onbekende woorden uit het woordenboek van Captain Fountain.

Jason 'Boats' Boatman ging voor het eindexamen van school en werd fulltime professionele dief. Was dat genoeg voor hem, kon dat genoeg zijn geweest?

Dill Olson gaf zijn leven aan de man die hij onofficieel als zijn vader had geadopteerd, en dit was wat hij won bij zijn overgave: een tweedehands imitatie van een leven, een vermoeiend bestaan als tovenaarsleerling, levend van restjes die de meester hem toewierp, gekleed in afdankertjes van de meester, en bij vreemden op de bank slapend met ontroostbare, door de meester afgewezen meisjes. Jaren later vertelde Lee me dat Mallon met pensioen was gegaan, maar dat Don Olson verderging als vervanger van de magiër, of als een nieuwe, verbeterde versie, of iets dergelijks. Hij had veel geleerd in de tussenliggende jaren, hij had het *Tibetaanse Dodenboek* doorgewerkt, de *I Tjing*, en het werk van Giordano Bruno, Raymond Lully, Norman O. Brown en God weet wie nog meer, en het vak van reizende goeroe was ten slotte het enige wat hij kende. Maar toch. Als ik denk aan de heldhaftige jongen die hij eens was...

Over Meredith Bright en Brett Milstrap wist ik niets, maar waarschijnlijk hadden ze allebei een verhaal te vertellen, als ik ze kon vinden.

En natuurlijk was de laatste die nog overeind stond in de kring mijn vrouw, Lee Truax, de mooiste vrouw in elk vertrek dat ze binnenliep, gezegend met intelligentie, moed, een uitstekende gezondheid, een schitterend huis, en een prachtige carrière als directielid, raadsvrouw en troubleshooter van de nobele ACB, de Amerikaanse Raad voor de Blinden. Haar man hield van haar, hoe onvolmaakt zijn feitelijke trouw ook was, en de basis van zijn niet onaanzienlijke succes – het boek *Het Nachtgespuis* dat zijn doorbraak betekende – werd gevormd door die poging van hem om met de onvoorstelbare gebeurtenis op dat veld in het reine te komen. Daarom kon het worden beschouwd als niet minder dan een eerbewijs aan de vrouw aan wie het was opgedragen. (Bijna al zijn boeken waren opgedragen aan zijn vrouw.) Dankzij deze echtgenoot – ikzelf – had ze genoeg geld en zou ze altijd genoeg geld hebben om nooit financiële zorgen te kennen. Lee Truax was echter ook wreed getroffen, en al had haar aandoening zich pas geopenbaard toen ze begin dertig was en zich sindsdien alleen maar verdiept en verduisterd had, toch had ze onmiddellijk begrepen dat die zijn oorsprong vond in Mallons grootse gebeurtenis op dat veld.

Daar waren zij, mijn vrouw en mijn vroegere vrienden, nog steeds in die gewijde kring, en hier was ik, erbuiten, na al die tussenliggende decennia nog steeds verbijsterd over wat hen was overkomen.

Een bekende stem op de radio had me op Hawthorne gebracht, en via Hawthorne op Hootie Bly, die nog steeds opgesloten zat in dat vervloekte gekkenhuis. Vanwege Hootie was al het andere binnengestroomd. De magere hond in de sneeuw, de afbladderende lak op onze sleeën, de hele aanblik van de westkant van Madison, een glas water dat van binnenuit glansde als het toppunt van al het onkenbare, alles wat zich niet liet definiëren... De gezichten van degenen die mijn meest intieme vrienden waren, die alles met mij hadden gedeeld tot het moment dat ik weigerde me bij hen aan te sluiten in hun discipelschap: hun mooie gezichten laaiden voor me op. De ene helft van hun gloed ontsprong aan wat wij voor elkaar hadden betekend, en de andere helft aan precies dat wat ik nooit had gekend, nooit had begrepen.

Waarom waren ze, ieder op zijn of haar eigen manier, niet alleen van de rails geraakt, maar in zulke vervormde levens beland?

Heel even wankelde de kamer en leek alles in mijn leven op het spel te staan.

Ik moest het weten: zodra dat besef me trof, wist ik dat ik bang was voor wat er zou opduiken als ik probeerde te ontdekken wat er werkelijk was gebeurd op dat veld. Maar ik móést het weten, en die behoefte was sterker dan de angst voor het beklemmende dat ik zou kunnen vinden. Al die jaren, gaf ik toe, had ik hen benijd om wat ze daar hadden gezien, ook al waren ze erdoor verziekt, allemaal op hun eigen manier.

Haar Strakke Blik was onder mijn handen verdord, en hoewel ik de angstaanjagende onthullingen van rechercheur Cooper over de familie Hayward fascinerend vond – twee duistere sterren! Rechtstreekse genetische overdracht van een afschuwelijke psychopathologie! En dan die arme, oude, botte rechercheur, die zijn geheimen meenam in zijn van bier doordrenkte graf! – ik wilde niet echt een jaar of meer van mijn leven besteden aan het opschrijven ervan.

Eigenlijk dacht ik niet dat ik het zou kunnen. Mijn agent en mijn uitgever gaven wel tactische hints over een non-fictie boek, maar toen ik in mijn keuken mijn verrassende tranen van mijn gezicht veegde, was het laatste waar ik aan wilde denken het schrijven van een boek over mijn verloren wereld, mijn verloren, te grond gerichte vrienden en wat het ook mocht zijn dat mijn vrouw voor mij verborgen hield. (Misschien zelfs om mij te beschermen.) Nee, besefte ik, ik hoefde er niet over te schrijven. Ik wilde dit warme, ademende materiaal waarvan ik slechts een glimp had opgevangen niet eens door de vertrouwde en soms zo bewerkelijke molens van het schrijven halen. Op dat moment leek al die moeite mechanisch en fabrieksmatig, industrieel. De glimp die ik had opgevangen was weggevlucht in de onzichtbaarheid, als een witte haas in diepe sneeuw... Ik wilde de ervaring van het volgen van die steeds verder verdwijnende haas beleven, niet de jacht erop beschrijven.

Goed, dan had ik misschien geen boek. Maar wat ik wel had, een project verpakt in noodzaak, gaf me een veel beter gevoel.

Het eerste wat ik deed toen ik eenmaal voldoende gekalmeerd was om een toetsenbord te kunnen gebruiken, was een e-mail sturen aan Lee in Washington. Het was net zo goed haar verleden, en als ik van plan was om een gordijn open te schuiven dat zij dicht had willen houden, had ze het recht om dat te weten. In plaats van te doen alsof ik werkte, bekeek ik de rest van de middag de achterstallige films van mijn videoabonnement (*Wall-E* en *The Dark Knight*), en controleerde ongeveer eens per uur mijn e-mail op mijn mobiel. Ik verwachtte niet echt dat Lee meteen zou antwoorden, maar om acht minuten voor halfzeven mijn tijd, acht minuten voor halfacht bij haar, reageerde ze met de opmerking dat het interessant zou zijn om te zien hoever ik kwam. (Lee gebruikt verschillende spraakherkenningsprogramma's; eerdere pogingen liepen uit op veel tikfouten en verkeerd herkende woorden, maar tegenwoordig zijn haar berichten meestal foutloos.) En ze legde uit dat ze zo snel terugschreef omdat ze net iets had gehoord waar ik iets aan zou kunnen hebben: Donald Olson was een jaar of wat geleden in de problemen geraakt en nu had ze gehoord dat hij over een paar dagen uit de gevangenis zou komen, en hij zou ongetwijfeld blij zijn met een logeerplek voor zijn eerste paar nachten in vrijheid. Als ik wilde, kon ik met hem lunchen ergens in Chicago, en hem onze logeerkamer aanbieden als hij me in orde leek. Zij vond het prima, verzekerde ze me.

Ik e-mailde terug om haar te bedanken voor de inlichtingen over onze vriend uit het verre verleden, en zei dat ik waarschijnlijk zou doen wat ze voorstelde, als ze het echt niet erg vond. Hoe wist ze van Olsons situatie, waagde ik het te vragen. En hoe kon ik met hem in contact komen?

Je weet dat ik zo mijn bronnen heb, schreef ze terug. *Maar je hoeft Don niet te schrijven. Ik heb begrepen dat hij liever zelf contact opneemt met mensen dan andersom.*

Dan wacht ik wel tot ik van hem hoor, antwoordde ik. *Hoe gaat het daar trouwens? Heb je het naar je zin?*

Druk, druk, druk, schreef ze terug. *Vergaderen, vergaderen. Soms malen de molens uiterst fijn, maar ik heb veel vrienden bij de* ACB *in* D.C. *die bereid lijken om te luisteren naar mijn klachten. Laat me weten hoe het verder gaat met Don Olson, wil je?*

Ik tikte *tu tu*, dat in onze oude code natuurlijk, natuurlijk betekende.

Daarna bracht ik een paar dagen door met lezen, films kijken, wandelen en wachten tot de telefoon ging. En op een dag rinkelde hij.

HOOTIES BLUES

Twee of drie jaar nadat alles gebeurd was en ik alles gehoord had wat ik ooit te horen zou krijgen over wat mijn vrienden was overkomen op het landbouwterrein van de universiteit en net aan een nieuw boek wilde beginnen dat er helemaal niets mee te maken had, tijdens dat onbestemde geestelijke dwalen wanneer honderden ideetjes ontwaken en beginnen te zoemen, kwam de mogelijkheid van een verhaal bij me op. Het raakte slechts zijdelings aan het hoofdverhaal van Mallon en mijn vrienden, dat mij in een reeks fragmenten was verteld. Vanaf het allereerste begin wist ik al dat ik dat noch in gewone fictie wilde omzetten, noch in het dubbelzinnige vlees-noch-vis proza dat 'creatieve non-fictie' wordt genoemd. Dit verhaal zou zich precies op de smalle rand tussen fictie en verslag afspelen en gebaseerd zijn op een aantal dingen die mij onthuld werden door Howard 'Hootie' Bly, in de periode dat hij verderop in de straat had gewoond in het voorheen als morsig bekend staande Cedar Hotel. Tijdens de laatste maanden van zijn verblijf in het Cedar Hotel ontmoette Hootie zijn toekomstige partner en grote liefde, en samen verhuisden ze naar een welvarende noordelijke buitenwijk. We brachten veel tijd met elkaar door, Hootie en mijn vrouw en ik, en Hootie en ik samen, en uiteindelijk vertelde hij me, in stukjes en beetjes over veel van onze privégesprekken versnipperd, wat er gebeurd was op 15 oktober, de dag voor de grote gebeurtenis – de 'generale repetitie'.

Met slechts enkele kleine wijzigingen kon ik iets interessants maken van het grappige, onvoltooide verhaal van Hootie, dacht ik. Het ging over je voorbereiden op iets wat altijd buiten bereik bleef. Voor een keer vond ik het een opwindend idee om zo dicht bij de feitelijke waarheid te blijven, dus schoof ik mijn nieuwe roman opzij en schreef in ongeveer drie weken wat ik 'de blues van Tootie' noemde. 'Tootie' was Hootie, natuurlijk, Spencer Mallon was 'Dexter Fallon', Dill Olson werd 'Tom Nelson', en zo verder. Toen ik het af had, leek het me behoorlijk goed, maar ik had geen idee wat ik er mee aan moest. Ik stuurde het als bijlage bij een e-mail naar David Garson, maar hij zei er nooit iets over. Ik dacht dat hij op zijn manier beleefd was. Het enige alternatief dat ik me kon voorstellen, was dat het in de verre cyberspace was verdwenen. Hoe dan ook, de kans op publicatie in The New Yorker *leek nihil. Daarop sleepte ik het bestand van mijn bureaublad naar mijn map 'Verhalen' en vergat het, grotendeels.*

Indertijd besefte ik niet dat ik zo gemakkelijk opgaf omdat publicatie van het verhaal nooit mijn bedoeling was geweest. Het ging om het schrijven. Ik wilde het schrijven – ik wilde opgaan in het gezichtspunt van de zeventienjarige Hootie Bly – omdat ik me alleen en uitsluitend op die manier bij Eel en de anderen kon voegen, om in ieder geval een deel van de reis te beleven die ik had geweigerd met hen te maken. De stukken van het verhaal over het ziekenhuis waren gebaseerd op wat ik tijdens mijn bezoeken aan het Lamont met Donald Olson, voorheen bekend als de heldhaftige Dill, had gezien.

Toen ik de moed had verzameld om het aan Hootie te laten lezen, nam hij daar twee of drie dagen de tijd voor en kwam terug met een besmuikt glimlachje op zijn gezicht dat ik niet kon plaatsen. Hij ging zitten en zei 'Joh, en ik maar denken dat Mallon een magiër was. Het klinkt alsof je erbij was, alsof je vlak naast me stond.'

Dus hier spreekt Hootie Bly, ongeveer net zoals hij tegen mij sprak, over de manier waarop het eerste deel van zijn leven bleef doorsijpelen in het langdurige tweede bedrijf, de tientallen jaren die hij in dat ziekenhuis doorbracht. Meer nog dan de meeste mensen was Hootie doordrongen van zijn eigen geschiedenis. Ik denk dat hij wist dat hij moest wachten tot hij zichzelf had ingehaald voordat hij de mensen kon gaan inhalen aan wie hij tijdens zijn lange dagen op de afdeling zo liefdevol terugdacht.

De namen zijn allemaal in hun oorspronkelijke vorm hersteld.

Ik vertrouw erop dat ik de herkomst van de excentrieke woorden in de eerste paragraaf niet hoef te verklaren.

HOOTIES BLUES

Edentaat noch ursidea, creodonta noch gitano: Hootie Bly wist van zichzelf dat hij slechts een eenzaam, onvolmaakt mens was, altijd bezig om de manieren en gewoonten te imiteren van de mensen die hij liefhad en bewonderde, om niet te zeggen verafgoodde, zoals dat het geval was met Spencer Mallon. De hemel weet dat hij die man nodig had, die bovenmenselijke man, dat *heroïsche mirakel* Mallon.

En dat was precies waarom het boek van Captain Fountain zo'n belangrijke rol speelde. Captain Fountain veranderde Hooties leven door hem simpelweg het bestaan van een geheime code te onthullen die, indien volledig begrepen, ongetwijfeld de onbekende en verborgen structuur van de wereld zou onthullen, of in elk geval van dat wat realiteit heette.

Hij was de dikke pil tegengekomen toen hij door een oude doos rommelde in de kelder van de winkel. Tegen die tijd waren Troy en Roy, die alles beslist verpest zouden hebben, geen probleem meer omdat ze het jaar tevoren onder de wapenen waren geroepen en naar Vietnam waren gestuurd, waar al hun supergeheime soldaten- en scherpschutterspelletjes ongetwijfeld van pas zouden komen, in elk geval tot Roy werd gedood.

Uit de inhoud van de doos bleek dat hij van Troy was. Een roestig mes, de staart van een eekhoorn, oude pijlpunten, een gebarsten kompas, uit tijdschriften gescheurde foto's van blote vrouwen. (Roy zou meer naakt en een paar kapotte Zippo-aanstekers hebben bewaard.) Tegen een van de zijkanten van de doos zat een dun, wit, gebonden boek gepropt dat Troy Bly moest hebben gekocht in een zeldzame zucht naar zelfverbetering. Hij had zijn woordenschat willen vergroten, ongetwijfeld omdat een advertentie hem ervan had overtuigd dat vrouwen seksueel opgewonden raakten van moeilijke woorden. Hootie gaf daar niets om. Hij geloofde het ook niet, in elk geval niet wat de meisjes op Madison West betrof. Hoe dan ook, hij wilde vrijen met de populaire meisjes op zijn school. Soms, al durfde hij het zichzelf nauwelijks toe te geven, stelde hij zich voor hoe het zou zijn om de Eel in zijn armen te nemen, met de Eel in het gras te liggen. Omhelzen en omhelsd worden. Haar lippen op de zijne. Het was beschamend, ja, dat wist hij, zijn vrienden zouden van hem walgen, en de 'Twin' van Eel zou woedend zijn; en gekwetst, wat nog veel erger was.

Howard had zich nooit verbeeld dat de woorden in het boek van Captain Fountain de Eel naar hem zouden doen verlangen. Hij vond het boek van de Captain veel machtiger dan een seksdrankje. Hij was verliefd op het gelijkmatige, doordringende geschitter van de woorden op het papier, want hij was op een soort ultieme bescherming gestuit: een woordenschat die, zo stelde hij zich voor, alleen bekend was aan de priesters van een onbekende en geheime orde.

O morindine [gele kleurstof]
morfeem [het basiselement van een woord],
morfologie [over de structuur van planten en dieren],
morosofie [onzin],

O nabla [oude Hebreeuwse harp],
nacelle [gondel],
O nadar [dranghek]!

Meredith Bright... Meredith Bright hield van hem omdat hij eruitzag als een engel. Die informatie had ze in zijn blozende oor gefluisterd aan het einde van de bijeenkomst in Gorham Street: ze had haar lange, koele handen aan weerszijden van zijn gezicht gelegd en zich glimlachend naar hem toe gebogen zodat haar eigen gezicht van een prachtige, weelderige goudtint werd, en met een zachte stem die bevend naar de bodem van zijn maag zonk en uitwaaierde tot in zijn zenuwuiteinden, had ze hem gezegd: 'Hootie, je lijkt precies op een mooie porseleinen engel, en daarom houd ik zo van jou.'

Niemand zou zijn gevoelens voor de Eel begrijpen, zelfs de Eel niet, maar helemaal hoteldebotel zijn van Meredith Bright vond iedereen vanzelfsprekend. Ze wisten ook allemaal dat zij hem aardig vond. Samen met de Eel was Hootie een van haar lievelingen. Natuurlijk was Spencer Mallon de speciale lieveling van Meredith Bright, hij was de man die ze had uitgekozen, zoals ze een filmster als Tab Hunter of een beroemde zanger als Paul McCartney zou kiezen, en die twee gingen samen naar bed en deden seksdingen – er sloop een zekere geheime voorstelling in Hooties hart die hem een gevoel bezorgde alsof hij smolt, als een sneeuwpop op een warme dag. In dat geheime beeld lag Howard Bly op een smal bed tussen Spencer Mallon en Meredith Bright in geklemd. Als zij naar elkaar reikten, vouwden hun armen hem in een dubbele omhelzing. Zijn gezicht werd tegen de rijpe, blozende boezem van Meredith Bright gedrukt, en de platte, gespierde borst van Spencer Mallon drukte tegen zijn achterhoofd. Daarbeneden gebeurde er iets dat hij niet kon definiëren of beschrijven, maar dat verpakt was in beelden van woeste stormen en wapperende gordijnen.

Naar binnen repten zich:
lallatie [brabbelen]
lalogerchia [gebruik van obsceniteit om spanning te verminderen]
morel [donkerrood]

Op de voet gevolgd door:
mugiënt [loeiend]
mymy [bed]
prushun [jongen die verlangt naar seks met een volwassen man]

En:
pruritisch [hysterische jeuk veroorzakend]

Ook dat ging deel uitmaken van het verborgen geheim achter de raadselachtigste woorden, en zelfs in het hart van heilige teksten. En in Spencer Mallon, die Hootie beminde zoals hij nog nooit bemind had. Dat was één reden waarom zijn 'verhaal' over hem achternalopen naar twee deuren in een hotelgang, en dan moeten raden welke de zijne was, zo verwarrend was geweest. Als je het goed raadde, stond Spencer Mallon recht voor je en zorgde dat alles goed kwam. Maar als je de verkeerde deur koos – had hij hun ooit verteld wat er zou gebeuren als ze de verkeerde deur aanwezen?

(*Dan werd je opgegeten door een tijger.*)

Lang geleden had Howard Bly iemand opgegeten zien worden door een tijger. Meer hoefde hij niet te zien. Een van hen zou het land der blinden betreden, zei Spencer, en dat had hij moeten zijn, Howard Bly. Waar hij woonde, was er toch niets om naar te kijken.

Vanwege Spencer Mallon had Hootie Bly een specifieke hekel aan deuren. Urenlang hield de begeleider Ant-Ant-Antonio Argudin zich schuil achter een deur waarop ALLEEN PERSONEEL stond en waar hij zijn stinkende sigaretten rookte, maar wat denk je, Howard had er nooit aangeklopt. En dan nog iets: Hootie Bly woonde al veertig jaar in het ziekenhuis, en hij wist wat er daar achter die deur met PERSONEEL schuilging, en hij vond het niet eng. Een saaie groene kamer met aftandse meubels en een asbak die niemand geacht werd te gebruiken… een lelijke tafel met een koffiezetapparaat, tijdschriften op een andere tafel. Mannentijdschriften. Tijdschriften voor mannen. Hootie had ze wel gezien, maar hij had ze niet bekeken. Daar gingen ze heen, de verzorgers – Ant-Ant, Robert C. (van Crushwell), Ferdinand Czardo, Robert G. (van Gurnee), en Max Byway – als ze alleen wilden zijn.

Op zestien oktober van het jaar 1966 was Mallon erin geslaagd om zijn deur te openen, en wat er daarna gebeurde was zo verschrikkelijk dat Howard zich had omringd met de heilige stenen van zijn woorden, en zij hadden hem beschermd in al dat stinkende omlaag stormende oranjeroze licht. Totdat een enorme, fatale bal gemaakt van zinnen alles uit Howards hoofd had geslagen en hem ondersteboven door honderden verhalen had doen tuimelen, verhalen die hem troostten, bespotten, kwelden, vertroetelden, en hem de enige manier lieten zien waarop hij verder kon.

Hier verschijnt Spencer Mallon ten tonele, gezeten op een kartonnen doos in de kelder van de winkel, met zijn benen zwaaiend en voorover geleund op een arm die zo pezig was dat de spieren hun eigen schaduwen wierpen. Terwijl hij met een mouw langs zijn ogen veegde en zonder iets te zien de recreatieruimte binnenliep, kostte het de dikke Hootie Bly geen enkele moeite om zich te herinneren hoe ze er die dag hadden uitgezien. De lange, atletisch ogende Dilly-O zat op de vloer tegen een lage muur van dozen vol ingeblikte waren aan, de knieën tegen de borst, het hoofd gebogen. Zijn donkere haar, langer dan dat van de anderen, viel naar voren over zijn oren en omlijstte zijn stoere jongensgezicht. Tussen zijn lippen zond een sigaret uit een pakje Viceroys dat net nog achter de kassa lag een onverstoorbaar rechte kolom rook omhoog.

Dilly-O, je leek wel een god! Echt waar!

In een T-shirt van het roeiteam van de universiteit, een vuile witte schildersbroek en tennisschoenen, hurkte Boats op de vloer en staarde naar Mallon, hopend op een aanwijzing over wat ze die dag zouden doen. Met zijn pas ontwaakte zintuigen was de kleine Howard zich er pijnlijk van bewust hoe verschrikkelijk graag Boats de lievelingsdiscipel van Spencer Mallon wilde worden.

Spencer Mallon leunde voorover, staarde naar zijn benen die als zuigers heen en weer pompten... Hij streek met een hand over zijn gezicht en toen door zijn volmaakte haar.

'Oké,' zei hij. 'Het is zover. Meredith heeft een uurhoek opgesteld en daaruit blijkt dat de optimale tijd en datum al over twee dagen is. Twintig over zeven 's avonds, op zestien oktober. Dan is het nog wel licht, maar er zou niemand anders in de buurt moeten zijn.'

'Waar in de buurt?' vroeg Boats. 'Heb je een plek gevonden?'

'Het landbouwterrein, aan het andere eind van Glasshouse Road. Goeie plek, uitstekende plek. Ik wil dat we er morgenmiddag heen gaan voor een repetitie.'

'Een repetitie?'

'Ik wil dat alles goed gaat. Sommigen van jullie weten nauwelijks hoe je moet luisteren, stelletje druiloren.'

'Met die uurhoek, bedoelde je daar een soort landkaart mee?'

'Een soort landkaart van tijd, een uurhoekhoroscoop,' zei Mallon. 'Gebaseerd op onze groep. De tijd en de geboortedatum zijn die van onze eerste bijeenkomst bij La Bella Capri.'

'Heeft Meredith een horoscoop getrokken?' vroeg de Eel. 'Van ons?'

'Ze is een ervaren astrologe.'

Hij grijnsde zijn volgelingen toe. In Howards ogen nam de innerlijke wanhoop van de man onmiddellijk af tot een draaglijker niveau.

'Ik vind het nog steeds een beetje raar om op dat ding af te gaan, om je de waarheid te zeggen, maar Meredith heeft een absoluut vertrouwen in haar resultaten, dus we mikken op zeven uur twintig, over twee dagen. Wat vinden jullie van vier uur voor onze repetitie? Is iedereen het daarmee eens?'

Ze knikten allemaal. Kennelijk had alleen Howard het gevoel dat Mallon nog twijfelde over het gebruik van astrologie.

'Komt Meredith ook naar die repetitie?' vroeg Howard.

'Dat is haar geraden,' zei Mallon.

Op die opmerking volgde gelach.

Mallon zei: 'Ik wil dat jullie morgen in paren werken. Het zou er wel eens wild aan toe kunnen gaan.'

'Hoe bedoel je?' Boats stelde de vraag voor hen allemaal.

Mallon schokschouderde. 'Nou ja, aan de andere kant, meestal gebeurt er helemaal niets. En dat kan nu ook wel zo zijn.'

'Heb je dit al vaker gedaan?'

Even werd Mallons gespannenheid vervangen door onbehagen. 'Waar denk je dat mijn leven om draait? Maar deze keer, oké, deze keer denk dat ik er dichterbij ben dan ooit.'

'Hoe weet je dat?' vroeg Boats, met een stilzwijgende, aangeslagen echo van Howard Bly.

'Ik kan de tekenen lezen, en de tekenen zijn overal om ons heen.' Zijn onbehagen kwam weer opzetten en beïnvloedde zijn houding, zijn gezichtsuitdrukking, zelfs de hoek waarin zijn benen bungelden.

'Wat bedoel je, tekenen?' vroeg Boats.

'Je moet je ogen openhouden. Uitkijken naar kleine dingen die niet kloppen.'

Oude Howard, verhuisd naar een stoel in de therapieruimte, besefte met een schok van verassing dat Boats en Dilly-O, als ze elkaar ooit nog eens tegenkwamen, nooit, maar dan ook nooit zouden praten over wat er op dat veld was gebeurd – omdat ze het er nooit over eens zouden worden. Hij wenste bijna dat een van hen, of misschien Boats en Dill samen zoals vroeger, naar Madison zou komen om hem te bezoeken. Na al die tijd, die toch in een oogwenk was verstreken, zou hij wel een manier vinden om met ze te praten.

'Er is nog iets wat ik jullie moet vertellen. Iets wat ik me lang geleden al had moeten realiseren.' Mallon zweeg abrupt, keek omlaag naar zijn bungelende benen, sloeg toen zijn ogen weer op en keek hen allemaal om beurten aan. Howards maag bevroor, en, al wist hij dat niet, die van de Eel ook.

Nee, nee, nee, dacht Howard.

'Als ons ritueel voorbij is, moet ik vertrekken. Wat het resultaat ook is. En denk erom, het kan ook heel goed een grote mislukking worden. Een van de dingen die er zou kunnen gebeuren is... helemaal niets.'

'Maar als er wel iets gebeurt...' zei Dill.

'Dan moet ik zeker de stad uit!' Mallon produceerde een typische Mallon-grijns, spijtig en vol innemende zelfspot. Voor twee van zijn jonge discipelen scheen die grijns bezoedeld door een zeker onbehagen. Hij bekeek zichzelf in een geheime spiegel.

'Hoor eens,' zei Mallon. 'Voor wat wij willen doen, bestaat geen gebruiksaanwijzing.'

Hij probeerde te glimlachen maar het resultaat was, in elk geval volgens Howard Bly, nogal zielig. 'Maar jullie weten dat alles alles is, toch? En zolang we goed voor elkaar zorgen, kan er niets ernstigs gebeuren.'

Het werd met elk woord erger, dacht Howard. Toen hij rondkeek, zag hij dat alleen de Eel er even verslagen uitzag als hij zelf. De andere twee slikten de geruststellende woorden van Mallon nog steeds voor zoete koek.

'Alles is alles,' zei Dill.

Wat betekent dat precies? vroeg Howard zich af.

Spencer Mallon keek de Eel aan, en de Eel deed haar best om haar onbehagen niet te laten blijken.

O, Spencer van mij, mijn liefste, mijn lief, doe niet zo, wees jezelf.

'Op een keer in Katmandu hoorde ik een beeldschone vrouw met een fantastische, rokerige stem een lied zingen dat "Skylark" heette,' zei Mallon.

Dat gedeelte, echt, dat werd Oude Howard bijna te veel; het ging hem door merg en been.

Mallon keek de Eel nog steeds recht aan. 'We waren in een klein, groezelig kroegje met een piepklein podium. Van wat zij met "Skylark" deed, kreeg ik tranen in mijn ogen. En het is toch al zo'n mooi nummer. Toen ze klaar was, ging ik met haar praten, en een poosje later ging ze met me mee naar huis. Ik heb met die vrouw gevreeën tot de zon opkwam.'

'Leuk voor je,' zei Eel, zo onaangedaan dat het Howard verbijsterde.

Hij rechtte zijn rug en legde zijn hand op zijn hart. 'Eel, jij bent mijn *skylark*, mijn leeuwerik. Ik denk dat je jubelend zult opstijgen, dat je de heldere hemel zult doorklieven. Eén lang, juichend lied, zo mooi dat het iedereen betovert die het hoort..'

De Eel zei: 'Praat niet zo tegen me.'

De Eel kon tranen produceren, wie had dat ooit gedacht?

De vorige middag, herinnerde Hootie Bly zich, was hij naar de Tick-Tock Diner gegaan in het gezelschap van zijn liefste vriendin Eel. Maar toen ze in de schoenendoos aan State Street arriveerden, hun favoriete plek op de campus, weerkaatsten het lichte haar en het gezicht van Meredith Bright niet in de spiegelmuren. Ook zat ze niet in een nis, of aan de lange toonbank. Omdat ze het geruststellende idee hadden dat Meredith toch elk moment kon binnenkomen, namen ze twee stoelen aan het einde van de toonbank, dicht bij het raam.

Ze bestelden Cherry Coke, het enige wat ze zich konden veroorloven. En paar tellen later gleed een magere knul met stekelbrem op zijn wangen en rode stoppels die als een borstel aan zijn kin ontsproten uit de derde nis langs de muur en liet zich naast Howard neerploffen. Na anderhalve seconde in zijn geheugen graven wist Hootie hem te identificeren als een student die zowel bij de bijeenkomst in La Bella Capri als die in Gorham Street aanwezig was geweest.

'Luister eens,' zei hij. Hij leunde op zijn ellebogen voorover en sprak op samenzweerderige toon, een indruk die nog werd versterkt door de arm die om Howards schouders werd gelegd. 'Ik weet niet waarom ik dit doe en jullie zullen me er vast niet voor bedanken, maar ik moet het zeggen – pas op met die vriend van jullie, Spencer Mallon.'

'Wat bedoel je?' zei Howard.

'Die Mallon is niet te vertrouwen.'

'Waarom niet?' vroeg de Eel agressief.

'Oké, als jullie moeilijk gaan doen.' De bebaarde jongen wendde zich af.

'Wacht even,' zei de Eel. 'Ik vroeg het alleen maar.'

De jongen keerde zich weer om. 'Ik probeer jullie alleen een dienst te bewijzen, oké? Mallon is een oplichter. Hij kwam bij ons thuis, nam een paar platen mee, een paar shirts, en toen we zeiden dat we dat niet zagen zitten, zei hij: "Alles is alles," alsof dat een antwoord was.'

'Wat zoekt hij hier dan?' vroeg Eel.

'Seks,' zei hij. 'Voor het geval je dat nog niet gemerkt had.'

De Eel haalde diep adem en knipperde een paar keer met haar ogen.

De jongen grinnikte. 'Bovendien krijgt hij de kans om zijn bullshitverhalen te verkopen en te doen alsof hij een held is. Een of andere kerel hakt een hand af in Tibet en daarom ben jij een filosoof? Misschien, als je een idioot bent. Bovendien betwijfel ik of die dingen ooit echt gebeurd zijn. Denk er eens over na, dat is het enige wat ik zeggen wil. En houd hem uit je kamer, of waar je ook woont. Die vent is een dief.'

'Daar hoeven wij ons geen zorgen over te maken,' zei Eel. Haar stem was luid en vreemd kribbig. 'Als hij bij ons is, steelt Boats voor hem.'

'Nou ja, als jullie daar gelukkig van worden.' De jongen haalde zijn schouders op. Door de stand van zijn mond stak de rossige borstel op zijn kin recht vooruit. Hij sprong van zijn kruk en keerde terug naar zijn nis, met een zekere haast die suggereerde dat hij beledigd was.

'Ik zei niet dat ik er gelúkkig van werd,' vertrouwde Eel de vroegere Howard toe.

'Zeg, wat doet hij eigenlijk als hij niet bij ons is?' vroeg kleine Howard.

'Nu eens dit, dan weer dat,' zei Eel, die om de een of andere reden een beetje verbitterd klonk. 'Gisteravond ging hij bijvoorbeeld naar de Falls om te eten. Dat weet ik, omdat hij mij meenam.'

Niet in staat om zijn misnoegen te verbergen zei Howard: 'Spencer heeft jou mee uit eten genomen in de Falls?'

De Falls was een van de beste restaurants van Madison, het op één of twee na beste. Tot op dat moment had de jonge Howard niet gedacht dat iemand van zijn groepje er zelfs ooit binnen was geweest, net zo min als hijzelf.

'Ik was van plan om het te vertellen,' zei Eel, rondschuivend op haar kruk. 'Het ging wel, toen ik me eenmaal op mijn gemak voelde.'

Vreemd, dacht Howard: hij had de Eel nog nooit minder op haar gemak gezien dan nu.

'Wat heb je gegeten?'

De Eel schokschouderde. 'Vis. Hij bestelde een steak.'

'Waarom nam hij je mee uit eten? Hoe kwam dat dan? Hij logeert in mijn kelder, verdorie.'

'Hij had ruzie gehad met Meredith of zo, dus vroeg hij mij. Ik zei prima. Wat moest ik anders zeggen? Het spijt me dat je jaloers bent, Hootie, maar zo is het gegaan.'

'Ik ben niet jaloers,' zei Hootie, en tuurde omlaag langs het vrolijke rietje dat tegen de rand van zijn halflege glas leunde. 'Hoe kreeg je je vader zover dat hij je liet gaan?'

'Hij heeft niet eens gemerkt dat ik weg was.'

'Oké.'

'Ik bedoel, onze vaders zijn allemaal verknipt, maar de jouwe is nog de beste van het stel.'

'Jij hoeft duidelijk niet met hem te leven,' zei Howard, die zich de woede-uitbarsting en de verontwaardiging van die ochtend herinnerde over het ontbreken van een enkele familiezak chips uit een doos die er een dozijn had moeten bevatten. Dat Spencer Mallon die doos had opengemaakt en er een zak chips uit had gejat, maakte Howard misselijk.

Een groot deel van Howard Bly verlangde naar de eenvoud van

de dagen voor de komst van Spencer Mallon, toen niemand zakken chips uit de kelder stal, niemand op de gekste uren van de nacht het gebouw binnenkroop en halfdronken naar beneden stommelde om in slaap te vallen op een matras die elke ochtend uit het zicht moest worden geschoven. En nu zag het ernaar uit dat Spencer Mallon er ook in was geslaagd om zijn relatie met de Eel te verzieken, een ernstige kwestie.

'Waar hebben jullie het over gehad?'

'Hij wilde niet echt praten. Hij zei dat hij zich beter voelde door mij.'

'Dat is belachelijk,' zei Howard, ontsteld omdat hij begon te vermoeden waarom het dat misschien niet was.

Eel liet hem schrikken door uit te barsten in een opeenvolging van woorden en zinnen die zo snel voorbij vlogen dat hij ze nauwelijks kon verstaan. 'Heb jij het gevoel dat Spencer de laatste tijd niet echt zichzelf is? Ik weet niet meer wat ik van hem moet denken.' Over het gezicht van de Eel flitste iets belangrijks, iets onderhuids. 'Ik ben helemaal in de war. En niet erg blij. Wat is er bijvoorbeeld met Meredith aan de hand? Maar waarom vraag ik dat aan jou? Aan jou heeft niemand iets.' Toen, alsof de belediging onmiddellijk weer vergeten was, wendde dat woedende gezicht zich naar hem. 'Als je het mij vraagt, is hij een eikel.'

'Ik denk dat hij ergens bang voor is,' zei Hootie. 'Misschien is hij bang dat wat het ook is niet gaat werken.'

'En wat dan nog? Hij zwerft al jaren zo rond.' En daar had je het, onverbloemd, de verbittering die Howard eerder had opgemerkt. 'Als je het mij vraagt, is de enige grote opschudding in dit land de oorlog in Vietnam en de burgerrechten. Spencer Mallon heeft met geen van beiden iets te maken.'

Daar had Hootie niets op te zeggen.

'En weet je wat? Die vent is niet eens goed in wat hij doet. Hij kwam hier om een stel slimme studenten om zich heen te verzamelen, en wat krijgt hij? Vier domme leerlingen van de middelbare school, plus twee – maar twee – studentjes, en aan allebei mankeert iets, vooral aan Keith Hayward.'

'Je vergeet Meredith Bright,' zei Hootie. 'En jij bent niet dom, Eel, kom nou.'

'Oké, hij kreeg drie domme leerlingen, twee zieke studenten, en een blondje dat al zijn bullshit voor zoete koek slikte.'

'Hoor eens, Eel,' zei Howard, vooral in de hoop hun eerdere overtuiging nieuw leven in te blazen. 'Jij en ik, wij geloven in hem, echt. Oké, Dilly wil dat Mallon hem adopteert, en Boats wil voor eeuwig zijn lijfwacht zijn, of zoiets, maar wij zijn immers anders? Wij zijn de reden dat Meredith Bright terugkwam naar de Aluminium Room – zij wilde met ons praten! Met ons! Dill en Boats zijn enorm onder de indruk van Spencer, hij is het antwoord op hun gebeden of zoiets, maar wij, wij houden gewoon van hem. Wij kijken niet eens op dezelfde manier naar hem als zij. Ik zie hoe je naar hem kijkt, Eel, ik weet het. Jij zou alles doen wat hij maar vraagt, niet? Alles.'

De Eel knikte en suggereerde daarbij emoties die te ingewikkeld waren voor Howard. Even dacht hij zelfs dat de Eel zou gaan huilen, en het idee vervulde hem met afschuw.

'Wat is er trouwens gebeurd? Was hij gemeen tegen je in het restaurant?'

Eel sprong van haar kruk. Het gesprek was afgelopen.

En op de dag na de gespannen bijeenkomst in de kelder dacht Howard dat hij een van de agent-schepsels zag die Mallon had gevolgd door de straten van Austin.

Alsof het uit zijn poriën kwam, dreef de zure stank van een nare droom naast hem en verduisterde alles wat hij zag. Schaduwen verdiepten zich. Het water leek zich uit de kraan te storten, zijn tandpastatube zwol op in protest toen hij erin kneep. Zijn mond smaakte eerder naar bloed dan naar Colgate. Terug op zijn slaapkamer infecteerde het gif in zijn innerlijk het uitzicht vanuit zijn raam, op een kale straat die zich als een eierschaal uitstrekte over een oorverdovende leegte.

Goddank was het zaterdag.

Howard schoof zijn benen in een spijkerbroek, stak zijn hoofd door de halsopening van een felrood Badger T-shirt en zijn voeten in zijn instappers. De repetitie zou die middag plaatsvinden en in zijn rusteloosheid, die vooral bestond uit angst en ongeduld, greep hij een donut en een pak melk uit hun respectievelijke vitrines en vloog de zijdeur uit nog voordat hij een hap van de zoetigheid had genomen. Schuin op Slate Street bood Gorham Street dezelfde aanblik als altijd, van nog gesloten winkels en lege parkeerplaatsen voor bedrijfsgebouwen.

Zijn gruwelijke droom zweette uit zijn poriën en besmette alles wat zijn blik ving. Dikke slangen loerden vanuit de diepe schaduwen van de goten. De donut, die van buiten zoet en knapperig had moeten zijn en van binnen zacht als cake, verkruimelde als gips in zijn mond.

Urenlang, leek het wel, had hij gedroomd dat Keith Hayward 's nachts door een woestijn reed. Naast de weg groeide struikgewas, hier en daar onderbroken door hoge cactussen. Hete, kurkdroge lucht blies vanuit de droom over de dromer. Een student, even knap als de Zweedse uitwisselingsstudenten die soms in de Aluminium Room kwamen, hing lui achterover in de passagiersstoel van de rode sportwagen. Onwaarschijnlijk genoeg was zijn naam Maverick McCool. Als je Maverick McCool heette, en vooral als je eruitzag als een Zweedse uitwisselingsstudent, zouden meisjes, zelfs meisjes zoals Meredith Bright, waarschijnlijk op de stoep voor je huis bivakkeren in de hoop dat je langs het raam zou lopen.

Door de abrupte inbreuk van Meredith Bright op zijn droom begreep hij dat de rode auto haar Skylark was. Het had Keith Hayward verboden moeten zijn om de auto van Meredith zelfs maar aan te raken. Vanuit de schok van deze afkeer was de werkelijke gruwel van de droom ontstaan, het besef van wat er in de achterbak zat.

Keith Hayward had Meredith Bright vermoord, haar lichaam in stukken gesneden, haar overblijfselen in twee zwarte vuilniszakken gepropt en de zakken in de bescheiden achterbak van de Skylark geladen. Onwetend van hun vracht glimlachte Maverick McCool om iets wat de monsterachtige Keith Hayward zei. Dat Hayward al een aantal andere mensen had vermoord en van plan was om nog heel lang door te gaan met het verzamelen van slachtoffers, bleek uit elk deel van het beeld in Howards geest – en de glimlachende passagier zou de volgende zijn! Arme McCool! Een groezelige, ijskoude vlaag afgrijzen had Howard wakker geschud. In zijn paniek was zijn eerste impuls om de telefoon te pakken en Meredith Bright te bellen. Howard zwaaide zijn benen over de rand van zijn bed, en besefte voordat hij zich overeind had gehesen dat hij haar nummer niet had. Hijgend liet hij zich weer achteroverzakken, en had het gevoel dat hij de vreselijke droom uit zijn lichaam probeerde te blazen, de ochtendlucht in.

Schijnbaar vanuit het niets kwam het woord *seriemoordenaar* bij hem op. Het bracht herinneringen aan krantenkoppen en berichten op het televisiejournaal met zich mee, over de maniak uit Milwaukee die 'de Ladykiller' werd genoemd. Hoeveel vrouwen had hij vermoord en volgens het hoofd van de politie te Milwaukee in 'bloederige flarden' achtergelaten? 'Dit is een man die vrouwen vermoordt en in bloederige flarden achterlaat,' aldus de rechercheur Hooper, Cooper, of zoiets. 'Denkt u dat wij zo'n monster vrij rond laten lopen?' Helaas was dat precies wat ze hadden gedaan, en hij had vrij rondgelopen, het monster, en lijken opgestapeld tot hij van ouderdom gestorven was of met pensioen ging in Florida.

Voor hem uit kwam iemand de hoek om Gorham Street in en werd een half zichtbaar silhouet in het felle licht van de zon.

Doodsangst groef zijn wortels in Howards maag. Keith Hayward was net de schittering boven aan Gorham Street in gelopen en kwam nu, snel als een fret, zijn kant op. Te bang om achteruit te wijken, wachtte Howard de aanval van de maniak af. Hij deed zijn mond open om te schreeuwen.

Even later onthulde het neerstromende zonlicht dat de man die op hem afkwam niet Hayward was, maar veel angstaanjagender, een van de 'honden' waar Mallon hen voor had gewaarschuwd. In zijn angst, die zo overweldigend was dat hij niet eens kon kreunen, schuifelde Howard achteruit, struikelde over zijn eigen voeten, en kwam met een klap hard op de stoep terecht. Pijn schoot door zijn linkerheup en zijn bil voelde aan alsof er met een moker op geslagen was. Naar adem happend van pijn en angst hees hij zich op een elleboog omhoog en realiseerde zich dat er niemand voor hem stond.

Op de zonbeschenen stoep klonk een voetstap. Grijze broekspijpen en twee glimmende zwarte brogues. De knieën bogen door toen hun eigenaar bukte. Howard sloeg zijn ogen op naar het gezicht van een onopvallende man van halverwege de dertig met een helm van dik, maar heel kort haar. In zijn fletse blauwe ogen straalde meedogenloos amusement.

Howard stak zijn rechterarm uit, half in de verwachting dat de man hem overeind zou trekken. De man bukte zich nog verder en zei geluidloos: 'Sorry, knul.' Howard liet zijn arm zakken en probeerde achteruit te schuiven, maar zijn voeten haakten nog in elkaar en zijn rechterenkel klopte van de pijn. De man hurkte nu bijna en legde zijn handen op zijn knieën.

'Ben je ergens van geschrokken?' Zijn stem was laag, zacht en niet helemaal menselijk.

Howard knikte.

'Daar moest je dan maar goed op letten,' zei de man. De schrille, blikkerige middentoon in zijn stem klonk alsof hij ergens van binnenuit werd geprojecteerd en niet aan zijn keel ontsprong.

'Was u in de meisjestoiletten op Madison West?' vroeg Howard.

'Ik kom waar ik wil,' zei de man, nog steeds alsof een andere, kleinere man binnen in hem door een megafoon praatte. 'Doe nu je ogen dicht, knul.'

Doodsbang gehoorzaamde hij. Even was de lucht vlak voor Howard Bly net zo heet als de wind in zijn droomwoestijn. Het geluid van voetstappen veranderde in iets zachters dat zich klikkend verwijderde.

Nee, dacht hij destijds; in het ziekenhuis, waar hij zogenaamd naar de eerste bladzijde van een oude pocketuitgave van *The Moondreamers* van L. Shelby Austin zat te kijken die hij in de recreatieruimte had gevonden, schudde de oude Howard zijn hoofd over zijn eigen stommiteit.

Ant-Ant-Antonio keek op van een van de puzzeltafels; de oude Howard Bly wierp hem een leeghoofdige blik toe en zei: 'Portmanteau redivivus.' Als Hayward Meredith volgens plan in stukken had gesneden, had hij haar lichaam in een *portmanteau* kunnen stoppen, maar hij zou *redivivus* moeten worden om dat nu te doen.

'Meneer Bly, jij bent de m-m-man,' vertelde Ant hem.

Omdat Ant-Ant verwachtte dat hij zou knikken, knikte Howard.

Hoewel hij zich had voorgenomen om Mallon die middag alles te vertellen, lukte het de jonge Howard niet om zijn nachtmerrie of de plotselinge verschijning van de 'agent' op de stoep te beschrijven. De gebruikelijke hooghartigheid van zijn held kon de toenemende agitatie van zijn zenuwen en zijn bloedsomloop niet verhullen. Howard bleef ervan overtuigd dat alleen hij en Eel de gespannenheid van hun held hadden bemerkt. Betekende dat dat zij hem moesten beschermen?

Tegelijkertijd moest hij zichzelf ook beschermen, tegen Keith Hayward. Goed, Hayward had Meredith Bright niet vermoord. Toch, dacht Howard, was er binnen in hem iets dusdanig verduisterd en verschrompeld dat hij gemakkelijk een van die kerels kon worden die het land doorreisden en wildvreemden om het leven brachten. Of een van die demonen die als spinnen in het web van hun vreselijke appartementen op de loer liggen en eruit schieten om hun slachtoffers te doden. Toen ze allemaal in de vijfde of zesde klas van de lagere school zaten, hadden ze zo goed geluisterd naar verhalen over de Ladykiller als de volwassenen toelieten.

De jonge Howard wilde de mengeling van vrees en afkeer bedwingen die Keith Hayward bij hem opriep. Het idee dat Hayward door zijn verdenkingen op zijn hoede zou zijn, bezorgde hem het gevoel dat er hete teer in zijn maag werd gepompt.

Toen iedereen die aan de repetitie wilde meedoen zich had verzameld op de drukke hoek van University Avenue en North Francis, aan de rand van de campus maar niet erop, had Howard zo veel mogelijk afstand gehouden van Hayward, die aan het begin van hun mars in de buurt van Mallon bleef en er lustig op los babbelde.

Brett Milstrap liep mee aan zijn andere kant en deed af en toe een duit in het zakje. Milstrap keek geamuseerd. In feite leek Milstrap altijd geamuseerd in de buurt van zijn huisgenoot. Eigenlijk gebruikte die jongen Hayward om zijn eigen ego te versterken. De Eel had Hootie ooit verteld dat Milstrap eruitzag als een student die had gespiekt bij een examen, wat nogal briljant was, vond Hootie. Zelfs het gele poloshirt en de kakibroek die hij droeg – de klassieke kakkersoutfit – konden de valsheid in de kern van zijn wezen niet verbergen. En hij vond het heerlijk om op zijn eigen speciale manier eng te zijn, dat kon niemand ontgaan. Geen wonder dat hij de beste vriend was van Keith Hayward.

Aan de andere kant verbaasde het Howard dat Spencer bereid

was het gezelschap van Keith Hayward te dulden. Het zieke innerlijk van de student leek zo overduidelijk dat Howard zich afvroeg of Mallon soms een oogje op hem wilde houden. Misschien probeerde hij deze gruwelijke moordenaar in spe te neutraliseren. Wat moest er dan met de rest van hen gebeuren als Mallon vertrok?

De gedachte aan Mallons desertie bracht Howard bijna aan het wankelen.

Na een paar straten had Hayward kennelijk genoeg van zijn pogingen om indruk te maken op Mallon, want hij wendde zich tot Milstrap om hem zogenaamd iets vertrouwelijks te vertellen terwijl Mallon doorliep. Met boodschappentassen vol gestolen spullen slenterden Dilly-O en Boats achter hem aan. De Eel, die Hayward al net zomin vertrouwde als Howard deed, trok een gezicht dat half een glimlach, half een grimas was en hem duidelijk maakte dat hij niet alleen was in zijn afkeer van hun gezamenlijke vijand. Hij versnelde zijn pas, klopte de Eel in het voorbijgaan op haar schouder en ging naast Mallon lopen, die zijn indringende gesprek met Meredith Bright onderbrak en omlaag naar hem keek.

'Wilde je iets vragen?'

'Waarom heb je de auto van Meredith niet genomen?'

'Ik dénk omdat we er niet allemaal in pasten,' zei Meredith.

Mallon negeerde haar. 'We moeten nu bij elkaar blijven. Dat is volgens mij deel van het hele plan.'

'Is dat veld ver weg?'

'Een kilometer of twee, drie.'

'Oké,' zei Howard, die merkte de Meredith Bright hun gesprek met een ongeduldig gezicht aanhoorde.

'Ik krijg de indruk dat je nog iets anders te zeggen hebt,' zei Mallon.

Meredith Bright keek de andere kant op.

'Wil je er onder vier ogen over praten?'

Mallon fluisterde iets tegen Meredith, die geïrriteerd haar pas inhield en enigszins achterbleef, maar niet ver genoeg om naast de Eel te gaan lopen.

'Wat is er aan de hand?' vroeg Mallon.

Snel richtte Howard zijn aandacht weer op hem. 'Ik heb een

nachtmerrie gehad over Keith,' zei hij, en besefte ineens dat hij Mallon niet zijn hele droom wilde vertellen.

'Aha,' zei Mallon.

'Ik weet wel dat je niet op dromen kunt vertrouwen,' begon hij.

'Hootie, m'n jongen, je moet nog veel leren.'

Dit werd zoiets als tegen de stroom in zwemmen, dacht Howard. 'Oké. Ik droomde dat hij mensen vermoordde. Ik weet dat dat niet betekent dat hij dat ook echt doet, maar ik kreeg die droom omdat ik denk dat er iets niet in orde is met die jongen.'

'Blijkbaar,' zei Mallon. 'Jij en de Eel beginnen er steeds weer over.'

'Er is echt iets met hem aan de hand,' hield Howard vol.

In de recreatieruimte, waar hij nu deed alsof hij belangstellend de tweede pagina van *The Moondreamers* las, knikte de oudere, dikkere, grijze Howard.

'Je-je vindt dat boek echt leuk, hè Howard?' zei de bemoeizuchtige Ant-Ant toen hij langsliep.

'Charlatan,' wierp Howard terug, waarmee hij de onbenullige Ant-Ant Anthony liet weten dat hij hem een kwakzalver vond.

'Dat weet ik,' zei Mallon tegen de engelachtige jongen-Howard die erg gesteld was geweest op zijn bijnaam Hootie. 'En jij weet dat ik het weet, Hootie.'

'Hij is ziek vanbinnen,' zei Howard. 'Ik denk dat hij graag mensen pijn doet.' Hij besloot zijn opmerking niet nog eens extra aan te dikken met ontlede lichamen en kofferbakken. Als hij ooit over Maverick McCool begon, zou Mallon hem de hele weg terug naar State Street uitlachen, en hij zou te beschaamd zijn om zijn held ooit nog aan te spreken.

'Soms sta ik versteld van je, Hootie.'

'Dus jij weet het ook,' zei hij, met moeite verbergend hoe diep de neerbuigende houding van zijn held hem kwetste. 'Waarom laat je hem dan blijven?'

'We hebben mensen nodig. En met Keith krijgen we er twee voor de prijs van één, want Milstrap is altijd bij hem. O, ik weet wel dat die knul anders is. Weet je nog wat ik tegen hem zei tijdens onze bijeenkomst?'

'Hij is erger dan je denkt,' zei Howard, ongelukkig omdat Mallon weigerde hem serieus te nemen. 'Ik kan niet met hem in dezelfde kamer zijn. Ik kan niet eens naar hem kijken.'

Mallon greep Hootie bij zijn bovenarm, trok hem mee naar de andere kant van de stoep en drukte hem met zijn schouder tegen een etalageruit. Een panische halve seconde lang, misschien nog korter, verbeeldde Howard zich dat hij Brett Milstrap door de etalageruit vanuit de winkel naar hem zag kijken. Dat was onmogelijk – Milstrap flaneerde op datzelfde moment voorbij, samen met Hayward.

Mallon boog zich voorover en sprak met zachte, snelle stem rechtstreeks in zijn oor. 'Ik heb rekening gehouden met Haywards problemen en ik zal absoluut mijn best doen om er morgen gebruik van te maken.'

'Gebruik van maken?'

'Voor *ons*. Denk je niet dat wat er in die stakker steekt, ook in de verborgen wereld bestaat?'

De jonge Howard kon geen woord uitbrengen. De oude Howard voelde zijn ogen prikken.

'We willen dat die wereld ons het voorrecht gunt om te zien waar het allemaal om gaat. De kracht zal worden beheerst, in bedwang gehouden – ik heb spreuken om te binden en te ontbinden, eeuwenoud en uitgebreid beproefd, die spreuken zullen hun werk doen. Ik denk dat er een goede kans bestaat dat Keith door blootstelling aan die kracht zou kunnen genezen.'

De jonge Howard schudde zijn hoofd; de oude Howard drukte zijn handen tegen zijn ogen, net als Mallon op Gorham Street. 'Hij kan niet...'

'Voor het eerst van zijn leven krijgt hij dan die krankzinnige kracht die in hem rondzwiept eens te zien. Denk je niet dat iemand daardoor verandert?'

'Heb jij zoiets ooit zien gebeuren?'

Mallon rechtte zijn rug en keek voor zich uit. Een meter of tien verderop was de groep tot stilstand gekomen. Meredith en de rest keken naar hen om. Hayward fluisterde tegen Brett Milstrap en keerde hun zijn rug toe.

'We houden de boel op,' zei Mallon. Howard dacht dat hij bedoelde, *we moeten Meredith daar niet alleen laten*. Ze liepen weer door.

Mallons stem had zijn gewone register weer aangenomen en

was vervuld van al zijn vroegere autoriteit. 'Niet precies, nee, maar wel andere, gelijksoortige dingen.'

'Wat is het raarste dat je ooit hebt gezien?'

Mallon keek weer naar hem, en Howard zei: 'Niet dat verhaal over iemands hand zien afhakken in een bar.'

Spencer Mallon legde een hand tegen zijn voorhoofd en keek voor zich uit met zijn ogen half toegeknepen tegen het licht. Keith Hayward hield op met fluisteren tegen zijn kamergenoot en wierp een donkere blik op hen.

'Het raarste,' zei Mallon. Hij glimlachte. 'Meestal kom je niet dichterbij dan het gevoel dat er *bijna* iets gebeurde – dat de sluier even trilde, en dat je bijna kon zien wat er achter lag. Of dat er vlakbij een uitzonderlijke kracht voelbaar was, bijna dichtbij genoeg om aan te raken, maar jij was niet goed genoeg om het daar te houden, of sterk genoeg, of geconcentreerd genoeg, of iemand anders in de kamer bedierf alles weer. Meestal gebeurt er zoiets.'

Mallon keek de straat door naar de anderen, van wie de meesten nu met onverhulde nieuwsgierigheid terugkeken. Dill leek bijna kwaad te worden. Met een zwaai van zijn arm gebaarde Mallon dat ze door moesten lopen.

'Maar vier of vijf jaar geleden, toen ik in Austin was, gebeurde er iets vreemds. En *dat* was echt de raarste plek waar ik ooit door mijn research terechtgekomen ben. Het was ongeveer in die periode dat die agent een briefje voor me achterliet op de vuilnisbak, weet je nog? Ik heb al gezegd dat er iets bijzonders gebeurde, maar ik was niet specifiek.'

'Ik weet het nog,' zei Howard, hoogst beledigd dat Mallon kon denken dat hij dat vergeten zou zijn.

'En ik heb toen ook niet verteld dat ik met een meisje samenwoonde, Antonia. Ze leek een beetje op Alexandra, ken je die nog, uit La Bella Capri? Antonia was de eerste vrouw die ik ooit heb ontmoet die zichzelf als een heks beschouwde, een wicca. Nou, op een dag liggen Antonia en ik in haar bed. Het is ongeveer vijf uur 's middags en we moesten opstaan om bij mensen op bezoek te gaan, maar zij zegt: "Waarom proberen jij en ik hier niet iets?" We gingen in de woonkamer naast elkaar op haar vloerkleed staan, naakt. Zij brandde wat laurier en maagdenpalm en cipres in een kommetje, en goot een soort olie in een andere, grote kom, met daarin nog wat gedroogde, verkruimelde kruiden. Ze stak zeven kaarsen aan. Toen zong ze iets. Ik heb geen idee wat het was, maar het klonk precies goed. "Oké," zeg ik. "Wat doen we nu?"

"Doe je best maar," zei Antonia.

Omdat ik niet verwachtte dat er iets zou gebeuren, begon ik het eerste te declameren dat bij me opkwam, een passage die ik een paar dagen tevoren uit mijn hoofd had geleerd uit de *Universalis Philosophiae* van Campanella. Ik kan Latijn lezen, hoor. En Grieks. Hoe dan ook, ik ratelde door in de goeie oude moerstaal van het Romeinse Rijk, iets over het inhaleren van de Geest van de Wereld en het horen van planetaire muziek, en ik merkte dat er een dikke, sterke geur van de brandende kruiden kwam – het rook eigenlijk naar seks plus dood, als je begrijpt wat ik bedoel! Eros en Thanatos, zeiden de oude Grieken. Ik raakte weer opgewonden, heel erg opgewonden. Nog steeds stromen er woorden uit mijn mond en ineens wordt me duidelijk dat wat ik doe een andere vorm van seks is, een soort seks van het hele lichaam. Antonia staat naast me te kreunen, en ik ben precies op het punt waarop ik denk dat ik het geen tel langer kan volhouden, en ineens lijkt het alsof de vloer onder me wegvalt en ben ik niet langer in die kamer.

Ik sta op een donker veld. Aan de horizon branden vuren. De lucht is rood. Het gaat allemaal zo snel dat ik geen tijd heb om bang te zijn. Dan begrijp ik dat er iets bij me is, alleen weet ik niet wat het is. Ik kan het niet zien, ik weet alleen dat het dichtbij is. Dit enorme, monsterachtige "wezen" is groot, het is onzichtbaar en het heeft erg veel belangstelling voor mij. Ik hoor dat het zich omdraait om me te bekijken, en ineens ben ik zo bang dat ik bijna flauwval... en voordat ik met mijn ogen kan knipperen, ben ik terug in de woonkamer van Antonia. Zij ligt op haar knieën voorovergebogen op de vloer. Het lijkt alsof ze tot Allah bidt. Wat geen slecht idee geweest zou zijn, nu ik erover nadenk. Er hing een sterke, vreemde geur in de kamer, een geur van oude dekens en koude as.

Ik vroeg haar of het wel goed met haar ging, maar ze gaf geen antwoord. Ik boog me naar haar toe en wreef over haar rug. Ze tilde haar hoofd op en dat was met bloed bedekt, haar hele gezicht was bloederig. Blijkt dat ze gewoon een bloedneus heeft gehad, maar het zag eruit alsof ze was gestoken met een mes of een pak slaag had gehad. Ik vroeg weer of het wel ging. Ze schudde haar hoofd. "Wat is er gebeurd?" vroeg ik. Ik vroeg zelfs: "Heb jij het gezien?"'

Spencer lachte, kennelijk om zijn eigen dwaasheid.

'Wat zei ze?' vroeg Howard.

'Ze zei: "Mijn huis uit, verdomme, en je komt er nooit meer in", dat zei ze. Hootie, je moet toegeven dat het een rare ervaring is.'

'Weet je niet wat er met haar gebeurd was?'

'Zij beleefde haar eigen trip, dat is wat er gebeurde, en ze kon het niet aan. En nu denk jij: "Waarom zou hij dat nog eens willen doen? Was het zo niet erg genoeg?" Toch?'

'Nou...' zei Hootie. 'Was het dat dan niet?'

'Het kwam vanuit mij, snap je dat niet? Ik produceerde wat ik zag – een beeld van zuiver seksuele kracht. Oké, het zag er nogal duister uit, maar de vrouw die bij me was, was een heks! Denk je niet dat zij een soort spreuk toevoegde om mij onder haar betovering te houden? Die werkte niet en sloeg op haar terug, dat is alles. In ons geval, nu, denk ik dat ons iets nog veelomvattenders te wachten staat.' Mallon legde zijn handen op de schouders van Hootie, en bracht het aantrekkelijke schild van zijn gezicht tot op centimeters van dat van de jongen.

In de recreatieruimte keerde de dikke oude Howard Bly zich naar de muur zodat de verzorger hem niet zou zien huilen.

'Hé allemaal,' zei de sadistische Ant-Ant Anthony. 'Kijk eens naar meneertje Vo-vocabulaire. Het is me het dagje wel. Nietwaar, meneer B-Bly?'

Tientallen jaren daarvoor zei Spencer Mallon: 'En laten we wel zijn, Hootie. Al weet jij het misschien niet, ik ben hier klaar – het is hier allemaal min of meer afgelopen.' Zijn adem rook naar pas gemaaid hooi. "Zij die mij ooit zochten, ontvluchten mij" voor het geval je Thomas Wyatt ooit hebt gelezen. Dat was het dan, op al het plezier na dat we in de komende anderhalve dag gaan beleven.'

'Plezier?' vroeg Howard.

'Wacht maar. Ik heb een verrassing voor jullie allemaal. Ik ga je dromen waarmaken.' Hij grinnikte en woelde door Hooties volkomen steile haar.

Gedurende de rest van de wandeling naar het veld moest Howard Bly de vragen beantwoorden die Boats en Dill op hem afvuurden.

Hij zei: 'Het maakt niet uit waar we het over hadden.'

Hij zei: 'Wat ik wilde weten, heb ik gehoord. Hij vertrouwt Hayward ook niet.'

Hij zei: 'Maar ja, ik vertrouw *hem* wel. Hij probeert echt nieuwe dingen te leren, weet je.'

Hij zei: 'Ja, het is een beetje eng. Hij heeft echt rare dingen gezien.'

Hij zei: 'Nee, ik heb geen idee wat de verrassing is.'

Toen hij gefrustreerd achterom keek, zag hij een aperte onmogelijkheid. Drie meter achter hem stond Brett Milstrap midden op de stoep, en probeerde hen allemaal terug te wenken. Hij zag er niet uit als een student die net had gespiekt bij een examen, hij zag er vermoeid en wanhopig uit in zijn felgele shirt en kakibroek. Hij leek zo oud te zijn als hij was, en tegelijkertijd tientallen jaren ouder. Het probleem was echter dat Brett Milstrap op dit moment op University Road liep naast zijn huisgenoot en enige vriend, Jack de Ripper. Hootie draaide zich snel om om dat te verifiëren en zag de twee huisgenoten, net als de rest van het gezelschap, de hoek om lopen en uit het zicht verdwijnen. Hetzelfde gold voor Boats en Dilly. Kennelijk was Milstrap met een noodgang teruggerend om de expeditie vanuit de achterhoede tegen te houden. Het sloeg helemaal nergens op.

De Eel keek om de hoek en spoorde hem aan om in vredesnaam door te lopen.

'Hé,' zei Hootie en keek over zijn schouder achterom om te zien of de smekende gestalte verdwenen was. 'Is Milstrap daar verderop?'

'Helemaal vooraan met zijn billenmaat.'

De groep liep door een reeks kleinere straten die nieuw waren voor Hootie en zijn vrienden. De huizen stonden steeds verder van elkaar. Uiteindelijk kwamen ze op de iets bredere en belangrijkere Glasshouse Road, waar helemaal geen woonhuizen meer stonden. De straat leidde pijlrecht naar een lang, vlak stuk grasland dat hun bestemming moest zijn, en het was de beruchtste straat van heel Madison. Alle bedrijfjes die werden verguisd door de conventionelere delen van de stad, leken zich hier te hebben gevestigd. Rudy's Tattoos werd geflankeerd door twee afgeleefde, overhellende kroegen met rijen motorfietsen voor de deur. Aan weerszijden, tot aan het einde van de straat, volgden Pedro's Magic Emporium, een feestwinkel, stripwinkel Monster Comix, wapenhandel Capital Guns, de lommerd Badger Pawnshop, nog meer wapens bij Badger Guns, sportschool Scott Myers School of Martial Arts, messenwinkel Knife And Blade World, schietschool Hank Wagner's Pistol Range, Scuzzy's Midnight Lounge, zwepen en kettingen bij Whips 'n Chains, Betty's Boudoir, winkels met uithangborden waarop leer werd aangeprezen en wapens te huur of te koop werden aangeboden, en een zaak zonder naam met een streperige, vuile etalage, dichtgeplakt met voorpagina's van tijdschriften met naakte mannen en vrouwen erop. Deze bedrijfjes waren gevestigd in kleine gebouwen van een enkele etage, ongeveer even groot als de Aluminium Room, maar armoediger. Aan het einde van de straat stonden twee kroegen, The Downbeat Tap Room en House of Ko-Reck-Shun, tegenover elkaar.

Net voorbij het doodlopende uiteinde van de straat lag een enorm, heiig stuk grasland dat afkomstig leek te zijn uit een wereld die veel ruimer en royaler was. Toen Howard ernaar keek, dacht hij om de een of andere reden aan wat Mallon over zijn middelbare school had gezegd en zag hij hem voor zich op het groene tapijt van het veld, Oudgrieks declamerend.

Eensgezind, al werd er niet over gesproken, ging de groep in het midden van de straat lopen. De tocht door Glasshouse Road voelde voor het grootste deel aan als een wandeling door een spookstad. Uit de motorkroegen klonk zachte, gedempte muziek en een nauwelijks hoorbaar gonzen van gesprekken. Hoewel er licht brandde in de ramen van de wapenwinkels, gingen er geen klanten in of uit. Hank Wagner leek een dagje vrij te hebben van de schietschool, en niemand had vieze boekjes nodig. In een van de motorkroegen achter hen uitte een grauwende stem een smakelijke vloek. Verscheidene honden, of dingen die als honden klonken, begonnen te mompelen in hondentaal. Het groepje ging dichter bij elkaar lopen, Spencer Mallon en Dilly-O alert en met gespitste oren voorop. 'Niet achterom kijken,' zei Mallon. '*Niet achterom kijken.*'

Hootie liep ineens tussen Eel en Keith Hayward, die uit het niets was komen aanzetten. Haywards hand viel als een metalen klauw op zijn schouder.

'Bezorgt stilte je soms de schijterij, babyface?' fluisterde Hayward.

Hootie schudde hem huiverend van zich af.

Toen klonken er stemmen en het geluid van gelaarsde voeten op plaveisel. Een groot aantal motorfietsen kwam brullend tot leven. Het groepje in het midden van de straat verstijfde en zwenkte toen snel naar rechts, zich verwijderend van het gebrul van de motoren.

'Laten we hier gaan lopen, op de stoep ' zei Mallon, nerveuzer klinkend dan zijn bedoeling kon zijn. Hij reikte naar Meredith Bright en trok haar naast zich.

Met Mallon voorop struikelde het groepje de stoep op. Hayward kwam haastig achter Howard Bly aan, die zich eerst alleen bewust was van het smalle, geschonden gezicht dat zich naar zijn rechterschouder boog en uitademde met een geur die zo zuur was, dat hij wel twee keer gerecycled leek. Een magere arm met stijve, donkere, borstelige haartjes legde zich om zijn middel. Hooties geest trok wit weg van afkeer.

'Kweine Hoodie izze bang, hè, kweine Hoodie izze bang van g'ote motorfiesse,' siste Hayward.

In panische weerzin verzette Hootie zich tegen de benige arm die hem tegen het lichaam van Hayward drukte, en voelde hem toen wegvallen. Hayward had geen belangstelling meer voor hem; hij drong nu voorbij Meredith naar de voorhoede van de groep. Het gebrul van de motorfietsen die zich in een andere richting verwijderden vervaagde. Howard werd zich bewust van opschudding op de stoep buiten het House of Ko-Reck-Shun. Mallon, Meredith, Dill en nu ook Keith Hayward belemmerden zijn zicht. Hij verzamelde alle moed die hij kon opbrengen en liep naar de open plek naast Mallon; Haywards aanraking leek nog door zijn kleren heen te branden. Howard kon het stomme, balkende gelach van het Monster (zoals Eel hem noemde) horen – 'haw haw haw' – terwijl hij om de groep heen liep, en vroeg zich af wat er zo vreselijk kon zijn dat Keith Hayward erom moest lachen, en ook waarom de Eel nergens te bekennen was. Beide vragen werden beantwoord toen Hootie eenmaal veilig naast Mallon stond. De Eel stond verstijfd van schaamte en woede op de stoep buiten het sjofele House of Ko-Reck-Shun en werd heftig toegesproken door een spectaculair bezopen oude man die kennelijk net uit de kroeg kwam.

Het kostte Howard Bly even tijd om zich te realiseren dat die afgeleefde oude man Carl Truax was, de vader van de Eel. Zijn kleren waren nog net geen vodden, maar vormeloos en smerig van het vuil, en zijn borstelige wangen plooiden zich naar zijn vochtige mond met de heen en weer flitsende tong. Hij probeerde te schreeuwen, maar zijn stem reikte niet verder dan een smakkend, bevend toneelgefluister.

'Verdomme Lee, wat doe jij hier helemaal? Je hoort op school te zitten!'

Met een stem zo klein en zo hard als een walnoot zei de Eel: 'Het is zaterdag, idioot.'

Howard Bly had wel flauw kunnen vallen – wat een vernedering, wat een moed!

'Ik sleep je naar huis om je een pak rammel te geven. Ik ben je vader, de vader van de verrekte, beroemde Eel, en ik zal de Eel verdomme eens laten zien wie er de baas is. Bont en blauw sla ik je, tot het bloed uit je oren komt, zeker weten, kom jij maar eens even hier dan zal ik...'

'Jij bent veel te dronken om wat dan ook te doen, meneertje, en je gaat zeker de Eel niet lastigvallen, nu niet en nooit meer,' viel Mallon hem in de rede. 'Houd je mond en ga naar huis of terug naar binnen. Je mag het zelf weten.'

De oude man schoot naar voren terwijl hij mompelde: 'Réken maar dat ik het zelf mag weten, lul.' Hij mikte met zijn vuist in een wijde, ronde boog op Mallon, die hem gemakkelijk ontweek. De kapotte kleren van Eels vader wapperden om zijn magere lijf toen hij in een kring rondhuppelde, zijn hoofd tussen zijn schouders liet zakken en een een-tweetje probeerde dat niet eens in de buurt van zijn bewegende doelwit kwam. Keith Hayward balkte nog steeds zijn haw haw haw.

Mallon ontweek weer een krachteloze uithaal en wierp de Eel

een blik van pure, uiterst aantrekkelijke verwarring toe. 'Ik wil die man niet slaan.'

'Tik hem maar neer, mij kan het niet schelen,' zei de Eel.

'Fok dit,' zei Dilly-O. Hij stortte zich in het gewoel, naderde de oude man van achteren en greep hem onder zijn armen. Toen wentelde hij hem over het trottoir en duwde hem door de gapende deur al tollend terug het café in.

'Dat is vast de eerste keer dat iemand daar naar bínnen is gesmeten,' zei Brett Milstrap.

'Ken jij het hier? Ben jij wel eens in het House of Ko-Reck-Shun geweest?' vroeg Mallon met een oog op de deur. Van binnen klonk lui, lallend gelach.

'Nou ja, één keer,' zei Milstrap. 'Ik was heel dronken en een stel jongens namen me mee hierheen, en ik geloof dat iemand me vastbond...?' Hij deed zijn mond dicht en maakte een gebaar alsof hij een schoolbord afveegde. 'Laat maar.'

'Had je naar Scuzzy's moeten gaan,' zei de Eel, waarmee ze weliswaar niet demonstreerde dat ze volledig hersteld was van haar schaamte, maar wel de wens om stoer te doen.

'Ben je gek? We kwamen juist bij Scuzzy's vandaan.'

'Maar hoe voel jij je, eigenlijk?' vroeg Mallon. 'Als je wilt kunnen we je vader thuisbrengen, zorgen dat hem niets overkomt.'

'Hij komt zelf wel thuis. Hij weet hier straks toch niets meer van.'

'Je móét haast wel overstuur zijn,' zei Mallon. 'Kom nou toch.'

'Nee, kom jij nou maar,' zei de Eel. 'Ik wil ons veld zien.'

'Nou, kijk maar.' Met de weidse armzwaai van een komediant presenteerde hij hun het zinderende grasveld waarop Howard hem zich had voorgesteld, Oudgrieks declamerend, achter de betonnen obstakels aan het eind van de straat.

Door zich om te draaien en in de richting van Mallons gebaar te kijken, verklaarde deze uitgebreidere versie van hun vriendengroepje zich bereid tot welke verruiming van bewustzijn er dan ook in het verschiet mocht liggen, bedacht Howard. Het was dapper, heel dapper. En het was verbijsterend hoe Mallon al deze lagen in zijn komedie wist te verwerken, in het gebaar waarmee hij hun het veld aanbood.

In de recreatieruimte dropen er tranen uit Howards ogen terwijl hij eveneens naar het duizelingwekkende veld keek waar hun levens zo schitterend ten onder waren gegaan. Hij zag het geheel, en hij zag het zuiver, want in zijn verbeelding was het veld onaangedaan door alles wat hen zo had getroffen.

Het veld dat voor hen lag, dat zonovergoten veld in die laatste momenten dat het alleen nog maar een braakliggend terrein was van de landbouwfaculteit van de universiteit...

Het landbouwterrein, eigenlijk een enorm en gevarieerd stuk grasland, werd aan twee kanten begrensd door doorgaande wegen en aan het verre uiteinde door een dicht woud van het staatsbosbeheer. In de buurt van de snelweg die rechts van hen in de verte langs schoof, stond een lange rij metalen instrumenten die op zonnepanelen leken, hun hellende vlak gericht op kleine vierkante vakjes met uiteenlopende grassoorten. Meteen achter de glanzende panelen stond een rij rode houten kisten met opengesperde deksels. Het glinsterende, grazige oppervlak van het veld, misschien wel acht hectare groot, spreidde zich uit over de grond als een enorme deken, hier en daar oprijzend in kleine plooien en pieken en glooiingen, elders verzinkend in diepere plooien of geulen, misschien ooit door mensenhanden gemaakt, maar lang geleden opgegaan in de deken die het veld vormde.

'Ik kan wel zien waarom je dit hebt uitgekozen,' zei Meredith.

'O? En waarom dan wel?'

'Zeg jij het maar, Hootie,' zei Meredith en legde een koele hand in zijn zwetende nek. 'Jij en Eel, jullie zijn goed in dingen zien.'

Hootie keek zijdelings naar de Eel, die ongeduldig stond te draaien. 'Omdat we in een van die daldingen kunnen schuilen.' Hij stelde zich voor dat hij in een van die geulen stond. 'Dan zou je tegen de heuvel moeten opkijken, behalve dat die te laag is om een echte heuvel te zijn. Je wilt ons omhoog laten kijken. Spencer, heb jij echt op West Point gezeten?'

Mallon lachte verbaasd. 'Dat heb ik inderdaad, Hootie. Ik ben er trots op dat ik dat kan zeggen.'

'Maar zei je niet dat je naar de universiteit van Californië bent geweest in Santa Cruz?' vroeg de Eel, die er nu verontwaardigd uitzag in plaats van ongeduldig. 'Waar je die vent ontmoette die *Love's Body* heeft geschreven?'

'Is er een speciale reden dat we hier nog steeds staan te lummelen?' vroeg Hayward.

'Twijfel je aan hem?' vroeg Meredith, zo bleek dat ze bijna bloedeloos leek.

'Al die vragen,' zei Mallon. 'Laten we die energie bewaren tot we het kunnen gebruiken, niet verspillen aan het twijfelspel.'

'Waarom zou twijfel een spel zijn?'

'Eel, zie je dan niet...' Meredith kon nog slechts fluisteren.

Met een blik bracht Mallon haar tot zwijgen. 'Twijfel ondermijnt positieve energie. Bovendien, Eel, je wilt nu echt niet aan me twijfelen. Nu meteen – zo meteen – gaan we samen dit geweldige veld op lopen, en dan moeten we verenigd zijn, één enkele kracht, want het werkt niet tenzij elk element van onze ketting, tot op *moleculair* niveau, onwrikbaar op ons gemeenschappelijke doel gericht is. We moeten een *laserstraal* zijn, jongens, om door de geaccepteerde waarnemingsbarrière heen te kunnen breken, dat is wat er van ons gevergd zal worden. Denken jullie soms dat jullie hier per ongeluk zijn?'

Terwijl hij zijn kring van volgelingen rondging en hen beurtelings aankeek, leek Spencer Mallon, al was het maar in Howards ogen, tientallen centimeters langer dan alle anderen.

'Keith, ben jij hier vanwege een of andere willekeurige selectie? Brett, jij?'

Hayward schudde zijn hoofd. 'O nee, echt niet.'

Milstrap zei: 'Wat jij wilt, baas.' Met zijn gewicht op één been en zijn hand op zijn heup was Milstrap weer helemaal zichzelf, onaangenaam als altijd. Hootie vroeg zich af wat er misgegaan was met hem en hoe zich dat zo snel had kunnen herstellen.

'Jullie tweeën, Meredith, en deze twee jonkies, jullie brengen ons in evenwicht, snap je, Eel?'

De Eel slikte.

'Weet je wat ik studeerde op West Point? Scheikunde, onder andere. Dit zal je misschien verbazen, Eel, maar in mijn hart ben ik een wetenschapper. Op Santa Cruz studeerde ik naast filosofie ook psychologie. Ook een *wetenschap*. Gegevens, gegevens, gegevens... je besteedt duizenden uren aan onderzoek met laboratoriumdieren, en dan interpreteer je de resultaten. Zodra ik over jullie vieren hoorde, wist ik dat jullie perfect zouden zijn voor dit experiment van ons.'

'En nu Eel, als jij en je vrienden klaar zijn, als we allemaal klaar zijn, lopen we dat veld op en zoeken onze volmaakte vallei. Weet je wat, bewijs jij maar dat ik gelijk heb – wijs jij *mij* maar aan waar hij is.'

Veel spottender dan de eerste keer gebaarde hij in de richting van het veld en nodigde Eel uit om de volmaaktheid van zijn onderzoeksmethodes te demonstreren. Dit zou net zo'n experiment worden als de zonnepanelen en de houten kisten die langs de rechterkant van het veld stonden.

'Jezus, ik doe het wel,' zei Dill. Hij beende naar het betonnen obstakel dat het einde van Glasshouse Road markeerde en bijna tot zijn middel reikte, zwaaide zijn boodschappentas over de muur en gleed er been voor been overheen. Boats sprong vlak achter hem aan, met tas en al.

'Kom op, Eel,' zei Dill. 'We gaan hem laten zien waar het is.'

Onhandig hees Eel zich over de betonnen muur. Nog onhandiger ging Hootie haar achterna en terwijl hij het betonstof van zijn shirt klopte, sprong Mallon in een enkele elegante beweging op de muur en weer eraf. Hij stak een hand uit naar Meredith, die haar met spijkerstof omhulde billen boven op de muur plantte en haar beide benen er tegelijk overheen zwaaide.

Keith Hayward probeerde Mallons moeiteloze lenigheid te evenaren. Hij viel bijna van de muur, maar wist zichzelf net op tijd te corrigeren om eraf te kunnen springen. Brett Milstrap klom eroverheen zoals Dill had gedaan, een been tegelijk, maar minder soepel. Hij mompelde: 'Geschaafde familiejuwelen.' Toen Boats en Keith Hayward begonnen te lachen, stopte Hayward abrupt met zijn gebalk en wierp de schooljongen een vuile blik toe.

'We gaan hem laten zien waar we voor gekomen zijn,' zei Dill, klaar om te gaan.

Hij wenkte zijn vrienden en liep voor hen uit naar het midden van het veld. Aan hun voeten verstrengelden zich gras en wilde bloemen. Verschillende tinten groen strekten zich voor hen uit, plooiden zich in lage bermen vol uitgegroeide, slordige rangen wilde peen en tijgerlelies. Het veld leek groter toen ze er eenmaal op liepen. Ergens in verte gonsden bijen in de roerloze lucht.

Howard wierp een blik op Mallon, die met Meredith Bright naast zich achter hen liep. Zijn eerdere gespannenheid leek verdwenen. Hij glimlachte bij zichzelf en hij keek alsof hij ervan genoot om samen met hen op het veld te zijn, en alsof hij oprecht benieuwd was of zijn jongste volgelingen zonder hulp de locatie zouden vinden die hij gekozen had. Op een meter of tien achter hem sloften de mompelende Keith Hayward en Brett Milstrap. Hayward ving Hooties blik en keek hem zo beledigend, dreigend en gegriefd aan, dat de jongen zich meteen omdraaide, alsof hij geprikt was met een puntige stok.

Als hij zich weer omdraaide, zou Hayward nog steeds naar hem kijken en dat zou te verontrustend zijn – alsof je in een donkere poel water keek en ergens in de diepte iets groots en onduidelijks zag bewegen. Dill en hij liepen voorop in de kleine colonne die zich door het veld verplaatste, en dat vond hij best. Boats en Eel liepen een metertje achter hen. Op wat grotere afstand volgden Mallon en Meredith Bright, voor Hayward en Milstrap uit die treuzelden en draalden als ongeïnteresseerde schooljongens.

Dilly weifelde en Howard wees op een plag tijgerlelies die de rand van een plooi in het landschap verhulde. Naarmate de plooi dieper in het veld drong, werd de vegetatie eromheen dichter en gevarieerder, rudbeckia's, bramen, lupines en wilde rozen die op ruw gevormde, kleine honkballen leken.

'Verdomd, Hootie, Meredith had gelijk,' zei Dilly-O tegen hem. 'Jij bent echt goed in dingen zien.'

'Dat is nogal brumeus voor mij,' antwoordde Hootie. 'Maar als je op zoek bent naar een plek waar je uit het zicht bent, is deze beter dan die waar jij aan dacht. Niet, Eel?'

'Bingo,' zei de Eel.

'Ik dacht niet aan een plek, ik *dacht* gewoon,' zei Dill. 'Jij weet wel wat ik bedoel, hè Spencer?'

'Loop maar door en vertel of het goed is,' zei Spencer, de vraag tactvol omzeilend. 'Zei jij nou "brumeus"?'

'Eh, vaag,' zei Howard Bly met het begin van een blos.

Onkruid en wilde bloemen verborgen de hele lengte en diepte van de geul. Vanaf Glasshouse Road gezien leek het slechts een overwoekerde glooiing in het landschap. Op de plek waar de groep erin afdaalde, was hij nauw en ondiep, maar naarmate ze verder gingen werd hij geleidelijk dieper en breder. Toen ze iets verder dan halverwege waren verhief de met gras begroeide wal aan hun linkerkant zich bijna zo hoog als Hootie, en de dichte begroeiing van gras en onkruid op de zachte rand onttrok hen helemaal aan het zicht. Aan hun rechterkant was de tegenoverliggende helling verzonken tot een lage, holle kom in het landschap waar het gras bruin verbrand was. De auto's die over de snelweg in de verte reden, waren bewegende stipjes kleur.

De Eel en Dill keken naar Mallon op. Hij straalde als een fakkel.

'Als we hier eenmaal ingaan,' zei hij, 'zouden we de wereld wel eens kunnen veranderen.'

Mallon vroeg Dill om de witte verf en de kwast uit de tas te halen en een cirkel met een diameter van ongeveer twee meter te schilderen op de bruine, hier en daar begroeide aarde die de lange, lage wal vóór hen bedekte. 'Boats, help hem even. Ik wil dat die cirkel zo rond mogelijk is, als je begrijpt wat ik bedoel. De cirkel is de meest volmaakte vorm in de natuur, en die van ons kan niet goed werken als hij de vorm van een amoebe heeft.'

'Waar wil je hem hebben?' vroeg Dill.

'Hij moet komen waar hij komen moet. Kijk allemaal rond op de grond en zoek de cirkel. Zoek de cirkel. Hij is er al. We gaan er alleen overheen schilderen zodat we zeker weten dat we morgen de juiste plek terugvinden. Ga maar kijken, iedereen – je vindt hem in het dode gras, in het stof, als je maar goed genoeg kijkt, springt hij er wel uit. Als jullie deze plek konden vinden zonder dat ik jullie voorging, kunnen jullie de cirkel vast ook wel vinden.'

Dill zei: 'Je wilt dat we kijken...'

'Ik geef ons een minuut. Als die minuut voorbij is, wijst iedereen naar de plek waar hij de cirkel heeft gevonden. Oké, begin maar te zoeken.'

De oude Howard staarde naar de bladzijden van L. Shelby Austin en herinnerde zich de zoektocht naar iets wat niemand ooit zou kunnen vinden. Op de ongelijke grond lag geen cirkel te wachten om ontdekt te worden. Spencer had het mis, gaf de jonge Howard aan zichzelf toe. Misschien niet wat alles betreft, natuurlijk niet alles, maar in dit geval, met de denkbeeldige cirkel, zat hij er helemaal naast. Daar had je het, een onweerlegbaar feit: die verrekte cirkel bestond niet. Hij was er nog steeds van overtuigd dat hij daar gelijk in had. Niets in L. Shelby Austin kon hem van gedachten doen veranderen, niet dat dat L. Shelby Austin, auteur van *The Moondreamers*, ook maar in de verste verte iets kon schelen. Howard herinnerde zich dat hij naar de Eel keek en niet kon beoordelen of haar vertrouwen groot genoeg was om een geloof in de tovercirkel te schragen.

Het had beide kanten op gekund. De Eel bood een overtuigend toonbeeld van intense concentratie: gefronst voorhoofd, samengeknepen ogen, gespannen schouderspieren, de hele mikmak.

Ver terug in de tijd riep Spencer Mallon: 'De tijd is om!'

Drie armen vlogen omhoog, de zijne, die van Dilly-O en die van Keith Hayward, en wonderbaarlijk genoeg wezen hun wijsvingers allemaal ruwweg naar hetzelfde stukje grond. Een halve hartenklop later deed iedereen mee, ook Howard Bly, en vier andere armen werden vliegensvlug recht voor hun onoprechte eigenaren uit gestoken.

Meredith Bright gilde: 'Ik zie hem, Spencer! Daar!' De jonge Howard dacht *Ze wilde hem zien, dat is alles*; en voor de honderdste, duizendste keer dacht de dikke oude Howard in de recreatieruimte *Ze deed alsof, net als ik*.

Triomfantelijk beval Mallon Dill en Boats om de witte cirkel te schilderen op de bestaande cirkel die ze hadden gevonden dankzij wat hij 'paranormaal inzicht' noemde. De twee jongens haalden de kleine potten en de brede kwasten uit hun tassen, wrikten de deksels los en probeerden een fatsoenlijke cirkel te tekenen op de ruwe grond. Het dode en verlepte gras zoog de verf op, maar er bleef wel een duidelijk zichtbare witte schaduw achter. De aarde weigerde echter om de verf op te zuigen en klonterde in plaats daarvan aan de kwasten. Mallon zei dat ze de verf dan maar moesten gieten. Als ze meer nodig hadden, konden ze het morgen meenemen. Langzaam achterwaarts naar elkaar toe lopend terwijl ze de dunne witte stralen uit hun potten goten, trokken Boats en Dill een redelijk acceptabele cirkel die ze afmaakten door naast elkaar te gaan staan en de laatste verf op de grond te druppelen.

'Perfect,' zei Mallon. 'Nu de touwen.'

De jongens haalden de touwen uit de tassen en legden ze in een lus op de grond voor de cirkel. Die zouden vooral dienstdoen als symbolen van insluiting, zei Mallon, maar als echt vastbinden nodig bleek, rekende hij erop dat de jongens hun best zouden doen. Ze keken nerveus en onzeker, maar ze knikten.

'Kaarsen,' zei Mallon. 'Lucifers.'

Dill en Boats doken in hun tassen en haalden er voor iedereen een witte waskaars en een doos keukenlucifers uit, ook voor Mallon.

Mallon plaatste zijn gezelschap hier en daar in de grazige kom volgens een bepaald patroon dat hij in zijn hoofd had uitgewerkt en dat volgens hem bevestigd werd in eeuwenoude magische geschriften. Hij stond zelf midden in het patroon tegenover de onduidelijke witte cirkel, met zijn rug naar de overwoekerde helling. Vóór hem stonden Boats en Dill op drie meter van elkaar, elk aan een kant, als oplettende lijfwachten. Vanaf een punt links van Boats staarden Howard, Eel en Meredith Bright naar Mallon en de cirkel – Eel en Meredith om de een of andere reden zo ongemakkelijk in elkaars nabijheid dat ze telkens een stap opzij deden; Hayward en Milstrap, zo op hun gemak samen dat ze wel een apart gezelschap leken te vormen, bezetten eenzelfde plek aan de rechterkant van Dill. Als ze eenmaal op hun plek stonden, moesten ze hun lucifer afstrijken en de kaarsen aansteken. Vandaag zouden ze doen alsof.

'Nadat de kaarsen zijn aangestoken, bewaren we de stilte voor zolang als ik denk dat nodig is,' zei Mallon. 'Wanneer het moment aangebroken lijkt om de stilte te verbreken, zal ik iets reciteren in het Latijn. Het eerste wat er in mijn hoofd opkomt. Jullie zullen er niets van verstaan, en dat geeft helemaal niets. Concentreer je, pik op wat je kunt. Jullie maken ook deel uit van het basismateriaal en ik heb volledige betrokkenheid nodig. Luister dus goed – luister alsof je leven ervan afhangt. Want dat zou best eens zo kunnen zijn!'

Ook dat vereiste oefening. Howard Bly deed alsof hij een aangestoken kaars omhoog hield en keek toe hoe zijn held en kwelgeest stokstijf stilstond en een gejaagde reeks woorden prevelde die hij niet had kunnen begrijpen al had hij ze kunnen horen, omdat de taal waarin ze werden uitgesproken zo ontzettend dood was. Volgens opdracht concentreerde hij zich zo goed als hij kon zonder zijn ogen te sluiten. Na een paar minuten kreeg Howard het gevoel dat een aantal vreemden zich bij hun groepje had aangesloten. Het was maar een gevoel, maar een gevoel dat te sterk was om te negeren of te verwerpen. Omdat de vreemdelingen onzichtbaar waren, werden ze aanweziger als hij zijn ogen gesloten hield. Een voor een, en toen in groepen van twee of drie, kwamen ze aanwandelen en omcirkelden Mallon en zijn volgelingen. Howard *voelde* het gebeuren: het was alsof hij geleidelijk werd omringd door meer en meer geesten. Maar deze aanwezigheden waren geen geesten. Op precies dezelfde manier was het dikke kaarsje gaan branden dat hij iets boven zijn hoofd vasthield, want hij kon het geflakker van het heldere vlammetje *voelen*. Hoewel het voor het blote oog onzichtbaar was, was het een echte vlam, geen spookvlam.

Op dezelfde manier als hij dat flakkerende kaarsvlammetje zag, wist Howard dat de vreemdelingen om hem heen niet menselijk waren. Hij had een van hun soortgenoten ontmoet op Gorham Street. De Eel had er een gezien in de meisjestoiletten op Madison West. De wezens hadden Mallon en zijn groep opgewacht op de Glasshouse Road, maar in plaats van hen af te schrikken, hadden ze hen het veld op gedreven. Nu leken ze (dacht hij) op mensachtige, rechtop gaande honden; honden in nette maar ouderwetse kledij: jachthoedjes, korte herenjasjes, rokkostuums, huisjasjes, bolhoeden, slappe vilthoeden. Ongeveer de helft van de honden schenen Weimaraners te zijn, maar er doemden ook aardig wat buldoggen en Ierse setters op in de menigte. Sommige rookten sigaren. Ze leken heel veel op de honden in dat geweldige schilderij van de Eel, behalve dat ze er niet ontspannen uitzagen, maar melancholiek en geïrriteerd. Hootie voelde zich uitermate onbehaaglijk, want een van de dingen waar deze hond-gevallen zo chagrijnig over waren was hijzelf, de enige die hen kon zien.

En waarom zouden die dingen hen naar het veld drijven, als herdershonden hun kudde? Howard las het antwoord in hun waakzame houding: de agenten, zoals Mallon ze noemde, wilden zien hoe ver ze zouden komen.

Mallon had er geen idee van dat de honden zich om hen heen hadden verzameld. Zijn gespannenheid leek hem geheel te hebben verlaten, en hij leek tegelijkertijd volkomen op zijn gemak en zo geladen en opgewonden dat hij bijna stond te beven. De jonge

Howard vreesde dat de radicale onverenigbaarheid van die gemoedstoestanden Spencer Mallon doormidden zou splijten, of dat hij van hem weg zou zweven om nooit meer terug te keren.

Op het moment dat die onthutsende gedachte bij hem opkwam, ving Howard Bly iets vreemds op aan de uiterste rand van zijn blikveld, een beweging als van een witte sjaal die dwars over het veld geblazen werd. Hij bewoog zijn hoofd om beter te kijken en had nog geen seconde lang de indruk dat hij iets kleins zag, iets wits en krampachtigs, geen sjaal, dat zich op iets meer dan een meter rechts van de witte geverfde cirkel kronkelend losmaakte uit het gras en omhoog tolde tot het ineens onzichtbaar werd. Eromheen vlamde de atmosfeer op; het landschap leek op te zwellen waar de witte vorm langs vloog. Zo snel was het verschenen en weer verdwenen dat hij betwijfelde of hij het wel echt had gezien. Toen realiseerde hij zich dat hij het natuurlijk wel had gezien, op zijn manier, en dat het gekwelde witte, sjaalachtige ding op de vlucht was geweest voor wat het dan ook mocht zijn dat de wereld deed rimpelen en zwellen terwijl het de achtervolging inzette. Het arme witte ding was erdoorhéén gevlogen, het was ontsnapt naar deze wereld.

Onmiddellijk daarop realiseerde hij zich ook dat het onzichtbare, maar echte kaarsvlammetje sputterend was gedoofd en dat de hondschepsels hen hadden verlaten – ineens was hun onzichtbaarheid veranderd in afwezigheid. En heel even leek die afwezigheid dreigender dan hun aanwezigheid.

Mallon liet zijn armen zakken en vertelde iedereen dat ze alles hadden gedaan wat ze die dag konden doen. Hij vond dat de repetitie goed was verlopen, heel goed zelfs. Dat vond hij echt: Howard voelde de onderdrukte opwinding van de man nog steeds kloppen onder zijn beheerste uiterlijk.

'Ga allemaal naar huis en eet smakelijk, als dat erin zit. Nu komt de verrassing die ik jullie beloofd heb. Hootie, Eel, Boats, Dill? Dit is de avond waarop jullie eindelijk naar een studentenfeest mogen. Keith en Brett hebben gezorgd dat wij vanavond allemaal naar het feest van Bèta Delta kunnen, en het wordt geweldig. Gratis bier, live rockmuziek, drie meisjes voor elke jongen, drie jongens voor elk meisje. Behalve voor jou, Meredith! Gegarandeerd heel veel pret voor iedereen. Keith en Brett, namens ons allemaal bedankt voor het verwerkelijken van een droom. Zie je wat ik bedoel, Hootie?'

'Ja,' zei Howard. 'Fantastisch.' Dit was nu een andere wereld, dacht hij, een wereld die hij amper kende.

Niemand anders had het geteisterde witte fragment over het dode gras zien scheren, leek het. Niemand anders dan hij had de aanwezigheid van de agenten gevoeld of een kaars met een onzichtbare vlam vastgehouden. *Dus wat deed ik, ik dacht dat ik het was, dat het aan mij lag*, zei de oude Howard tegen zichzelf. *Hootie zei tegen Hootie, wat jij daarginds zag was niets anders dan jijzelf, en Hootie geloofde wat hij zei.*

Dill ging naar huis om te eten. Howard en de Eel gingen met Boats mee naar huis, waar zijn moeder nog nuchter genoeg was om een van hun lievelingsmaaltijden te bereiden, macaroni met kaas. Ze stortte de gele smurrie op hun borden, zette een kom chips en koude flessen Coca-Cola voor hun neus, en keek hoe ze aten terwijl zij aan een stuk door rookte en glimlachte om de manier waarop ze hun eten naar binnen werkten. De moeder van Boats was altijd erg gesteld geweest op de Eel.

'Hé, waar is je vriendje?' vroeg ze. 'Jullie zijn altijd zo close.'

'Ja, nou, hij heeft ons laten zitten,' zei Eel. 'Hij doet zo superieur en zo sceptisch, dat hij nu alles moet missen, niet dat mij dat ook maar iets kan schelen.'

'Ja, vast,' zei de moeder van Boats. 'Oké. En gaan jullie allemaal naar een feest vanavond, of gewoon een beetje hangen net als anders?'

De moeder van Boats, Shirley Boatman, was ooit heel knap geweest, en de agressieve vraag had een ondertoon van verlangen.

'Misschien allebei een beetje,' zei Boats.

'Jullie zouden wat vaker naar feesten moeten. Waar is het trouwens?'

Boats en de Eel bleven dooreten. Zijn moeder tikte een paar ijsklontjes uit het bakje in de vriezer en ververste haar drankje met vijf centimeter gin en een even grote hoeveelheid 7-Up.

'Hé, je hoeft niet bang te zijn dat ik je plezier bederf of zo.' De askegel van haar sigaret viel in haar glas en loste op toen hij een ijsklontje raakte. Ze roerde in de drank met haar vinger en de meeste as verdween.

Ze nam een trek van haar sigaret en blies een zuil van rook uit die boven de tafel en hun hoofden wegzweefde. 'Wie geeft die fuif dan?'

'Gewoon, wat mensen. En mam? Alleen oude mensen zeggen nog "fuif".'

De plots vallende stilte werd door Eel opgevuld met: 'Het enige wat ik weet is dat het feest op Langdon Street is.'

'Langdon Street. Toen ik op de middelbare school zat, hadden we het altijd over studentenfeesten, maar geen van ons is er ooit geweest. Onze ouders zouden het niet goedgevonden hebben, om te beginnen. Mijn vader en moeder? Ze zouden mijn slaapkamerdeur dichtgespijkerd hebben. Het enige wat ik ervan ga zeggen is drink niet te veel en zet jezelf niet voor schut. Eel en Hootie, ik heb het tegen mijn zoon. Jullie tweeën zullen je wel gedragen, dat weet ik zeker.'

'O, en je verwacht zeker dat ik me als een idioot ga aanstellen? Jeetje mam, bedankt hoor.'

'Wil je weten wat ik verwacht? Boats, ik verwacht vooral dat jij je handen thuishoudt. Denk erom dat je niets meeneemt wat niet van jou is. Het is niet zoiets als snoep pikken uit de supermarkt. Het kost geld om bij een studentenvereniging te komen. Als ze er eenmaal bijzitten, waken ze over elkaar.'

''t Zal wel, mam,' zei Boats.

'Onthoud nou maar: als je in de problemen raakt, moet je er zelf maar uitkomen.' Ze wendde zich naar Howard Bly. 'En Hootie, je moeder zei dat je vanavond best hier mocht eten, maar ze wil niet dat je te laat thuiskomt. En ze vroeg of ik wist of er iemand 's nachts in jullie kelder logeert.'

De drie kinderen keken haar geschrokken aan. Voor de kleine Howard Bly was het alsof zijn aanbeden Spencer Mallon ineens dat witte ding was geworden dat gekweld de lucht in kronkelde en verdween.

'O, jee,' zei Shirley. 'Hoor eens, ik weet niet wat er aan de hand is, en ik wil het ook niet weten, maar als die gluiperd die jullie allemaal zo geweldig vinden bij jou in de kelder slaapt, moet je zorgen dat hij verdwijnt, en wel *pronto*.'

De avond zag Howard geen kans om Spencer apart te nemen toen ze elkaar buiten het huis van Bèta Delta troffen, dat niet echt aan Langdon Street stond, maar aan het eind van een doorgang tussen twee andere studentenhuizen. Het was een verzakt houten gebouw dat nodig geschilderd moest worden, tegenover een kleine geasfalteerde parkeerplaats met een particuliere oprijlaan ernaartoe en twee andere al even onopmerkelijke huizen. Aan de achterkant kwam het huis uit op een houten dek boven Lake Mendota en een lange, krakkemikkige pier.

Hayward en Milstrap leidden Mallon en de groep door de voordeur naar een zitkamer waar afgeleefde, toegetakelde leren meubelen om een koude haard heen stonden. Een jongen in een hawaïhemd en korte broek op sandalen keek op van een spelletje patience en brulde: 'Wat moet dat verdomme met die koters, Hayward?!'

Hayward zei: 'Keukenpersoneel.'

'Jij zou keukenpersoneel moeten zijn, eikel,' zei de jongen.

Howard kreeg Spencer pas alleen te spreken toen Hayward hen langs de trap naar een grote lege kamer beneden had gebracht, met aan de ene kant een podium en aan de andere kant een bar. Toen twee jongemannen Hayward en Milstrap bij zich riepen vanuit een deuropening, wendde Howard zich tot Mallon en beschreef zijn dilemma. Hij was bang dat Mallon boos zou worden of niet uit zijn kelder zou willen vertrekken, en hij aarzelde telkens en raakte verstrikt in zijn eigen woorden.

Geen probleem, zei Mallon. Hij was toch al niet van plan geweest om die nacht terug te gaan naar de kelder – hij bleef wel bij Meredith pitten. Hij had wat problemen gehad van die kant, maar nu was alles kits. Vrouwen, ze zijn allemaal een beetje gek, weet je wel. Overigens was er geen reden om iets aan de Eel te vertellen. Oké?

Van die kant? Blijven pitten? Alles kits... sprak die vent wel Engels? 'Oké,' zei hij.

Eigenlijk wilde hij zeggen: Vergeet morgen, vergeet het allemaal maar, mijn lief, je weet misschien dat je bekeken wordt, maar je weet niet waar je mee te maken hebt. Denk aan wat ze zeiden. Stop nu je nog achterligt.

Hoe kon hij die dingen tegen Spencer Mallon zeggen? Het was onmogelijk. Een moment lang wankelde Howard Bly op de grens van doen wat niet gedaan kon worden, en aan het einde van dat moment werd hem elke keus ontnomen. De twee corpsstudenten die Keith en Brett hadden geroepen, stelden hen nu op in een lange rij. Toen ze door de boogvormige deuropening liepen, bekeken de jongens hen indringend; het leek wel alsof ze zich hun gezichten in het geheugen prentten. Howard merkte dat ze speciale aandacht besteedden aan de Eel en aan hemzelf. Toen Milstrap de groep een lege keuken in schoof, keek Howard achterom en dacht dat hij Keith Hayward een stapel bankbiljetten in zijn zak zag stoppen.

Milstrap zei hun dat ze vroeg binnen waren gelaten om de controle bij de deur te vermijden. Mallon en Meredith waren natuurlijk geen probleem, maar wat Bèta Delta betrof, waren de middelbare schoolleerlingen ingehuurd als keukenpersoneel. En als dit straks een gewoon feest bleek te zijn, met alleen bier en zonder eten, nou sorry, maar lik m'n reet, oké? Dus Hayward was vergeten om het de kinderen te vertellen. Lekker belangrijk, toch? Officieel werden ze geacht tot middernacht in de keuken te wachten en daarna de BD-kamer op te gaan ruimen. Maar in werkelijkheid hoefden ze alleen maar te wachten tot de BD-kamer flink luidruchtig werd – misschien een kwartiertje nadat de band was gaan spelen – en daarna konden ze doen wat ze wilden. Als zij aardig waren voor de Bèta Delts, zouden de Bèta Delts aardig zijn voor hen. En trouwens, het bier was gratis. Drink zoveel als je wilt, als je maar niet gaat kotsen of flauwvallen.

Mallon en Meredith Bright gingen met Hayward en Milstrap mee. Iets minder dan een uur lang hingen de leerlingen van Madison West ongestoord in de keuken rond. Toen nam het gedreun van stemmen in de feestzaal toe, een gitaar begon de blues te spelen op een schuifelritme, vrouwelijke en mannelijke stemmen verhieven zich tot feestniveau en het groepje jonge vrienden glipte de keuken uit en de BD-kamer binnen. De lichten waren gedempt. Kronkelende, stuiterende lichamen vulden de ruimte. In de menigte werden ze onmiddellijk van elkaar gescheiden.

Howard besefte dat hij nog nooit op een feest was geweest dat hier ook maar in de verste verte op leek, en zijn vrienden evenmin. Op de middelbare school namen grote feesten hele huizen in beslag, en je kon altijd ontsnappen naar een stillere, minder volle kamer of de tuin in lopen. Je luisterde naar plaatjes en hoopte dat iemand bier binnen had kunnen smokkelen. Hier was iedereen in één vertrek gepropt en iedereen schreeuwde en gilde. De band produceerde het hardste geluid dat hij ooit in zijn leven had gehoord; hij voelde de bas weerklinken in zijn borst, het geluid trilde door zijn hele lichaam. Iedereen, zelfs de dansers, droeg grote plastic bekers vol bier, dat overal op kleding en op de vloer spatte. Luide, harde, enorm vrolijke muziek echode van de muren en drilde zijn oren binnen. Om bij de bar te komen liep Howard langs de rand van de dansvloer, vlocht hij zich een weg door de menigte en drong langs mensen heen die niet eens merkten dat hij er was. Toen hij eindelijk de bar bereikte, stond Eel recht voor hem, omhoogreikend om twee halve-literglazen aan te pakken van de jongen achter de tap. Het was een van die onverwachte momenten waarop hij zich er pijnlijk van bewust was dat Eel een meisje was, een echt meisje, in plaats van zo'n overtuigende robbedoes dat hij haar min of meer als gewoon een jongen zag. Erger nog, ze was bloedmooi. Tot zijn verbazing draaide Eel zich om en gaf hem een van de plastic glazen die tot de rand toe met schuimend bier gevuld waren, alsof het een troost was voor de doordringende pijn waarvan die waarneming vergezeld ging.

Hij ging aan de kant staan en kreeg Dill in het oog, dansend met een heel leuk meisje met lang, steil blond haar, een enorme bril, en prachtige witte benen. Dill grijnsde als een idioot. Toen sloot de menigte zich weer om hem heen en Howard zag een boosaardig kijkende Keith Hayward iets in het oor van een andere student fluisteren. De gedachte dat Hayward over hem praatte vervulde Hootie met afkeer en hij wendde zich meteen af.

De Eel en hij bleven een half uur bij elkaar, dronken bier en lieten de muziek op zich in dreunen. Toen hij dronken genoeg was om zijn remmingen te vergeten, wankelde Howard de menigte in en begon te dansen, alleen; hij zwaaide wild met zijn armen en sprong op het ritme mee. Lachend schoof een studente opzij om hem de ruimte te geven en twee tellen later stond ze samen met een ander meisje voor hem op en neer te stuiteren, partners en publiek tegelijk. Een gedrongen knul met harige armen kwam naast de meisjes staat en begon melige roeigebaren te maken, hield toen zijn neus dicht en deed alsof hij verdronk. Hij was een vriend van Hayward, maar Howard kon zich niet herinneren hoe hij dat wist. Iemand gaf hem nog een halve liter bier, zijn derde, en hij blies er wat van door zijn neus toen hij lachte om de melige knul die een vriend van Keith Hayward was. O, ja! Hij had ze samen zien praten, daarom wist hij dat.

Met zijn handen om de taille van het blonde meisje lachte Dill naar hem en stak een vuist in de lucht. Toen Howard het gebaar nadeed, greep de melige knul zijn hand en draaide hem rond, zodat hij nog harder moest lachen. Het grootste deel van zijn bier spatte op de grond. Even ving hij een glimp op van de Eel, babbelend met twee jongens die eruitzagen als footballspelers. Hij moest lachen om de Eel en hij lachte een verrukkelijke Eel-lach, toen er een stevig gebouwde man in een grijs pak door zijn blikveld liep.

Van schrik verloor Howard de kracht in zijn benen. Voordat hij tot een plasje water op de grond kon versmelten, greep iemand hem om zijn borst en trok hem overeind. Zijn benen deden het weer, al leken het wel stelten.

De muziek werd rubberachtig. Hij dacht dat het geluid al een poosje onduidelijk was, al had hij het precieze moment waarop het was veranderd niet opgemerkt. De individuele dansers werden vage vlekken. Degene die voor hem stond, liet hem in een stoel zakken. De footballspelers van Eel kwamen langslopen, hoewel de Eel zelf niet bij hen was. Toen liep hij ook door de hal en werd door een deuropening een schaars verlichte kamer in geholpen, vol matrassen en enorme zachte kussens in plaats van stoelen en banken. De melige knul met zijn harige armen zette hem op een van de gigantische kussens en strekte zich net naast hem uit toen Spencer Mallon kwam aanstormen, de knul van het kussen afrolde, een gelaarsde voet in zijn maag plantte en Howard overeind hielp krabbelen. 'Ik hoop dat je geniet van je eerste studentenfuif, Hootie,' zei hij en liep met hem mee terug naar de dreunende feestzaal.

'Alleen oude mensen zeggen "fuif",' liet Howard hem weten.

In het grote vertrek aan het eind van de gang nam de band pauze. De menigte had zich rond de bar geschaard, van waaruit mensen langs beide kanten van het vertrek uitwaaierden en voor het podium weer bij elkaar kwamen. Howard besefte dat Spencer Mallon hem losgelaten had en slenterde, minder onvast dan eerst, naar een ingezakte oude bank die tegen de muur geschoven was waar hij naast een dronken jongen in een geruite korte broek ging zitten. De dronken jongen nam hem op en zei: 'Shane, kom terug! Kom *terug*, Shane!'

Met gezaghebbende stem vertelde Howard hem dat alleen oude mensen dat zeiden. Toen keek hij naar de andere kant van het vertrek en vergat de jongen in de geruite korte broek volkomen.

Aan die andere kant van de lege dansvloer stond een man in een grijs pak gebogen over de Eel, die zich had uitgestrekt op een met ducttape volgeplakte babyblauwe zitzak. Een student raakte de arm van de man aan, maar hij reageerde niet. De jongen greep zijn elleboog en riep iets. Zonder zich zichtbaar te bewegen, behalve dat hij een paar graden rechter op leek te gaan staan, zorgde de man dat de student met zwaaiende armen achteruit struikelde over de met bier bevlekte en met bekers bezaaide vloer, tot hij uiteindelijk in een onhandige wirwar van ellebogen, knieën en voeten op de grond belandde. Twee andere leden van de studentenvereniging hadden de achterwaartse vlucht van hun broeder opgemerkt; de jongen lang nu op de natte vloer van de barruimte en leek een beetje uit zijn neus en zijn ogen te bloeden. Een van de twee jongens die hadden gezien dat de man hun vriend uit balans bracht, had de enorme borstkas en het vierkante hoofd van een footballspeler; de andere was zo groot dat hij immuun leek voor elke aanval. Deze twee wendden zich naar de hond, de agent: de moordende engel, volgens de benevelde inschatting van Hootie. Hij wilde zeggen *Laat die vent met rust, met hem wil je geen ruzie, hoe groot je ook bent*. Ze zouden omkomen, wist Hootie, ze zouden aan bloedige flarden worden gescheurd. Doodsangst ontnam hem al zijn krachten en hij sloot zijn ogen.

Toen hij ze weer opendeed, waren de twee reusachtige Bèta-Delts hun geschokte, bloedende vriend aan het oprapen en was het schepsel in kostuum verdwenen, net als de ongeziene schepsels die bij hun repetitie hadden toegekeken. Hootie vroeg zich af of hij überhaupt ergens iets van begreep.

Hij herinnerde zich dat Spencer hen de volgende dag zou verlaten en werd overmand door verdriet. De Bèta-Delt in de geruite korte broek zei iets over baby's en liep weg. Door zijn tranen heen zag Hootie een vage Eel naar een vage Boats toelopen en hem bij de schouders grijpen. Ze was in tranen, net als hij, en hij begreep dat haar tranen om dezelfde reden werden gestort.

Mallon zei:

Op een dag, waarschijnlijk ver in de toekomst en zeker wanneer je het het minst verwacht, bevind je je op een compleet onpersoonlijke, anonieme plek voor de belangrijkste keuze van je leven. Je bent op zakenreis, of op vakantie, je stapt uit een lift of loopt de lobby van een hotel binnen. Het kan overal zijn, maar laten we het bij deze aardige, neutrale mogelijkheden houden. Zo zal het niet verlopen, maar laten we aannemen van wel. Laten we zeggen... laten we zeggen dat je om de een of andere reden weet dat ik op dat moment in Nepal zit, of dat ik in het ziekenhuis lig. Of je weet dat ik dood ben! Hoe dan ook, ik ben weg, ik kan er niet zijn, maar ik ben er toch. Je ziet me door de lobby lopen, of uit de lift naast de jouwe stappen. Kan hem niet zijn, denk je bij jezelf, Spencer kan hier niet zijn, maar ondanks alle bewijzen van het tegendeel ben ik het toch, en jij weet dat ik het ben. Dan is de vraag, wat doe ik daar? Want je kunt heel goed zien dat ik iets *aan het doen ben, ik ben niet zomaar aan het wandelen, ik ga* ergens *heen. En de volgende vraag is nog belangrijker: waarom zie jij mij? Wandelde ik per ongeluk door jouw blikveld? Hoe waarschijnlijk is dat? Nee, er is een reden dat jij me hebt gezien, en het moet iets knap belangrijks zijn.*

Dus ga je me achterna – je zegt niets, je loopt gewoon mee om te zien waar ik heen ga. Want ik ga er niet alleen heen, ik neem jou mee – het is ook jouw doel, niet alleen het mijne. En vanaf het moment dat je me begint te volgen, voer ik het tempo op en maak ik het voor jou moeilijker om te doen wat je doen moet.

Is het duidelijk dat dit allemaal een soort parabel is? Parabelen betekenen niet slechts een enkel ding, weet je, daarom maken mensen er tweeduizend jaar later nog steeds ruzie over.

Ik ga voor je uit, om een huizenblok heen, ik duik steegjes in, ik loop winkels in en ga er door de achterdeur weer uit, maar je weet me bij te houden, wat ik ook doe. Uiteindelijk komen we weer in de hotellobby terecht, dus je zou kunnen zeggen dat onze bestemming de plek is waar we begonnen. Ik ben er eerder dan jij, en als jij de lobby binnenkomt, zie je mij in een lift stappen, net voordat de deur dichtschuift. Je ziet de teller omhooggaan en op de vijfde verdieping stilstaan. Ben ik daar uitgestapt, of iemand anders? Er is geen tijd om erover na te denken – de volgende lift arriveert en de deuren schuiven open, en jij springt erin en drukt op vijf en op de knop Deur Sluiten *voordat er nog iemand kan instappen. De lift sukkelt naar boven, langzamer dan je voor mogelijk houdt, maar komt uiteindelijk aan op de vijfde verdieping; de deuren glijden open en jij stort je naar buiten en probeert om tegelijkertijd twee kanten op te kijken. Ik ben rechts, helemaal aan het einde van de gang, en ik verdwijn net de hoek om. Je zet het op een lopen, omdat je niet wilt dat ik door een deur verdwijn zonder dat jij ziet welke deur.*

Op het moment dat jij de hoek van de gang bereikt, klapt er een deur dicht. Je stuift de hoek om en beseft dat ik door een van de twee deuren in de binnenmuur moet zijn verdwenen. Er zijn ook deuren aan de straatkant, maar als ik er daar een van had geopend, zou je de deur hebben zien dichtgaan.

Goed, dit is dus het punt waarop je moet kiezen. Maar nu sta je voor een dilemma. De betekenis van je keus werd je ongeveer een seconde nadat je voor die twee deuren ging staan duidelijk, en er hangt enorm veel af van je besluit.

Als je op de deur van mijn kamer klopt, doe ik die open en nodig je binnen voor een lang gesprek. Zo lang als je maar wilt. Dan heb je precies gedaan wat je moest doen, en als beloning mag je me alles vragen wat je maar wilt – ik zal elke vraag beantwoorden die jij je hebt gesteld, alle vragen die jou hebben gekweld. En geloof me, er zullen veel vragen zijn – als je eenmaal de tijd hebt gehad om na te denken over alles wat we hebben gedaan en straks gaan doen, zul je overlopen van vragen. De antwoorden die je krijgt zullen de verklaringen bieden die je nodig hebt gehad, waarnaar je zelfs je hele leven hebt gehunkerd.

Maar een seconde geleden heb je je gerealiseerd dat je een verschrikkelijke, persoonlijke ramp zal overkomen als je de verkeerde deur kiest. Die angstaanjagende waarheid kwam ineens bij je op: denk erom, de verkeerde beslissing brengt consequenties met zich mee, en in dit geval zouden die consequenties echt gruwelijk kunnen zijn. En wat het nog erger maakt, is dat die ramp niet jou persoonlijk zal overkomen – al blijft het nog steeds persoonlijk, dat wel – maar iemand die jij bemint. Als je de verkeerde beslissing neemt, gebeurt er iets vreselijks met iemand van wie jij met heel je hart houdt. Een verlammende beroerte, een afgrijselijke verminking in een auto-ongeluk, een gruwelijk, langgerekt sterven, met schorre kreten van pijn en stront op alle lakens.

Dan moet je kiezen. Hoeveel durf je te riskeren? Laten we zeggen dat je een vermoeden hebt welke deur de juiste is, een soort instinct. Kun je dat instinct vertrouwen?

Lastig, nietwaar?

Maar dit verhaal is afgelopen zodra je de deur opendoet. Het maakt niet uit of je hebt geraden welke kamer de mijne is, welke deur ik achter me heb dichtgetrokken. Je legt je hand op de deurknop, je klopt aan, en het is voorbij. Einde verhaal. Door de ene deur te kiezen, koos je ook de andere. Begrijp je waarom? Die twee consequenties zijn met elkaar vergroeid, als een Siamese tweeling. Zelfs als je de deur koos met de dame erachter – alle vragen beantwoord, alle verklaringen gegeven, je leven voor je opgelost – nog steeds geldt dat jij de tijger toestemming gaf om te springen. Je stemde in met een ramp, je nodigde tragedie en gruwel bij je thuis. Je had mazzel, meer niet.

Mallon zei:
Elke geheime missie vereist een goede dief.

Mallon zei:
Vertrouw op mij. Als het getij keert, sta jij aan mijn zijde.

Mallon zei:
Een van jullie zal wonen in het land der blinden.

Mallon zei:
Ik denk dat je jubelend zult opstijgen, dat je de heldere hemel zult doorklieven. Eén lang, juichend lied, zo mooi dat het iedereen betovert die het hoort.

Mallon zei:
Woorden creëren ook vrijheid, beste Hootie, en ik denk dat woorden jou zullen redden.

DONALD OLSON

Chicago, vroeg in de zomer

Don Olson zat breeduit op een barkruk met een hoge rugleuning en had de hele achterste helft van de lange bar bij Mike Ditka's voor zichzelf. Terwijl hij met zijn linkerarm zijn drankje afschermde, stak hij zijn rechterwijsvinger in de lucht. Hij had zijn gezicht naar de barkeeper gewend. De barkeeper negeerde hem.

'Daar is-ie, de vent waar ik het over had. Je hebt dat boek toch wel gelezen, *Het Nachtgespuis*? 1983 was dat toch? Jaar dat het uitkwam? Omslag van *Time Magazine*?'

'Goed geheugen,' zei ik.

De barkeeper stond voor de twee mannen aan het andere eind van de bar en leek helemaal op te gaan in het afspoelen van selderijstengels onder een stroom koud water. Dit werd nog erger dat ik had gevreesd. Ik wou dat ik de man nooit had gesproken. De blikken van de mensen aan de tafeltjes schoten heen en weer tussen Olson en mij. De klanten aan het andere eind van de bar staarden recht voor zich uit. Ze zagen eruit alsof ze televisie keken, maar in feite keken ze met toenemende schrik en ongerustheid naar de voormalige Dilly-O.

'Ik stelde je een vraag, maat. Zegt de naam Lee Harwell je niets?'

'Meneer, in 1983 was ik acht,' zei de barkeeper.

'Hoe vluchtig de zeepbel van de roem,' zei Olson. 'Kom eens hier en geef pappie een knuffel.'

Nu was die vent mijn pappie? De geur van zweet, ongewassen huid en tabak werd sterker naarmate ik dichterbij kwam, en ik hield mijn adem in terwijl ik mijn oude vriend omhelsde. Olsons wangen waren bedekt met peper-en-zoutkleurige stoppels. De stank was een deel van de reden waarom iedereen naar de andere kant van de bar was gevlucht. De rest van de reden zou dan zijn wat hij gezegd of gedaan had. Olson klemde me een paar tellen te lang vast voordat hij me liet gaan.

'Joh, laat me je een borrel aanbieden, hè? Lijkt je dat geen goed idee?'

'Welja,' zei ik, en vroeg om een glas *pinot grigio*.

'Pinot voor mijn maat, en voor mij nog een margarita. Hé, Lee.' Een klap op mijn schouder. 'Moet je horen... ik waardeer dit enorm.'

Grinnikend leunde hij achterover. 'Moeten we misschien aan een tafeltje gaan zitten?'

'Laten we dat maar doen,' zei ik, en zag de schouders van de barkeeper een paar centimeter zakken.

'Welke denk je? Die daar?' Olson wees op een van de twee lege tafels achter in de zaal.

Ik probeerde de sjofele, verlopen man voor me te verenigen met zowel zijn achttienjarige zelf, als met de man die Jason Boatman me ooit had beschreven in de lobby van het Pfister. Olson zag er precies uit als iemand die net uit de gevangenis kwam. Door zijn bajesklantbravoure leek hij onoprecht en potentieel gevaarlijk.

'Die lijkt me prima.' Ik voelde een instinctieve behoefte om Olson rustig te houden.

De hele zaal ontspande toen wij aan het tafeltje achterin gingen zitten.

Olson zat met zijn gezicht naar de deur, op zijn hoede voor iets wat nooit zou gebeuren, en de andere klanten richtten zich weer op hun gesprekken, hun hamburgers, hun gelach. Een kleine, bruinharige en uitzonderlijk aantrekkelijke serveerster bracht onze drankjes op een glanzend dienblad en zette ze neer met een vluchtige blik voor mij, en niets voor Olson. Ze bracht de koninginnen van de film in de jaren veertig in herinnering, Rita Hayworth, Greer Garson. Ze riep ook een andere herinnering op, scherper, dringender en vol emotie.

'Dit is een leuke tent, toch? Ik dacht dat jij het wel leuk zou vinden.'

'Ik vind het ook leuk,' zei ik.

'Je bent hier al eerder geweest, zeker.'

'Ik geloof van wel.'

'Zijn zulke tenten zo gewoon voor je dat je niet meer weet of je hier al eens bent geweest?' Olsons blik flitste weg en inspecteerde even de ingang van de bar. Toen schoot zijn aandacht weer naar mij.

'Ik ben hier één keer eerder geweest, Don. Ongeveer een week na de opening. We hebben hier gegeten.'

'Ze serveren hier goed eten, hè?'

'Hun eten is prima. Het is subliem. Het is geweldig.'

'Oké, ik snap het. Hé, kan ik iets voor je bestellen? Een voorgerecht?'

Ditka's was op East Chestnut, vijf straten ten zuiden van mijn huis op Cedar Street, niet zo dichtbij dat Olsons komst als een inbreuk aanvoelde – behalve dan al die manieren waarop het juist wel als een inbreuk aanvoelde.

'Kom op, laten we een garnalencocktail delen.' Hier wierp hij weer een doordringende, korte blik op de ingang, maar wat hij vreesde of verwachtte verscheen niet.

'Moet je luisteren, ik heb de lunch helemaal overgeslagen,' zei ik. 'En nu is het bijna vier uur. Laten we een late lunch nemen, of een vroeg diner, hoe klinkt dat? Op mijn kosten, alsjeblieft, Don. Ik weet dat je de laatste tijd een beetje pech hebt gehad.'

'Ik heb beslist mijn dag: ik zou wel een koe op kunnen, om je de waarheid te zeggen,.'

'Dan ben je op het juiste adres.'

Hij wenkte naar de serveerster en toen haar blauwgrijze blik hem vond, mimede hij het lezen van een menu.

Ze kwam met twee enorme menu's naar onze tafel en Don Olson vond het helaas nodig om zijn hand om haar pols te sluiten. 'Wat is er lekker hier, schatje?'

Ze rukte haar hand los uit zijn greep.

'Wat denk je dat ik zou moeten bestellen?'

'De Karbannonade.'

'Karbannonade, is dat een specialiteit van het huis?'

'Met kaneelappels, groene peperkorrels en jus.'

'Voor mij wordt het dat. Breng me eerst maar wat gebakken calamares. Extra knapperig, kun je dat voor me regelen?'

Ik bestelde een hamburger met blauwe kaas en een tweede glas wijn.

'En nog een margarita voor mij, schatje. Met een Corona ernaast. Heb jij ooit *Het Nachtgespuis* gelezen?'

'Ik geloof van niet.'

'Deze vent hier heeft het geschreven. Vergeef me, ik ben Don Olson, en dit is mijn vriend Lee Harwell. Hoe heet jij? Je naam is vast even mooi als jij.'

'Mijn naam is Ashleigh, meneer. Neem me niet kwalijk, maar ik ga uw bestelling even intikken.'

'Wacht even, alsjeblieft, Ashleigh. Ik wil je een belangrijke vraag stellen. Denk er over na, en geef me dan je eerlijke mening.'

'U heeft dertig seconden de tijd.'

Olson keek naar de deur, hief zijn kin omhoog en sloot zijn ogen. Hij stak zijn rechterhand op en perste de duim tegen de wijsvinger. Het was als een parodie op zorgvuldig overwegen en het was akelig om aan te zien.

'Heeft iemand het recht om van het leven van zijn vrienden amusement te maken, voor geld?' Hij deed zijn ogen open, zijn hand nog steeds omhoog in dat snuiftabakgebaar.

'Om een roman te schrijven hoef je geen toestemming te vragen.'

'Verdwijn maar,' zei Olson.

Ashleigh draaide om haar as en liep weg.

'Tien jaar geleden zou dat sletje met me mee naar huis zijn gegaan. Nu keurt ze me geen blik waardig. Nou ja, ze negeerde jou tenminste ook.'

'Don, je bent er niet echt bij,' zei ik. 'Je hebt al vijf of zes keer naar de deur gekeken sinds we hier zijn gaan zitten. Ben je bang dat er iemand binnen zou kunnen komen? Word je gevolgd? Je bent duidelijk waakzaam.'

'Tja, als je in de bak zit, leer je wel op de deur te letten. Je wordt een beetje schrikachtig, een beetje paranoïde. Over een paar weken ben ik weer normaal.'

Hij wierp weer een snelle blik op de ingang.

'Wanneer ben je eigenlijk vrijgekomen?'

'Ik heb vanmorgen de bus hierheen gepakt. Weet je hoeveel geld ik in mijn zak heb? Tweeëntwintig dollar.'

'Don, ik ben je niets verschuldigd. Laten we dat meteen even duidelijk stellen.'

'Harwell, ik vind helemaal niet dat jij me iets verschuldigd bent, kunnen we dat ook even duidelijk stellen? Ik dacht alleen dat jullie me misschien een beetje zouden willen helpen, jij en je vrouw. Zij was altijd geweldig, jij was altijd een goeie vent, en je bent ongeveer een miljoen keer beter af dan alle andere mensen die ik ken.'

'Laat mijn vrouw hierbuiten.'

'O man, dat is hard,' zei Olson. 'Ik hield van de Eel.'

'Net als iedereen. Wat bedoel je, een beetje helpen?'

'Laten we het zakelijke deel bewaren voor na de lunch, oké? Ik denk aan de tijd dat wij de toekomst nog helemaal voor ons hadden, onze vriendengroep. En jij en de Eel waren de "Twins". Want jullie leken echt als tweelingen op elkaar, dat moet je toegeven.'

'Ik wou dat je haar niet steeds "de Eel" noemde,' zei ik.

Hij leek me niet te hebben gehoord. 'Man, zij was vast een van de stoerste meiden aller tijden.' Voor het eerst sinds we aan het tafeltje waren gaan zitten, leek Olson zijn obsessie met de deur opzij te zetten en helemaal op te gaan in zijn helft van de conversatie.

Ik herinnerde me iets dat het plotselinge oplaaien van mijn woede temperde. 'Als ik haar vroeger kwaad wilde maken, noemde ik haar Scout.'

Olsons gezicht plooide zich in een glimlach. 'Net als dat meisje in je weet wel, die film...'

Ineens kon ik me niets herinneren over een film die ik een tel geleden nog precies voor de geest had gehad. Die mentale leemtes en verdwijningen leken de laatste tijd steeds vaker voor te komen. 'Die met die ene acteur...'

'Ja, en hij was advocaat...'

'En Scout was zijn dochter...'

'Verrek,' zei Olson. 'Gelukkig weet jij het ook niet meer.'

'Ik weet het wel, maar ik weet het niet,' zei ik, gefrustreerd maar niet langer in een slecht humeur. Ons gedeelde gebrek had ons op gelijke voet gebracht, en dit teken van veroudering bij Olson herinnerde me, hoe tegenstrijdig dat ook leek, aan de openhartige en aantrekkelijke jongeman die Dill vroeger was geweest.

Tegelijkertijd zeiden we '*Spaar de Spotvogel*'. We barstten in lachen uit.

'Ik moet het echt vragen,' zei ik. 'Waar werd je van beschuldigd?'

Even keek Olson naar het plafond, waarbij zijn magere, rimpelige hals tevoorschijn kwam die deed denken aan een oneetbare biologische groente in een natuurvoedingswinkel. 'Ik werd beschuldigd van, en veroordeeld voor ontucht met een jonge vrouw. Het vermeende slachtoffer was achttien jaar oud en volgde bij mij een informeel studieprogramma. Ik was al een aantal jaren bezig met erotisch occultisme. Ik was begonnen met een groepje van tien of twaalf mensen dat afnam tot misschien zes, je weet hoe dat gaat, en uiteindelijk bleven alleen Melissa en ik over. We kwamen zo ver dat we de daad *oneindig* lang konden laten duren. Helaas vermeldde ze deze prestatie aan haar moeder, die compleet uit haar dak ging en de universiteit erbij betrok, zodat de zedenpolitie van Bloomington me uiteindelijk uit mijn aangename, kosteloze appartement in onderhuur haalde en naar het bureau sleepte.'

Op dit punt verschoof Olsons blik weer van mijn gezicht naar de deuropening.

'Indiana blijkt de meest intolerante van de Verenigde Staten te zijn.'

Don Olson wendde zich opnieuw naar mij, zijn oude vriend, en naar ons gesprek, dit keer zonder daarbij vergane tijden tot leven te wekken.

'Zat je in Indiana in de gevangenis?'

'Ik begon in Terre Haute, toen werd ik naar Lewisberg, Pennsylvania gestuurd. Zes maanden later stuurden ze me hierheen. Illinois. Pekin. Ze zorgen graag dat je uit balans blijft. Maar mijn werk kan ik in de gevangenis even goed doen als elders.'

De calamari kwam op tafel. We staken stukken gefrituurde inktvis aan onze vorken en in onze mond. Don Olson leunde achterover in zijn stoel en kreunde van genot. 'God, echt eten. Je hebt geen idee...'

Ik knikte instemmend: ik had geen idee. 'Wat bedoel je, je werk? Wat kon je in de gevangenis doen?'

'Met de andere gevangenen praten. Ze leren om anders te denken over wat ze hadden gedaan en waar ze waren.' Olson begon weer te eten, maar liet zich daar verder niet door storen bij zijn uitleg. Af en toe sproeiden er stukjes gebakken inktvis en gefrituurd deeg uit zijn mond. Zijn blikken op de deur benadrukten de komma's in zijn zinnen. 'Het was net maatschappelijk werk, eigenlijk.'

'Maatschappelijk werk.'

'Plus wat van die goeie ouwe voodoo, natuurlijk,' zei Olson en wiebelde zijn vingers op en neer. 'Zonder geknetter verkoop je geen vuurwerk.'

Ashleigh pakte Olsons bord maar zorgde daarbij voor voldoende afstand om niet aangehaald te worden. Ze keerde terug met een klein, maar zwaarbeladen dienblad, en schoof onze borden voor ons neer met de finesse van een croupier.

Olson sneed zijn enorme karbonade door en bracht een glimmende hap naar zijn mond. 'Whoa,' zei hij een kauwde een poosje. 'Man, deze mensen weten hoe ze een varken moeten aanpakken.'

Hij bedwong zijn grijns lang genoeg om te slikken. 'Toen wij allemaal verliefd werden op Spencer Mallon, was de Eel erbij, met Hootie en Boats en mij. Waarom jíj er niet was, heb ik nooit begrepen. Je hield je erbuiten, maar je moet er alles over gehoord hebben.'

'Niet echt,' zei ik. 'Maar dat is deels de reden waarom ik je heb gevraagd om hier te komen.'

Olson wuifde naar de serveerster om meer drank en nam de gelegenheid waar om weer naar de deur te kijken. 'Voor zover ik weet, bleef je er indertijd expres buiten. In mijn herinnering was je een beetje pissig over wat we deden.'

'Ik vond het idioot om te doen alsof we studenten waren. Vooral voor Hootie, in godsnaam! En jullie "goeroe" vond ik naar bullshit ruiken.' Een paar tellen lang keek ik hoe Olson at. Toen sneed ik mijn reusachtige hamburger doormidden en nam een hap van de druipende halve maan op mijn bord.

'Mallon heeft over jullie allemaal een vloek afgeroepen, met inbegrip van mijn vrouw.'

Olsons dwalende blik schoot weer naar mijn gezicht en hij was er weer, helemaal aanwezig. Het leek alsof er ineens een generator aansloeg, alsof een standbeeld plotseling tot leven kwam.

'Jezus, je zit er nog steeds mee. Je hebt er nog altijd last van.' Hij glimlachte hoofdschuddend. 'En denk je echt dat er verschil is tussen een zegen en een vloek? Het zou me verbazen als je dat dacht.'

'Kom zeg,' zei ik, een beetje geschrokken van zijn plotselinge intensiteit. 'Laat die Mallon-onzin maar achterwege.'

'Noem het zoals je wilt,' zei Olson, die zich nu concentreerde op zijn nieuwe margarita. 'Maar ik zou zeggen dat hetzelfde principe voor mij geldt. En voor de Eel.'

'Ze heet nog steeds Lee Truax.'

'Maakt niet uit.'

Met één oog op Don Olson werkte ik even door aan de reusachtige burger. Ik probeerde te ontdekken hoe ver hij bereid was te gaan.

'Ik veronderstel dat je door die zegen van Mallon in de gevangenis belandde.'

'Door de zegen van Spencer heb ik de afgelopen veertig jaar precies kunnen doen wat ik wilde, gevangenistijd niet meegerekend.'

Ik bedacht ineens iets. 'Pekin is een federale gevangenis. Hoe komt een zedendelinquent daar terecht?'

'Waarschijnlijk niet.' Olson lachte een scheve grijns. Nog een blik over mijn schouder. 'Nu ik er goed over nadenk, kwam het waarschijnlijk niet door Melissa Hopgood dat ik opgepakt werd. Laten we het een financiële misrekening noemen.'

'De belastingdienst?' Belastingfraude klonk te saai voor de man die ooit de heldhaftige Dill was geweest.

Olson zat ostentatief te genieten van zijn mondvol varkensvlees. Ik zag hem een moment voordat hij die doorslikte tot een besluit komen. 'Onze fout was dat onze methode om aan extra geld te komen nogal dubieus was.'

Hij glimlachte en stak beide handen in de lucht in een gebaar van *hé, je hebt me te pakken.*

'Melissa kende een gozer. Bleek dat een grote jongen te zijn, die vent. Uit een grote, serieuze familie. Er kwam veel geld het land binnen, er ging veel geld uit. Als ik hem kon helpen met een distributieprobleem, zou ik genoeg verdienen om niet langer te zwerven en me ergens te vestigen. En ik dacht misschien een boek te kunnen schrijven.'

Hij knipoogde naar me. 'Dat van die erotische magie was waar, trouwens, en Melissa begon echt tegen die dikke vette Maggie Hopgood over alle orgasmes die ze kreeg, maar ze liet ook iets los over dat distributieverhaal en daarom kwamen de blauwe jongens me halen op de koude, vroege ochtend.'

'Een drugsdeal.'

'Laten we zeggen dat mijn plannetje om snel rijk te worden mislukte. Van nu af aan houd ik het op eerlijke arbeid en de goedgunstigheid van mijn vrienden.'

'Komen we nu bij het zakelijke deel?'

Don Olson legde zijn mes en vork neer. Op zijn bord bevonden zich nu alleen nog een bot, een stuk kraakbeen en wat bruine jusvlekken. 'Daarnet zei je dat je nog altijd nieuwsgierig bent naar Spencer en naar vroeger.'

Ik zei niets.

'Je hebt al geprobeerd om de Eel je te laten vertellen wat er gebeurde, die dag op dat veld?'

Ik bleef zwijgen.

'Verbaast me niets. Het is ook wel een verhaal. Jullie moeten heel wat tijd bij de politie hebben doorgebracht.'

'Ze waren geïnteresseerd in wat ik eventueel had opgevangen over Keith Hayward. Of hij vijanden had, dat soort dingen. Het enige wat ik wist was dat mijn vriendin een bloedhekel aan hem had. En dat ging ik ze niet vertellen.'

'Hootie had ook een hekel aan hem.'

'Heeft Spencer later ooit iets over Hayward gezegd?'

Nu was het de beurt aan Olson om de vraag in de lucht te laten hangen.

'Ik heb wat onderzoek gedaan en nogal wat interessante dingen opgedoken. Kun jij je iets herinneren over de Ladykiller, ergens rond 1960?'

'Hayward kon de Ladykiller niet zijn geweest,' zei Olson vastbesloten. 'Hij was een heel ander geval.'

'Ik zeg niet dat hij het was. Maar er was en verband tussen hem en de moorden, en ik heb het idee dat hij op zijn minst enige invloed had op wat er op dat veld gebeurde.'

'Vraag die mooie juffrouw dinges om de rekening,' zei Olson. Hij blikte omhoog en keek een paar tellen naar het plafond. 'Om weer aan de gang te kunnen heb ik, nou, duizend dollar nodig.' Hij grijnsde. 'Natuurlijk is de hoogte van het bedrag geheel aan jou.'

'Onderweg naar mijn huis kunnen we bij een geldautomaat stoppen. En ja, het bedrag is aan mij.' Ik wuifde naar de serveerster en krabbelde met een denkbeeldige pen in de lucht. Ze kwam de rekening brengen en ik gaf haar een creditcard. Olson leunde achterover in zijn stoel en sloeg zijn armen over elkaar. Hij hield zijn blik strak op mijn gezicht gevestigd. Het moet hem moeite hebben gekost om niet naar de ingang te kijken. Nadat ik een fooi had toegevoegd en mijn bon had afgescheurd, stond ik op en keek een poosje naar de vloer. Olson bleef me aankijken.

Ik ontmoette zijn blik. 'Ik geef je vijfhonderd.'

Olson stond op zonder mijn blik los te laten. Met een irritante, scheve glimlach op zijn gezicht liep hij naar de deur, in een sluipende, zijwaartse tred die een zweem van criminaliteit en een zekere onderliggende fysieke kracht insinueerde. Het leek een soort onuitgesproken berisping. Verscheidene van de achterblijvende klanten hielden hun blik op Olson gevestigd om er zeker van te zijn dat hij werkelijk vertrok.

De felle schittering van Chestnut Street leek lichter, minder drukkend dan de sfeer die we zojuist hadden verlaten. 'Wat heb je daarbinnen gedaan voordat ik aankwam?'

'Ze een beetje door elkaar geschud,' zei Olson, glimlachend bij de herinnering.

'Zoiets vermoedde ik al.'

'Toen mijn eerste margarita arriveerde, proefde ik even en zei: "In de bak kun je alle drugs krijgen die je maar kunt verzinnen, alleen lijkt het daar alsof tequila compleet van de aardbodem is verdwenen, wat verdomd vreemd is als je bedenkt hoeveel Mexicaanse mafketels er zitten." Daarna begon ik over jou, maar toen was het al mis.'

Ik loodste mijn metgezel in noordelijke richting naar Rush Street, en een paar minuten lang zweeg Olson, om zowel de mensen om ons heen als de ruimte tussen de mensen in de gaten te houden. Buiten zijn versterkte zijn waakzaamheid nog, zag ik. De stoep was druk met het voor Chicago gebruikelijke vlechtwerk van de gaande en komende man. Olson viel niemand op tot we stilstonden voor een verkeerslicht, waar verschillende mensen wat afstand namen van de geur die hij verspreidde.

'In dit land van de vrijheid had ik niet zoveel vijandigheid verwacht.'

'Na een douche en andere kleren wordt dat wel anders. Ik snap niet dat je jezelf niet ruikt.'

'In de bak rook iedereen zo.'

Twee straten verder kwamen we aan bij de bank en ik stond stil voor de geldautomaat. Voordat ik mijn portefeuille tevoorschijn kon halen, fluisterde Olson: 'Laten we naar binnen gaan, goed?'

Hij stond te knikken als een bobbelpoppetje achter in de auto. Onze zaken buiten op straat afhandelen maakte hem nog nerveuzer.

'Er dreigt hier geen gevaar.'

'Dat moet een fijn gevoel zijn,' zei Olson.

Ik nam hem mee naar binnen en ging hem voor naar de geldautomaten. Een bebaarde jongen met een rugzak tikte nummers in op de machine rechts en een man die eruit zag alsof hij ooit voor de universiteit had gehockeyd – brede rug, kort haar, gesteven blauw overhemd, geperste kakibroek – haalde biljetten uit een geldautomaat ergens in het midden. Ik liep in de richting van de derde automaat vanaf de hockeyspeler, maar Olson ging voor me staan en dreef me als een herdershond naar de laatste van de rij.

'Je hebt geen idee op hoeveel manieren mensen je pincode kunnen zien door alleen maar naar je te kijken. Geloof me maar.'

Ik haalde mijn pas uit mijn portefeuille. Olson posteerde zich als een lijfwacht aan mijn schouder. Ik hield de kaart voor de gleuf en wachtte. 'Hmmm....'

Olson zette een stap achteruit en verdraaide zijn nek om naar me te kijken.

Ik duwde mijn kaart in de gleuf en trok hem er onmiddellijk weer uit. Nu keek Olson nadrukkelijk de andere kant op terwijl ik de pincode intikte. 'Ik wou dat ik wist waarom ik zei dat ik je vijfhonderd dollar zou geven.'

'Ik kan het je wel vertellen, als je het echt wilt weten.'

Terwijl het scherm me vroeg wat ik wilde doen nu ik zijn aandacht had, draaide ik me half om en trok mijn wenkbrauwen op in een zwijgende vraag.

'Omdat ik om duizend vroeg.'

Er schoven biljetten uit de automaat en hij hield zijn hoofd schuin, plaatste zijn linkerelleboog in de palm van zijn rechterhand en knipte met zijn vingers.

Olson vouwde de briefjes van twintig en vijftig op en propte ze in de voorzak van zijn spijkerbroek. 'Mensen gedragen zich meestal op een bepaalde manier. Spencer had het helemaal uitgewerkt. Je moet altijd twee keer zoveel vragen als je echt wilt hebben.'

Een paar minuten later liepen we samen Cedar Street in. Na een paar keer snel heen en weer te hebben gekeken om het terrein te inspecteren, merkte Olson op dat ik in een hele mooie straat woonde. Voorbij de restaurants aan Rush Street strekten fraaie rijtjeshuizen en appartementengebouwen zich naar het oosten uit onder de beschutting van grote bomen, in de richting van de helderblauwe immensiteit van Lake Michigan. Om de een of andere reden verliet hij het trottoir en liep in de richting van een halfronde geasfalteerde oprijlaan die naar de glazen ingang van een hoog flatgebouw leidde dat, hoewel modern van bouwstijl, volmaakt paste bij de geruststellende welvaart van de omgeving. Ik had een aanzienlijk deel van mijn leven in dat gebouw doorgebracht.

Ik vroeg Olson waar hij heen ging.

Verbaasd keek Olson over zijn schouder. 'Woon je daar dan niet?' Hij gebaarde met een duim naar het flatgebouw.

'Nee. Waarom denk je dat?'

'Een soort instinct, neem ik aan.' Hij keek fel naar me op. 'Om je de waarheid te zeggen heb ik ooit een tijdje in dat gebouw gewoond. Een vriendin van Mallon liet ons daar logeren als ze de stad uitging. Maar ik zweer je dat dat niet de reden was. Ik had zo'n gevoel...' Olson bracht een hand naar zijn voorhoofd en tuurde naar mij. 'Meestal heb ik gelijk met zulke dingen. Deze keer niet, hè?'

Ik schudde mijn hoofd. 'Ik heb twaalf jaar in dat gebouw gewoond. In 1990 zijn we verhuisd. Daar heb ik *Het Nachtgespuis* geschreven en de drie boeken daarna. Ik vraag me af hoe jij...'

'Ik ben niet helemaal nep,' zei Olson, kennelijk in de war gebracht door iets belangrijks. 'Maar als je in 1990 verhuisd bent, wat doen we dan hier?'

'Ik ben naar de overkant verhuisd, naar nummer drieëntwintig.' Ik wees naar mijn bakstenen huis van vier verdiepingen met de glanzende rode deur en twee rijen strakke, moderne ramen op de bovenverdiepingen. Ondanks de concurrentie van de fraaie buren had ik het altijd het mooiste gebouw aan Cedar Street gevonden.

'Jij moet wel hele goede zaken doen,' zei Olson. 'In welk appartement woonde je hier?'

Ik verzette me tegen de neiging om hem die informatie te onthouden. 'Negen A. Leuke flat.'

'Dezelfde als die Mallon en ik van dat meisje leenden. Negen A – helemaal aan het einde van de gang.'

'Nu maak je me zenuwachtig. Ik hoorde voor het eerst van dat gebouw van mijn vrouw.' Ik haalde mijn sleutels tevoorschijn terwijl we naar mijn rode deur liepen.

'Waarom doe je zo royaal tegen me?' vroeg Olson, tot mijn ergernis. 'Vergeet die onzin over de helft krijgen van waar je om vraagt. Je hoefde me geen vijfhonderd dollar te geven, en je hoeft me zeker niet bij je thuis te laten komen. Ik verwacht heus niet dat je me alles geeft wat ik hebben wil.'

'O nee?'

'Ik kom net uit de bak, man, we waren nooit echt de állerbeste vrienden, en nu ga je me dit fantastische huis laten binnenlopen?' Hij legde zijn hoofd in zijn nek om naar de bakstenen gevel en de rijen glanzende ramen te kijken. 'Wonen alleen jij en de Eel hier? Met al die ruimte?'

'Alleen wij tweeën.'

'Maar nu is zij er zelfs niet.'

Ik kon er niets aan doen, ik viel tegen hem uit. 'Als je bang bent om binnen te komen, check je maar in aan de overkant van Rush Street, in het plaatselijke luizenpension.' Ik wees naar de overkant van de drukke doorgangsweg, waar een yuppenbar een ingezakt pension voor zwervers leek te ondersteunen, door een gigantische neonreclame geïdentificeerd als het Cedar Hotel.

‘Ik ben niet bang van je *huis*,’ zei Olson. Ik begreep dat dit bijna, maar niet helemaal letterlijk waar was. ‘En geloof me, ik heb vaker in die vlooientent gelogeerd dan jij je kunt voorstellen. Maar wat wil je nou verdomme echt van me?’

Ik stak de lange sleutel in het enorme slot en zwaaide de rode deur open naar een brede vestibule met rozenhouten wanden, een Iraans vloerkleed en een Chinese vaas met vlezig uitziende witte aronskelken. ‘Om te beginnen zou ik graag meer willen horen over Brett Milstrap,’ zei ik, en dat was in feite mijn eerste rationele gedachte over het onderwerp. Die uitspraak, zonder bijgedachten of overwegingen gedaan, verbaasde me. Als ik de tijd had genomen om erover na te denken, zou ik hebben gedacht dat ik de naam van de tweede student in de kring van bewonderaars van Spencer Mallon allang vergeten was.

Tot mijn ergernis stond Olson net voordat hij de deur binnenging weer stil. ‘Wanneer moet ik Brett *Milstrap* gezien hebben?’ Hij kon zich niet beheersen en keek om naar de hoek die we net waren omgegaan en de weg die we hadden afgelegd; in de strijd tussen zijn behoefte het huis in te vluchten en zijn onwil er binnen te gaan, bevroor hij op de cementen treden. Een ongelooflijk irritant gezicht.

Hoofdschuddend stapte Don eindelijk over mijn drempel. Even keek hij de woonkamer in en toen omhoog langs de hoekige trap, om zich aan te kunnen passen aan zijn omgeving, nam ik aan. De trap en de glanzende warmte van zilver en gewreven hout in de woonkamer vond hij waarschijnlijk zowel aantrekkelijk als afstotelijk.

‘Hoeveel kamers heb je hier?’

‘Twaalf of veertien, ligt eraan hoe je ze telt.’

‘Ligt eraan hoe je ze telt,’ prevelde Olson en zette zijn voeten op de gangloper met de ingeweven, verstrengelde, langstelige tulpen.

‘Vertel eens, kwam je Brett Milstrap per ongeluk tegen of kwam hij jou opzoeken?’ vroeg ik van boven aan de trap.

‘Iedereen denkt maar dat ik allerlei antwoorden heb. En die heb ik helemaal niet.’

De trap leidde naar een vertrek op de tussenverdieping gemeubileerd met een bureau, een imponerende leren stoel, snijbloemen in een rechte vaas en boekenplanken langs de trap naar de derde verdieping. Een schemerige gang met aan weerszijden boekenkasten leidde verder het huis in.

'Als je ooit in de problemen komt, moet je zorgen dat je advocaat huisarrest regelt,' zei Olson.

Hij leunde op de reling, kneep zijn ogen half dicht, perste zijn lippen op elkaar. Een vleug naar geit stinkende lichaamsgeur walmde uit hem op of alsof het door een verborgen ventiel verneveld werd.

'Terwijl jij een douche neemt, ga ik wat kleren voor je zoeken. Gooi wat je aanhebt maar in de wasmand. Welke maat schoenen heb jij trouwens?'

Olson keek omlaag naar zijn versleten, modderkleurige sportschoenen. 'Tweeënveertig. Hoezo?'

'Dit zou wel eens je geluksdag zou kunnen zijn,' zei ik.

Een halfuurtje later wandelde een herboren Donald Olson met katachtige kiesheid de woonkamer op de begane grond binnen. Ik zag dat hij had gedoucht, maar ook zijn haar had gewassen, ontklit en enigszins gegeld, zijn stoppels had verwijderd, zijn wangen had ingesmeerd en zijn geur en verschijning op verscheidene andere manieren had verbeterd. Het resultaat was verbijsterend – Olson leek zich te hebben getransformeerd tot een jongere, gelukkigere en knappere versie van zichzelf. Deels was dit effect te danken aan zijn kleding: een blauw overhemd dat hem iets te groot was en een groene kakibroek die bij de taille wat opgebundeld zat en aan de enkels een keer extra was omgeslagen. Onder de omslag verscheen een paar klassieke herenschoenen die van boterzacht leer leken te zijn gemaakt, in een bruin zo licht dat het bijna geel was. Duidelijk onder de indruk van deze schitterende schoenen glimlachte Olson en wees omlaag.

'Dat is handwerk, toch?'

'Als het zadels waren, zou je gelijk hebben, denk ik. Je mag ze houden.'

'Man, geef jij je *schoenen* weg?'

'Mijn voeten zijn sindsdien een halve maat gegroeid. Er staat nog een hele doos oude schoenen om uit te kiezen.'

Olson liet zich achteroverzakken op de bank, strekte zijn armen opzij en stak zijn benen recht voor zich uit. Hij leek wel een meubelverkoper. 'Wat een comfort. En mijn kamer, man. Ik zou me niets beters kunnen wensen dan die kamer.' Met gestrekte benen stak hij zijn beide voeten omhoog en bewonderde de prachtige schoenen. 'Stel dat ik naar een eersterangs schoenenwinkel zou gaan, hoeveel zou ik dan kwijt zijn voor deze dotjes?' Hij zette zijn voeten neer op het kleed en leunde voorover, klaar voor de verbijstering.

'Wat ze gekost hebben? Dat weet ik niet echt meer, Dill.'

'Geef me een idee.'

'Driehonderd.' Ik kon me niet herinneren wat de schoenen hadden gekost, maar waarschijnlijk was het twee keer zoveel.

Olson wiebelde met één voet in de lucht. 'Ik wist niet eens dat je zoveel geld aan je voeten kon dragen.' Hij liet hem weer zakken en inspecteerde zichzelf een poosje: hij streek de stof van zijn broek glad op zijn dijen, stak zijn armen uit om zijn mouwen te bekijken, liet een vinger over de rij knopen op zijn borst glijden. 'Ik zie eruit als een vent met een tweede huis en een blitse sportwagen. Een klassieke sportwagen – zoals Meredith Bright vroeger had! Weet je nog, dat rode dingetje? Met die grote chroomkrullen op de zijkanten?'

'Ik heb haar auto nooit gezien,' zei ik. 'Ik heb die hele Meredith Bright nooit gezien.'

'Dan heb je echt wat gemist, man.' Hij schaterde. 'Meredith Bright was helemaal niet verkeerd. Indertijd leek ze het mooiste meisje van de wereld. Het mooist *mogelijke* meisje.'

'Weet jij wat er van Meredith Bright geworden is? Kun je me helpen om met haar in contact te komen?'

'Meredith zou niet veel toevoegen aan je project.'

Ik zat ineens recht overeind. 'Wat doet ze tegenwoordig?'

'Ze is getrouwd met een senator. Daarvoor was ze de vrouw van de president van een bedrijf op de Fortune 500-lijst. Toen ze uit elkaar gingen, pakte ze hem voor dertig miljoen dollar, plus een landgoed in Connecticut, dat ze verkocht om iets groters te kopen in Virginia of Noord-Carolina, ik weet niet meer welke van de twee, waar die senator senator van is. Hij is een republikein. Zij wil dat hij president wordt.'

'Krijg nou wat.'

'Nee, *zij*. Het lijkt wel of zij iets binnen heeft gekregen.' Hij keek even naar de muur naast zich, veranderde toen van houding om beter te kunnen zien. De schilderijen die er hingen leken hem af te leiden. Ze waren van Eric Fischl en David Salle, jonge, opkomende kunstenaars toen ik de schilderijen kocht. Ik had niet verwacht dat Don Olson er veel belangstelling voor zou hebben.

'Destijds, bedoel je?'

'Ja. Voordat ze aan haar carrière als uitzuigster van rijke mannen begon, of wat het dan ook mag wezen.' Hij schoof wat heen en weer op de bank terwijl hij een manier zocht om te beschrijven wat er met Meredith Bright was gebeurd. 'Weet je hoe mensen soms een soort innerlijke temperatuur hebben, een innerlijk klimaat? Meredith Bright heeft het innerlijke klimaat van een vampier. Beter kan ik het niet uitdrukken. Door haar ga je het hele idee van duivelse bezetenheid in een ander licht zien. En wij aanbaden die vrouw, man, wat waren we gek op haar. Ze is angstaanjagend, jongen.'

'Ik neem aan dat haar echtgenoten daar anders over denken.'

'Senators en CEO's met miljoenen stellen andere eisen aan een echtgenote dan andere mensen. Als de verpakking er maar stijlvol uitziet, kan het ze niet schelen of er een zombievampier in zit. En deze vrouw kan als geen ander doen alsof.'

'Boatman vertelde me een keer dat jullie hele groep naar de filistijnen is gegaan door wat er op dat veld gebeurde. Daar ziet het er volgens mij wel naar uit, ook al is Meredith Bright een beetje een speciaal geval. Vind jij dat je naar de filistijnen bent?'

'Natuurlijk ben ik dat. Kijk maar naar mijn leven! Ik heb jouw hulp nodig om weer in het zadel te komen. Ik kom net uit de bak. Het was Menard, trouwens, die gevangenis uit de film *Fugitive*. Het Menard Correctional Center.'

Ik knikte maar zei niets.

Olson knipte met zijn vingers. 'Die serveerster bij Ditka's, hoe heette ze ook alweer? Ashleigh? Weet je aan wie zij me deed denken? De Eel.'

'Dat weet ik, ja,' zei ik. 'Mij ook. Behalve dat Ashleigh niet zo mooi is als je vriendin de Eel. Je zou haar nu eens moeten zien.'

'Ik wil je natuurlijk niet beledigen, maar ze is net zo oud als wij.'

'Wacht maar,' zei ik, en liep de kamer uit na het gebaar te hebben gemaakt waarmee je een hond vertelt dat hij een snoepje krijgt als hij lang genoeg blijft zitten. Een paar minuten later kwam ik terug met een zwart-witfoto in een eenvoudige zwarte lijst met een uitklapstandaard op de achterkant en overhandigde hem aan Olson.

'Deze is ongeveer een jaar geleden gemaakt. Ik zou je er wel meer willen laten zien, maar mijn vrouw heeft er een hekel aan om gefotografeerd te worden.'

'Nogmaals, Lee, ik wil je niet voor het hoofd stoten, maar...' Olson leunde tegen de rug van de bank en hield de foto met beide handen vast. 'Wacht.'

Hij ging rechtop zitten, legde de foto op zijn knieën en boog zich voorover om ernaar te turen. 'Wacht eens even.'

Olson grinnikte hoofdschuddend. 'Je ziet eerst een grijsharig vrouwtje, maar... ineens zie je het, hè? Ze is fantastisch. Zulke schoonheid, waar komt dat vandaan?'

'Soms, in restaurants of in vliegtuigen, zie ik kerels naar haar staren alsof ze zich afvragen: "Hoe kan dat in godsnaam?" Obers worden verliefd op haar. Politieagenten worden verliefd op haar. Kruiers. Portiers. Verkeersbrigadiers.'

'Ze is echt... prachtig. Als je het eenmaal ziet, kan het je nooit meer ontgaan. Ze ziet er nog steeds uit als *zichzelf*. Dat grijze haar maakt niet uit, ze heeft een paar lijntjes in haar gezicht, die maken ook niet uit. Ze ziet er nog steeds uit als de Eel, alleen is ze opgegroeid tot deze fantastische vrouw.'

Olson keek nog steeds neer op de foto van Lee Truax, voorheen de Eel, haar stralende gezicht geheven voor het opnemen of uitstralen van een zonlicht dat schijnbaar van binnenuit kwam. 'Hoe dan ook, je vrouw komt nogal eens ergens, begrijp ik? Ze reist veel? Gaat dat goed?'

'Vraag je me nu naar iets anders, Don?'

'Nou, is ze niet... is ze blind?'

'Zo blind als een mol,' zei ik. 'Al jaren. Het heeft haar eigenlijk nooit geremd. Het hindert haar eigenlijk nooit echt. Als ze eens hulp nodig heeft, is er altijd wel een taxichauffeur of een portier of een langslopende politieman om haar de helpende hand te bieden. Ze zou wel tien vrijwilligers kunnen oproepen door alleen maar die stok omhoog te steken die daar tegen de stoel staat. Die noemt ze haar spinrokken.'

Olson huiverde. 'Echt waar?'

'Ja. Hoezo?'

'Een spinrokken wordt geacht een onschuldig ding te zijn waar je wol omheen windt, maar... Ach, laat ook maar. Tegenwoordig verwijst het alleen nog maar naar dingen die met vrouwen te maken hebben. Dat wist je.'

'Natuurlijk. Ik weet zeker dat het een verwijzing is naar iets wat ze op dat veld heeft gezien. Daarom is ze blind geworden, weet je – vanwege iets wat ze daar zag. Of álles wat ze zag. Het gebeurde geleidelijk. In de loop van ongeveer tien jaar, ruwweg van 1980 tot 1990. Ze zei dat de blindheid haar goedgezind was, omdat het zo lang duurde voor ze helemaal blind was.'

'Ik heb een spinrokken gezien,' zei Don een beetje onwillig. 'Die dag. Maar heel eventjes.'

Hij duwde zich met een zet van de bank af en liep naar de ramen aan de straatkant van het huis. Met zijn handen in de zakken van zijn kakibroek boog hij zich voorover en keek neer op Cedar Street. 'Heb je hier iets te drinken, trouwens? De lunch was alweer een tijd geleden.'

'Kom maar mee,' zei ik, en bracht hem terug naar de keuken. Als laatste in de rij glanzende keukenkastjes, na de koelkast en recht boven de glazen deur van de wijnkoeling, bevatte de drankkast tientallen in rijen gerangeerde flessen.

'En jij ook een heel gelukkig kerstfeest,' zei Olson. 'Zie ik daar een fles super-de-luxe tequila staan?'

Ik schonk hem een glas sappige, cognacachtige tequila in en nam zelf een biertje. Het was een paar minuten over zes, zeker een uur voordat ik mezelf normaal gesproken zou toestaan om alcohol te nuttigen. Op een niet helemaal bewust niveau veronderstelde ik dat Don toeschietelijker zou zijn als hij wat tequila had gedronken.

We namen onze glazen mee naar de grote keukentafel en gingen tegenover elkaar zitten, zoals mijn vrouw en ik meestal deden. Olson nam een flinke slok tequila, walste de drank rond in zijn mond, slikte het door, smakte waarderend met zijn lippen en zei: 'Zeg, ik wil niet ondankbaar lijken of zo, maar ik voel me net een bedrieger in deze kleren, man. Jij ziet er misschien prima uit in blauwe overhemden en kakibroeken, Lee, maar mijn persoonlijke stijl is wat vlotter, zou je kunnen zeggen.'

'Je wilt graag nieuwe kleren.'

'Dat bedoel ik, ja.'

'We kunnen naar de winkels op Michigan Avenue gaan. Er is geen enkele reden waarom jij je niet op je gemak zou moeten voelen.'

'Man... je lijkt wel een heilige. Geen wonder dat de Eel met je getrouwd is.'

Die opmerking liet ik maar onbeantwoord, al was hij nog zo irritant.

We praatten nog wat en een poosje later gingen we winkelen en aten een eenvoudige maaltijd van vis en pasta en praatten verder, en de vreemde gedachte kwam bij me op dat ik betere vrienden aan het worden was met de voormalige Dilly dan in de jaren dat we elkaar elke dag zagen.

Olsons abrupte vertrek op de avond van 16 oktober 1966 had als een verwonding aangevoeld, des te pijnlijker omdat het zo definitief was. Er was iets met een kerend getij, kennelijk, maar ik had aangenomen dat die vage voorspelling gold voor Boats. Volkomen onverwacht was Boats echter achtergelaten, helemaal uit het lood door de schok en het verlies, net als de rest van de overlevenden. Volgens de drie ooggetuigen was Meredith Bright als een haas gevlucht, dwars door de flarden oranjegele mist die over het veld zweefden, terug naar haar in onze ogen bevoorrechte leventje. Haar verdwijning leek tenminste nog logisch. Hootie was een ander geval. Howard Bly, net als wij een kind van West Madison, was verdwenen in een wereld die tegelijkertijd griezelig onbekend was en angstaanjagende beelden opriep.

Die geschiedenis, en meer, vormde de basis van de eindeloze, dagenlange gesprekken tussen Donald Olson en mij in Cedar Street. Ik wist heel goed dat niets me ervan weerhield om dagelijks vijf of zes uur in mijn kantoor te verdwijnen en dat ik opzettelijk vrij nam van mijn werk (iets waartoe mijn vrouw me zelden wist over te halen), maar toch kon ik mezelf wijsmaken dat de tijd die ik met Olson doorbracht een soort research vertegenwoordigde. En ergens was het alsof mijn vrouw me toestemming had gegeven om rond te snuffelen in de enige afgesloten kamer van ons huwelijk – dat wil zeggen, de enige die mij bekend was.

Op de vierde avond van zijn verblijf bevestigde Don Olson haar overtuiging dat Keith Hayward een gevaarlijke figuur was. Wat Don over Hayward zei, bevestigde ook de theorie van rechercheur Cooper dat de vermoorde jongen familie was van de schurk uit Milwaukee die bekend stond als de Ladykiller.

'Hootie en je vrouw zeiden altijd tegen Spencer dat Hayward nog erger was dan hij dacht, wat op zich al grappig was, want hoe wisten zij wat hij precies dacht? Bovendien gingen zij alleen op indrukken en voorgevoelens af.'

'Maar jij had bewijs?' vroeg ik.

'Nou, het was geen bewijs, maar wel krankzinnig genoeg om mij de stuipen op het lijf te jagen.'

'Wat was het dan?'

'Een plek, een speciale plek die Hayward had ingericht. Ik kwam bij een antioorlogsbetoging achter de bibliotheek terecht en daar zag ik hem rondscharrelen, op zoek naar meisjes om te versieren. Hij kreeg overal nul op het rekest, laten we het zo zeggen. Elk meisje dat hij benaderde, wees hem af. Nadat hij vier of vijf keer mis had geschoten, werd hij pissig. Dat zegt al heel veel over die vent, vind je niet? Hij werd niet depressief, hij werd niet ongelukkig, hij werd nijdig.'

'De meisjes weigerden zijn scenario te volgen.'

'Zo is dat. En hij *veranderde* – zijn gezicht trok strak en zijn ogen krompen. Hij keek rond om te zien of er iemand op hem lette. Mij zag hij niet, gelukkig, want ik had met opzet een onopvallend plekje gekozen. Ik zag dat hij een of ander geheim had. Dus toen hij State Street in liep, ging ik hem achterna.

'Hij marcheerde meteen naar Henry Street, waar hij links afsloeg en langs de Plaza Bar naar een braakliggend stuk grond liep met aan het eind drie oude loodsen, een soort kleine garageboxen. Zodra hij het landje op liep, haalde hij zijn grote sleutelbos uit zijn zak en liet zichzelf binnen in de laatste box. Zelfs vanaf waar ik stond, kon ik horen dat hij de deur dichtsloeg en op slot deed. Toen wachtte ik een paar tellen en rende het landje over om door de ruitjes in de deur te kijken.'

Ik had zo mijn eigen ideeën over Haywards amusement, maar ik vroeg: 'Wat was hij aan het doen?'

'Tegen een mes praten, dat deed hij,' zei Don. 'En ertegen zingen. Zingen! Hij stond voor een tafel, pakte een groot mes op, knuffelde het zo'n beetje en legde het weer neer. Ik vond de hele situatie knap eng. Wie zingt er nou tegen een mes? In een afgesloten schuur?'

'Hayward was gestoord, dat is zeker. Ik heb wat gelezen over... Nee, daar kan ik nog niet over praten.'

'Hé baas, dat moet je zelf weten.' Don zakte onderuit in zijn stoel en duwde zijn bord opzij. We waren blijven zitten aan de onregelmatig gevormde plaat donkergrijze steen die als keukentafel dienstdeed. 'Is het te laat voor een slaapmutsje?'

'Je weet waar de flessen staan.'

Olson liet zich uit zijn stoel glijden en liep in de richting van de drankkast.

'Ach ja,' zei ik. 'Haal voor mij nog een biertje uit de koelkast, wil je?' Ik voelde een onderliggende zwaarmoedigheid aan mijn stem trekken.

'Komt voor elkaar.'

Olson overhandigde mij mijn bier en ging weer zitten. Zijn verhaal had hem opgewonden en er was geen sprake van dat hij nu al naar bed zou gaan: Don Olson was net een paar dagen uit de gevangenis, hij had nieuwe kleren aan en een glas van de beste tequila die hij ooit had geproefd in zijn hand.

'Hoe is het met de Eel?'

'Pardon?'

'Gaat het goed met haar conferentie? Of wat het dan ook is?'

'Ja, zeker. Ze vertelde me zelfs dat ze nog een week in Washington blijft. Er is genoeg voor haar te doen.'

'Weet ze dat ik hier ben?'

'Ja. Je kunt nog wel een poosje blijven, als je wilt. Ik heb een paar ideeën die ik wil uitwerken, een paar dingen die ik je wil voorleggen.'

'Oké. En nu heb ik goed nieuws voor je. Van nu af aan hoef ik niet langer op jouw zak te leven.'

'Heb je geld geregeld? Hoe heb je dat nou voor elkaar gekregen?'

'Ik heb een paar oude schulden laten vereffenen. Misschien kun jij me helpen om een bankrekening af te sluiten en een chequeboek te regelen, dat soort dingen?'

'Over hoeveel geld hebben we het?'

'Als je het echt wilt weten, vijf mille.'

'Je hebt met een paar telefoontjes vijfduizend dollar geregeld?'

'Iets meer, eigenlijk. Als je wilt, kan ik jou je vijfhonderd terugbetalen.'

'Misschien later,' zei ik, nog steeds verbijsterd. 'Eerst gaan we morgen samen naar de bank om dat geld te storten.'

De volgende ochtend liep ik met Olson naar de Oak Bank en dankzij mijn lange relatie met de bank kon ik de procedure van het openen van een bankrekening voor $5500 voor mijn logé te versoepelen. Er waren drie aparte cheques uitgeschreven door mensen van wie ik nog nooit had gehoord: Arthur Steadham ($1000,-), Felicity Chan ($1500,-) en Meredith Walsh ($2500,-). Olson ging uiteindelijk de deur uit met een tijdelijk chequeboek en vijfhonderd dollar in contanten. Toen ik geen geld van hem wilde aannemen, stopte Don de helft van zijn schuld in mijn borstzakje.

Ik dacht dat Olson cheques zou uitschrijven tot ze niet langer gedekt waren. Ook de creditcardverstrekker zou zich eraan branden, want Don zou de kaart alleen maar beschouwen als contanten in onmiddellijk beschikbare vorm. Om kredietwaardig te blijven, zou hij de eerste maand netjes zijn rekening betalen. Daarna was niets zeker.

Met het gevoel dat ik als vroedvrouw fungeerde voor een carrière in de misdaad, aanvaardde ik zijn aanbod van een lunch in de Big Bowl, het Chinese restaurant op de hoek van Cedar en Rush Street. Nadat we onze bestelling hadden geplaatst, bezorgde Don me een verrassing. 'Je gaat me vragen om mee te rijden naar Madison en bij Hootie Bly op bezoek te gaan, klopt dat?'

Mijn eetstokjes kletterden bijna uit mijn handen.

'Ik zal het nog beter met je maken. Hoe zou je het vinden om Meredith Bright te spreken? Meredith Bright Walsh, zoals ze nu heet.'

'Wat bedoel je?'

'Als je interesse hebt, kan ik waarschijnlijk wel een ontmoeting regelen met Meredith Bright. Hootie gaat niets zinnigs zeggen, maar mevrouw Walsh zou je wel eens iets nuttigs kunnen vertellen. Ik weet het niet, ik zeg maar wat.'

'De vampier die getrouwd is met de senator? Hoe denk je dat te regelen?'

'Het is een lang verhaal,' zei Don. 'Ik geloof dat ze me nogal vermakelijk vindt. Zij heeft me een van die cheques gestuurd.' Hij keek me aan terwijl hij een knoedel in de soep doorsneed en de ene helft met zijn lepel uit de kom viste. 'Zo te zien wil jij echt graag weten wat er op dat veld is gebeurd. En het klinkt alsof jij denkt dat iedereen hetzelfde heeft gezien, alsof we allemaal dezelfde ervaring hebben beleefd. Denk je dat?'

'Eerst wel, denk ik. Ooit. Maar nu niet meer.'

'Waardoor ben je van gedachten veranderd?'

'Een paar jaar geleden kwam ik Boats tegen op de stoep voor de Pfister. Dit was al voordat ik belangstelling kreeg voor de Ladykiller.' Er kwam een uiterst specifieke herinnering bij me terug. 'Hij had een koffer bij zich. O jee, zei ik bij mezelf. Hij is echt nog steeds bezig. Die koffer bevatte vast heel veel contanten en juwelen van andere mensen. Plus wat hij nog meer had willen stelen.'

'Je moet het hem wel nageven,' zei Don. 'De man heeft een geweldig arbeidsmoraal.'

'Dat ligt er maar aan hoe je het bekijkt. Hoe dan ook, we herkenden elkaar en hij had wel zin in een praatje, dus we gingen binnen in die bar naast de lobby zitten, die lounge. Met die grote tafels en al die trappen? Ik verwachte dat hij gespannen zou zijn, maar hij zei dat het voor hem juist een heel veilige plek was om het volgende halfuurtje door te brengen.'

Lachend zei Olson: 'Strak plan.'

'En toen we daar zaten te praten, als twee gewone mannen, realiseerde ik me ineens dat hij me misschien iets kon vertellen over die dag. Toen het pas gebeurd was, keek hij me nauwelijks aan in de gangen van school. Hootie zat in het gesticht. Lee weigerde iets te vertellen. En jij was God mag weten waarheen vertrokken.'

'Hier verderop in de straat, voor een tijdje in elk geval.'

'Hoe dan ook, toen we daar in de lounge van het Pfister zaten, begon ik erover. "Heb je het hier met je vrouw over gehad?" vroeg hij, en ik zei: "Dat heb ik wel geprobeerd." "Werd niets, zeker?" zei hij. En toen zei hij dat er inmiddels veel tijd verstreken was, en dat hij me misschien iets zou kunnen vertellen. "Het was wel gruwelijk," vertelde hij me. En hij zei dat hij er verder alleen met jou over had gesproken.'

Olson knikte. 'Vier, vijf jaar geleden, in Madison. Daar heeft hij een schuilplaats, een miezerige kamer in de buurt van het stadion, en hij wachtte gewoon tot ik weer eens in de stad kwam. We zagen elkaar na een van mijn eerste bijeenkomsten met de studenten, zoals die ene waar jij niet bij was in La Bella Capri. Hij was geschokt – kreeg het niet uit zijn gedachten. Dat beeld.'

'"Een toren van dode kinderen," zei hij. "Waar armpjes en beentjes uitstaken."'

'En een paar hoofden ook. Huilde hij, toen jullie het erover hadden?'

'Huilde hij bij jou ook?'

Olson knikte. 'Het begon toen hij me probeerde te vertellen dat de meeste dode kindertjes zo'n beetje dubbelgevouwen waren. "Als taco's," zei hij. Daarna kon hij zich niet meer inhouden.'

'Verbijsterend. Bij mij ging het precies zo. "Net taco's," en boem, hij was in tranen, hij trilde, hij kon vijf minuten lang geen woord uitbrengen, bleef alleen maar "het spijt me" gebaren met zijn handen.'

'Een vreselijk beeld,' zei Don. 'Maar hij heeft niet veel anders gezien.'

'Nee. Alleen een grote toren van dode kinderen. En een heleboel verblindend roodoranje licht, licht in de kleur van limonade, dat naar binnen stroomde.'

'Dat heb ik hém verteld! Hij is zo'n dief, dat hij zelfs andermans woorden steelt. Hoe dan ook, dat licht was echt goor. Het stroomde op ons af alsof het door een scheur in de wereld kwam. Een van de smerigste stanken die ik ooit heb geroken. Ik weet zeker dat we dat allemaal hebben doorgemaakt. Helaas voor jou heb ik verder niet veel te zien gekregen. Maar er was wel één ding.'

'Ja?'

'Nou, twee dingen, eigenlijk. Het eerste was een hond, rechtop in een kleine kamer met een cilinderbureau. Hij droeg een donkerbruin pak, tweekleurige schoenen en een vlinderdasje. Je weet toch wel hoe kerels met van die vlinderdasjes je soms aan kunnen kijken, alsof je net een scheet hebt gelaten en ze hopen dat je zult vertrekken voordat ze je moeten wegsturen? Medelijden en minachting. Zo keek die hond naar mij.'

'O, van die poster,' zei ik.

'Nee, niet van die poster die Eel van haar vader kreeg. Hij leek helemaal niets op die honden. Hij was absoluut niet schattig. Deze vent vond het vervelend om me te zien, en hij wilde dat ik wegging.'

'Maar er was nog iets.'

'Jezus, een beetje geduld, ja? Daar kom ik zo op. Mallon greep me bij mijn elleboog en trok me weg, maar net voordat hij aan mijn arm trok zag ik dat die hond iets voor me probeerde te verbergen, dingen die ik niet mocht zien. Die dingen leken meer op mannen, maar dan glanzend, bijna glimmend, alsof ze van kwik waren of zo. En ze maakten me doodsbang. Een van hen was een vrouw, geen man, een vrouw als een koningin, en ze had een stok in haar handen, en ik wist dat die stok een spinrokken werd genoemd. Geen idee hoe ik daarbij kwam, maar zo heette dat ding. Ik vond het allemaal verschrikkelijk angstaanjagend. Ik was als de dood. Nee, ik gruwelde ervan, het vervulde me met afgrijzen. Als Spencer me niet opzij had getrokken, had ik nooit kunnen bewegen.'

'Dat heb je toch aan Boats verteld?'

'Ja. Hij had veel meer belangstelling voor zijn dode kinderen. Hij vroeg of ik dacht dat ze echt geweest konden zijn. Ik zei: "Waarschijnlijk was het ergens wel echt, Jason."'

Die avond voerden we de nodige telefoongesprekken en reserveerden vervolgens kamers in het Concourse Hotel. De volgende ochtend reden we tweehonderdvijftig kilometer naar het noorden, naar Madison. Tweehonderd daarvan reden we op de I-90 West, gedurende het grootste deel van de reis een snelweg met weinig aanbevelenswaardigs, op eenvoud en gebruiksgemak na. We zagen afritten naar dorpen en kleine stadjes, kilometerpalen en aanplakborden, maar niet de plaatsen zelf, noch de restaurants, de motels en de attracties die op de borden langs de weg werden aangeprezen. Vanaf de snelweg was er niets te zien, alleen de enkele boerderijen en het nog kleinere aantal heuvels die de weidse vlakheid van het landschap van velden en bomen benadrukten. Hele stukken lang waren de drie of vier auto's die vijftig meter voor ons op een kluitje reden de enige andere voertuigen in zicht.

Don Olson zei: 'Doe een beetje kalm aan, man. Je maakt me bang.'

Een blik op de snelheidsmeter onthulde dat ik honderdvijftig kilometer per uur reed. 'Sorry.' Ik haalde mijn voet van het gaspedaal. 'Ik had het niet in de gaten.'

Olson streelde de bovenkant van het dashboard met een benige hand. 'Man, alles wat jij hebt is mooi, hè? Ik, ik heb helemaal niets. En dat bevalt me best, trouwens. Als ik jouw spullen had, zou ik me steeds ongerust maken of ze wel veilig waren.'

'Na een tijdje zou je er wel aan wennen.'

'Hoe hard kan dit oude ding trouwens?'

'Op een nacht was ik rond twee uur 's nachts helemaal alleen op de snelweg. Straalbezopen. Ik kreeg hem tot de tweehonderdtien. Toen werd *ik* bang. Dat was de laatste keer dat ik ooit zoiets gedaan heb.'

'Je haalde met je dronken kop om twee uur 's ochtends de tweehonderdtien?'

'Stom, weet ik.'

'Het klinkt ook heel erg ongelukkig, man.'

'Tja,' zei ik, zonder er iets aan toe te voegen.

'Spencer zei altijd dat iedereen rondrent op zoek naar geluk, terwijl ze naar blijdschap zouden moeten zoeken.'

'Blijdschap moet je verdienen,' zei ik.

'Ik heb blijdschap gekend. Lang geleden.' Olson lachte. 'Spencer zei me ooit dat die keer op dat veld, net voordat de hel losbrak, de enige keer was dat hij absolute blijdschap voelde.'

Olson zat nog steeds zijwaarts met zijn gezicht naar mij toe, een been opgetrokken op de stoel, bijna grinnikend.

'Dit komt een beetje uit de lucht vallen, dat weet ik wel...'

'Oké,' zei Olson.

'Ben jij ooit met Lee naar bed geweest toen we op de middelbare school zaten?'

'Met de Eel?' Lachend stak Olson zijn hand op, met de palm naar mij toe gericht alsof hij een eed aflegde. 'In godsnaam, nee. Wij waren allemaal hopeloos verliefd op Meredith Bright, ik en

Boats en Hootie. Kom op, man. Je zou wel een rat moeten zijn om achter de vriendin van een ander aan te gaan. Ik had meer principes dan dat. En trouwens, ik dacht altijd dat jij en de Eel het zo'n beetje elke dag deden.'

Van verbijstering moet ik mijn gezicht hebben vertrokken. 'Ik dacht dat niemand dat wist.'

'Ik wíst het ook niet... maar ik had wel zo'n idee, weet je wel.'

'We deden zo ons best om...'

'Dat werkte ook, man. Niemand op school wist dat jij en de Eel meer seks hadden dan de rest van ons allemaal bij mekaar, inclusief de schoolleiding.'

Dat klopte waarschijnlijk wel, dacht ik. Lee Truax en ik waren tot geslachtsgemeenschap gevorderd bij ons vierde (vijfde, volgens haar) samenzijn – samenkomsten die te informeel waren om dates te heten. Op een feest tijdens ons eerste jaar, toen we onofficieel al lang een stel vormden, waren we een lege slaapkamer binnengedwaald waar ons verleden van zoenen, strelingen, gedeeltelijke ontkledingen en onthullingen tot zijn natuurlijke afloop kwam. We hadden verbazend, fantastisch veel geluk. Onze eerste seksuele ervaringen waren bijna allemaal goed. Binnen een paar weken leidde onze gezamenlijke verkenning van haar clitoris tot haar eerste orgasme. (Later verwezen we naar die datum, 25 oktober, als 'Onafhankelijkheidsdag'.) En vanaf het begin wisten we dat dit wonder stilte en geheimhouding nodig had om te overleven.

Naarmate ons erotische leven afnam in de loop van ons lange huwelijk, speculeerde ik soms of mijn zwervende vrouw misschien minnaars had gehad. Ik vergaf haar de pijn die de mogelijkheid bij mij veroorzaakte, want ik wist dat ik, en niet zij, degene was die ons huwelijk de ernstigste schade had toegebracht. Toen we halverwege de twintig waren, had Lee me op mysterieuze wijze verlaten, om 'ruimte' en 'tijd voor zichzelf' op te eisen. Twee maanden later kwam ze weer opdagen, zonder te vertellen waar ze was geweest of wat ze had gedaan. Ze zei dat ze van me hield en me nodig had. De Eel had opnieuw voor mij gekozen.

En toen – tien jaar later – had mijn langdurige knipperlichtontrouw met de briljante jonge vrouw die *Het Nachtgespuis* aan de man had gebracht en daarmee mijn leven volledig veranderde, mijn huwelijk kapot gemaakt, vond ik nu. Daar kwam het door. De affaire was te lang doorgegaan of had nooit moeten eindigen. Misschien had ik van Lee moeten scheiden en met mijn literair agent moeten trouwen, zulke herschikkingen vonden immers voortdurend plaats: mannen die hun vrouwen verlieten voor iets beters en dan weer scheidden voor nog iets beters – redacteuren, schrijvers, uitgevers, directeuren van uitgeverijen, de mensen die de buitenlandse rechten bestierden, agenten, allemaal verwikkeld in een eindeloze beddendans. Ik was echter te koppig geweest om mijn vrouw te verlaten. Hoe zou ik het verraad dat ik al had gepleegd nog erger hebben kunnen maken? Door die ene daad zouden wij tot clichés zijn verworden: een verlaten vrouw, een recentelijk succesvolle man die de vrouw met wie hij al jaren getrouwd is dumpt voor de jongere, sexy vrouw die dat succes heeft bewerkstelligd. Dat wij zulke stripfiguren zouden worden was onvoorstelbaar.

Toch was de essentie van ons huwelijk kapot.

Of misschien, dacht ik, was dit de essentie van ons huwelijk: we hadden zoveel pijn doorstaan, niet alleen toen, maar ook andere keren, en we waren er desondanks in geslaagd om bij elkaar te blijven en op een taaiere, diepere manier van elkaar te houden.

Op de slechtste momenten vroeg ik me echter af of ons huwelijk niet van het begin af aan kapot was geweest, of vanaf vlak na het begin, waarschijnlijk in de periode dat ik deed alsof ik een wetenschapper was en Lee Truax barkeepster was in de East Village. Maar nee, dat was beslist niet waar. Een van de redenen waarom ik Lee Truax zo koesterde, was dat ze het met me had uitgehouden; ze had me niet in de steek gelaten.

Madison en Milwaukee

'Ondanks alles is het altijd fijn om weer in Madison te zijn,' zei Olson.

'Ik ben hier in geen dertig jaar geweest,' zei ik. 'Lee wel. Een paar keer. Kennelijk is er een heleboel veranderd. Heel goede restaurants, een jazzclub, van alles.'

Op de kruising van Wisconsin en West Dayton Street stopte ik voor een stoplicht en zette mijn richtingaanwijzer aan. Een eind verderop aan West Dayton dacht ik de ingang van het hotel en de bijbehorende garage te onderscheiden.

Het licht werd groen. Ik zwaaide de grote auto de hoek om en mikte op de ingang van de garage. 'Zeg, heb ik dat boek nou meegenomen dat ik voor Hootie gesigneerd heb?'

'Weet je hoe vervelend het is om telkens dezelfde vraag te moeten beantwoorden?'

'Heb ik dat al gevraagd?'

'Twee keer,' zei Olson. 'Je moet haast nog zenuwachtiger zijn dan ik.'

Nadat we hadden ingecheckt in onze kamers op de veertiende verdieping en onze bagage hadden uitgepakt, belde ik het Lamont-ziekenhuis en sprak met de psychiater die ik die ochtend ook had gesproken. Dokter Greengrass zei dat het er nog steeds goed uitzag: 'Het enige wat ik kan zeggen is, zorg voor zo min mogelijk extremen, dan moet het goed gaan. Het is opmerkelijk, maar Howard vertoont de laatste acht of negen maanden uitstekende vorderingen. Ondanks al die jaren dat hij bij ons is... Nu er geen familie meer is en hij buiten geen vrienden meer heeft behalve meneer Olson en u, is het niet waarschijnlijk dat zijn situatie veel verandert, denkt u niet?'

Hoewel ik niet helemaal zeker wist waar de dokter op doelde, knikte ik. 'Hij maakt vorderingen?'

Zijn lach verbaasde me. 'Het grootste deel van de tijd dat hij in ons ziekenhuis heeft gewoond, heeft Howard zeer specifieke taalbronnen gebruikt. Ik was hier indertijd nog niet, maar uit de aantekeningen in zijn dossier kort na zijn opname in 1966 bleek dat zijn hele woordenschat afkomstig was uit een uitzonderlijk woordenboek.'

'Captain Fountain. Goeie god, die was ik bijna vergeten.'

'Zoals u zult begrijpen, vertegenwoordigt zijn besluit om zich te beperken tot een uiterst cryptisch vocabulaire een manier om de doodsangst waardoor hij hier terechtkwam, in bedwang te houden. Zijn ouders vonden dat ze hem onder medisch toezicht moesten stellen. Voor zover ik kan beoordelen was dat de juiste beslissing. De meeste mensen die hier werken, medisch personeel en verzorgers, hadden negentig procent van de tijd geen idee wat hij zei. Daar moet ik aan toevoegen dat meneer Bly, om geen gevaar te vormen voor zichzelf en de andere patiënten, onder zware medicatie moest worden gehouden. We hebben het nu over de periode vanaf zijn opname, 1966, tot ongeveer 1983, ruwweg. In die periode vond de arts die hem behandelde dat hij toe was aan een vermindering van medicatie, die toen ook veel verfijnder was geworden. De resultaten waren zeer bevredigend.'

'Begon hij te praten? Met een normale woordenschat?' Om verschillende redenen zou dat bijzonder goed nieuws zijn geweest.

'Niet precies. Na de aanpassing van zijn medicatie begon meneer Bly in lange, mooi gevormde zinnen en paragrafen te spreken, met stukjes dialoog en dergelijke. Uiteindelijk ontdekten we dat bijna alles wat hij zei uit de roman van Hawthorne, *De Rode Letter*, kwam. Captain Fountain voorzag in de rest.'

'Hij citeerde op de middelbare school al uit *De Rode Letter*,' zei ik.

'Herinnert hij zich alles wat hij leest?'

'Ja, ik geloof van wel.'

'Ik vraag dat omdat hij een boek lijkt te hebben toegevoegd dat hij net uit heeft. Het lag op een tafel in de recreatieruimte. Iets romantisch, of misschien is het een griezelverhaal. *The Moondreamers*, geloof ik. Van L. Shelby Austin?'

'Nooit van gehoord,' zei ik.

'Ik ook niet, maar het heeft een uitstekend effect gehad op uw vriend. Howard is veel expressiever geworden.'

'Weet hij dat we komen?'

'O, ja. Hij is helemaal opgewonden. Ook heel nerveus. Howard heeft immers al eenendertig jaar geen bezoek gehad. Vanmorgen is hij uren bezig geweest met uitzoeken wat hij voor u aan zou trekken. En hij heeft heus geen grote garderobe! Toen ik hem vroeg hoe hij zich voelde, zei hij: "Anabiotisch."'

'De Captain.'

'Gelukkig had zijn moeder het boek van Captain Fountain in zijn doos met eigendommen gestopt toen Howard opgenomen werd. Ze dacht dat wij het nuttig zouden vinden. Dat mag wel een understatement worden genoemd. Heel lang was het de enige manier die we hadden om hem te begrijpen. In de loop der jaren verdween het boek af en toe, maar het kwam altijd weer tevoorschijn. Ik bewaar het tegenwoordig in mijn bureau, zodat het niet kwijtraakt. Kent u het woord *anabiotisch*?'

'Nooit eerder gehoord.'

'Het is een bijvoeglijk naamwoord, natuurlijk, en als ik het me goed herinner betekent het "schijndood, maar in staat om opnieuw tot leven te worden gewekt". Uw bezoek betekent heel veel voor Howard.'

Omdat ik niet bekend was met psychiatrische ziekenhuizen, had ik me een soort gotisch landhuis voorgesteld uit een griezelfilm, en toen de stevige bakstenen gevel van het Lamont ziekenhuis in zicht kwam aan het eind van een kronkelende oprijlaan, was opluchting mijn eerste reactie. Vier verdiepingen hoog en comfortabel breed; het gebouw suggereerde hartelijkheid, vakkennis en veiligheid. Rijen mooie ramen in decoratieve omlijstingen keken uit op een weids parklandschap waar paden en groene gietijzeren banken te zien waren. 'Denk je dat dit vanbinnen net zo prettig kan zijn als vanbuiten?' vroeg ik.

'Reken er maar niet op,' zei Olson.

Binnen leidde een aantal marmeren treden naar een goed verlichte hal met glimmende matglazen ruiten in enorme zwarte deuren. Ik had een bureau en een receptioniste verwacht en ik draaide om mijn as om de zwarte letters te lezen die met de hand waren aangebracht op de ruiten. BOEKHOUDING. ADMINISTRATIE. ARCHIEF.

Kennelijk enigszins verslagen door de institutionele omgeving ving Don Olson mijn blik en wees zwijgend op de deur waar OPNAME & RECEPTIE op stond. 'Dank je,' zei ik om de stilte te verbreken.

Olson had geen zin om de eerste te zijn en gebaarde met een knikje naar de deur.

Binnen stonden vier plastic stoelen tegen een bleekblauwe muur tegenover een lange witte balie vol papieren en klemborden waaraan balpennen vastgeknoopt zaten met ruwe eindjes touw. Een stevige vrouw met een pony en dikke brillenglazen keek naar ons vanachter een bureau aan de andere kant van de balie. Voordat ik bij haar was, wendde ze zich af om iets te zeggen tegen een knappe Zuid-Aziatische vrouw met scherpe trekken, Sri Lankaans of Indiaas, die meteen opstond en door een deur achter in het kantoor verdween. Naast de deur hing een grote ingelijste foto van een rode schuur in een geel veld. De schuur zag eruit alsof hij al een tijd niet gebruikt was.

'Komt u voor dokter Greengrass, of is een van u onze nieuwe opname?' vroeg ze, met een blik op Don Olson.

'Wij komen voor dokter Greengrass,' zei ik.

'En u bent hier vanwege meneer Bly. Howard.'

'Dat klopt,' zei ik, en verwonderde me over de hoeveelheid informatie die dokter Greengrass deelde met zijn werknemers.

Ze straalde. 'We zijn allemaal dol op Howard.'

De knappe Aziatische vrouw kwam terug met een dik bruin dossier in haar hand. 'Zijn we niet allemaal dol op Howard, Pargeeta?'

Pargeeta wierp me een onderzoekende blik toe. 'O, we zijn allemaal gek op die man.' Ze ging zitten en tuurde naar haar monitor, waarmee ze iedereen buitensloot.

Onversaagd reikte haar metgezel omhoog om een van de klemborden naar me toe te schuiven. 'Wilt u even de tijd nemen om deze aansprakelijkheidsformulieren door te nemen en te ondertekenen terwijl ik dokter Greengrass waarschuw dat u er bent. Howard is zo opgewonden over uw bezoek! Hij wist niet wat hij aan moest, het is zo'n grote gebeurtenis voor hem. Ik heb hem een van de overhemden van mijn man geleend, en dat paste hem precies. Geef hem maar een complimentje over zijn shirt.'

Ik ondertekende het formulier zonder het te lezen en gaf het klembord aan Don Olson, die een nieuwe pagina opsloeg en hetzelfde deed.

'Als u nu even in een stoel bij de muur plaatsneemt, roep ik de dokter.'

We gingen zitten en zagen haar bellen. Pargeeta fronste haar wenkbrauwen tegen haar monitor en sloeg een paar toetsen aan.

'Zijn jullie verre familie van Howard?' vroeg de vrouw.

'In zekere zin,' zei ik.

'Hij was zo leuk, zoals hij me vroeg om te helpen. Hij zei: "Mirabelle wendde zich tot hem en vroeg: 'John, is dat een nieuw shirt? Ik zie je zo graag in iets nieuws!'"'

'Kwam dat uit dat *Moondreamers*-boek?'

'Je kunt het altijd merken als Howard verliefd wordt op een nieuw boek. Dan citeert hij dagenlang nergens anders meer uit.'

Pargeeta zuchtte en stond weer op. Ze verdween door de deur naast de foto van de verlaten schuur.

'Mooie foto,' zei ik.

'Dank u wel! Een van onze patiënten heeft die foto gemaakt.' Een weemoedige blik verduisterde haar gezicht. 'Een paar dagen nadat die foto werd opgehangen, pleegde ze zelfmoord! Het arme mens zei tegen dokter Greengrass dat ze zich realiseerde dat niemand in de hele wereld haar ooit had begrepen of ooit zou begrijpen, toen ze haar foto hier zag hangen. Hij verhoogde haar medicatie, maar niet genoeg, volgens Pargeeta. Niet dat zij een deskundige is.'

Daar wist ik niets op te zeggen.

Tijdens die subtiel beladen stilte stoof er een man met een bril met een doorzichtig plastic montuur en een jas die even wit was als zijn haar door de deur achter in het kantoor binnen. Hij wreef glimlachend in zijn handen en zijn blik flitste van mij naar Olson en weer terug. Een paar tellen later kwam Pargeeta ook binnen.

'Wel, wel, dit is een mooie dag, welkom, heren, welkom. U

bent meneer Harwell en meneer Olson, neem ik aan? Natuurlijk bent u dat. We zijn hier allemaal erg blij u te zien.' Hij liep om de witte balie heen, nog steeds niet zeker van zijn zaak. Uiteindelijk raadde hij goed en stak zijn hand naar mij uit.

'In uw geval, meneer Harwell, is het een bijzonder genoegen. Ik ben een bewonderaar, een groot bewonderaar.'

Dat betekende waarschijnlijk dat hij *Het Nachtgespuis* had gelezen, wist ik. Mijn echte fans zeiden meestal dingen als: 'Mijn vrouw en ik hebben elkaar *The Blue Mountain* voorgelezen.' Het gaf echter altijd veel voldoening om te horen dat iemand mijn werk met plezier had gelezen, en door mijn aard vind ik dat lof zelden misplaatst lijkt te zijn.

Ik bedankte de arts.

'En u moet meneer Olson zijn.' Hij greep Dons hand. 'Ook aangenaam. Dus u heeft Howard goed gekend, in de jaren zestig?'

Van achter de balie klonk de droge, spottende stem van Pargeeta. 'Voor het geval u het nog niet had geraden: dit is dokter Charles Greengrass, ons hoofd psychiatrie en stafchef.'

Hij draaide zich snel om en keek haar aan. 'Heb ik me niet voorgesteld? Echt niet?'

Pargeeta zette zich in haar stoel met de beheerste bewegingen van een danseres. Ze keek maar heel even op naar Greengrass. 'Ze wisten al wie je was, Charlie.'

Ik merkte dat ik begon te speculeren over de verhouding tussen deze jonge vrouw en dokter Greengrass en besloot daar verder vanaf te zien.

'Heren, vergeef me. Zoals juffrouw Parmendera ons al liet weten, dit is inderdaad een spannend moment. We gaan zo naar de afdeling om Howard te bezoeken, maar eerst wil ik u beiden graag even in mijn kantoor spreken. Kunt u zich daarin vinden?'

'Natuurlijk,' zei ik.

'Deze kant op graag,' Hij draaide zich om en ging ons voor naar de brede gang met de brandende lampen en de zwarte deuren. Voordat we de receptie uit liepen wierp ik een blik over mijn schouder en zag Pargeeta onze aftocht gadeslaan met een donkere, spottende blik. De vrouw naast haar die naast haar had staan schudden van het ingehouden lachen bevroor onmiddellijk. Ik sloot de deur en haastte me een beetje om de anderen in te halen.

'Pargeeta Parmendera?' vroeg Olson.
'Exact.'
'Waar komt ze vandaan?'
'Hier uit Madison.'
'Ik bedoel, wat is haar achtergrond? Wat is ze?'
'U bedoelt haar etniciteit? Haar vader komt uit India, en ik meen dat ze een Vietnamese moeder heeft. Ze kwamen in de jaren zeventig naar Madison en ontmoetten elkaar aan de universiteit.'
Aan het einde van de brede gang opende hij een deur waar PSYCHIATRIE op stond.
'De familie Parmendera heeft jarenlang naast ons gewoond. Toen mijn kinderen klein waren, hadden we Pargeeta vaak als oppas. Geweldig meisje, heel flexibel.'
'En de andere vrouw, met die pony?'
'O, dat is mijn vrouw,' zei Greengrass. 'Zij komt helpen als die arme Myrtle 's ochtends haar bed niet uit kan.' Hij liet ons binnen in een vertrek dat op de receptie leek, waar een brede, extreem omvangrijke vrouw van in de veertig haar wangen tot kuiltjes rimpelde toen ze naar ons glimlachte vanachter een bureau dat veel te klein voor haar leek. Ze droeg een vormeloze, wigwamachtige jurk met een patroon van roze rozen, en toen ze glimlachte maakten de kuiltjes een agressieve indruk.
'Ik ben even in mijn kantoor, Harriet. Geen gesprekken doorverbinden, alsjeblieft.'
'Dat is goed, dokter. Is dat Howards bezoek?'
'Ja, dit zijn ze.'
'We zijn allemaal dol op Howard,' zei Harriet, met nog diepere kuiltjes. 'Hij is wat je noemt een echte heer.'
'Ah,' zei ik.
'Hierin, alstublieft.' Dokter Greengrass had een deur achter het bureau van Harriet geopend.
De dokter gebaarde ons te gaan zitten aan een ovale houten tafel waarop een kom pepermuntjes stond, precies even ver van beide beklede stoelen verwijderd. Zelf nam hij de schommelstoel aan de andere kant van de tafel. 'Zo,' zei hij. 'Zoals u heeft gezien, zijn we in deze instelling allemaal bijzonder gesteld op Howard Bly.'
'Dat blijkt,' zei ik.

'Hij is onze oudste patiënt, niet in jaren hoor, sommige van onze mensen zijn nu al in de tachtig, maar wat de lengte van zijn verblijf hier betreft. Hij heeft er heel wat zien komen en gaan, Howard, en onder de vele, vele wijzigingen van personeel en directie is hij altijd dezelfde vriendelijke, goedhartige vent geweest die jullie vandaag zullen ontmoeten.'

De dokter keek even omhoog en plaatste zijn vingertoppen als in gebed tegen elkaar. Een klein, onwillig glimlachje trok rond zijn lippen. 'Niet dat hij zijn crisismomenten niet heeft gehad. Ja, we hebben Howard heel angstig gezien. Bij twee of drie gelegenheden zelfs heel agressief. Hij lijkt vooral bang te zijn voor honden. Dat zou een fobie genoemd kunnen worden. Kynofobie, om precies te zijn. Niet dat zulke termen erg behulpzaam zijn. Ik zie het liever als een paniekaandoening. Gelukkig hebben we methodes om paniekaandoeningen te behandelen. Howards fobische reactie op honden is in de afgelopen tien jaar aanzienlijk afgenomen.'

'Laat u honden toe in dit ziekenhuis?' vroeg ik. 'Wandelen ze gewoon rond op de psychiatrische afdelingen?'

Over zijn gevouwen handen heen keek dokter Greengrass me aan. 'Zoals veel van dit soort instellingen hebben wij uitstekende therapieresultaten bereikt met gezelschapsdieren. Op bepaalde tijden zijn honden en katten toegestaan op bepaalde plaatsen. Een gezelschapsdier kan, in combinatie met conventionelere therapieën, onze patiënten helpen om wat meer uit hun eigen kleine wereldje te komen.

Hij glimlachte ons toe en schudde even zijn hoofd, alsof hij zich gewonnen gaf in een allang verloren strijd. 'Howard heeft elk aanbod van een gezelschapsdier geweigerd. Een keer, voordat ik hier kwam, heeft hij een medewerker aangevallen die een hond naar de huiskamer bracht. Tegenwoordig zijn honden daar niet toegestaan, en Howard kan er in alle veiligheid rondlopen. Er hebben zich echter incidenten voorgedaan...'

Dokter Greengrass leunde naar voren boven zijn bureau en dempte zijn stem. 'Incidenten waarbij Howard toevallig in dezelfde kamer terechtkwam als een man met een hond bij zich. Er viel niemand iets te verwijten. Hij wandelde naar binnen, waarschijnlijk met een opengeslagen boek in zijn handen, en daar gebeurde het, recht voor zijn neus. Een man die een hond aaide. Resultaat? Jammerend van ellende vluchtte hij onmiddellijk terug naar zijn kamer, waar hij zijn deur sloot en trillend op zijn bed ging liggen. Als hij die panische... tja, dat is toch het juiste woord: panische angst niet had gehad, zou Howard vijf of zes jaar geleden al zijn overplaatst naar een groepshuis. Ik moet u wel zeggen dat hij de kans dat hij dit ziekenhuis ooit zal verlaten zelfs weigert te overwegen.'

De arts keek ons aan met volkomen onpersoonlijke, wetenschappelijke nieuwsgierigheid. 'U bent zijn eerste bezoek in dertig jaar. Kunt u me helpen om te verklaren wat ik u zojuist heb verteld? Om het eenvoudig te zeggen: wat is er gebeurd met Howard Bly?'

'Het is moeilijk te beschrijven,' zei Olson met een blik op mij. 'Samen met een paar andere mensen hebben wij, een paar van ons, iets gedaan op een veld. Een soort ritueel. Een ceremonie. Alles werd duister, verwarrend, angstaanjagend. Er kwam een jongen om het leven. Wat Hootie – Howard – ook heeft gezien, het maakte hem doodsbang. Misschien dat een hond, of iets wat op een hond leek, de jongen aanviel. Ik was erbij, maar ik heb het niet zien gebeuren.'

'Iets wat op een hond leek?' vroeg Greengrass. 'Wat bedoelt u, een wolf? Iets onnatuurlijks?'

'Ik zou het niet weten,' zei Don.

'We hebben dossiers, we houden alles bij. We zijn bekend met het Spencer Mallon-incident. Het schijnt dat uw groep getroffen werd door massahysterie. Gezamenlijke waanbeelden. Howard Bly leeft al zijn hele volwassen leven met de gevolgen van die waanbeelden. Hij maakt echt vorderingen, maar ik zou toch graag meer willen weten over de oorsprong van zijn ziekteverschijnselen.'

'Wij ook,' zei ik.

'Mooi. Ik hoopte al van u te horen, meneer Harwell. Kunt u me iets vertellen over de oorzaken van de dramatische paniekreactie van deze patiënt op honden?'

Ik dacht even na. Als er al een oorzaak was, zou het dat malle schilderij van die poker spelende honden moeten zijn dat de vader van Eel op een avond mee naar huis had gebracht vanuit een bar in Glasshouse Street. Maar natuurlijk was dat schilderij niet de oorzaak. Het schilderij was alleen maar goed van pas gekomen voor het vreselijke circus dat Mallon had opgewekt of tot leven had geroepen.

'Niets concreets. Tot dusver.'

'Dus u houdt zich met deze kwestie bezig, met dit raadsel.'

'Het is eerder een sterke persoonlijke behoefte. Ik heb het gevoel dat ik beslist moet weten wat er eigenlijk gebeurd is op dat veld. Ik denk dat dat ons allemaal goed zou doen.'

De dokter keek hem peinzend aan. 'Wilt u mij eventuele inzichten of nieuwe informatie vertellen die u opdoet in gesprekken met mijn patiënt?'

Ik knikte. 'Als ik iets te vertellen heb.'

'Uiteraard.' Dokter Greengrass wendde zich tot Don Olson. 'Misschien kunt u deze vraag voor mij beantwoorden. Tot twee keer toe, de eerste keer een aantal jaren geleden en de tweede keer gisteren, heeft Howard tegen mij gezegd: "Woorden creëren ook vrijheid, en ik denk dat woorden mij zullen redden." Opmerkelijk, vond ik, omdat hij in zekere zin door woorden gevangen is gezet. Heeft u enig idee waaruit hij citeerde?'

'Dat komt niet uit een boek. Spencer Mallon zei dat tegen hem, een dag of drie, vier voor de grote ceremonie.'

'Zoals de meeste orakels sprak meneer Mallon kennelijk in raadselen.' Dokter Greengrass schudde zijn hoofd. 'Ik wil niemand beledigen, maar de zegswijze die bij mij opkomt is "beneden alle peil".'

Don zei niets. Het enige wat er in zijn gezicht veranderde, waren zijn ogen.

'Afijn,' zei dokter Greengrass. 'Zullen we uw vriend maar eens opzoeken?'

Hij dirigeerde ons naar de gang en een brede trap op. Op de tweede verdieping gingen we door naar de derde, waar dokter Greengrass een dubbele klapdeur openduwde en ons voorging naar een combinatie van kantoor en wachtkamer. Achter een smal bureau waarop alleen een transistorradio stond, stak een kortgeknipte man in een witte jas met korte mouwen waarin zijn opbollende biceps goed uitkwamen, zijn hand uit om een praatprogramma uit te zetten. Bij onze binnenkomst stond hij op en trok aan de zoom van zijn korte jas.

'D-dokter,' zei hij. 'We verwachtten u al.' Bij een man die fysiek zo aanwezig leek, was het stotteren een verrassing. Hij bekeek ons even onderzoekend. 'Dus u bent beide oude vrienden van Howard?'

'Uh-huh,' zei ik.

'Jullie lijken n-niet erg op-p hem, hè?' Hij grinnikte en stak een reusachtige hand uit. 'Mijn naam is Ant-Ant-Antonio. Ik vond dat ik jullie hier maar moest begroeten. Ik zorg g-goed voor Howard. We kunnen het p-prima met elkaar vinden.'

'Mooi zo, Antonio,' zei dokter Greengrass. 'Waar is hij?'

'In de re-recreatieruimte, toen ik hem voor het laatst zag. Daar zal hij n-nog wel zitten.'

De dokter haalde een forse sleutelbos uit zijn broekzak en maakte de stevige zwarte deur naast het bureautje open.

'Ik ga wel mee naar binnen,' zei Antonio. 'Misschien d-dat ik... Wie weet? Howard is de laatste t-tijd nogal emotioneel.'

Met de verzorger achter ons aan liepen we een lange, helder verlichte gang in waar aan weerskanten van twee lange prikborden vol aankondigingen en folders foto's en onbeholpen schilderijen hingen. Aan de linkerkant van de gang werden de kunstwerken onderbroken door een reeks deuren. Dokter Greengrass maakte de enige deur aan de rechterkant van de gang open, waar PATIËNTENRUIMTE op stond. Naast een kleine receptie met decoratieve ingelijste tekeningen bood een andere deur toegang tot een kleurrijke kamer, bijna zo groot als een gymzaal, die door speeltafels en groepen banken en stoelen in verschillende ruimtes was opgedeeld. Langs de muur stonden nog meer stoelen en banken. Door de vrolijke kleuren op de muren en het patroon van het vloerkleed leek het vertrek op een kleuterschool.

Op de meubels en achter damborden op de speeltafels zaten dertig tot veertig mannen en vrouwen van allerlei verschillende leeftijden. Een oudere man zat heel geconcentreerd een reusachtige legpuzzel te maken. Slechts een paar van de patiënten keken op om te zien wie er binnenkwam.

'Dokter Greengrass,' zei een lange, glimlachende blonde man met spierballen die al even prominent waren als die van Antonio. Hij had klaarblijkelijk naast de deur staan wachten. 'We zijn klaar voor u en uw gasten.'

'O, ja,' zei Antonio. 'Ja, dat zijn we.'

'Dit is Max,' zei Greengrass. 'Hij heeft heel wat tijd doorgebracht met jullie vriend.'

'Laten we naar hem toe gaan,' zei Max. 'Hij is erg enthousiast.'

'Waar is hij?' zei Don terwijl hij de kamer doorkeek. Niemand leek ook maar enigszins op Howard Bly, en ze keken geen van allen erg enthousiast. Ze zagen eruit alsof ze in een middelmatig vakantieoord de tijd tot de lunch probeerden te doden. Sommigen droegen pyjama's, de rest gewone kleding: kakibroeken, spijkerbroeken, jurken, shirts.

'Daar achter in de hoek,' zei Max, wijzend met zijn duim.

'Blijf maar hier, Antonio,' zei dokter Greengrass. 'We willen hem niet laten schrikken.'

Met tegenzin knikte Antonio en liep weg om in een fauteuil te gaan zitten.

Max en de dokter liepen voor ons uit door de recreatieruimte en op onze weg tussen de gegroepeerde meubels werden we vergezeld door gedempt gemompel. Toen we aan het andere eind van de zaal om een brede, helderblauwe zuil heen liepen, weken Max en dokter Greengrass uiteen om een kale man met een rond gezicht te openbaren die gespannen voorover leunde op het puntje van zijn versleten blauwe leunstoel. Hij klemde zijn handen ineen boven een aanzienlijke buik en een geblokt overhemd dat bij de knopen enigszins trok. Het ronde gezicht leek vreemd onschuldig en ongeschonden. Deze man leek niets op Hootie Bly, maar aan zijn enthousiasme viel niet te twijfelen.

'Howard, zeg je vrienden maar goedendag,' zei de dokter.

De man keek knikkend van het ene gezicht naar het andere en weer terug. Door de verbijsterde uitdrukking in zijn ogen kreeg ik het gevoel dat we een fout hadden begaan, dat deze arme oude sul met rust gelaten had moeten worden. Toen brak er op het gezicht van de sul een extatische glimlach door, en snel knikkend deed hij iets raars met zijn handen: hij spreidde ze wijd uiteen en bracht ze toen weer dicht naar elkaar toe. 'Dill!'

'Hoi, Hootie,' zei Olson.

Dokter Greengrass fluisterde: 'Dat doet hij om te laten weten dat hij een woord uit een langere zin haalt, om tijd te besparen.'

Ik zag dat de man in de leunstoel zijn verrukte blik op mij vestigde en wist met absolute stelligheid dat we de juiste beslissing hadden genomen. Weer deed de dikke oude man dat rare met zijn handen, om een woord te isoleren uit een reeds bestaande zin.

'Twin!' riep hij. 'O, *Twin*!'

Hij hees zich overeind en bewees op dat moment, in elk geval aan mij, dat hij inderdaad Hootie Bly was: de glans in zijn ogen, de vorm van zijn schouders, de manier waarop hij zijn rechterhand ter hoogte van zijn middel hield en zijn linker liet vallen. Gemengde gevoelens van blijdschap en verdriet brachten tranen in mijn ogen.

Hootie deed een stap naar voren en ook wij bewogen ons weifelend dichterbij. Don en ik grepen elk een van Hooties handen, allebei even onbeholpen en overweldigd door emoties. Howard citeerde iets onduidelijks over tante Betsy die verklaarde dat het een prachtige, prachtige dag was. Toen sloeg hij zijn armen om Don heen en wiegde een paar tellen heen en weer. Met tranen in zijn ogen wendde Howard zich naar mij om me op dezelfde manier te omarmen, wiegend van plezier.

Hootie liet me los, veegde zijn glimmende gezicht droog met zijn handen en zong me met glanzende ogen een vraag toe: '*Skylark, have you anything to say to me*?'

Ik wierp een blik op dokter Greengrass, die met gespreide handen zijn schouders ophaalde.

Don Olson zei: 'Dat wist je zeker niet. Mallon zei een keer tegen de Eel dat zij zijn Skylark was, zijn leeuwerik.'

Op het moment dat hij het woord uitsprak, werd ik me met een schok bewust van de heldere, plotselinge herinnering aan een leeuwerik die mijn vrouw en ik hadden zien vliegen boven de tuin van een pub in Noord-Londen.

MEREDITH BRIGHT WALSH

Don Olson en ik zaten aan een zijtafeltje in de Governor's Lounge, op de twaalfde verdieping van het Concourse hotel. Een delicaat ogende jongeman en een atletische vrouw, beiden blond en geüniformeerd in een witte blouse met een vlinderstrikje, zetten bladen vol hors-d'oeuvres in schalen op een lange tafel langs de muur. Zo verveeld als een goudvis in een vissenkom slenterde een barkeeper in een brokaten gilet naar de andere kant van zijn ronde domein. Op een wit, vierkanten servetje voor Don Olson stond een verse margarita, voor mij een glas witte sauvignon. Het was een paar minuten voor zessen en de schaduw van het hotel viel over de halflege straten tussen het gebouw en Lake Monona. Ook over ons was een schaduw gevallen. Er was veel om over na te denken.

Het besluit om Howard Bly te vergezellen op een wandeling door het park van het ziekenhuis had niet het gesprek opgeleverd waarvan ik had gehoopt dat het zich langs de kronkelende paden zou ontwikkelen. In plaats daarvan eindigde onze excursie met een chaotische, haastige terugtocht naar de afdeling, een ramp die had kunnen leiden tot de onmiddellijke verbanning en permanente uitzetting van de twee oude vrienden van meneer Bly, als hij zelf niet op het laatste moment zo verrassend tussenbeide was gekomen. Het waren een paar onbehaaglijke minuten geweest. Zodra Hootie de achteringang van het ziekenhuis binnenstoof en zich veilig voelde, zette hij het op een schreeuwen.

Dokter Greengrass stormde zijn kantoor uit, roepend om de verzorgers, die de patiënt prompt smoorden met hun lichamen, alsof zijn kleren in het zonlicht in brand waren gevlogen. 'Wat is er gebeurd?' bulderde Greengrass. 'Wat hebben jullie met hem gedaan?'

Rondrollend op de koude vloer brulde Hootie trefwoorden uit de schatkist van Captain Fountain. 'Recumbentibus! Recusabel! Regarderen! Restitutie! Redivivus!'

'Jullie tweeën hebben twintig jaar vooruitgang tenietgedaan!' Het gebulder van Greengrass overstemde de kreten van Howard. 'Ik wil dat jullie verdwijnen! Bezoekrechten zijn ingetrokken. Permanent en onherroepelijk.'

Met geschokte blikken naar elkaar deden Olson en ik beiden een stap achteruit in de richting van de uitgang.

Greengrass wees naar ons met een wijsvinger zo groot als een sigaar. 'Jullie vertrekken nu meteen! En dan bedoel ik helemaal van het terrein! En waag het niet om ooit nog terug te komen, begrepen?'

De verrassende wending begon met een plotselinge, verontrustende stilte op de tegelvloer. Alle aandacht richtte zich op de kleine dikke man die wijdbeens tussen zijn bewakers lag. Antonio Argudin en Max Byway ontspanden hun greep en gingen licht hijgend overeind zitten.

Hootie Bly, het brandpunt van ieders blik – met inbegrip van die van Pargeeta Parmendera, die ergens uit een nabijgelegen niets was verschenen – lag helemaal stil, zijn handpalmen omhoog, de punten van zijn schoenen in de lucht. Zijn ogen vonden Greengrass.

'Niet doen,' zei hij. 'Neem het terug.'

'Wat?' Dokter Greengrass liep naar zijn patiënt, en Argudin en Byway, nog steeds op hun knieën, weken achteruit. 'Wat zei je, Howard?'

'Ik zei, neem het terug,' vertelde Howard hem.

'Hij citeert niet,' zei Pargeeta. 'Dit is ontzettend belangrijk.'

Voordat iemand anders eraan dacht om te bewegen, vloog ze naar Howard toe en knielde naast hem neer. Zijn lippen bewogen. Ze schudde haar hoofd, niet in ontkenning maar om hem te vertellen dat ze hem niet begreep.

De dokter zei: 'Je hoeft niet meer vastgehouden te worden, is het wel, Howard?'

Howard schudde zijn hoofd. Pargeeta stond op en trok zich terug, met een veelzeggende blik op Howard die ik niet kon ontcijferen.

'Gebruikte je je eigen woorden, Howard? Dat was toch gewone taal?'

Howard wendde zijn ogen af van die van de dokter en bekeek het plafond. 'Al is mijn eigen ziel verloren, toch wil ik voor andere zielen doen wat ik vermag.'

Dokter Greengrass hurkte neer. De zoom van zijn witte jas sleepte over de vloer. Hij reikte naar Howards hand en klopte er even op. 'Heel mooi, Howard. Was dat uit *De Rode Letter*? Zo klonk het wel.'

Howard knikte. '"Hester," zei de predikant. "Vaarwel."'

'We hebben *De Rode Letter* hier allemaal leren kennen. Het is een bijzondere roman. Je kunt bijna alles vinden in dat boek, als je weet waar je het zoeken moet. Wil je nu misschien opstaan?'

'Um,' zei Howard. 'Zijn naam zij geheiligd! Zijn wil geschiede! Vaarwel!'

'Neem je afscheid van iemand, Howard?'

'Um,' zei hij weer. 'Neen, dat geloof ik niet.'

'Je bent niet zo bang meer, is het wel?'

'Neen, dat geloof ik niet,' herhaalde hij.

'Nou, laten we eerst eens overeind gaan zitten. Kun je dat?'

'Hoe kan het ook anders?' Hij stak zijn armen recht voor zich uit en wachtte, als een kind, om geholpen te worden.

Dokter Greengrass wierp de talmende verzorgers een boze blik toe. Antonio en Max schoten naar voren en samen trokken ze Bly elk aan een arm in een zittende houding. Greengrass wuifde hen weg en boog zich dichter naar Howard.

'Howard, kun je me in je eigen woorden – of in die van Hawthorne, dat maakt niet uit, maar ik zou veel liever hebben dat je voor jezelf spreekt – kun je me vertellen waar je daarbuiten zo van geschrokken bent?'

Howard wierp ons een blik toe. Even meende ik een zweem van een glimlach op zijn gezicht te zien. Pargeeta haalde diep adem en greep haar ellebogen vast – ik kreeg een vage indruk van tegenstrijdige gevoelens maar kon me niet voorstellen wat haar dwars zou kunnen zitten, net zo min als ik er zeker van kon zijn of haar wel iets dwarszat. Het was een glimp van emotie, een onbestemde, ongewilde uiting van gevoelens.

'Kun je het me proberen te vertellen, Howard?' vroeg de dokter.

Howard knikte langzaam. Zijn ogen bleven op ons gevestigd. 'Het was een hatelijk, boosaardig glimlachend gezicht, dat niettemin gelijkenis vertoonde met gelaatstrekken die zij eerder had gekend.'

'Boosaardig,' zei Greengrass.

'De Boze,' citeerde Hootie, 'die met dreigende blik klaarstond om zijn deel op te eisen.'

'Ik begrijp het. Zullen we nu samen opstaan?'

Antonio en Max gingen aan weerszijden van Howard staan en trokken hem overeind. Dokter Greengrass stond op, iets langzamer, en glimlachte naar hem. 'Gaat het nu weer?'

'"Nu ik weer in deze aangename omgeving ben, heeft mijn angst mij bijna helemaal verlaten," zei Millicent. "Maar ik hoop gauw nog eens uit te kunnen gaan."'

'En nu een stukje uit de *Moondreamers* van meneer Austin,' zei de dokter. 'Ook een nuttige tekst. Maar daarvóór hoorden we van Howard Bly zelf, nietwaar?'

Howard keek over het hoofd van dokter Greengrass heen en zijn gezicht werd meteen uitdrukkingsloos, verdoofd, bijna vlak genoeg om het licht te weerkaatsen.

'Je vroeg me om mijn bevel tegen deze mannen om ons terrein te verlaten en nooit meer terug te komen, in te trekken. *Niet doen. Neem het terug*. Dat was immers Howard Bly die praatte?'

Howard stond voor hem en verdween stukje bij beetje.

'Ik wil ze laten blijven, op één voorwaarde: dat jij bevestigt wat ik zeg. Zeg "ja," Howard, in de zin van "ja, ik sprak voor mezelf, ja, ik vond mijn eigen woorden", en je oude vrienden kunnen zo vaak komen als jij en zij willen. Maar jij moet het zeggen, Howard. Je moet "ja" zeggen.'

Hootie bloosde. Hij leek ineens weer helemaal aanwezig, al voerde hij een aanzienlijke strijd met zichzelf. Zijn blik ontmoette die van de dokter en de blos verspreidde zich steeds donkerder over zijn wangen.

'Neem het terug.'

'Je citeert jezelf. Dat is al goed genoeg, Howard. Dank je wel.'

Korte tijd later was alles weer teruggekeerd tot de versie van normaliteit die ze in het Lamont gewend waren. Antonio Argudin liep zijn rondes over de afdelingen en de recreatieruimte op zoek naar een patiënt om te terroriseren; de dwangmatige puzzelaars peinsden over wolken en zeilschepen; tegen zijn kussens geleund las Howard Bly het meesterwerk van L. Shelby Austin. Dokter Greengrass had zich achter zijn bureau geïnstalleerd en besprak het ziekenhuisbeleid met Pargeeta Parmendera en de twee bezoekers die verantwoordelijk waren voor de recente doorbraak van patiënt Bly. Na slechts even aandringen van zijn voormalige oppas gaf de arts ons algauw toestemming om onze vriend te bezoeken wanneer we maar wilden, zolang we natuurlijk zijn rusttijden niet verstoorden.

'Hij is geestelijk niet helemaal gezond, hè? Het is rot om te zeggen, maar ik denk dat je daar vanuit moet gaan,' zei Don.

'Dus Hootie zag een demon of de duivel of zoiets, of dacht die te zien, en dus is hij gek?'

'Jij hebt hem net zo goed gehoord als ik. "De Boze," zei hij. En iets over een hatelijk, boosaardig glimlachend gezicht. Daar zou iedereen doodsbang van worden. Maar mensen die de duivel zien verschijnen op tuinpaden zijn helaas geestelijk niet gezond.'

'Het is raar, maar om de een of andere reden doet "duivels die op tuinpaden verschijnen" me aan Hawthorne denken.' Het deed denken aan *De Rode Letter*, maar dat liet ik onvermeld. 'Dus jij en Greengrass denken allebei dat Hootie bang was.'

'Nou, dat was hij! Je hebt hem toch gehoord. Hij was doodsbang. Kom op zeg.'

'Daar ben ik nog niet zo zeker van. Hij maakte weliswaar een hoop lawaai, maar hij gilde niet, weet je nog?'

'Volgens mij was het gillen. Wat denk jij dan dat hij deed?'

'Jij dacht dat hij heel erg bang was, dus hoorde jij hem gillen. Wat ik hoorde was schreeuwen. Hootie gilde niet, hij lag te razen. Voor mij zag het eruit alsof...' Ik zweeg, onzeker hoe ik mijn idee moest verwoorden.

'Alsof wat?' vroeg Don.

'Alsof hij alle gevoelens die in hem opborrelden niet aankon. Ik geef toe, hij zag iets. Maar hij bleef "vaarwel" zeggen, weet je nog? Ik denk dat hij echt *aangedaan* was, ik denk dat zijn eigen emoties hem te veel werden. En ik geloof ook niet dat Pargeeta hem angstig vond. Ze hadden een soort gesprek, er speelde zich iets tussen hen af. En er is nog iets waar je rekening mee moet houden.'

'Namelijk?'

'Hij was verstoord, hij was boos. Weet je wat ik denk? Dit ga je niet leuk vinden, Don. Het kan zijn dat hij het over Spencer Mallon had. Omdat wij daar waren, realiseerde hij zich misschien dat hij door Mallon in het gesticht zit.'

'Het was *Mallon* niet. Hij zou Mallon nooit de Boze noemen.'

'Hoe kun je daar zo zeker van zijn? Je hebt Hootie sinds 1966 niet meer gezien.'

'Hootie hield van die man,' zei Don. 'Dat zou jij ook hebben gedaan, als je het lef had gehad om met ons mee te gaan.'

'Als ik dacht dat een goeroe mijn leven had verwoest, geloof ik niet dat ik nog van hem zou houden.'

'Het is moeilijk uit te leggen,' zei Don. 'Misschien is verwoest niet verwoest, misschien is het niet verwoestend. En noem hem geen goeroe. We waren geen boeddhisten of hindoes. Hij was mijn leraar, mijn mentor. Mijn meester.'

'Alleen het idee van een meester bezorgt me al koude rillingen.'

'Dan heb jij een probleem, sorry. Maar ik begrijp het wel. Toen ik zeventien was, dacht ik er net zo over als jij.'

'Dit is een goede discussie,' zei ik. 'We kunnen er vast uren over doorgaan, maar ik wil niet steeds in het kamp van de spirituele arrogantie zitten. Er is nog een mogelijkheid, namelijk dat het verband houdt met die Ladykiller waar ik mee bezig ben geweest. Trouwens, daar moeten we het nog over hebben.'

'Waarom?'

'Wat Hootie opwond, wat hij daar in die tuin zag, misschien was dat Keith Hayward. Het lijkt allemaal zo *verbonden*.'

Aangetrokken door gratis eten en drinken waren de gasten van de executive-verdiepingen de lounge binnengestroomd en hadden de meeste stoelen, banken en tafeltjes in beslag genomen. Een stevig stel in karmozijnrode sweatshirts van de universiteit van Wisconsin bezette nu de bank naast onze tafel. Het geluidsniveau was gestegen, voornamelijk rond de bar, waar nog maar enkele krukken leeg waren. De barkeeper verveelde zich niet langer; hij lachte breed tijdens het inschenken van steeds nieuwe bestellingen.

Don kantelde zijn stoel tot zijn schouders de muur raakten. 'Wat is er met die Ladykiller-zaak? En wat kan het jou trouwens schelen?'

Ik nam een flinke slok van mijn wijn. 'Wil je dat echt weten?'

'Ik raad maar wat, maar heeft het iets met de Eel te maken?'

'Nee!' (Al was dat wel zo, op een rare manier waar ik niet over wilde nadenken. Maar het was inderdaad de reden waarom ik Hayward had geopperd.)

Niet ieder gezicht wendde zich in onze richting na mijn uitroep. Niet alle gesprekken staakten. Een paar gezichten keerden zich naar ons en het geluidsniveau daalde even. Toen richtte iedereen zich weer op de gesprekken en de drankjes. Ik nam nog een – kleinere – slok middelmatige wijn.

'Sorry. Nee, het gaat niet om Lee, al is ze er wel bij betrokken, net als jullie allemaal. Het komt omdat ik me, net voordat jij kwam opdagen, realiseerde dat het met mijn roman niets ging worden, en ik zag een man in mijn ontbijtcafé die me aan Hootie deed denken, en toen had ik die politieman Cooper in mijn hoofd, en ik besefte dat ik nu toch echt eens moest uitzoeken wat er met jullie allemaal was gebeurd op dat veld.'

'Bedoel je... vind je dat je nog een boek moet proberen te schrijven? Want dan moet ik wel zeggen, dat is precies wat ik...'

'NEE!'

Nu wendden zich weer meer gezichten onze kant op en de zaal viel stiller dan voorheen. De barkeeper boog zich voorover om door de menigte heen te turen en me een blik toe te werpen die het midden hield tussen ongerust en onderzoekend. Ik maakte sussende gebaren met mijn handen. 'Dat gebeuren op dat veld is geheimzinnig, het is gevaarlijk, het is levens veranderend, het gaat om een enorme, verbijsterende doorbraak... nietwaar?'

'Niet volgens Mallon.'

'Omdat hij nog meer wilde! Mallon was een kind van de jaren zestig. Hij had een soort spirituele gulzigheid. Hij wilde echt de wereld veranderen, en in zekere zin, Don, snap je dat niet, heeft hij dat ook echt gedaan! Alleen merkte niemand het op, en het duurde maar een paar seconden. Maar hij deed het wel. Tenminste, die indruk heb ik.'

Olson keek weg, en zijn ogen verloren hun focus. Hij grinnikte. 'Ik vind je gezichtspunt wel aardig. Mallon veranderde de wereld, maar slechts een paar tellen lang. Dat is leuk. Maar vergeet niet dat de enige mensen die Mallon daarvan wist te overtuigen vier scholieren waren, plus twee eikels en een meisje dat verliefd op hem was.'

'Achteraf waren jullie allemaal veranderd. En een van die twee eikels was dood.'

'Brett Milstrap was veel erger dan dood.'

'Hoe dan?'

'Dat probeer ik je later wel uit te leggen. Als ik dat kan, wat ik overigens betwijfel. Hoe dan ook, wat is dat met Hayward? En wie is Cooper?'

'Wat Hayward betreft, jullie hadden geen idee met wie je te maken had. Zelfs mijn vrouw en Hootie wisten niet echt hoe hij was.'

'Heeft dit op de een of andere manier te maken met wat ik je vertelde, van die schuur? Ik heb het toen niet gezegd, het leek te krankzinnig, maar toen ik daar stond, had ik heel sterk het gevoel dat hij... een naakt kind op een stoel had vastgebonden. En dat hij vanwege dat kind zijn mes pakte.'

'Verbazend,' zei ik.

Ik had Don erger geschokt dan hij wilde laten merken. 'Je wilt toch niet zeggen dat ik gelijk had?'

'Je had helemaal gelijk,' zei ik. 'De jongen heette Tomek Miller. Alleen zat hij niet in dat hok op Henry Street, want tegen die tijd was hij al dood. Zijn lijk, of wat ervan over was, werd gevonden in de resten van een afgebrand gebouw in Milwaukee. December 1961. Miller was waarschijnlijk Keith Haywards eerste slachtoffer.'

Olson knipperde verschillende keren met zijn ogen en goot een deel van zijn margarita in zijn mond. Nadat hij had doorgeslikt, leek hij de voortgang van de alcohol door zijn keel te volgen. Zijn lichaam ontspande zich in zijn stoel en hij liet een arm langs zijn zij omlaag vallen. Toen hij zich weer tot mij wendde, leek hij bijna te glimlachen. 'Zonder dollen?'

'Ik zei toch dat het verbazend was.'

Hij schudde even zijn hoofd, alsof het om een bevredigende goocheltruc ging. 'Man, ik wilde me onzichtbaar maken en die afschuwelijke plek binnensluipen – want het was afschuwelijk. Dat wilde ik Mallon duidelijk maken, hoe gestoord Hayward echt was. Ik hoorde hem zingen tegen zijn mes!'

'Na wat je me hebt verteld denk ik dat het mes een geschenk was van zijn oom, Tillman Hayward. Als je eenmaal een paar dingen over Tillman hebt gehoord, wordt het allemaal helder.'

'Wat weet je dan van Hayward?'

'Onder het eten,' zei ik.

'Misschien bestaat er wel een gen voor wat wij kwaadaardigheid noemen,' zei ik. 'Een variant op het normale patroon die veel minder vaak voorkomt dan bijvoorbeeld de DNA-markers voor taaislijmziekte of de ziekte van Tay-Sachs en de meeste andere aandoeningen. Hitler zou daar dan mee geboren kunnen zijn, en Stalin en Pol Pot, en elke andere dictatoriale heerser die er een gewoonte van maakte om zijn eigen onderdanen gevangen te zetten en te vermoorden, maar ook heel veel gewone burgers. Elke grote stad zou dan ongeveer drie van die kerels hebben, elke kleine stad misschien een, en elk vierde of vijfde dorp van enige omvang zou er een van hebben – mensen die andere mensen minderwaardig vinden en hen het liefst vermoorden, kwellen, verwonden, of op zijn minst domineren en vernederen. Andere mensen zijn op een vergelijkbare manier verknipt doordat ze in hun jeugd beschadigd en mishandeld werden, maar we hebben het nu over mensen die zo geboren worden. Zij dragen dat gen en dat wordt geactiveerd, helaas voor hun omgeving. Het ontwaakt, of hoe je het ook noemen wilt. Dat is waar jullie tegenaan liepen toen jullie Keith Hayward ontmoetten.'

'De Rotte Appel,' zei Don.

'Precies. Het andere gezichtspunt, dat veel godsdienstige mensen aanhangen, is dat elk menselijk wezen vanaf de geboorte corrupt en zondig is, maar dat het werkelijke *kwaad*, het echte, zwavelachtige satanische, tijdloos is, van buitenaf komt en onafhankelijk van menselijke wezens bestaat. Mij heeft dat altijd een primitieve manier van denken geleken. Het ontheft je van aansprakelijkheid voor je daden. Een vrome christen zou zeggen dat ik het helemaal mis heb.'

We zaten aan een hoektafeltje bij Muramoto, vlak bij Capital Square aan King Street. De barkeeper van de Governor's Club had het restaurant aanbevolen. Hij had ons ook aangeraden om de Aziatische koolsalade te proberen, die aan een hooimijt deed denken en verrukkelijk was, net als de rest. Hoewel we tegen die tijd beiden aardig wat eersteklas sake hadden gedronken, had ik meer ingenomen dan mijn metgezel.

'Ben je aangeschoten?'

'Mm. Die aanval van Hootie heeft me van mijn stuk gebracht. Hoe dan ook, ik wilde deze mogelijkheden laten zien. Is kwaadaardigheid een aangeboren, menselijke eigenschap, of is het een externe entiteit en niet menselijk?'

'Laat me raden. Wij stemmen voor optie één, toch, omdat we humanisten zijn, liberale humanisten nog wel?'

'Jij misschien,' zei ik. 'Ik ben de laatste tijd een beetje ambivalent. Maar wat je vriend Hayward betreft, is het inderdaad allemaal optie één. Sterker nog, Hayward lijkt een geval van kwaadaardigheid door genetische overdracht te zijn. Ernstige psychische stoornissen worden van generatie op generatie doorgegeven, net als blauwe ogen en rood haar. Kijk eens, dit ben ik, en nu heb jij het ook, je hoort bij de familie. Tenminste, als George Cooper gelijk had, wat ik wel geloof.'

Met mijn eetstokjes pakte ik iets kleins en delicaats van het verhoogde, zwarte, rechthoekige oppervlak voor me, zo vers dat het bijna kronkelde.

'En wie was George Cooper precies, een politieman?'

'Rechercheur Moordzaken in Milwaukee, zesentwintig dienstjaren op de klok. Cooper had het hele Ladykiller-verhaal uitgewerkt, maar hij heeft nooit iets kunnen bewijzen en hij had geen greintje bewijsmateriaal. Stel je zijn frustratie eens voor.'

Don fronste zijn wenkbrauwen, waardoor zich drie aparte groeven vormden op zijn voorhoofd. 'En hoe weet jij dat?'

'Van Cooper zelf.'

'Heb je die man gesproken?'

'Was het maar waar. Hij is negen of tien jaar geleden overleden. Maar wat ik wel heb, is ook al heel wat. Omdat ik dacht dat ik het zou kunnen gebruiken in een nieuw project las ik zijn boek. Cooper moest ergens heen met zijn frustratie, dus schreef hij alles op – alles wat hij zag, alles wat hij kon uitpuzzelen, alle hypotheses die hij nooit had kunnen bewijzen.'

'Een gefrustreerde politieman schreef een boek en beweerde daarin dat Hayward een of andere verwantschap had met de Ladykiller? Via zijn vader?'

'De broer van zijn vader, Tillman. Daar concentreerde Cooper zich op. Hij ging naar zijn graf zonder ooit te hebben kunnen bewijzen dat Tillman Hayward de Ladykiller was.'

'Waarom heb ik nooit van dat boek gehoord?'

'Cooper schreef niet goed genoeg om uitgegeven te worden. Hij schreef zinnen zoals "Naar aanleiding van mijn onderzoek werd het een vorm van beleid voor de politie van Milwaukee om mij te dwarsbomen." Buiten zijn familie heeft niemand anders dan ik ooit van het boek gehoord. Ik geloof niet eens dat hij geprobeerd heeft om het te laten uitgeven. Hij wilde het gewoon schrijven – hij vond dat er een verslag van moest zijn. Zijn dochter vond het manuscript toen ze zijn flat leegmaakte na zijn dood.'

'Heb je met zijn dochter gepraat?'

'Nee, we hebben alles via e-mail gedaan.'

'Neem me niet kwalijk, maar hoe heb je dat boek in godsnaam ontdekt, als het nooit uitgegeven is en niemand wist dat het bestond?'

'Ongeveer vijf jaar geleden was ik aan het rondkijken op eBay, en daar zag ik het. *Op zoek naar de Ladykiller*, een ongepubliceerd typoscript door rechercheur George Cooper, gepensioneerd, van het Milwaukee Police Department. Sharon Cooper, zijn enige kind, dacht dat iemand het misschien voor onderzoek zou willen gebruiken, dus zette ze het te koop op de enige manier die ze kende. Ik was de enige bieder. Zevenentwintig dollar, een koopje. Dit was in een periode waarin ik niet zeker wist wat ik zou gaan doen, en mijn agent stelde me voor om eens non-fictie te schrijven. Toen schoot die oude zaak van de Ladykiller me te binnen, al die moorden in Milwaukee die niemand ooit heeft opgelost. Toevallig zag ik dat aanbod op eBay, perfect, toch? Het was nooit bij me opgekomen dat die Ladykiller-moorden enig verband konden hebben met Spencer Mallon. Nadat ik het had gelezen, nam ik contact op met Sharon, maar zij kon de meeste van mijn vragen niet beantwoorden. Haar vader praatte niet alleen nooit over wat hij schreef, hij praatte helemaal niet over zijn werk.

Cooper was van de oude stempel. Een halsstarrige, achterdochtige, taaie oude hufter. Ik durf te wedden dat hij zijn vuisten vaak gebruikte. Wat zijn methodes ook waren, de man loste veel zaken op, maar deze bleef hem ontglippen. Dat vrat aan hem. Hij was er constant mee bezig.'

'Maar hij wist dat Tillman Hayward schuldig was aan de moorden.'

'Voor zover je daar zeker van kon zijn, zonder hem er een te zien plegen.'

'Hoe kon hij er dan zo zeker van zijn?'

'Een onderbuikgevoel, instinct, maar Cooper had een geweldig instinct. Hij kwam op Hayward door aankomst- en vertrektijden van treinen en vliegtuigen in Milwaukee te vergelijken met de data van de Ladykiller-moorden. Eentonig werk, maar met lokale verdachten kwam hij nergens. Blijkt die Hayward hier twee dagen vóór drie van de moorden per trein en vliegtuig te zijn aangekomen vanuit Columbus in Ohio en een dag of twee later op dezelfde manier te zijn vertrokken. Dan bleven er nog drie moorden over, maar Cooper dacht dat de man voor die bezoeken waarschijnlijk contant had betaald voor de bus, of had gelift, of een auto had geleend.'

'Dat klinkt als een heleboel giswerk,' zei Don.

Dat was ook zo, wist ik, en om die indruk te bestrijden probeerde ik de krachtige, pure onverzettelijkheid over te brengen die van Coopers manuscript uitging. George Cooper was geen man die zich gemakkelijk liet overtuigen, hij gaf niet toe aan grillen, hij deed niet aan fantaseren of dagdromen. Zijn versie van giswerk was gebaseerd op eindeloos geploeter en het zuiver afgestemde instinct van een politieman. Nadat hij de correlatie tussen de bezoeken van Hayward en de moorden had opgemerkt, riep hij de hulp in van een netwerk van informanten om gewaarschuwd te worden wanneer zijn verdachte een kaartje naar Milwaukee kocht, in welke vorm dan ook. Het telefoontje kwam, hij sloeg een krant open op een bank op het station, en toen er veertig mensen uit de trein uit Columbus stapte, zond een van hen, een slanke vent met een hoed en een krijtstreeppak, een elektrische stroom uit die de bovenkant van de *Journal* bijna verschroeide en rechtstreeks de afwachtende hersenpan van Cooper in siste. Uit het diepste wezen van die man sprak onversneden, spottende wetteloosheid. Dit, wist de rechercheur, was meneer Hayward. Hij was van het soort dat politiemannen graag recht in de ogen keek met een ongrijpbare schimpscheut in zijn blik. Van zulke mannen gingen Coopers handen jeuken.

Hayward was middelgroot, tussen de vijfendertig en de veertig, knap om te zien, op de prominente neus na die onder de rand van zijn gleufhoed te zien was, en hij verliet de trein in gekscherende conversatie met een brildragende jonge vrouw met een vierkant gezicht die hem, zag Cooper, nauwelijks kende. Haar steile bruine haar hing als een uitgegroeide pony langs haar oren.

Haywards nieuwe, goedlachse kennis had niets van hem te vrezen. Voor dit meisje zou de Ladykiller nooit een dreiging zijn; haar aanraken zou hij waarschijnlijk vermijden, tenzij hij daardoor kon krijgen wat hij hebben wilde. De Ladykiller was arrogant in de keuze van zijn slachtoffers: als ze niet mooi waren, waren ze niet de moeite waard. (Als ze wel mooi waren, waren ze helaas alle moeite waard die hij kon opbrengen.) Hayward wilde iets van deze typiste, deze invaljuf of wat ze ook mocht wezen; waarschijnlijk wilde hij met haar meerijden.

Cooper vouwde zijn krant op en liep achter hen aan toen ze door de menigte schuifelden, even stilstonden terwijl de *gentleman* een kort telefoongesprek voerde en vervolgens in de late middagzon naar buiten liepen. Zijn eenvoudige blauwe personenauto, enigszins gedeukt aan de bestuurderskant, stond een eindje verderop in de straat. De jonge vrouw liet meneer Hayward in haar groene Volvo stappen en Cooper leunde op zijn motorkap en deed alsof hij gefascineerd keek naar de wirwar van treinrails die zich tot in het oneindige leken uit te strekken. Toen de Volvo wegreed, volgde hij hem door het centrum en daarna in westelijke richting via Sherman Boulevard naar een buurt waar voornamelijk mensen uit de lagere middenklasse woonden, tot de vrouw halt hield voor een geel met bruin geschilderd huis van twee verdiepingen op een kortgemaaid, hier en daar verdord grasveld. Een vermoeid ogende vrouw en een mager jongetje vlogen de smalle voordeur uit en holden drie betonnen treden af om de moordenaar te begroeten. Cooper noteerde het adres en vond het in de omgekeerde telefoongids toen hij weer op het bureau was. Na nog twintig minuten zoeken wist hij dat William Hayward, de bewoner van het bruin met gele huis, bij Continental Can werkte en een broer en een zus had, Tillman Brady en Margaret Frances. Margaret Frances, later bekend als Margot, had geen strafblad.

Dat kon van haar jongste broer niet gezegd worden. Een tijdlang was Tillman Hayward erin geslaagd om het stempel van jeugddelinquent te ontlopen, ondanks de klachten van een zestal buren dat hij zich bezighield met verdachte activiteiten. 'Die jongen had niets goeds in de zin,' was de algemene indruk, hoewel de klachten nooit specifieker waren. In zijn zestiende jaar was Tillman Haywards geluk omgeslagen.

Een week na zijn verjaardag werd de jonge Till gepakt voor winkeldiefstal in een goedkoop warenhuis op Sherman Boulevard: vreemd genoeg, voor een jongen van zijn leeftijd, probeerde hij lijm, spijkers, een stanleymes en een doos punaises te stelen. Toen de agent die naar de winkel werd gestuurd vroeg waar die artikelen voor bestemd waren, zinspeelde de jongen op een 'huiswerkproject' en de agent liet hem met een waarschuwing gaan. Drie maanden later zag een huisbaas een dolend licht achter een kelderraam van een onbewoond halfvrijstaand huis aan Auer Street. De huisbaas liet zichzelf binnen en wist Tillman in zijn kraag te grijpen bij zijn vlucht langs de keldertrap. Deze keer werd de jongen meegenomen naar het bureau, voornamelijk om hem de ernst van de overtreding te doen inzien. Weer werd er geen aanklacht ingediend.

Verder bewijs dat Tillman Hayward politieagenten wist te ontwapenen werd geleverd toen een woedende huiseigenaar op West 41th Street rapporteerde dat haar dierbare rode kater Louis zojuist uit haar achtertuin was gestolen door een jongen van wie ze wist dat hij in de buurt woonde. Een paar minuten later stapten twee politiemannen uit een politiewagen en hielden een jongen aan die Sherman Boulevard afrende met een kronkelende zak in zijn handen. O, zei de jongen, *woonde* die kat in dat huis? Hij was ervan overtuigd geweest dat het de verdwenen kat was van een vrouw vlak bij Sherman op West 44th, en hij was net bezig om hem terug te brengen toen de agenten hem onderbraken. Hij had van de vermiste kat geweten door de posters die aan de lantaarnpalen waren geplakt, hadden de agenten die niet gezien? Het was een plaag, al die vermiste huisdieren.

En daar zou het bij gebleven zijn als een van de betrokken agenten – kennelijk een man met een hard en achterdochtig karakter – niet een opmerking had bijgevoegd: *Houd deze knul in de gaten.*

Voordat Tillman Hayward voorgoed uit de politierapporten verdween, was hij beschuldigd van nog twee misdaden, een poging tot verkrachting en heling van gestolen goederen. Alma Vestry, de jonge vrouw die Hayward ervan had beschuldigd haar te willen verkrachten, liet haar aanklacht vallen, een dag voordat de zaak voor de rechter zou komen. De twee agenten die de tweeëntwintig jaar oude Hayward beschuldigden van het helen van een rek vol dure minkbontjassen, verprutsten hun zaak door procedurefouten te maken en een boze rechter verklaarde de zaak nietig. Hayward moest hebben beseft dat hij geluk had gehad, want vanaf dat moment ontweek hij de aandacht van de autoriteiten zorgvuldig.

Het kan best zijn dat rechercheur Cooper een beetje gek was. Hij was in elk geval geobsedeerd, en dat was hij al sinds Tillman Hayward uit de trein vanuit Columbus stapte. Hij had niets ontdekt om een rechter van gedachten te doen veranderen, maar vanaf die tijd besteedde Cooper bijna zijn halve werkdag en een groot deel van zijn leven buiten diensttijd aan het zoeken naar belastend materiaal tegen zijn enige verdachte. In het begin van het onderzoek plukte Cooper Hayward van de straat en nam hem voor verhoor mee naar het bureau, maar de man omzeilde elke verbale hinderlaag die de rechercheur voor hem opzette. Hij glimlachte, was beleefd en vriendelijk, toonde zich behulpzaam. Het zinloze verhoor nam twee uur in beslag zonder een enkel resultaat op te leveren, behalve dat Tillman nu wist was dat er minstens één rechercheur in Milwaukee was die hem graag in de cel wilde gooien. Daarna beperkte Cooper zich tot observeren.

Zowel zijn directe chef als het hoofd van de politie dachten wellicht dat er een steekje los zat aan hun toprechercheur, maar ze hadden vertrouwen in zijn instinct en lange tijd lieten ze hem zijn energie richten zoals hem dat goeddunkte. Toen Coopers partner er genoeg van had en om overplaatsing vroeg, gaven ze hem een nieuwe partner en lieten Cooper alleen werken. De Ladykiller had voor Moordzaken de hoogste prioriteit, en als Cooper met zijn methoden een kans maakte om de zaak op te lossen, waren zijn divisie en zijn afdeling bereid om af te wachten.

Rechercheur Cooper ontwikkelde een instinct voor de momenten waarop Tillman Hayward bij de woning van zijn broer opdook. Soms dreef die intuïtie hem naar het bruin met gele huis om een flits op te vangen van een ontspannen, in bandplooibroek en mouwloos onderhemd gestoken gedaante met een hoed op die steels langs een raam liep of door de achtertuin slenterde. Tot groot verdriet van Cooper was een glimp vrijwel het enige wat hij kreeg. Hayward had zelf ook een uitstekend instinct. Hij wist wanneer hij zich schuil moest houden in een binnenkamer die zijn broer hem liet gebruiken, hij wist wanneer hij thuis moest blijven. Nadat hij aan de overkant van de steeg een zolderkamer had gevorderd maakte Cooper dagen van twaalf of vijftien uur, turend naar de dorre achtertuin en de ramen waarachter zijn doelwit weigerde te verschijnen.

De oude politieman wist zeker dat Hayward de achterdeur en de smalle steeg gebruikte. Van tijd tot tijd meende de rechercheur een flits op te vangen van een snel bewegende gestalte die de keukendeur uitglipte en versmolt met het donker dat als een deken over de achtertuin lag. Maar waar ging hij naar toe, waar waren zijn pleisterplaatsen? George Cooper had elke bar, kroeg, saloon en cocktailbar binnen een straal van anderhalve kilometer bezocht; hij had Haywards foto aan honderdvijftig barkeepers laten zien. Sommigen zeiden, o, die, hem zien we af en toe, komt drie keer in de week, blijft dan weer maanden weg. Of: die vent? Die is gek op de vrouwtjes, en zij op hem.

Op een drukke avond in de Open Hand, een kroeg in Brady Street, ving een barkeeper achter in de menigte een glimp op van een bekende neus die onder een bekende hoed uitstak. Hij herinnerde zich het verzoek van de rechercheur, diepte zijn kaartje op uit een la en belde om te melden dat de man die Cooper zocht op dat moment in zijn bar was. Aangezien dit zich in het tijdperk voor de mobiele telefoon afspeelde, belde de barkeeper het nummer op de kaart, het nummer van de afdeling Moordzaken op het centrale politiebureau. Toen hij bericht kreeg van het telefoontje, was Cooper toevallig in zijn gedeukte blauwe personenauto op weg van zijn flat naar de zolderkamer, nog chagrijniger dan anders.

Hij vloekte tegen het stuur, tegen de voorruit en tegen de verbijsterde telefonist. Nog steeds vloekend maakte hij een scherpe draai van honderdtachtig graden en raasde dwars door vier banen vol protesterende auto's. Vijftien minuten voordat hij met een ruk tot stilstand kwam voor de Open Hand had zijn verdachte een beschonken jongedame begeleid naar een onbekende bestemming. Gelukkig kende de barkeeper de naam van de jonge vrouw, Lisa Gruen. Mejuffrouw Gruen was natuurlijk niet te vinden in het appartement in de buurt dat ze deelde met een andere student aan de Milwaukee Universiteit van Wisconsin, noch had haar huisgenote enig idee waar ze zou kunnen zijn. Een paar kroegbezoekers hadden gezien dat Lisa's nieuwe vriend haar in een taxi liet zakken, maar geen van hen kon zich iets over de auto herinneren behalve de kleur: donkerblauw, zwart of diep donkergroen. Perplex en bang dat het lijk van Lisa Gruen over een dag of twee op de treden van de stadsbibliotheek zou liggen, verhoorde rechercheur Cooper de steeds geïrriteerder rakende klanten van de Open Hand urenlang. Sommigen herinnerden zich dat ze 'Till' hadden ontmoet, 'Tilly', grappige naam voor een man, wat ouder en wereldwijzer dan de gebruikelijke klandizie van de bar, maar nogal grof.

De volgende ochtend laat belde Lisa Gruen naar het politiebureau. Wat was er toch aan de hand? Al haar vrienden waren nijdig – ze had hun avond verpest. Toen rechercheur Cooper bij haar appartement aankwam, schrok ze van hem. Cooper wist dat zijn omvang, en ook het verschil tussen elk systeem van normen en waarden dat zij begreep en het zijne, haar van haar stuk brachten. Dat vond hij niet erg: Cooper creëerde graag een ongemakkelijke sfeer.

Nee, misschien had ze Tilly nooit eerder ontmoet, maar hij was toch zeker een aardige vent. Toen ze door de gin van slag was, had hij aangeboden om haar naar huis te brengen. Oké, misschien had hij haar niet rechtstreeks naar huis gebracht, maar wat gaf dat? Hij had niets engs gedaan, daar was ze zeker van.

Er ontbraken elf uren aan het leven van deze jonge vrouw en dat verlies baarde haar absoluut geen zorgen. Wat had hij met haar gedaan, waar had hij haar heen gebracht? Het was een raadsel.

Natuurlijk kon ze zijn auto niet beschrijven. Hij had een stuur en een achterbank. Rond een uur of halfvier 's ochtends hadden de pijn in haar hoofd, haar droge mond en haar brandende maag haar gewekt. Ze was rechtop gaan zitten en had uit het raampje gekeken. Alles tolde en draaide. Toen kwam het werkelijk gênante gedeelte. Haar metgezel deed het achterportier open, hielp haar uit de auto en hield haar bij haar middel vast terwijl zij voorover-hing om te braken. Nog steeds dronken eiste ze nog een paar uur slaap, en hij hielp haar hoffelijk terug op de kussens van de achterbank. Toen ze weer bijkwam, was het zondagochtend, tien uur. Hij vroeg haar of ze naar huis wilde. Ze zei: 'Bied je me niet eens een ontbijtje aan?' Als een echte heer reed hij naar een café dat heel ergens anders was, een heel eind naar het westen, misschien in Butler – wie had er ooit gedacht dat Butler eetcafés zou hebben? – en bestelde roereieren met spek, geroosterd bruin brood en sterke koffie.

Twee dagen later werd een mogelijk antwoord op de ontbrekende uren gesuggereerd door een grimmige vondst op de parkeerplaats van een verzekeringsmaatschappij aan Prospect Avenue. Twee foeragerende daklozen bekeken een stoffig, opgerold kleed naast een afvalcontainer en ontdekten het naakte lichaam van het vijfde slachtoffer van de Ladykiller. Het was een eenendertigjarige hotelmedewerkster met de naam Sonia Hillery, en foto's die later door haar man en haar ouders werden verstrekt, maakten duidelijk dat ze bij leven competent, intelligent, stijlvol en aantrekkelijk was geweest. De Ladykiller had uren, misschien dagen aan haar lijk gewerkt, en er was niets over van haar vroegere kenmerkende trekken.

George Cooper vroeg zich af: had Tilly Hayward de bewusteloze Lisa Gruen op zijn achterbank gelegd voordat hij Sonia Hillery van de straat trok? En zo ja, wat gebeurde er toen? Nadat hij Hillery had overmeesterd, moest hij haar lichaam ergens verstoppen terwijl hij zich van een alibi verzekerde door voor Lisa Gruen te zorgen. En aangezien Lisa haar kater de volgende dag in Butler te eten had gegeven, had Hayward waarschijnlijk een schuilplaats gehuurd in de westelijke buitenwijken, of een van de plaatsjes ten westen daarvan – Marcy, Lannon, Menomonee Falls, Waukesha, het kleine Butler zelf. Hij reed westwaarts naar Butler en liet Haywards foto zien in het eetcafé – de obers herinnerden zich hem en het ietwat varkensachtige, katterige meisje dat hij bij zich had, maar niemand had zijn auto of iets anders van belang opgemerkt. Cooper reed langzaam op en neer door de hoofdstraat van Butler, om het oude hotel heen en door de paar steegjes. Niets, niets, en nog eens niets. Cooper was razend. Het brandde een gat in zijn maag, dat er een dode vrouw op een plaat, of een tafel of misschien op een keldervloer lag te wachten op Tilly Hayward, die ondertussen een meisje met een kater volpropte met eieren met spek.

Coopers woede dreef hem over de snelweg naar Columbus, Ohio, ver buiten zijn rechtsgebied, waar zijn vaardigheden en dwangneuroses alleen zijn eigen doelen dienden. Een onmededeelzame chef Moordzaken vertelde hem dat hij alles wat hij weten moest over Tilly Hayward over de telefoon had kunnen horen. Ik moet het zelf zien, vertelde Cooper hem. Wat zien? Hoe het leven hier is. Nou, zei de politieman uit Ohio, dan moet je wel echt zin hebben om je te vervelen. Meneer Hayward is een eerzaam burger. Hij toonde Cooper de feiten: getrouwd, drie dochters, geen bekeuringen voor te hard rijden, niet eens voor fout parkeren, en samen met zijn vrouw mede-eigenaar van vier flinke flatgebouwen. En als je nog meer over de man wilde weten: deze brave inwoner van Westerville, een van de mooiste buitenwijken van Columbus, leverde ook een voorbeeldige bijdrage aan de politiefondsen. Kortom, rechercheur Cooper, je kunt beter rechtsomkeert maken en naar huis gaan, want Columbus heeft je geen donder te bieden.

Die raad opvolgen was voor Cooper zoiets als op een manestraal terugdansen naar Milwaukee: onmogelijk. Nadat hij beloofd had om gauw naar huis te gaan, nam hij een plattegrond mee uit een informatiekiosk en reed de vijftien kilometer naar Westerville, waar hij zijn weg vond naar het adres dat hij in zijn geheugen had geprent. Hij parkeerde aan de overkant, twee huizen verderop. Het was precies het soort huis, het soort straat en het soort gemeenschap waar hij de grootste hekel aan had. De hele omgeving schreeuwde *Wij zijn rijker en beschaafder dan jij ooit zult worden*. De ramen sprankelden, de voortuinen glommen. Bloemperken vrolijkten elk aanzienlijk, maar nooit onbescheiden bouwwerk op. Wetend wat hij wist, bezorgde de buurt hem de lust om gaten te schieten in de extra grote, handbeschilderde postbussen die langs de straat stonden met hun afbeeldingen van schuren en honden en eenden.

Ten slotte schoof de garagedeur van het huis van Hayward omhoog en er rolde een lichtblauwe stationcar uit. Op de achterbank babbelden drie kleine meisjes honderduit, met handgebaren, allemaal tegelijk. De bestuurder, waarschijnlijk mevrouw Tillman Hayward, was een blonde vrouw uit een Hitchcock-film met sluik, goudkleurig haar en een sierlijk, symmetrisch gezicht. Toen ze Cooper voorbijreed, wierp ze hem een ijzige blik vol walging en achterdocht toe. Jezus, dacht hij, geen wonder dat moord zo'n gouden business was.

Al snel na zijn terugkomst in Milwaukee en de kale kamer waar hij door verrekijkers de mistroostige achtertuin van de Haywards gadesloeg, observeerde Cooper een schijnbaar onbelangrijke gebeurtenis die korte tijd later even gewichtig zou blijken als de ontdekking van een nieuwe ziekte. Een pezig joch van elf of twaalf jaar oud met donkere, modderige ogen en een smal voorhoofd, Keith, zoon van Bill Hayward, zat zo mismoedig als alleen jongens van elf of twaalf dat kunnen op de versleten oude eetkamerstoel die ze 's zomers op het verdorde grasperk zetten. Rechercheur Cooper zag in Keith Hayward een soort ontheemdheid, een gevoel alsof hij daar in een vreemde emotionele armoede leefde. Cooper had hem slechts een paar keer gezien, maar dan zag hij een leven van voortdurend acteren, alsof Keith altijd de rol van een jongen speelde, zonder dat werkelijk te zijn. Cooper wist niet waarom hij dat zo aanvoelde, en hij vertrouwde het gevoel ook niet helemaal. Het pruttelde op een waakvlammetje, altijd aanwezig, maar meestal onopgemerkt.

Hier was het echter weer, het gevoel van de oude rechercheur dat dit kind weliswaar grondig geïrriteerd was over iets, maar tegelijkertijd een rol speelde. Het acteren, bedacht George Cooper, had alles te maken met gekwetste gevoelens en vermoorde onschuld. Hij verbeeldde het gevoel van niet-begrepen worden alsof hij op het toneel stond. Voor wie speelde hij die rol, als het niet voor zijn moeder was? Keith zuchtte, gooide zich helemaal achterover op zijn stoel zodat zijn ruggengraat doorboog, zijn hoofd achteroverhing en zijn armen als bleke stengels langs zijn lichaam bungelden; toen wierp hij zich dramatisch voorover tot hij over zijn knieën gebogen zat met zijn armen bijna op de grond. In een fraai vertoon van verbolgenheid rechtte hij zijn rug en kronkelde wat in het rond tot hij zijn wang in de ene hand had en zijn elleboog in de andere.

De achterdeur ging open, en alles werd anders.

Het toneelspel viel weg en de jongen werd zowel behoedzamer als opener, onder de dunne bovenlaag van zijn rollenspel zichtbaar nieuwsgierig naar wat er te gebeuren stond. Degene die uit de keuken van het bruingele huis was gekomen was niet Margaret Hayward, maar haar zwager en het voorwerp van de oplettende aandacht van George Cooper: Tilly. Coopers eerste reactie op wat hij zag was een strakke keel en een benauwd gevoel op zijn borst. Als echte politieman voelde hij meteen dat er iets niet in orde was met dit tafereel.

Toen wist hij het: bij zijn oom liet Keith zijn ware zelf aan de oppervlakte komen.

In zijn T-shirt en hoed, zijn broek opgehouden door dunne leren bretels, hurkte Tilly neer naast zijn neef en liet zich op zijn hielen zakken. Glimlachend vlocht hij zijn handen ineen, het toonbeeld van een toegewijde oom. En ook dat verontrustte de rechercheur. Hayward straalde nog altijd die uitdagende bespotting uit die zo duidelijk zichtbaar was geweest op het treinstation, maar op dit moment scheen hij Cooper oprechter toe dan hij hem ooit had gezien. Deze twee mensen *communiceerden*. Uit de manier waarop ze zich bewogen, de blik in hun ogen, de subtiliteit van hun wederzijdse gebaren, bleek hem dat de jongen iets had gedaan wat hij zelf weliswaar geen probleem vond, maar waardoor hij bij zijn familie in een kwade reuk was komen te staan.

Till gaf de jongen raad en die raad omvatte een zekere onderhandsheid of verhulling of bedrog. De glans in zijn ogen en zijn latente glimlach maakten dat duidelijk. De reactie van de jongen was al even duidelijk: hij was vrijwel in vervoering.

Het was een gruwelijk beeld, zelfs voor rechercheur Cooper. Of misschien juist voor rechercheur Cooper. Hij begreep dat wat hij hier zag niet het corruptiedrama was waar het bij vergissing voor zou kunnen worden aangezien, maar iets veel ergers: een moment van herkenning, dat zich op een natuurlijke, vanzelfsprekende manier voortzette in een soort mentoraat. Het allerergste was een feitelijk moment van begeleiding, geboden en aanvaard advies, dat iets te maken had met een grote sleutelbos die Tillman uit zijn zak haalde en zijn neef aanbood, als een soort oplossing, meende de rechercheur. Een sleutel maakte iets open wat dicht was, en in een flinke sleutelbos konden zich sleutels verbergen die de meest geheime en verborgen zaken ontsloten – als vlaggen die *Hier! Hier!* riepen, stukjes gekleurd touw die helder opvlamden in de lenzen van de verrekijker van Cooper. Tillman Hayward vertelde zijn neef over de genoegens van een zogeheten privévertrek.

'Komt 't je bekend voor?' vroeg ik. 'Kennelijk nam Keith de raad van zijn oom ter harte. En lang voordat hij zijn tafel en zijn messen posteerde achter de gesloten deur van die schuur die jij in Madison zag, eigende hij zich vrijwel zeker de kelder toe van een leegstaand gebouw aan Sherman Avenue in Milwaukee, ongeveer vijf straten van zijn huis. Hij moet elf of twaalf jaar oud zijn geweest en was begonnen met het vermoorden en ontleden van kleine dieren, voornamelijk katten, die hij bij hem in de buurt ving.'

Met een steek die vreemd genoeg aan maagzuur deed denken, herinnerde Cooper zich zowel Sonia Hillery, wier lichaam dagenlang geslagen, misbruikt, doorstoken en mishandeld was, als de arme domme, onaantrekkelijke Lisa Gruen, die een ontbijt had gekregen in de Sunshine Diner in Butler, en begreep dat zich onder hem, gemerkt met een kleurig touwtje, de sleutel bevond van een klinische particuliere hel in Brookfield of in Menomonee Falls, in Sussex of in Lannon, een van die stadjes. Al wist de jongen Keith het nog niet, binnenkort zou hij met dat verschrikkelijke feit worden geconfronteerd en naar binnen kijken alsof het hem voorbereidde op zijn eigen gruwelijke volwassenheid.

'En vergeet niet dat Cooper een ouderwetse rouwdouwer was, het soort politieagent dat ze vroeger een "stier" noemden,' zei ik. 'Hij had van alles gezien, hij had zoveel gezien en gedaan dat hij amper nog herkenbare emoties bezat. Maar wat hij zag gebeuren tussen Tillman en Keith, vond hij ijzingwekkend. Hij gebruikte het woord *boosaardig*.'

'Maar het lukte hem nooit om die oom in de gevangenis te krijgen. Hoe liep het af?'

'Op een van zijn reizen terug naar Milwaukee werd Tillman Hayward beschoten en vermoord achter de Open Hand, die tent waar hij dat zogenaamde vriendinnetje oppikte, die Lisa Gruen. Voor Cooper was de dood van Hayward een echte klap. Hij stond erop om de zaak op zich te nemen en officieel loste hij hem nooit op, bij lange na niet. Het was een ramp voor hem. Hij wist precies wie het gedaan had.'

'Echt waar?'

'Een gepensioneerde verkeersbrigadier, Max Terry, vader van Laurie Terry, een van de slachtoffers van Hayward. Cooper had hem een foto van Hayward laten zien en de oude man meende hem ergens van te kennen, maar hij kon hem niet echt plaatsen. Later herinnerde Terry zich dat hij Hayward had gezien toen hij even was binnengelopen bij de zaak waar zijn dochter als barkeepster werkte, een café aan Water Street. Dat was een paar dagen voordat ze stierf. Die vent met zijn hoed en zijn lange neus zat aan het eind van de bar met haar te flirten, zoals miljoenen kerels dat elke week deden. Zodra hij zich hem herinnerde, *wist* hij het. Als die vent niet de moordenaar was, de Ladykiller, waarom liet die politieman hem dan zijn foto zien? Hij was op zijn minst een verdachte. Dus haalde de oude man Coopers visitekaartje tevoorschijn, belde het politiebureau en vroeg naar rechercheur Cooper. "Rechercheur," zei hij, "ik zou die polaroid nog wel eens willen bekijken van die vent met die hoed." Cooper gaat naar zijn huis, laat hem de foto nog eens zien. "Nu weet ik het niet zo zeker meer," zei Terry. "Hoe heet hij trouwens?" "Tillman Hayward," zei Cooper. "Een eersteklas hufter. Geen domme dingen doen, denk erom."

Max Terry bleek geen zier te geven om het advies van rechercheurs die de moord op zijn dochter niet hadden opgelost. Hij trok met een pistool in zijn jaszak van de ene kroeg naar de andere om Hayward tegen te komen. Door geweldige mazzel of geweldige pech liep Terry ongeveer een week later de Open Hand binnen en zag Hayward daar aan de bar hangen met een paar meisjes. Terry aarzelde geen moment. Hij liep recht op zijn doelwit af en zei: "Hé, een kennis van mij heeft een weddenschap verloren en nu is hij jou geld schuldig. Je hebt de verkeerde te pakken genomen, maat. Jij bent toch Tillman Hayward? Oké, kom maar even mee naar achteren, dan zetten we dit even recht."

In zijn manuscript speculeert Cooper dat Hayward de situatie wellicht vermakelijk vond: een klein oud mannetje dat hem in de maling probeerde te nemen. Hij zou wel geglimlacht hebben, schreef Cooper; misschien wel tot aan het moment waarop de oude man de revolver uit zijn zak trok en zonder de tijd te nemen om behoorlijk te mikken eerst een kogel door zijn adamsappel joeg; vervolgens een stap dichterbij zette en, terwijl Tilly's handen naar zijn keel vlogen, door zijn geslachtsdelen omhoog in zijn onderbuik schoot en ten slotte, terwijl Hayward in elkaar zakte tegen de betonnen muur van de steeg, een direct schot in zijn rechteroog loste en daarmee een definitief einde maakte aan elke activiteit in dat altijd drukke brein.

Terry bekende het allemaal aan George Cooper,' zei ik. 'Hij vertelde precies wat hij had gedaan, net zoals ik het jou nu vertel. Stap voor stap. En het enige wat Cooper deed was het opschrijven. Hij was beslist niet van plan om die oude man te arresteren. Hij nam hem zijn geweer af en beval hem naar huis te gaan en zijn mond dicht te houden. Toen reed hij naar de brug bij Cherry Street en gooide het pistool in de Milwaukee River, in de wetenschap dat het daar beneden niet het enige zou zijn. Waarom eigenlijk, is dat een gebied met veel misdaad of zoiets?'

'Of zoiets, inderdaad,' zei Olson. 'Cooper moet minstens even racistisch zijn geweest als de meeste agenten van zijn generatie in die jaren.'

'Dat zou je niet zeggen aan het boek te zien, op die ene opmerking na. Het onderwerp ras komt nooit ter sprake. Wat daarentegen wel ter sprake komt, is jullie oude vriend Keith Hayward.'

'Onze vriend,' zei Don. 'Dat is nogal overdreven.'

'Dat is maar goed ook, want het schijnt niet zo goed af te lopen met vrienden van hem. Brett Milstrap verdwijnt in een of ander voorgeborchte dat ik niet begrijp...'

'Dat is niet zo vreemd.'

'Hoe dan ook, de eerste en de beste vriend die Keith Hayward ooit heeft gehad in zijn leven, waarschijnlijk de enige echte, die jongen die Tomek Miller heette, kwam gemarteld en vermoord aan zijn einde in die kelder aan Sherman Boulevard – daarom weten we van de kelder. Cooper mag dan alleen verdenkingen hebben gehad, daarvan had hij er dan ook ruim voldoende. Miller, dat vriendje van Keith, ging waarschijnlijk door de hel voordat hij werd vermoord, en zijn stoffelijk overschot werd ernstig beschadigd door brand. De autopsie onthulde echter heel veel recente beschadigingen, *verse* wonden, in het resterende weefsel en aan zijn botten. Cooper was ervan overtuigd dat Till en Keith die jongen hadden vermoord, of dat Till hem martelde en vermoordde en Keith ten slotte de genadeslag liet toebrengen, of iets dergelijks, en dat ze vervolgens het gebouw in brand staken om het bewijsmateriaal te vernietigen. En dat was ze bijna gelukt.

Cooper had de jongen wel een paar keer in die buurt opgemerkt, maar hij hem nooit met het gebouw in verband kunnen brengen. En niet omdat hij het niet probeerde. Tot het gebouw afbrandde, had Cooper geen idee waar Hayward die geheime plek van hem had opgezet. Het kon in elk van een stuk of vijfentwintig gebouwen op of bij Sherman Boulevard zijn. Wat hem echt dwarszat, was dat hij Keith en Miller heel vaak had gevolgd naar die buurt, maar dat ze hem altijd wisten te ontglippen voordat ze hun schuilplaats bereikten. Hij was er vrij zeker van dat Miller een soort slaaf van Keith was. Die Miller was een vreemd jongetje om te zien – klein, heel bleek, grote ogen, grote neus, handen die te groot waren voor zijn lichaam. Cooper zei dat hij op Pinocchio leek. Een slachtoffer van nature, een kind dat al verwachtte dat hij gepest en mishandeld zou worden. Als hij bij Keith was, gedroeg hij zich eerbiedig, bijna onderdanig. Cooper meende dat Keith zijn slavernij had aanvaard als betaalmiddel voor zijn bescherming. Andere kinderen zorgden wel dat ze bij Keith Hayward uit de buurt bleven.

Voor het geval je het je afvraagt: ja, Cooper heeft Keith twee keer verhoord. Hij kreeg er niets uit. Het joch beweerde dat hij en zijn oom zo'n sterke band hadden vanwege honkbal. Ze waren allebei wild van de derde honkman van de Braves, Eddie Matthews. Een fantastische vent, volgens de jongen. Het dreef Cooper tot razernij. Als hij naar Keith keek, zag hij een jongere versie van Till. Hij werd er beroerd van.'

'Geen wonder,' zei Olson.

'Het joch beweerde dat hij geen idee had wat Miller daar in die kelder uitvoerde. Jawel, ze waren zo'n beetje vrienden, maar Miller was eigenlijk onbeduidend, en niemand miste hem erg. En de ouders! Volkomen nutteloos. Het waren Poolse immigranten die hun naam hadden laten veranderen, overal bang voor. Van Cooper waren ze doodsbang. Hun zoon kende Keith Hayward, ze hadden zijn naam wel eens gehoord, maar dat was alles. Twee ineengedoken, angstige mensen; hij werkte in een Poolse bakkerij, zij maakte huizen schoon, geen geld, getroffen door het onverklaarbare verlies van hun enige kind, in paniek en verlamd van angst gezeten op de rand van een goedkope bank... ze willen dat hij hún uitlegt wat er gebeurd is, want zij snappen het niet. Ze snappen nergens meer iets van, ze snappen heel Amerika niet; het land had hun kind afgenomen en gebarbecued.'

Ik schokschouderde met een 'wat doe je d'r an'-gebaar en begon weer te eten. Na een paar happen realiseerde ik me dat ik Olson iets wilde vragen.

'Don, vind jij dat Keith Hayward de dood verdiende?'

'Waarschijnlijk wel. Hootie en je vrouw vonden van wel.'

Ik knikte. 'Ik heb Lee er ooit naar gevraagd, en zij beweerde dat Hayward niet helemaal slecht was.'

'Zei de Eel dat?'

'Ze zei ook dat niemand volgens haar ooit door en door slecht kon zijn, als je ze vanbinnen zou bekijken. Maar ze voegde eraan toe dat ze wel vond dat Keith Hayward de dood verdiende. Ik denk het ook... Luister. Als Cooper gelijk had wat dat kind betreft, redde Haywards dood waarschijnlijk het leven van een heel stel jonge vrouwen.'

Olson knikte. 'Daar heb ik aan gedacht.'

'Dus er komt een kracht vanuit het nergens, vanuit een andere dimensie of vanuit de grond of wat dan ook, en scheurt die jongen aan stukken. Kan zo'n kracht kwaadaardig zijn? Ik zou zeggen dat hij neutraal was.'

'Neutraal.'

'Misschien zou een van die vrouwen die Hayward zou hebben vermoord op een dag iets geweldigs hebben gedaan. Misschien zou zij of haar dochter of haar zoon een fantastische medische doorbraak hebben bewerkstelligd, of schitterende gedichten hebben geschreven. Misschien reikt het nog verder dan dat. Stel je voor dat een van de vrouwen die Hayward zou hebben vermoord – of een van haar afstammelingen, hoe ver in de toekomst ook – iets schijnbaar onbeduidends had gedaan dat uiteindelijk een enorm domino-effect zou hebben? Hayward doden zou een manier zijn om dat domino-effect te waarborgen.'

'Dus die wezens beschermen ons?'

Daar dacht ik even over na. 'Misschien beschermen ze onze onwetendheid. Of misschien zitten we er allebei helemaal naast en was het iets heel anders dat Hayward vermoordde, een demonisch wezen dat Mallon wist op te roepen.'

'Ik heb geen demonisch wezen gezien,' mopperde Olson. 'En ik denk ook niet dat er een was. Hoe liep het af met die rechercheur van je, Cooper? Het klinkt alsof hij een diep gat voor zichzelf groef en er toen met beide benen tegelijk in sprong.'

Lachend zei ik: 'Ja, al was er niets grappigs aan. Hij overtrad de wet, vernietigde bewijsmateriaal en belemmerde de rechtsgang. Het enige wat hem overbleef was een oogje op Keith Hayward houden en dat deed hij, en hij liet de jongen goed weten dat hij hem in de smiezen hield, maar hij wist dat hij zijn eigen leven had verwoest. Hij was aan het einde gekomen. Hij kon Hayward niet vierentwintig uur per dag observeren en hij zou niet lang genoeg leven om de kinderen van de jongen in de gaten te houden. Dat verknipte gen, of wat het ook was, was buiten zijn bereik. Hij kon het niet vernietigen. Al zijn vaardigheden waren tekortgeschoten.'

'Wat deed hij? Zijn dienstpistool opeten?'

'Zich dooddrinken. Hij nam natuurlijk ontslag bij de politie. Zijn wapen leverde hij in, tegelijk met zijn penning. Hij had er nog een, een pistool dat hij van een schurk had afgepakt, maar dat droeg hij nooit bij zich en hij gebruikte het nooit. Hij vond het gewoon een prettig idee dat het er was. Cooper woonde in een buurt achter Vliet Street en aan beide zijden van zijn straat stond een café. De daaropvolgende paar jaar liep hij eigenlijk heen en weer tussen die twee kroegen.'

'Zette hij dat in zijn boek?'

'Voor hem was dat het slot van de Ladykiller-zaak, dat de rechercheur die het hele geval in zijn hoofd meedroeg, heen en weer liep tussen die twee kroegen, The Angler's Lounge en Ted & Maggie. Hij wilde er per se over schrijven. En hij had er best interessante dingen over te zeggen. Nogal zwaarmoedig. Het was een soort leven in het absolute duister. Als hij ook maar een beetje goed had kunnen schrijven, had het fantastisch kunnen zijn.'

'Waarom? Wat zei hij dan?'

'De enige manier om sommige dingen te snappen, is te beseffen dat hij dronken was toen hij het schreef.'

'Kun je je er iets van herinneren?'

'Ik ben Hootie niet, maar wel iets, ja.'

'Laat horen.'

'Oké. Hij schreef: *Het heeft me bijna zestig jaar gekost om te leren dat dit leven, als het niet klote is, helemaal niets is.*'

Ik wist me nog een andere duistere pijl van de oude rechercheur voor de geest te halen. 'Ergens anders schreef hij *Dat wat geen pijn is, is maar een draadijzeren kleerhanger. Ik heb de pijn liever.*'

Ik glimlachte naar het plafond omdat me iets te binnen schoot en richtte de glimlach toen op Olson. 'Tegen het einde zei hij *Voor wie werkte ik, al die jaren? Was mijn echte baas een draadijzeren kleerhanger? Mijn manier van leven verslijt de werkelijkheid.*'

'Waar had hij het over, met zijn kleerhangers?'

'Het enige wat ik kan bedenken, is dat zo'n draadijzeren kleerhanger op zich niet veel voorstelt. Het is meer een omtrek dan iets anders.'

Onze rekening was gekomen. Ik leverde een creditcard in en ondertekende het betaalbewijs, en eindelijk was het tijd om weer om het plein heen terug naar het hotel te gaan. We stonden op, wuifden een bedankje naar de ober, knikten naar de glimlachende sushichefs en liepen naar de deur.

We wandelden in het warme nachtelijke duister, boven ons

hoofd doorstoken met miljoenen sterren, de hellende King Street op, in het licht van de caféramen en een verlichte theaterluifel.

In het plaveisel glinsterden stukjes mica. Ik wachtte tot Don naast me liep en zuchtte bijna.

'Ik denk dat de lounge nog wel open is,' zei Olson.

'We zullen zien.' Ik wierp een blik op mijn metgezel. 'Hierna hoop ik nooit meer een woord te hoeven horen over Keith Hayward of zijn ellendige oom. Ik ben blij dat ze dood zijn.'

'Daar drinken we op.'

Ondertussen was Don het grootste deel van zijn stoere gevangenishouding kwijtgeraakt. De grove assertiviteit die hem in Menard beschermd moest hebben, maar hem irritant maakte in Cedar Street, was zo grondig vervaagd dat ik voor mijn gevoel de afgelopen anderhalf uur niets moeilijkers had gedaan dan kletsen met een vriend. Olson liep nu zelfs bijna normaal, met slechts een zweem van zijn eerdere wegduiken en opzij kijken. Hoe, vroeg ik me af, had hij vijfduizend dollar weten te ontfutselen aan mensen die hij amper nog kende?

23.00 uur – 3:30 uur

Een uitverkoren deur, een onverkoren, onaangeraakte deur; een onbeantwoorde vraag. Deze zaken, en andere die eraan verwant waren, zweefden door mijn hoofd terwijl ik me uitkleedde, mijn kleren ophing, mijn tanden poetste en mijn handen en gezicht waste en in mijn comfortabele hotelkamerbed gleed.

Mijn hand, onderweg om de hoge lamp op het nachtkastje uit te zetten, hield ik tegen; ik legde hem op het roomkleurige, gesteven laken en liet mijn hoofd op het wachtende kussen zakken.

De Eel was zonder mij dat veld in gelopen en nu kon ik de keus die ik gemaakt had nooit meer ongedaan maken; die knoop kon ik nooit meer ontwarren.

Het licht mocht nog wel even aanblijven.

'Het is eigenlijk een simpele zaak,' had ik die avond laat tegen Don Olson gezegd in de Governor's Lounge. We zaten aan een tafeltje naast de grote ruiten, en buiten brandde licht achter ramen dichtbij en ver weg. Alleen in zijn goudviskom leek de barkeeper (die onze mening had gevraagd naar het restaurant dat hij had aanbevolen en tevreden leek met onze evaluatie) in diepe meditatie verzonken. Op de lange bank voor in het vertrek leunde een jong stel tegenover het haardvuur fluisterend tegen elkaars schouder, als verliefde spionnen.

'Dat betwijfel ik,' zei Olson. 'Kijk maar naar jezelf.'

'Raak jij nooit in de ban van een raar verhaal? Zodat je het telkens weer afspeelt in je hoofd?'

'Je draait eromheen. Begin maar met het gemakkelijkste. Wanneer gebeurde wat het dan ook was?'

'In 1995,' zei ik, verbaasd dat ik de datum zo snel en helder voor me had. 'In de herfst. Oktober, geloof ik. Lee werd weggeroepen naar Rehoboth Beach in Delaware, voor een vreemde opdracht, bijna als detective. Uiteindelijk was ze ook een detective en ze kreeg de slechterik te pakken!'

Languit op mijn bed, handen gevouwen op mijn borst, de kamer half verlicht door de lamp, repeteerde ik het gesprek met Olson, woord voor woord voor woord.

- Weggeroepen? Wie riep haar dan?

- De ACB. De American Confederation of the Blind. Je oude vriendin, de Eel, heeft nauwe banden met de afdeling Delaware. In Rehoboth Beach.

Soms leek het wel alsof die mooie Lee Truax een van de oprichters van de afdeling Delaware van de Blindenvereniging was, maar dat was ze natuurlijk niet. Ze kende er gewoon iedereen. Hoe was dat zo gekomen? Ze had de afdeling helpen opzetten, zo kwam dat, ze had samengewerkt met de eerste generatie leden om hun organisatie te structureren, iemand had haar uitgenodigd, een oude vriendin uit New York, Missy Landrieu, een naam die ik me natuurlijk maar de helft van de tijd kon herinneren; het leek soms alsof ik haar vrienden nauwelijks opmerkte. Dus ook al hadden noch de Eel, noch haar vrienden ooit in Rehoboth Beach in Delaware gewoond (en vanwege mijn zelfzuchtigheid en mijn werkverslaving heb ik de plaats zelfs nooit bezocht), toch had de voormalige Eel diepe wortels in die aangename strandgemeenschap waar de afdeling vaak vergaderde. Daar werd ze bemind en gerespecteerd, misschien nog wel meer dan ze overal elders in ACB-land werd bemind en gerespecteerd. En natuurlijk was het heel belangrijk voor deze kleine, plaatselijke afdeling in een kleine, onbeduidende staat, het Rhode Island van de oostkust, om een goede vriendin te hebben in het bestuur van de nationale organisatie. Of een trustee. Een van de twee, tenzij ze hetzelfde waren, maar ik dacht van niet. De vriendin uit New York, Missy, ook een trustee of bestuurslid, maar niet blind, en even fabelachtig rijk als een heldin in een verhaal van Henry James, had de voormalige Eel om hulp gevraagd bij een lastig geval in haar favoriete afdeling– naast haar eigen afdeling Chicago, natuurlijk.

Dit lastige geval betrof geld dat van de rekening van de afdeling verdween, in een tempo van een paar honderd dollar per maand. De plaatselijke bestuursleden hadden het pas gemerkt toen de ontbrekende dollars er samen meer dan tienduizend waren geworden.

Het was een curiositeit van de afdeling Delaware dat bijna alle bestuursleden vrouwen waren. Ze besloten om er geen politie bij te halen, maar zich eerst tot het nationale bestuur te wenden. Bij wijze van antwoord had het nationale bestuur vanuit Chicago de geliefde, gerespecteerde en wijze Lee Truax afgevaardigd om het probleem op te lossen voordat het openbaar werd.

Ze kenden de namen van iedereen die toegang had tot de rekening. Negen vrouwen, verspreid over de hele regio, maar merendeels rond Baltimore. Wat de Eel deed, vertelde ik Donald Olson in woorden die ik me in mijn bed op de twaalfde verdieping herinnerde, was die negen vrouwen uitnodigen om naar het Golden Atlantic Sands Hotel and Conference Center te komen, aan de promenade van Rehoboth Beach. Omdat de blindenraad er vaak conferenties organiseerde, zowel plaatselijk als nationaal, was het Golden Atlantic Sands vertrouwd voor alle leden.

En dat is belangrijk voor blinden, hoorde ik mezelf weer zeggen.

'Wat bedoel je?' zei Olson. 'Iedereen heeft graag iets vertrouwds, al klinkt dat misschien vreemd uit mijn mond.'

Ah, had ik geantwoord, maar als je niets kon zien, of maar een klein beetje, zou je weten hoeveel gemakkelijker het is als je een plek al kent. Je zou je er beter kunnen ontspannen, want vanaf de eerste dag had je al een vrij goed idee waar alles zich bevond, van de laden in je kamer en de kranen van het bad tot de lift, het restaurant en de vergaderruimtes.

En voor de Eel gold dat zeer zeker. Op een plek die ze zo goed kende als het Golden Atlantic Sands Hotel en het conferentiecentrum, gleed, zweefde, beende mijn vrouw zonder zich te vergissen door de gangen, door de immense lobby, door de veelheid van vertrekken benoemd met plaquettes en door grotere zalen waar rijen klapstoelen tegenover podiums met microfoons stonden. Ze bewoog zich alsof ze kon zien, want op zulke plekken kon ze ook zien, en zag ze een feilloze plattegrond die in haar lichaam en haar geest gedrukt stond.

Ik had haar door conferentiehotels in Chicago en New York zien lopen; ik had de wonderbaarlijke Eel zien opstaan uit de stoel naast de mijne bij de afkondiging van haar naam, ik had haar een stap opzij zien doen en met geheven hoofd, dankbaar glimlachend om het applaus en zonder enige aarzeling om de lange, in wit gehulde tafel heen rechtstreeks naar het podium zien lopen, zodat ze haar aankondiger kon bedanken en haar eerste woorden kon uitspreken. Ze *zag*, begreep haar slapeloze echtgenoot, ze zag met een heel eigen zicht.

Olson schonk me een uiterst geduldige blik en ontspande zich in zijn stoel. ‘Ze haalde die negen vrouwen bij elkaar, zei je? Ik wed dat de Eel een goede detective was.’

‘Ze kreeg het voor elkaar,’ zei ik. ‘Het eerste wat ze deed was met hen afspreken in een klein koffietentje aan de promenade, waar ze allemaal al honderden keren waren geweest. Daar vertelde ze dat het nationale bestuur haar had afgevaardigd om deze prominente leden van de afdeling Delaware te vragen hoe ze een probleem moesten oplossen dat het kantoor in New York zag broeien. Ze wilde hen allemaal apart spreken, en de ACB had gezorgd dat ze de meest formele van alle vergaderruimtes kon gebruiken, de Director’s Chamber, toevallig de enige vergaderruimte of faciliteit die de ACB nooit eerder had gebruikt.

Maar, had de Eel me verteld, de Director's Chamber had welhaast een heel eigen tegenwoordigheid, opgeroepen door de luxe die zelfs een blinde kon opmerken. Wanneer je na binnenkomst even stilstond, voelde je dat de muren gelambriseerd waren met rijk, donker hout, dat er mooie oude schilderijen en weelderige wandkleden onder kleine lampen met zacht licht hingen, en dat je voeten een glanzend Perzisch tapijt beroerden.

Begrijp je? had de Eel gevraagd. Je kon de aanwezigheid van de schilderijen voelen, *je kon de lampen erboven* voelen, *het geheel zette trillingen in gang, veranderingen van textuur, subtiele variaties in luchtdruk – een oud en kostbaar ding beïnvloedt de sfeer op een andere manier dan iets nieuws en goedkoops, dat kan toch niet anders?*

Alles veroorzaakt beweging. *Maar in dat schitterende vertrek gebeurde zoveel, dat je echt het gevoel kreeg dat er al een ongeziene, onaangekondigde aanwezigheid op je wachtte – wachtte om je de maat te nemen! Natuurlijk zou dat voor ziende mensen totaal niet werken. Soms lijken ziende mensen amper te kunnen kijken.*

En wat ze deed, zei ik tegen mijn oude vriend en logé, wat Lee Truax deed, was daar wachten toen ze aankwamen, toen ze een voor een, met het afgesproken halve uur tussentijd, op de deur klopten – behoedzaam, onzeker, hun onzekerheid nog versterkt door wat ze konden voelen van de zwaarte en de dichtheid, de pure ernst van het hout waarvan de deur was gemaakt – zich door haar binnen hoorden roepen, de grote deurknop zochten en naar binnen liepen door een woud van onverwachte indrukken, bijna tastend op weg door de volle, drukkende stilte, tot Lee Truax weer sprak en hun vroeg om een stoel aan de andere kant van de tafel te nemen. Als ze eenmaal zaten, leek er zich iemand bij hen te voegen, misschien iemand uit een portret, iemand waarvan ze wisten dat hij er niet was, maar die desondanks aanwezig was, een gezaghebbende geest. En zo hadden ze niet alleen met haar te maken, maar ook met de illusie die hun geest en hun zintuigen voor hen hadden geschapen. Het was moeilijk te zeggen welke van die twee het sterkste was.

Ik keek hoe het zachte gele lamplicht zich verspreidde over het omgeslagen witte laken en versmolt met de lichtgekleurde deken, en zag het smalle, schimmige gezicht naast mijn vrouw zweven in het weelderig ingerichte vertrek. Dat wat ik me verbeeldde geen relatie kon hebben met het gezicht dat de verontruste gasten van de Eel zich voorstelden, sloeg loeiende vlammen onder mijn toenemende onrust. Zij – hij en zij – waren samen in het eetcafé aan State Street geweest, in de kelder van het Italiaanse restaurant, weer in Gorham Street, nog eens in Glasshouse Road en op het veld, twee keer. De afstotelijke, weerzinwekkende Hayward was dichtbij genoeg geweest om haar hand vast te houden. En toen ze hem de ruimte gaf, was hij bij haar teruggekomen. Ik wist wat er in dat vertrek was gebeurd, en het was obsceen.

'Een voor een klopten ze aan en kwamen binnen,' had ik Olson verteld. 'Een voor een gingen ze aan de andere kant van de tafel zitten. Een aantal van de negen vrouwen die de Director's Chamber die dag bezochten kon licht en donker onderscheiden. Ik geloof dat twee van hen een vaag, troebel, gedeeltelijk zicht hadden in een van hun ogen. De rest zag niets dan volslagen duisternis. Maar ongeacht wat hun ogen hun al dan niet vertelden, ze moesten wel voelen dat er daarbinnen al die tijd nog een gedaante, opgeroepen door de grondstoffen van het vertrek zelf, op hen had gewacht.

Dit is wat de Eel me vertelde.

In het onontbeerlijke lamplicht herinnerde ik me hoe geschokt ik was toen ik besefte dat ik in de oude gewoonte was vervallen om haar bij haar bijnaam te noemen. Hoe vaak had ik het al gedaan? Drie keer, vier keer? Zo ja, dan was de strijd al verloren.

'Ze begon rustig,' zei de Eel. De vrouw tegenover haar had al aangevoeld dat deze bijeenkomst, deze oproep, niet helemaal was wat ze had verwacht, en haar voelhoorns stonden recht overeind.

'Vertel me over jezelf,' verzocht de Eel. 'Wat dan ook, het maakt niet uit. Ik wil je over jezelf horen praten. Laat me schrikken. Maak me blij. Beledig me. Onthuts me. Het enige wat ik vraag is dat je me niet verveelt.'

En ze begonnen, de vrouwen, een voor een, tastend hun weg te zoeken naar wat zij dachten dat de Eel wilde horen. In het begin ging het over waar ze opgegroeid waren, hun moeders, de scholen die ze bezochten en hoe ze uiteindelijk aan de man waren gekomen. Zo ben ik ook bij de ACB betrokken geraakt.

'Kun je me nog iets anders vertellen? Is er iets wat niemand van je weet?'

(Die andere aanwezigheid, dat schimmige gezicht, gloeide belangstellend op en kwam wat dichterbij. Het wist alles over ongeweten dingen – het was bezeten van ongeweten dingen.)

'Verras me,' zei ze. 'Daarvoor zijn we hier.'

'Ik ben wat mensen "straight" noemen, en dat ben ik al mijn hele leven, ik heb graag seks met mannen, maar wat ik nu in de hele wereld het liefst zou willen doen is samen met jou boven op deze tafel gaan liggen en je zo dicht mogelijk tegen me aan klemmen. Is dat schokkend genoeg voor je, Lee Truax?'

'Ik ben sinds mijn tweede blind en ik groeide op in een huis met drie ziende oudere broers. De oudste werd gedood door een dronken bestuurder, de tweede pleegde zelfmoord met zijn vriendin op de voorbank van onze auto toen ze op de middelbare school zaten. De broer die in leeftijd het dichtst bij mij stond, Merle, die feitelijk had moeten sterven zoals de andere twee maar dat niet deed, nam me altijd mee naar het veld naast ons huis en dwong me om met zijn lelijke ding te spelen. En erger. In de ogen van mijn ouders kon hij geen kwaad doen, zij dachten dat Merle zo ongeveer Jezus was. Toen ik achttien was ben ik getrouwd, zodat hij me niet langer zou kunnen verkrachten. Nu heb ik zelf drie zonen, en de enige manier waarop ik me ervan kan weerhouden ze te verafschuwen, is door het huis uit te gaan. Waarschijnlijk werk ik daarom voor de ACB.'

(De schimmige derde huiverde van genot. Langzaam schoof het een koude arm over de schouders van de Eel.)

'U wilt onthutst worden, mevrouw Truax? Ik kan u vast wel onthutsen, als u dat echt wilt. Waarom u hier bent, de reden dat u ons gevraagd hebt om u in dit hotel te ontmoeten, heeft niets te maken met een of ander vaag probleem dat het kantoor in New York zag "broeien". Het is veel specifieker dan dat, nietwaar? De hoge heren willen dat u de seksuele intimidatie onderzoekt die in deze afdeling plaatsvindt. Een regelmatig terugkerend pa-

troon van seksuele intimidatie. Of, om preciezer te zijn, mevrouw Truax, ze willen dat u discrete vragen stelt, zonder ooit iets te doen dat echt iets kwalijks aan het licht zal brengen, en dat u over een paar dagen terugkomt met de verklaring dat de geruchten ongefundeerd zijn. Maar ze zijn niet ongefundeerd. Een van ons maakt sommige onder haar toezicht werkende jonge vrouwen het leven bijzonder moeilijk. Ik heb gewacht tot er iemand zou komen om die kwestie te onderzoeken en dat bent u, en ik zeg: ja, dergelijk weerzinwekkend gedrag komt inderdaad voor. Maar ik ga u niet vertellen wie het is. Dat is uw werk, mevrouw Truax.'

'Je wilt dat ik je iets vertel wat niemand weet? Goed, Lee. Waarom niet? Ik neem aan dat je het niet aan de politie gaat vertellen of iets dergelijks? Dit is een soort vertrouwensoefening. Dat is het toch? Ik weet wel hoe dat werkt. En ik denk ook niet dat je me iets zult verwijten.'

(Op dit punt verstrakte de schimmige derde zijn grip op de schouders van de Eel; op dit punt, tussen gladde witte lakens en te bang om het licht uit te doen, sloot ik mijn ogen.)

'De reden waarom je mij niets zult verwijten is dat je zult begrijpen wat ik heb gedaan, ook al zul je het niet precies zo zien als ik. Ik verloor mijn gezichtsvermogen op ongeveer dezelfde leeftijd als jij, toen ik begin dertig was. Nou, ik "verloor" het niet echt. Ik werd aangevallen en blind gemaakt door een man met wie ik het net had uitgemaakt. Robert wilde niet dat ik ooit nog naar een ander zou kunnen kijken, dus zorgde hij dat ik nooit meer iets zou zien. Ik gaf hem aan bij de politie, ik getuigde tegen hem in zijn rechtszaak en hij kwam achter de tralies terecht. Zijn vonnis was vijftien tot vijfentwintig jaar, alleen kwam hij na zeven jaar vrij. Weet je wat hij deed? Hij belde mijn moeder en vertelde haar dat hij zich wilde verontschuldigen en mocht hij dus alstublieft mijn telefoonnummer hebben? Hij had zijn schuld aan de maatschappij voldaan, hij was een ander mens geworden, hij wilde zeker weten dat ik hem vergeven had. Ze was zo dom om hem mijn nummer te geven.

De vent belde me op en vroeg of hij langs mocht komen. Nee, zei ik. Ik griezel van je, natuurlijk mag je niet langskomen. Hij smeekte me om een ontmoeting, waar dan ook. "Alsjeblieft. Ik wil alleen maar een paar woorden tegen je zeggen, daarna hoef je me nooit meer te zien."

"Goed, zeg ik, ik zie je in een café, de Rosebud," en ik vertelde hem waar het was.

Ik vertelde niet dat de Rosebud een half blok van mijn appartement vandaan lag. Ik at zo ongeveer de helft van mijn maaltijden daar, iedereen kende me, iedereen kende mijn verhaal. Een van de medewerkers, Pete, de zoon van de eigenaar, bekommerde zich altijd om me, keek of alles wel goed ging. Ja, ik was negenendertig, nog steeds redelijk aantrekkelijk, werd me verteld, en Pete was achtentwintig en viel waarschijnlijk op me omdat ik een oudere vrouw was. Hoe dan ook, toen hij me naar mijn tafeltje bracht, zei hij dat ik er wat gespannen uitzag, was er iets aan de hand? Niet echt, maar, nou ja... Ik legde de hele situatie uit en hij zei dat hij een oogje op mijn tafel zou houden.

Ondanks mijn gespannenheid verliep de ontmoeting redelijk. De stem van Robert klonk anders dan ik me herinnerde, wat lager, wat zachter. Aardiger. Dat bracht me van mijn stuk, een beetje – ik probeerde me zijn gezicht te herinneren, maar dat bleef een vage roze vlek. Hij zei dat hij wist dat hij iets vreselijks had gedaan, hij begreep dat geen verontschuldiging ooit genoeg zou zijn, maar het zou veel voor hem betekenen als ik op zijn minst kon zeggen dat ik hem niet langer haatte. Zo eenvoudig is het niet, zei ik.

We blijven nog een poosje praten en Robert neemt een hamburger en een kop koffie, en ik neem een tonijnsalade en een cola, en hij vertelt me hoe moeilijk het is om een baan te krijgen als ex-gevangene, maar hij heeft een goeie tip gekregen. Zijn reclasseringsambtenaar is er nogal verheugd over. Of ik nu een baan heb, zo met... je weet wel. Ja, ik werk voor een stichting, zeg ik, het leven is aardig goed, moeizaam, maar ik probeer niet te klagen, zelfs niet tegen mezelf. Hij zegt dat hij me bewondert. Ik zeg, luister eens, ik hoef jouw bewondering niet, en je respect ook niet. Laten we dat even duidelijk vaststellen.

Robert begreep het, echt, tenminste, dat leek zo. Daarna ging het allemaal verbazend goed. Hij zei dat wij een diepe verwantschap hadden, dat we elkaar bepaalde dingen hadden aangedaan, hij begreep dat ik naar de politie had gemoeten, hij begreep dat hij zichzelf *in de gevangenis had gebracht, maar het was door mijn tussenkomst, waar een moment van keuze in had meegespeeld. Het was interessant om Robert die dingen te horen zeggen.*

Op mijn aandringen delen we de rekening, waarop Robert vraagt of hij met me mee mag lopen naar huis, meer niet. Een afscheidsgebaar, noemde hij het. Kom maar dan, zei ik, maak je gebaar. Als je dat zo graag wilt.

Stomme ik. Tussen mijn huis en de Rosebud lag een enorm stuk grond braak dat naar een diep ravijn leidde en toen we daar ongeveer half voorbij waren, zei hij dat hij een omweg wilde maken. Voordat ik iets kon zeggen klemde die goeie ouwe Robert een hand over mijn mond, legde zijn andere arm om mijn middel en sleepte me dat terrein op.

Hoe ik me ook verweerde, ik kon me niet losmaken uit zijn greep. De hufter trok me helemaal over het stuk land en omlaag het ravijn in, waar hij me neersmeet en boven op me sprong en me tegen de grond vastpinde met zijn handen op mijn schouders. Ik was ervan overtuigd dat hij me ging verkrachten en ik riep alles wat me maar te binnen schoot, voornamelijk smeekbeden om het niet te doen. Het had geen zin om te schreeuwen, want niemand kon me horen.

"Kop dicht," zei hij. "Ik ga je niet verkrachten. Ik wilde je alleen maar zo bang maken dat je zou weten hoe ik me bijna elke dag heb gevoeld de afgelopen zeven jaar. Doodsbang. Blindheid kan nooit zo erg zijn als sommige shit die mij is overkomen. Nu heb ik de score gelijk gemaakt. Sta nu op en verdwijn. Ik wil je nooit meer zien."

Ik ging overeind zitten en mijn hand kwam op een steen terecht waarvan ik niet wist dat hij er was. Die steen schoof zo in mijn hand.

(De gestalte die naast Eel was gekropen gniffelde van genot. Ik zag een monster met zijn arm om mijn vrouw.)

JIJ wilt MIJ nooit meer zien?

(Toen – precies toen – voelde ik iemand naast me, zei de Eel. Het waren niet alleen die vrouwen, uit Delaware, die de aanwezigheid van iemand anders in het vertrek aanvoelden, ik voelde het ook. En het schepsel dat zich bij me voegde leek in niets op de arbiter op wie ik had gerekend, helemaal niet. Het was ziek, het

was weerzinwekkend... het was wat wij boosaardig noemen omdat we er geen beter woord voor hebben.)

Ik was laaiend! Mijn lichaam reageerde voordat mijn geest het kon vertellen wat het moest doen. Ik haalde met mijn arm uit naar zijn stem en Robert moest zijn hoofd hebben afgewend, want hij hield mijn arm niet tegen en dook niet weg of wat ook, en voordat ik echt besefte dat ik probeerde om met die steen zijn hoofd te raken, voelde ik de steen tegen iets hards botsen. Ik gilde van schrik, maar mijn lichaam bleef in beweging – ik gleed naar voren en zwaaide die steen weer omlaag, en deze keer voelde ik iets kraken als een eierschaal en mijn handen werden helemaal nat. Ik begon een geluid te maken, niet schreeuwen, niet huilen, iets verwarders, minder samenhangend dan dat – in godsnaam, ik lag in dat ravijn, en ik had zojuist een man gedood die ooit intens verliefd op me was geweest. En weet je wat? ik was blij, intens *blij, dat hij dood was.*

(De walgelijke gestalte die zich aan Eel vastklemde sidderde in extase en verdween, nu hij had wat hij wilde hebben.)

Iemand kwam het ravijn in rennen, en ik schreeuwde en worstelde om overeind te komen. Het moest een politieman zijn, en ik zou heel wat langer de gevangenis in gaan dan die hufter ooit had gezeten. Een mannenstem herhaalde telkens: "O mijn god, mijn god," en ik begreep dat het geen politieman was. Het was Pete uit het eetcafé! Hij was naar buiten gekomen om zich ervan te vergewissen dat me niets geks overkwam en toen hij me niet op straat zag, was hij dat enorme stuk land op gerend. Al snel hoorde hij me dat geluid maken, en daar was hij, mijn redder!

Pete wist me ongezien naar huis te krijgen, en hij bracht me naar mijn flat waar ik me waste en schone kleren aantrok. Hij stopte alle bloederige spullen in een vuilniszak en vertelde me dat hij het allemaal zou verbranden nadat hij het lijk diep het ravijn in had getrokken en had bedekt, of in een grot had gelegd, of had verborgen, zodat het heel lang zou duren voordat iemand het vond. En ik denk dat hij het goed gedaan heeft, want het lijk van Robert ligt nog steeds daar beneden ergens. Er is nooit een politieagent moeilijke vragen komen stellen. Ik heb ongestraft een moord gepleegd. Is dat geheim genoeg voor je, mevrouw Truax?'

De volgende dame zei: 'Dit is grappig, ik moet altijd glimlachen als ik eraan denk. Wat een vreemde dingen gebeuren er in je leven. Maar goed. Toen ik een klein meisje was, nam mijn moeder me altijd mee naar haar lievelingswinkels zodat ik voor haar kon stelen.'

De Eel had haar dief te pakken.

'Kreeg ze haar zover dat ze bekende?' vroeg Don, naast de donkere ramen in de lounge.

'Inderdaad,' herinnerde ik me te hebben gezegd, terwijl ik voortdurend, veel te dichtbij, enorme vleugels voelde slaan. 'Het kostte haar twintig minuten. De vrouw stortte in. Ze zei dat ze maar een klein beetje tegelijk nam en niet echt had gemerkt dat het bedrag steeg. Ondertussen beangstigde het haar wel, maar ze wist niet hoe ze ermee moest ophouden. 'Je bent al opgehouden,' zei Lee tegen haar. 'Het is voorbij.' Ze stelden een afbetalingsregeling op, haalden er geen politie bij, het hele probleem werd in een middag opgelost. De dame ging geschrokken maar gelouterd weg. Weet je, ze was haar hele leven uit winkels blijven stelen. Net als Boats!'

'Ja, net als Boats,' zei Olson. 'Alleen werd die mevrouw gepakt.'

Hij glimlachte, keek toen omhoog, afgeleid door een gedachte. 'Welk jaar was dat ook alweer?'

'Negentienvijfennegentig. Oktober, meen ik.'

'Dat is interessant. Ik heb het idee dat Spencer en ik in oktober 1995 een van zijn weldoeners bezochten, een oude dame die Grace Fallow heette. Ze was rijk, en ze vond het prettig als Spencer bij haar kwam voor een consult. Dat was helemaal aan het einde van de periode dat ik met hem samenwerkte.'

'Ja, en?'

Ja, en? In de zin van, wat heb ik daarmee te maken?

'Grace Fallow woonde in Rehoboth Beach. Ze liet ons in een hotel logeren dat de Boardwalk Plaza heette.'

Grace Fallow woonde in Rehoboth Beach... Boardwalk Plaza.

‘We hadden haar tegen kunnen komen! Zou dat niet raar zijn geweest?’

‘Behoorlijk, ja.’

Hij fronste zijn voorhoofd tegen me. ‘Hé, het was toeval. We hebben haar nooit gezien en zij heeft ons nooit gezien, voor zover ik weet. Maar misschien, weet je, misschien heeft ze een glimp van hem opgevangen en werd ze bevangen door nostalgie. Het was immers een behoorlijk opwindende periode in ons leven. En ik kan me best vergissen in de datum.’ Hij zweeg en keek omhoog en naar links. ‘Trouwens, ik denk dat ik me inderdaad vergiste. Ik denk dat Grace Fallow ons vroeg om haar een bezoek te brengen in oktober 1996, niet 95. Ja. Ik denk dat het zo klopt. Het was 1996.’

Ja, vast, mompelde ik, een opmerking die ik niet tegen mijn vriend had uitgesproken in de lounge. In de lounge had ik niets gezegd, alleen geknikt.

Het duurde lang voordat ik me in staat voelde om de lamp op het nachtkastje uit te knippen en het verwarrende duister binnen te noden.

De volgende ochtend gingen we terug naar het Lamont en daar vond een verbijsterend evenement plaats, maar voordat ik vertel wat dat was, gaan we de volgende vier dagen overslaan, elk volgepakt met gebeurtenissen die misschien iets minder verbijsterend waren maar desondanks behoorlijk verbazingwekkend, in elk geval voor de betrokkenen. Maar op de vijfde dag, de dag waar we uitkomen na het dagen overslaan, gebeurde er alweer iets verbazend, meerdere dingen zelfs, die allemaal begonnen met de aankondiging van Don Olson bij de geroosterde bagels en zoete broodjes aan ons gebruikelijke tafeltje in de lounge dat Howard Bly, de bron van bovenvermelde verbijsteringen en verrassingen, was verteld zijn vrienden vandaag niet te verwachten. In antwoord op mijn vraag vertelde Olson me dat hij een verrassing voor me had. De verrassing bleek een snelle reis naar Milwaukee te vergen.

‘Wat is dat dan voor verrassing?’

‘Dat merk je wel als we er zijn. We hebben nogal weinig tijd.

Het kost anderhalf uur om naar Milwaukee te rijden, maar met een vliegtuig ben je er in een half uur. En ondanks mijn enorme hekel aan vliegen heb ik goedkope tickets geboekt bij een nieuwe prijsvechter, EZ Flite Air. Het enige wat jij hoeft te doen is ons binnen veertig minuten naar het vliegveld te rijden en te betalen. In Milwaukee kunnen we een auto huren. Ik denk dat je minstens een half uur wint en tenzij ik het helemaal mis heb, ga je dat inderdaad willen.'

'Vanwaar al die haast?'

'Degene die we gaan ontmoeten kan maar weinig tijd missen.'

'En je wilt me niet vertellen wie die raadselachtige figuur is.'

'Je verspilt kostbare minuten,' zei Olson, zijn mond afvegend met zijn servet terwijl hij opstond.

Vijf minuten later reden we naar het plaatselijke vliegveld in Dane County en vijfentwintig minuten later stond ik op de achtste plaats in de rij voor de balie van EZ Flite Air in de lichte, grote hal. Ik had als enige geen bagage bij me. Het enige wat ik mee wilde nemen, een notitieblok en een vulpen, had ik in mijn jaszak gestopt.

Don Olson had bekend een van die mensen te zijn die in een staat van bijna verlammende angst verkeren vanaf het moment dat de vliegtuigwielen de grond verlaten tot ze er weer veilig op staan, en was in de diepe krochten van de hal verdwenen op jacht naar chocoladerepen en tijdschriften of andere dingen die zijn angst konden verdoven. Omdat het nog vrij vroeg in de ochtend was, hoopte ik dat Olson zich niet gedwongen zou voelen om een paar glazen whisky achterover te slaan. Of dat hij het dan in elk geval bij twee zou laten.

De rij kroop vooruit, misschien dertig centimeter per twintig minuten. De ticketmedewerkers aan de andere kant van de verafgelegen balie tuurden steeds lang en nogal verward naar een beeld op een monitor dat alleen zij konden bekijken. Ze drukten toetsen in, schudden hun hoofden en fluisterden onder elkaar, en als ze daarmee klaar waren kon er pas een nieuwe groep passagiers met een instapkaart naar de douanecontrole en de gate worden gestuurd. Ik legde me erbij neer dat ik lang op mijn beurt zou moeten wachten.

Om de tijd te doden haalde ik mijn pen uit elkaar; ik wilde me ervan verzekeren dat hij zo goed als vol was. En zowaar, dat was hij. Terwijl ik de pen weer in elkaar zette, mocht een bezorgd echtpaar met drie enorme tassen bij de balie weg en kon ik weer een halve meter doorschuiven. Ik duwde mijn handen in mijn zakken en boog me voorover om te zien of mijn schoenen gepoetst moesten worden. Nee, nog niet. Ik rechtte mijn rug, haalde diep adem, en zuchtte. Beide jongemannen achter de balie hadden hun handen nu in een gebaar van verbazing en verwarring plat op hun kortgeknipte stekels gelegd: geen goed teken. Een van de jongens drukte op een heleboel toetsen en boog zich naar de onzichtbare monitor. Bij het lezen van het resultaat schudde hij zijn hoofd.

Ik draaide me om en keek naar de mensen aan de andere kant van de brede, open ruimte achter me. Studenten en andere burgers doorkruisten mijn blikveld, liepen de deuren in en uit, babbelden in mobiele telefoons, leunden tegen zuilen en afvalbakken, stonden of zaten op hun bagage. Bijna iedereen droeg een rugzak in de hand of op de rug, en bijna iedereen was onder de veertig. Ik hoopte Olson te zien, maar de chocoladerepen en de tijdschriften bevonden zich kennelijk aan de andere kant van de hal. Mijn blik dwaalde langs een reeks slordig ogende jongelui op een rij vastgeklonken stoelen en stopte bij een slanke, oudere man gekleed in een zwart leren jack, een dunne zwarte koltrui en een spijkerbroek. Dit was geen gewone oude man. Hij had iets van een acteur. Zijn haar, vol, zilvergrijs en net kort genoeg om geen kapperskapsel te heten, was achterovergeborsteld uit zijn zongebruinde, enigszins vosachtige gezicht en viel over de kraag van zijn jack. Hij had prominente, kaarsrechte jukbeenderen en diepliggende blauwe ogen, en zou ergens tussen de zeventig en de vijfentachtig jaar oud kunnen zijn. Deze indrukwekkende, ongetwijfeld door hemzelf uitgevonden persoonlijkheid keek me recht aan. Hij had me duidelijk al een tijdlang gadegeslagen. Dat het object van zijn geconcentreerde blik hem had betrapt, bracht hem absoluut niet in verlegenheid. Hij bleef gewoon rustig naar me staan kijken, alsof ik een beest was in een dierentuin.

Ik had geen idee waarom, maar de blik van de man irriteerde me en bracht me van mijn stuk. Op die manier bekeken worden voelde onbeschaamd aan, neerbuigend, kleinerend. Het was onaangenaam om uitgekozen en *bekeken* te worden. Ik wilde maar dat de man zich op een ander slachtoffer richtte. Hij zag er arrogant uit, en zijn intens blauwe ogen probeerden schaamteloos mijn blik te vangen en vast te houden.

Toen ik me afwendde om het contact te verbreken, voelde dat aan alsof ik een stroomdraad onder spanning had losgelaten. De jongemannen achter de balie stonden nu bagagelabels en instapkaarten uit te delen aan twee meisjes. De rij nam met een man af, een lange, langharige man met een slecht gecamoufleerde kale plek en een twee meter lange plunjezak die op handige wieltjes braaf achter hem aan rolde. Ik kon weer dertig centimeter vooruit. Een slonzig gezin, bestaande uit twee zwaargebouwde ouders en vier nog zwaarder gebouwde kinderen die een groot aantal opgestapelde tassen met zich meesleepten, kwam over de lege vloer aansjokken, verzamelde zich achter me en begon onmiddellijk te bekvechten.

Als je dat nog één keer zegt. Dan zal ik. Ik probeerde alleen maar. Waarom LUISTER je nooit eens naar. Molly, als jij nu je mond niet houdt. Ik hoef niet als ik niet wil. Het kan me niet schelen of de kinderen. Die koters zijn de enige reden dat.

Ik probeerde het gezin als dekking te gebruiken om te zien of de zilverharige man nog steeds naar me stond te kijken. Tot mijn opluchting en verrassing stond de man niet meer voor de grote ramen. Toen werd mijn blik getrokken door een beweging op ongeveer anderhalve meter afstand en met mijn hart al in mijn keel wendde ik mijn gezicht en zag de zilverharige man naderen. Hij stond stil en stak zijn handen op.

'Wilt u iets van mij?' vroeg ik. 'Wat is het? Wie bent u, Raspoetin?'

Het gezin achter me voelde een drama ontstaan en viel stil.

De man glimlachte. Hij had een mooie glimlach. 'Bent u niet Lee Harwell, de schrijver?'

Verbaasd knikte ik. 'Ja, dat ben ik.'

'Ik heb al uw boeken gelezen. Ik wil me graag verontschuldigen, ik moet wel erg onbeleefd hebben geleken.'

'Dat geeft helemaal niets. Bedankt voor uw uitleg.'

Terwijl dit zich afspeelde deelden de jongemannen nog een instapkaart en een bagagelabel uit en ik stapte in de leemte die het echtpaar vóór me achterliet. De zilvergrijze man kwam iets dichterbij. Het akelige gezin schoof de tassen naar voren, hun blik op de man gericht alsof ze verwachtten dat hij zou gaan toveren.

Hij leunde wat opzij en wierp me met zijn expressieve ogen een veelbetekenende blik toe. Zijn lippen persten zich opeen en rimpels doorgroefden zijn voorhoofd. Ik dacht: *Er komt nog meer. Ik had het kunnen weten.* Ik keek hulpzoekend de hal door, maar Olson zat waarschijnlijk in een afgelegen hoekje tequila achterover te slaan.

'Ik moet u spreken,' zei de man, zachtjes. 'Kunt u even met me meekomen?'

'Ik ga niet uit deze rij weg.'

'Het betreft uw eigen veiligheid.'

Voordat ik bezwaar kon maken, plaatste mijn bewonderaar een hand op mijn elleboog, de ander onder op mijn rug, en schoof me moeiteloos een halve meter opzij, alsof ik ook wieltjes had.

'Zeg, pas even op, meneer,' zei ik terwijl ik terugdeinsde.

'Ik pas juist heel goed op,' zei de man, weer met een glimlach, en hij duwde met hetzelfde moeiteloze gezag nog eens lichtjes in mijn onderrug om te zorgen dat ik niet wegliep. Hij kwam wat dichterbij en fluisterde, zijn ogen strak op de mijne gericht.

'Ik staarde naar u omdat ik een heel sterk voorgevoel had. U moet deze vlucht niet nemen.'

'U bent gek,' zei ik. Weer leek het alsof ik met mijn hand een elektrisch hek greep, en er pure energie door me heen pulseerde. Ik probeerde het contact te verbreken, maar de druk op mijn rug, niet zwaarder dan de druk van een poppenhandje, hield me tegen.

'Alstublieft. Als u naar de balie gaat en een ticket koopt van die twee idioten en op de EZ Flite Air 202 stapt, zijn de gevolgen ingrijpend. Catastrofaal.'

'En hoe weet u dat?'

'Ik wéét het. Als u naar Milwaukee vliegt, verliest u alles.' Hij wachtte even om er zeker van te zijn dat de boodschap was aangekomen. 'Heeft u geen auto? Rijd er dan heen, dan komt alles goed.'

'Dan komt alles goed?'

De handen van de man vielen weg. De gewaarwording van het ontsnappen aan een intense, maar onzichtbare energie was even voelbaar als het plotseling stilvallen van een verhitte discussie.

'Denk erover na, Lee.'

'Wat is uw naam?'

Zijn mooie glimlach deed het strenge van zijn gezicht teniet. 'Raspoetin.'

De man liep weg. Binnen een paar tellen was hij verdwenen.

Tussen mij en de ticketbalie stonden twee echtparen en een man die eruitzag als een gepensioneerde soldaat.

Ik keek naar de baliebedienden die nog steeds even verlamd waren door hun onkunde en vroeg me af: *Stel je voor dat de hele luchtvaartmaatschappij zo is als die twee*? Hoeveel geslaagde vluchten had EZ Flite Air eigenlijk gemaakt? En waar was Don Olson?

Zodra die vraag was bij me was opgekomen, verscheen Olson aan de rand van de druk bevolkte verte waarin 'Raspoetin' verdwenen was. Misschien had hij die vreemde, imponerende figuur gezien.

Toen Don bij me was aangekomen, met exemplaren van *Vanity Fair* en de *New Yorker* onder zijn arm en een flauwe geur van bourbon op zijn adem, vroeg ik of hij een markante man had gezien met een zwarte jas, zilvergrijs haar tot op zijn schouders en het gezicht dat een Apacheopperhoofd zou kunnen hebben als Apaches protestante blanken waren. Don knipperde even met zijn ogen en zei: 'Wat?'

Ik herhaalde mijn vraag.

'Misschien is hij me niet opgevallen.'

'Dat kan niet anders, zo'n man kan je niet ontgaan. Net zomin als een brandend gebouw je zou ontgaan.'

Don knipperde weer. 'Nou nee, dan heb ik hem niet gezien. Hoezo? Wat heeft hij gedaan?'

'Hij zei dat ik deze vlucht niet moet nemen.'

We mochten weer een halve meter naar voren in de rij, zodat we op de derde plaats stonden.

Olson vroeg waarom de man de vlucht had afgeraden en luisterde naar het antwoord met iets wat op berusting leek. 'Wat wil jij?' Hij leek, ergens diep vanbinnen, bijna geamuseerd.

'Ik stond te wachten tot jij terugkwam, zodat ik het aan jou kon vragen.'

'Ik doe mee met wat jij maar wilt. Zolang je de juiste keuze maakt.'

Ik wierp hem een geïrriteerde blik toe. 'Het staat me enorm tegen om het te moeten toegeven, maar ik wil met de auto.'

'Je hebt de juiste keus gemaakt. Kom op, laten we gaan.'

Ik zei: 'Oké,' en besefte dat ik niet zomaar weg kon lopen. Het gezin achter me stond weer te bekvechten, dus vroeg ik de mensen voor me of zij de vlucht naar Milwaukee namen.

De man van het eerste stel zei: 'Nee, Green Bay.'

De vrouw van het tweede stel zei: 'Terre Haute. Hoezo?'

De man die op een gepensioneerde soldaat leek, glimlachte en zei: 'Ik ga een heel stuk verder dan de anderen.'

Ik vroeg hem of hij in Milwaukee zou overstappen.

'St. Louis.'

Ik draaide me om naar het gezin. In totaal moeten de ouders minstens driehonderd kilo hebben gewogen, en ze hadden grote, chagrijnige gezichten. Hun kinderen waggelden rondjes, zeurend. Het echtpaar zag me vanaf dertig centimeter afstand naar hen kijken en zweeg in vragende verwondering. Ik besefte dat niemand hen ooit aansprak.

'Ik zal het kort houden,' zei ik. 'Reist u naar of via Milwaukee?'

'Wat?' vroeg de vrouw.

'Nee,' zei haar man.

'Wat nee?' vroeg ze hem. Vertel hem niet die van ons. Hij deed niet. Hij doet niet. Jij doet niet, jij ook altijd, jij nooit.

Don en ik liepen bij het kijvende stel weg, de brede lege vloer over naar de parkeerplaats buiten.

'Ik zou bijna in de verleiding komen om te zeggen dat...' begon Olson, en ik zei dat hij dat moest laten.

Toen we eenmaal op de lange, rechte snelweg naar Milwaukee reden, zette Olson de radio op Newsradio 620 WTMJ, de dochtermaatschappij van NBC in Milwaukee die op dat moment en gedurende de volgende twee uur *Midday with Joe Ruddler* uitzond, een inbelprogramma waar heel weinig mensen op inbelden, omdat de gastheer, de heer Ruddler, voormalig sportcommentator in Millhaven, Illinois, veel liever praatte dan luisterde. (Ruddler SCHREEUWDE, BRULDE en RAASDE ook volop. Hij verwees graag naar zijn carrière als sportcommentator bij de televisie als 'toen mijn naam in neonlicht geschreven stond' of 'toen ik bij de ERE-DIVISIE zat'.)

Don had geleerd dat hij door onderweg of in zijn vrije tijd naar dergelijke programma's te luisteren een bodemloze put van plaatselijke informatie aanboorde, die hem vaak te pas kwam tijdens zijn verblijf in de gemeenschappen waar hij zijn ongewone vak uitoefende. Mallon had dat ook altijd gedaan, vertelde hij.

Joe Ruddler was verontwaardigd over zijn telefoonrekening. Met zijn vaste telefoon had hij maar vijf keer gebeld, waarvoor de totale kosten tweeëntwintig cent bedroegen. Maar hij kreeg een rekening voor tweeëndertig dollar en zeven cent. Hoe kregen die CLOWNS dat kunstje voor elkaar? De woede van Joe Ruddler stroomde uit een onuitputtelijke bron.

Toen we ongeveer zestig kilometer van Milwaukee verwijderd waren, draaide Ruddler het volume van zijn stem helemaal omlaag en zei: 'We krijgen net beroerd nieuws binnen, vrienden, en ik wil de vrijheid nemen om het hier te vertellen. Ik loop vooruit op de officiële berichtgeving, maar voor een ouderwetse nieuwslezer zoals ik is nieuws nieuws, dat eerlijk en tijdig moet worden verslagen, niet gezeefd en gefilterd en alle kanten op gesponnen worden tot zwart wit wordt en vizie-verzie.'

'Nee,' zei ik. 'Dat bestaat niet.'

'Wat bestaat niet?'

'Dus vergeef me dat ik jullie dag verstoor, vrienden, vergeef me als je kunt dat ik meneer de Dood hier ter sprake breng. We zouden hem er veel liever buiten houden, dat weet ik maar al te goed, maar als de Dood binnenkomt, is men geneigd hem alle aandacht te schenken, want onze meneer Dood is EEN VERDOMD SERIEUZE VENT. Welnu, let goed op, mensen.

Ongeveer twintig minuten geleden is er een vliegtuig uit de lucht gevallen en neergestort op het land van een boer in de buurt van het gehucht Wales, niet ver van snelweg I-94. Er zijn geen overlevenden, in ieder geval niet OP HET EERSTE GEZICHT.'

'Nee, nee,' zei Don, hoofdschuddend. 'Dit is...'

Ik maande hem tot stilte.

'De EZ Flite Air 202 heeft op zijn gebruikelijke vlucht tussen Madison en onze mooie stad IN HET STOF GEBETEN, is de GROND

IN GEBOORD, zoals parachutisten vroeger zeiden, waarbij alle inzittenden om het leven zijn gekomen, zowel de passagiers als de bemanning. Dat zijn samen zeventien zielen, dames en heren.'

Don kreunde en sloeg zijn handen voor zijn gezicht.

'Er zijn grotere vliegrampen geweest, waar meer mensen bij omkwamen, maar dat is niet relevant. Hier hebben we een gelegenheid bij uitstek om na te denken, om te filosoferen, en ik vind dat we die moeten GRIJPEN. Denk hier eens over na: zeventien mensen, verkoold, botten gebroken, alles kapot... waarom DIE MENSEN? Hè? Toch? HOREN jullie me? Die mensen gingen samen dood. Mijn vraag aan u is, was er iets dat hen verenigde VOORDAT ze hun noodlot ontmoetten? Hadden ze IETS GEMEEN? Want dat hebben ze nu dus wel! Als je terug zou kijken op die zeventien fragiele mensenlevens, echt zou kijken, met een vergrootglas, onder een MICROSCOOP, denkt u dat u dan gemeenschappelijke dingen zou vinden? Reken maar van yes! Jenny kende Jacky van de lagere school, Jackie paste vroeger op bij Johnnie, Johnnie was Joe een heleboel geld schuldig. Je zou HONDERDEN van die dingen tegenkomen. Maar kijk eens dieper.

Er zit nog een andere kant aan deze vraag. Er zijn veertien passagiers omgekomen, en drie bemanningsleden. Maar er waren ZESTIEN tickets geboekt voor die vlucht, en twee daarvan zijn nooit betaald. TWEE MENSEN besloten nou nee, bedankt, ik NEEM die goeie ouwe vlucht 202 van Dane County Regional Airport niet naar Mitchell Field, hartelijk dank, maar nee. Ze ZOUDEN die vlucht nemen, maar ze VERANDERDEN VAN GEDACHTEN, allebei. Waarom? Ik wil het weten, echt waar. WAAROM? Hè, dat willen we toch weten?'

Ik keek Olson onbehaaglijk en ongelukkig aan en kreeg dezelfde blik terug.

'De vraag is, wat is de ZIN? We mogen toch nadenken over DE ZIN, nietwaar?'

'Ik moet even stoppen,' zei ik. 'Ik kan hier niet meer tegen. Mijn handen trillen en mijn darmen ook, zo te voelen.' Ik reed de vluchtstrook op, zette de motor af en zakte onderuit in mijn stoel.

Joe Ruddler brulde door. 'Want laat me jullie dit vertellen, de waarheid zoals ik die zie is DE WAARHEID, punt uit. Punt uit. Geloof me maar, op mijn woord, je kunt er donder op zeggen: JOE

RUDDLER LIEGT NIET TEGEN JULLIE, mensen. Dat KAN HIJ NIET. Joe Ruddler is toevallig te simpel van geest om iets anders te doen dan de WAARHEID te vertellen, en zo driedubbel overgehaald eigenwijs is hij al zijn hele LEVEN! Dat is wat hij DOET voor zijn vak, hij vertelt de DRIEDUBBEL OVERGEHAALDE WAARHEID! Zó dan!

En dit is wat ik jullie hier sta te vertellen, beste vrienden. Die twee mensen die niet op de EZ Flite Air 202 zijn gestapt hebben een LOTSBESTEMMING! Ja, die HEBBEN ze! Ze zijn GERED MET EEN REDEN! WAARSCHIJNLIJK denken zij dat ze geluk gehad hebben. Ja, dat HEBBEN ze ook, dat hebben ze ZEKER, en weet u waarom? De reden dat ze GELUK hebben gehad is omdat...'

'Is dat,' fluisterde ik.

'... ze een LOTSBESTEMMING hebben! Er is maar één ding ter wereld dat sterker is dan het hebben van een LOTSBESTEMMING. En dat is ZIN. Er zit een ZIN in hun leven, hun leven heeft ZIN!'

Niet in staat om die onzin nog een moment langer te verdragen drukte ik op een knop en de radio zweeg.

'Heb ik een lotsbestemming?' Olson verschoof krampachtig in zijn stoel, alsof hij geduwd of geprikt was. 'Ach Jezus, kijk daar eens.'

Hij stak zijn wijsvinger uit naar de rechterkant van de voorruit, en toen ik mijn blik naar buiten richtte, zag ik voor het eerst wat al minstens een paar minuten zichtbaar moest zijn geweest en zou zijn geweest, als die minuten niet zo volledig waren opgeëist door de luidruchtige Joe Ruddler. Kilometers ver weg steeg vanuit een weiland een smalle kolom dikke zwarte rook op, die in de hoogte breder werd.

'O, mijn god,' zei Olson.

'O, mijn god,' zei ik net na hem. 'O, jezus.'

'Hoeveel mensen zei hij?'

'Zeventien, denk ik. Drie bemanningsleden inbegrepen.'

'O. O. Dit is ontzettend. Hebben we ze gezien, denk je?'

'Niet bij de balie. Hoewel sommige van de mensen die ver voor me in de rij stonden wel... Ik vraag me af of die twee meisjes... En die kalende man...'

'Lee, ik kan die rook niet meer zien. Oké?'

'Ik ben misselijk.'

'Start de auto. Laten we hier weggaan.'

Ik gehoorzaamde en we vluchtten.

Een kwartier later vroeg Olson: 'Voel je je wat beter?'

'Ja. Raar, maar beter.'

'Hier ook. Raar maar beter.'

'Opgelucht.'

'Heel erg opgelucht.'

'Ja,' zei ik. 'Jij ook, hè?'

'Het lijkt wel het tegenovergestelde van dat schuldgevoel van overlevenden.'

'De euforie van overlevenden.'

'Ha!'

'Jezus man, we hadden daar dood kunnen liggen. Of helemaal kapot, of helemaal verbrand, wat zei hij? Verkoold?'

'Dat waren we ook bijna. Echt bijna.'

'Op een paar centimeter na gemist.'

'Een paar millimeter.'

Don sloeg met zijn vuist op het dashboard, legde toen zijn handen tegen het dak en duwde omhoog. 'Ho. Is het wel oké om me zo te voelen?'

'Natuurlijk. We zijn niet dood!'

'Die zeventien andere arme stakkers zijn allemaal dood, en wij leven nog!'

'Precies. Ja. Zo zit het, precies.'

'Nog leven voelt verdomd goed, vind je niet?'

'Leven is geweldig,' zei ik, met het gevoel dat ik een diepgaande, maar weinig bekende waarheid uitte. 'Gewoon... geweldig. En we hebben het allemaal aan die man te danken. Als hij een man was. Misschien was hij wel een soort engel.'

'Jouw engel, in elk geval.'

Ik keek hem vragend aan.

'Wat weten we van hem? Twee dingen. Hij wist wie jij was, en hij wilde niet dat je zou omkomen bij een vliegtuigongeluk.'

'Dus het was mijn beschermengel?'

'Op de een of andere manier, ja! Zeker weten! Hé... weet je nog wat je zei over een vrouw die Hayward nooit heeft kunnen vermoorden omdat hij vermoord werd? Of haar kind, of haar kleinkind? Een domino-effect?'

Ik knikte.

'Die vent van dat praatprogramma, Joe Ruddler, die riep iets over lotsbestemming. Dat is toch hetzelfde?'

'Ach, kom nou,' zei ik.

'Vroeg die man of je vlucht 202 ging nemen?'

'Ik denk van wel. Ja, zeker. Wacht even. Nee, hij kwam gewoon naar me toe en zei dat hij een voorgevoel had dat de gevolgen verschrikkelijk zouden zijn als ik vlucht 202 nam.'

'Dus hij wist al welke vlucht je nam.'

Ik zakte een beetje onderuit. Misschien zou ik uiteindelijk toch verplicht worden om een lotsbestemming te accepteren.

'Hoe dan ook, het gaat om jou, Harwell. Zie het maar onder ogen.'

Ik wou dat Olson niet over mijn gespeculeer begonnen was. Het grootste deel van mijn blijdschap over het nog in leven zijn was verdampt, al kon ik me de smaak ervan nog levendig herinneren.

'Nu ga ik *Vanity Fair* lezen,' zei Olson.

Hij leunde over zijn stoel naar achteren, viste rond in zijn tas tot hij het tijdschrift had gevonden dat hij op het vliegveld had gekocht, en liet zich weer in zijn stoel zakken, terwijl hij het snel doorbladerde. 'Schitterende advertenties staan hierin,' zei hij, en praatte niet meer tot we de afrit naar het centrum van Milwaukee bereikten, waar hij me opdracht gaf de snelweg te verlaten en naar het Pfister te rijden.

'Ik had het kunnen weten,' zei ik. 'Kerels zoals jij denken dat er maar één hotel is in heel Milwaukee.'

'Mijn verrassing is geen kerel,' zei Olson. 'Ga de parkeerplaats op als je bij het hotel bent.'

Nadat Don had gebeld bij een van de telefoons achter de receptiebalie, gingen we naast elkaar zitten in twee fauteuils in de lobby van het hotel en bekeken groepjes mensen die uit de gang van de liften naar het nieuwere Tower-deel van het hotelcomplex kwamen, de treden naar de lobby af liepen en zich verzamelden voor de lange receptiebalie. Het waren voornamelijk families. Soms stonden er groepjes mannen dicht op elkaar terwijl ze zich inschreven, sloegen elkaar op de schouders en lachten schaterend om elkaars grappen.

'Zij doen allemaal iets samen,' zei Don. 'En ze zijn hier naartoe gekomen om het te doen. Zitten ze in een vereniging, een club? Of werken ze allemaal voor hetzelfde bedrijf?'

'Het zijn er wel een heleboel,' zei ik. 'Wachten we tot die verrassing van jou naar beneden komt? Waarom vertel je me niet wie het is?'

'Omdat het de verrassing zou bederven. We wachten tot er iemand weggaat.'

'Zodat we die kunnen volgen. Die vrouw.'

'Nee hoor. Hartstikke, hopeloos fout. Waarom wacht je niet gewoon af?'

Ik sloeg mijn benen over elkaar, helde naar rechts en leunde op de armleuning van mijn stoel. Als het moest, had ik daar voor altijd kunnen wachten. Als we honger of dorst kregen, konden we sandwiches en drank bestellen bij de rondwandelende obers. Het Pfister was een elegante oude dame. De knappe portier droeg een galante puntige snor en de beheerste, beleefde medewerkers achter de receptiebalie zouden heel goed achter de balie van het Savoy hebben gepast. Alleen de sportieve overhemden, kakibroeken en bootschoenen van de gasten plaatsten de lobby in zijn eigen tijd en plaats.

'Ongelooflijk, wat er met Hootie gebeurt,' zei ik.

'Dat vinden dokter Greengrass en die lekkere kleine Pargeeta ook.'

'Vind jij Pargeeta lekker? Ze lijkt mij koud en hooghartig.'

'Jij weet niet veel van vrouwen, is het wel? Pargeeta is een freak. Ze is zo freaky dat ze Hootie leuk vindt!'

'Dat is belachelijk.'

Ik herinnerde me de vreemd tegenstrijdige emoties die ik had opgemerkt op het gezicht van de jonge vrouw, toen Howard op de grond lag. Toen Greengrass hem vroeg om in zijn eigen woorden te spreken, glimlachte Pargeeta bijna. Wat haar gevoelens ook mochten zijn, ze leken in niets op seksuele opwinding.

'Meisjes vonden Hootie altijd al leuk, man.'

'Toen hij eruitzag als dat blonde joch in *Shane*.'

'Het is maar goed dat jij fictie schrijft. Als je de echte wereld moest beschrijven, zou niemand hem herkennen.'

'Geef het nou maar toe, Don, jij zou een verhaal nog niet eerlijk kunnen vertellen als iemand je een pistool tegen je kop zette. Mallon was precies zo.'

'Aha,' zei Don. 'We hebben onze eerste ruzie.'

Ik besefte dat ik meer geïrriteerd was dan ik dacht. Figuren zoals die Mallon verzonnen overal hun eigen regels, arrogante, verwaande sprinkhanen die erop rekenden dat de rest van de wereld hen voedde en kleedde en drugs en alcohol verschafte, luisterde naar hun belachelijke leugens en de benen spreidde wanneer de Mallons en de Mallonnieten maar wilden...

Ik kreeg ineens een visuele flits van de zilverharige man op het vliegveld, en daarmee trof me een angstaanjagende mogelijkheid. Onmiddellijk zette ik die van me af.

'Rustig,' zei Don. 'Ik zie aan je gezicht dat je weer helemaal opgefokt raakt. Vergeet niet dat ik je hiermee een lol doe. En kijk nou eens, ik geloof dat onze wens vervuld gaat worden.'

Ik volgde zijn blik en zag dat een groep mensen van allerlei leeftijden die net de treden naar de lobby af kwamen een glimlach kregen van de galante portier; ze hadden zich allemaal in spijkerbroeken geperst die zich strak over hun gezwollen buiken en brede achterhammen sloten. In hun midden bewoog zich een jonge vrouw met een rond gezicht, gehinderd door iets wat als een los gaasverband rond de bovenkant van haar hoofd leek te zwieren. Het was een hele familie, vader en moeder, ooms en tantes, zonen, dochters, neven en nichten, echtgenoten, en zelfs een paar mollige kinderen die de algehele verwarring in en uit dwarrelden.

'Is dat strijdgewoel, of niet?' vroeg Olson. 'God, kijk haar eens. Zij is de bijenkoningin, dat staat vast.'

De levendige, bakkeleiende familie schoof vlot naar de receptiebalie waar ze in enkelingen en paren opbraken, zodat Dons Bijenkoningin haar armen kon spreiden en zich in een langzame, statige draf naar de balie kon verplaatsen. Twee vlezige mannen van ongeveer haar leeftijd gingen in de houding staan om uitbundige omhelzingen in ontvangst te nemen. Het gaas op het stevige hoofd van de jonge vrouw was een bruidssluier, naar achteren gepind op een ingewikkeld, gelakt kapsel. Behalve de sluier droeg ze een grijze sweater van de universiteit Eau Claire in Wisconsin, dezelfde soort spijkerbroek als de rest van haar familie en – bij wijze van prachtig accent, vond ik – een afgedragen paar bijna kniehoge cowboylaarzen met gelaagde hakken en een heleboel naden en stiksels. Ze was met haar familie naar beneden gekomen om de pas aangekomen bruidegom en zijn getuige, zijn broer, te begroeten.

'Dat wordt hier een luidruchtig avondje,' zei ik.

Even dwaalde mijn blik naar een groep van vier mannen in keurige zwarte pakken en glimmende overhemden, die uit de dichterbij gelegen lift stapte – niet de lift die naar het moderne Torengedeelte leidde – en zich voorbij de bruiloftsgasten naar de uitgang aan Jefferson Street begaf, achter in de lobby. De mannen liepen met de snelle, glijdende tred van honden die vastberaden op hun doel afgaan, volstrekt onverschillig voor het spektakel om hen heen. Krullende witte draden die aan de oren van de twee lange, atletisch ogende mannen in de achterhoede ontsproten, verdwenen onder de gladde kragen van hun jas. De klaarblijkelijke leider van deze roedel, die vlak voor een magere, alert uitziende man liep met een zwartomrande bril en een zwartlederen aktetas onder zijn arm, had volmaakt, aan de slapen grijzend, directeurenhaar en een breed door de zon gebrand gezicht met diepe lachrimpels rond de ogen. Hij zag eruit alsof hij zojuist het hotel had gekocht en op pad ging om er nog een stuk of wat aan te schaffen.

Met gapende mond volgde Don Olson de voortgang van deze mannen naar de uitgang. Ze stevenden als één vloeiende eenheid naar buiten door de automatische deuren, als jagende haaien door de zee.

Olson keek me aan en gaf een tikje op mijn bovenarm. 'Tijd voor de grote verrassing, maatje.'

Hij stond op. Ik ook. 'Dus zij waren het, op wie we zaten te wachten.'

'Goh, zou je denken?' Olson zocht zijn weg langs het lobbymeubilair naar de lift die de vier mannen zojuist hadden verlaten. Ik volgde op een paar stappen afstand.

'De eigenaar van de hele wereld, zijn advocaat en zijn lijfwachten.'

'Je hebt hem niet herkend.'

'Ik lees het financiële katern niet,' zei ik.

'Dat is niet het katern waar hij meestal in staat.' Olson liep naar de enige lift in de lobby zelf en tikte met een knokkel op de knop. Onmiddellijk ging de deur open.

'Oké, ik geef het op,' zei ik. Ik stapte de lift in en keek hoe Olson weer zijn knokkel gebruikte om de knop voor de vijfde verdieping in te drukken.

'Wat is dat gedoe met je knokkels? Kwestie van hygiëne?'

'Heb je die man echt niet herkend? Als we echt pech hebben, zou hij op een dag onze president kunnen worden.'

Ik knipte met mijn vingers. 'Je wilt geen vingerafdrukken achterlaten. Het is een kunstje dat je van Boats hebt geleerd.'

'Waarom zou je overal vingerafdrukken achterlaten? Gebruik je ellebogen, niet je handen. Gebruik je knokkels, niet je vingers. Draag handschoenen. In een wereld zoals deze, waar privacy op honderden kleine manieren verdwijnt, kun je maar beter doen wat je kunt om je in te dekken. Vraag de senator maar eens wat *hij* vindt van persoonlijke privacy. Prima voor hém, dat vindt hij. Die vent, en zijn soortgenoten, hebben zoveel privacy nodig dat ze ons het grootste deel van de onze willen afnemen.'

'Is hij een senator?'

'In zijn eerste termijn, maar geef hem de tijd. Ze hebben grote plannen, reusachtige plannen.'

'Ze? Hij en die magere advocaat die hij bij zich had?'

'Hij en zijn vrouw.'

De lift stopte op de vijfde verdieping. Ik liep achter Olson aan naar buiten zoals ik naar binnen was gestapt, en toen we de gang op liepen, ontwaakte er iets in mijn geheugen.

'Heet de senator soms Walsh?'

'Senator Rinehart Walker Walsh, van Walker Farms, Walker Ridge, Tennessee.'

'Huidige echtgenoot van...'

'Voorheen Meredith Bright. De enige resterende overlevende van de ceremonie schuine streep het experiment schuine streep de doorbraak van Spencer Mallon op het landbouwveld die je nog steeds niet hebt ontmoet.'

'Op de huisgenoot van Hayward na, Brett Milstrap.'

'Tja, daar wens ik je nog veel succes mee. En je vergeet Mallon.'

'Hoezo, is hij dan niet dood?' Ik schrok van die informatie: het was net als horen dat de Minotaurus nog leefde in het hart van zijn labyrint. Een plotseling opkomende vieze smaak en een schroeiend gevoel stegen vanuit mijn keel naar mijn mond.

'Natuurlijk is hij niet dood. Hij woont in de Upper West Side van New York en verdient zijn geld als medium. Hij is een geweldig medium. Wil je hem ontmoeten? Ik zal je zijn adres geven.'

Ik probeerde me voor te stellen dat ik bij Mallon zou aanbellen en huiverde van afgrijzen. 'En al die tijd leeft die klootzak nog.' Ik kon het nog steeds maar amper geloven. 'Jezus. Weet je, daar op het vliegveld kwam er een afschuwelijk idee bij me op, en ik...'

'Beheers je, Lee. Dit wordt ook al geen simpel akkefietje.'

Aan het einde van de gang klopte hij op een deur waar THE MARQUETTE SUITE op stond.

De deur zwaaide open. Een lange, lijkkleurige, in het zwart geklede man van halverwege de dertig stond voor ons en deed al een stap achteruit. Hij had een uitgesproken ronde rug, donker haar dat druilerig over zijn bleke voorhoofd hing, donkere, glanzende ogen, en een langwerpige, glibberige mond.

'Ja,' zei hij, en boog vagelijk zijn reeds afhangende schouders. 'Donald, natuurlijk, ja, daar ben je.' Kort bood hij Don zijn slappe hand, die deze even aanpakte en meteen weer liet vallen, zonder hem te schudden. De man wendde zijn gehele bovenlichaam naar mij, en liet zijn hand meezwaaien. Zijn ogen glinsterden. Het was net een ontmoeting met een begrafenisondernemer in een oude zwart-witfilm. 'En dit moet meneer Harwell zijn, onze beroemde sch'aiver. Wat een genoegen.'

Ik pakte de bungelende vingers van de man. Ze voelden koud en levenloos aan. Na een kort moment van contact trok ik mijn hand terug.

'Ik ben Vardis Fleck, meneer Harwell, de assistent van mevrouw Walsh. Loopt u alstublieft mee naar de spreekkamer.'

We stonden in een entree of een voorvertrek met een grote ovale spiegel in een vergulde lijst tegenover een hoge tafel met een enorm bloemstuk erop, dat uitwaaierde in een waaier van stelen en twijgen. Achter Fleck waren twee deuren aan weerszijden van een hoek in de muur geplaatst en vormden aldus een driehoek. Hij gleed naar de deur in de rechtermuur en zwaaide die open.

'Alstublieft,' zei hij weer, met een glimlach die niet verder reikte dan zijn mond.

'Ik hoop dat je nog steeds op alle pitten kookt, Vardis,' zei Don. 'En dat er vrede heerst in het koninkrijk.'

'Men verveelt zich geen moment met *jou* in de buurt, Donald.'

Hij liep achter ons aan een brede, functionele ruimte binnen waar banken en beklede stoelen om donkere, houten tafels gegroepeerd stonden. In de muur aan onze rechterhand bevond zich een lege haard; tegen de muur links etaleerde een hoge zwarte kast een grote televisie zonder beeld en een reeks laden rond een minibar. Kristallen vazen op twee tafels bevatten reusachtige, opdringerige bloemstukken, verdubbeld door spiegels die identiek waren aan die in de gang.

'Maar ik kan je verzekeren dat ik op alle pitten kook die ik bezit,' zei Fleck. 'Dat is de aard van mijn werk. Ik wil eraan toevoegen dat jij de *ongewoonste* kennis van mijn dierbare werkgeefster bent. Ze kent verder niemand die om een monetaire bijdrage vraagt na zijn vrijlating uit de gevangenis.'

Met een loom handgebaar dat deed denken aan een vogel met een gebroken vleugel wuifde hij ons naar de meubels voor de haard.

'Een bijdrage die zij met evenveel genoegen verleende als ik hem dankbaar in ontvangst nam.'

'Meneer Fleck,' zei ik terwijl ik mezelf op het stijve en ongemakkelijke kussen van de bank parkeerde. 'Mag ik u vragen waar u vandaan komt? Uw accent is heel melodieus, maar ik vrees dat ik het niet kan plaatsen.'

'Dat mag, dat mag,' zei Fleck. Hij liep licht buigend achteruit naar een statige deur aan de linkerkant van het vertrek met een kroonlijst en een indrukwekkende fries. In de muur aan onze rechterhand zat een identieke deur. Achter die deuren zouden er vele volgen die naar in elkaar overlopende kamers leidden. En alle vertrekken zouden even anoniem en onpersoonlijk zijn als dit.

'Het is een ongewoon verhaal, al zeg ik het zelf. Ik ben geboren in Elzas-Lotharingen, maar bracht mijn kindertijd door in Veszprém in het Bakonygebergte, in Transdanubië.'

'Fleck is een Hongaarse naam, is het niet?'

De glimlach van de man vertoonde verontrustend veel tanden, terwijl zijn vochtige ogen kil bleven. 'Mijn naam is *een* Hongaarse naam, zoals u zegt.' Zijn bovenlichaam helde nog verder naar de deur; hij reikte achter zich naar de knop, zwaaide de deur open en verdween er achterwaarts doorheen.

Een paar tellen lang hoorden we het geluid van zijn schoenen weerklinken. Toen zwegen de voetstappen, alsof Fleck was opgevlogen.

'Zie je hem vaak?'

'Je krijgt Meredith niet te zien zonder eerst Vardis te zien. Ik denk dat zelfs de senator zijn afspraakjes en dinerarrangementen via hem moet regelen.'

'Weet de senator van jouw bezoeken?'

'Natuurlijk niet. Waarom denk je dat we moesten wachten tot hij weg was?'

'Ze is een behoorlijk moedige vrouw, hoe dan ook.'

'Vanwege wat ze riskeert? Meredith Walsh heeft maling aan risico, ze heeft het lef van een inbreker. Wacht, daar komt ze.'

Het tikken van lichte voetstappen op een houten vloer was te horen achter de enorme deur aan hun linkerkant.

'Ik dacht dat ze van de andere kant zou komen, jij niet?' vroeg ik. Olson legde een vinger tegen zijn lippen en staarde naar de grote deur alsof hij iets wonderbaarlijks of verschrikkelijks verwachtte.

Toen de deur opening, was de eerste gedachte die bij me opkwam: *Nu kan ik zeggen dat ik ten minste twee uitzonderlijk mooie oudere vrouwen heb gezien.*

Er kwam een weelderige, slanke vrouw in een korte, laag uitgesneden zwarte jurk, een mooi jasje in een subtiele kleur blauw, en zwarte, eveneens laag uitgesneden pumps met zeven centimeter hoge hakken op me toe. Ze was langer dan ik had verwacht en haar zijdeachtige, welgevormde benen deden haar bijna obsceen jong lijken. De kleur van haar weelderige, glanzende haar leek te wisselen tussen lichtblond en zilverwit, eerst het een, dan het ander, en weer terug. Dat alles had natuurlijk impact, maar wat mijn hart op hol joeg en mijn gezichtsvermogen ontregelde, was haar gezicht.

Overgave en beheersing, hartelijkheid en verleidelijke afstandelijkheid, diepe humor en diepe ernst tekenden haar gezicht, samen met honderd andere beloften en mogelijkheden. Meredith Walsh zag eruit als een vrouw die alles kon begrijpen en het je geduldig zou uitleggen in woorden van een enkele lettergreep. Ze leek ook geen bepaalde leeftijd te hebben, maar bezat een onmiskenbaar aantrekkelijke rijpheid die jeugd tot een tussenfase reduceerde. Haar verbijsterende schoonheid, haar klaarblijkelijke intelligentie, haar hartelijkheid, haar seksualiteit en haar humor verwarden me en brachten me uit evenwicht, en tegen de tijd dat de schitterende, opwindende, grappige, volwassen vlek die Meredith Walsh vormde plotseling als bij toverslag naast mijn stoel stond, wilde ik haar mee naar huis nemen, urenlang met haar in bed liggen vrijen en met haar trouwen, niet noodzakelijkerwijs in die volgorde. Opstaan om haar te begroeten was eerder een reflex dan een bewuste beslissing. Toen ik eenmaal overeind stond, was ik dankbaar dat ze een hand uitstak in plaats van zich naar me toe te buigen voor een kus op de wang: zo dichtbij zou ze al te bedwelmend zijn geweest.

'Lee Harwell, dit is zo'n groot genoegen,' zei ze. 'Ik ben zo blij dat Don me de kans biedt om je te ontmoeten. Ga zitten, alsjeblieft. We hebben maar een uurtje, eigenlijk minder, maar in de tijd die ons gegeven is, moeten we zo veel mogelijk op ons gemak zijn, vind je ook niet?'

Ze ging zitten waar geen stoel had gestaan, maar er onmiddellijk een onder haar verscheen.

'Ja natuurlijk,' hoorde ik mezelf zeggen. 'Ik wil in elk geval zeker dat jij je op je gemak voelt.'

Ik keek al neer op de bovenkant van haar hoofd voordat het tot me doordrong dat ik ook geacht werd te gaan zitten. Hoe had Donald Olson ooit zulke absurde conclusies over deze vrouw kunnen trekken?

Toen ik eenmaal zat, werd ik omsingeld door haar blik.

'Wat een heer ben je. Geen wonder dat Vardis zo volkomen gecharmeerd is. Natuurlijk is Vardis een van je ferventste bewonderaars. Ik wou dat ik kon zeggen dat ik je boeken heb gelezen, maar als vrouw van een politicus heb ik een belachelijk druk leven. Maar ik ga er zo snel mogelijk aan beginnen. Ik zal er tijd voor maken.'

Ik produceerde de gebruikelijke bescheiden geluiden.

'En Don, is jouw gezondheid verbeterd, nu je geen instellingsvoer meer hoeft te nuttigen? Je logeert bij meneer Harwell?'

'Hij is fantastisch aardig voor me geweest.'

'Wat ontzettend fijn voor je, Donald. Willen jullie soms iets drinken? Scotch, wodka, martini, gin en tonic? Koffie of thee misschien? Vardis maakt het met plezier klaar. Ik ga hem vragen om me wat water te brengen.'

Ze keek opgewekt van gezicht naar gezicht. We zeiden beiden dat water wat ons betreft ook prima was. Meredith Walsh reikte opzij van haar stoel naar een knop op een ingewikkelde telefoon, die opdoemde op het moment dat zij haar hand uitstak.

Zonder de haak op te nemen, zei ze: 'Vardis.'

Binnen een tel gleed haar onderdaan naar binnen door de deur waardoor hij ons had verlaten. Met diep gebogen hoofd en zijn handen met de vingertoppen tegen elkaar vóór zich luisterde hij naar de bestelling en zei: 'Water voor drie personen, jazeker.' Weer opende hij de deur zonder ernaar te kijken en verliet achterwaarts het vertrek.

Ondertussen had ik een deel van mijn geestelijk evenwicht hervonden en was ik in staat om de vrouw voor me op te nemen met een blik die helder genoeg was om te zien dat ze ongetwijfeld plastische chirurgie had ondergaan, waarschijnlijk zelfs meerdere keren. De huid van haar jukbeenderen leek net iets te strak, en er gloorden nergens lijntjes op haar voorhoofd of naast haar ogen. Ze was misschien twee keer zo oud als ze eruitzag, schatte ik, en drie of vier jaar ouder dan ik. Alles aan haar was in tegenspraak met die feiten.

'Jullie kenden elkaar op de middelbare school,' zei ze, waarbij ze ons een blik gunde op haar buitengewone ogen. 'Als ik het goed begrijp, meneer Harwell – Lee, als je het goedvindt dat ik je Lee noem – maakte je deel uit van dat leuke groepje dat ik op een dag ontmoette in een klein koffiehuis in State Street. En je bent geïnteresseerd in die rampzalige avond die Spencer Mallon organiseerde op een landbouwterrein.'

'Dat klopt precies,' zei ik. 'Ik heb het onderwerp jarenlang vermeden en na al die tijd was het iets geworden wat ik eindelijk moest uitzoeken. Toen viel er allemaal informatie over Keith Hayward in mijn schoot, en ik kwam steeds meer te weten over Mallon en het veld.'

Ik wachtte op een reactie van Meredith Walsh, maar ze keek

me alleen maar aan met een zweem van een glimlach.

'Ik geloof dat mijn belangstelling hiervoor eerder persoonlijk dan beroepsmatig is.'

Ze glimlachte breder. 'Dat vermoedde ik al. Ik heb je hier natuurlijk uitgenodigd om je, voor zover dat in mijn vermogen ligt, te helpen je persoonlijke belangstelling voor ons allemaal in die periode te bevredigen. Ik heb Donald, die altijd uiterst discreet is geweest over onze contacten, beloofd om je een uur te geven waarin mijn man elders moest zijn. Op dit moment of binnen enkele minuten houdt hij een toespraak op een bijeenkomst van plaatselijke partijleden, en daarna woont hij een cocktailreceptie bij om de leden persoonlijk de hand te kunnen schudden.'

Een spoor van verdriet en spijt verdiepte haar mooie glimlach. *Nu komt het*, dacht ik, en bereidde me voor op een afwijzing.

'Mijn echtgenoot is een belangrijke en ambitieuze man die ik ga bijstaan in zijn jacht op het presidentschap. Hij weet helemaal niets over dat curieuze incident in 1966, of over mijn kortstondige relatie met Spencer Mallon. Hij mag er ook nooit iets over weten, en datzelfde geldt voor de pers. We gingen dat veld op en voordat we ervandaan konden, werd er een jongeman vermoord. Gruwelijk vermoord, moet ik eraan toevoegen. En al even ongelukkig is dat het hele evenement sporen van magie, van occultisme, hekserij vertoonde, elementen die nooit met iemand in mijn positie in verband gebracht mogen worden.'

'Je wilt zeggen dat ik je verhaal niet mag gebruiken in iets wat ik schrijf.'

'Nee, dat zeg ik niet. Ik wil je niet verhinderen om dat boek van je te schrijven. Je bent een bekende auteur. Als dit boek je roem vergroot, kun je misschien je steun betuigen aan de kandidatuur van mijn echtgenoot. Het enige wat ik van je vraag is dat je mijn identiteit verbergt en geheimhoudt, zolang er iemand geïnteresseerd is in je verhaal.'

'Dat kan ik waarschijnlijk wel doen.' Ik was enigszins geschokt over deze koelbloedige ruil. 'Je zou een andere naam kunnen krijgen, je zou een brunette kunnen zijn, een eerstejaars in plaats van een tweedejaarsstudent, of wat je dan ook was.'

'Derdejaars, het een na laatste,' zei ze. 'Maar dat was ik daar niet lang. Die avond vluchtte ik doodsbang van de universiteit.

Met niet meer dan een piepklein koffertje verliet ik de school en ging terug naar huis in Fayetteville.'

Haar glanzende ogen lokten en sommeerden me weer tot onderwerping. Kennelijk kon ze dat wanneer ze maar wilde. 'Fayetteville, Arkansas.'

'O,' zei ik, alsof ik alles wist over Fayetteville, Arkansas. 'Ja.'

'Ik verdiende genoeg met plaatselijk modellenwerk om naar New York te verhuizen, en binnen twee weken werkte ik bij de Ford Agency. Ik ben nooit teruggegaan naar de universiteit, en daar heb ik spijt van. Er zijn heel veel mooie boeken die ik waarschijnlijk nooit zal lezen – er zijn waarschijnlijk heel veel mooie boeken waar ik nooit van heb gehoord.'

'Ik zal je lijsten sturen,' zei ik. 'We richten onze eigen leesclub op.'

Ze glimlachte me toe.

'Lee, er is iets wat ik niet helemaal begrijp. Mag ik je dat vragen?'

'Natuurlijk.'

'Toen ik Donald vanmorgen sprak...'

De deur aan de rechterkant van het vertrek ging open en Vardis Fleck kwam binnen, gebogen over een zilveren dienblad met daarop een zilveren ijsemmer, drie flesjes Evian en drie fonkelende glazen.

'En jij deed er ook lang genoeg over, Vardis,' zei Meredith Bright met een scherpe toon in haar stem. 'Iedereen lijkt vanochtend wel met vertraging te werken.'

'Ik moest een aantal taken afhandelen,' zei Fleck.

'Taken? Maar...' Ze hernam zich. 'Jouw taken bespreken we later.'

'Jazeker.' Met behulp van een zilveren tang liet Fleck ijsklontjes in ieder glas vallen, schroefde de plastic doppen los en goot zorgvuldig de helft van elk flesje in de glazen. Hij zette de glazen op rode papieren servetjes die hij uit zijn mouw moest hebben geschud en verdween snel van het toneel.

'Neem me mijn toon alsjeblieft niet kwalijk,' zei ze, alleen tegen mij. 'Vardis had niet mogen vergeten dat onze eerste plicht altijd bij onze gasten ligt.'

'Geloof me, we hebben niet het gevoel dat we over het hoofd worden gezien,' zei ik.

'Maar als je die arme kerel zijn hoofd afbijt, zorg dan dat je het weer in de juiste stand aannaait,' droeg Olson bij.

'Toe, Donald. Hoe dan ook, heren. Toen ik je vanmorgen aan de telefoon had, Donald, spraken we af dat jij en je vriend het vliegtuig zouden nemen vanuit Madison, een auto zouden huren op het vliegveld, en hier zouden aankomen kort na het moment waarop mij *te verstaan was gegeven* dat de senator zou vertrekken voor zijn afspraak. Wel, de senator had mij verkeerd ingelicht, en hij vertrok bijna een uur later dan ik dacht, dus uiteindelijk kwam het allemaal goed uit, maar ik vraag me nog steeds af... waarom waren jullie hier niet op de afgesproken tijd?'

'Je hebt niet naar het nieuws geluisterd, zeker?' vroeg Olson.

'Ik luister nooit naar het nieuws, Donald,' zei ze. 'Ik hoor meer dan genoeg actualiteiten aan de eettafel. Hoezo? Wat is er gebeurd?'

Hij legde uit dat wij gewaarschuwd waren tegen de vlucht en dat die vervolgens neerstortte, waarbij iedereen aan boord was omgekomen.

'Is dat niet ontzettend?' zei ze. 'Stel je voor, al die arme mensen. Jullie zijn van een tragedie gered! Echt, het hele verhaal is onthutsend.'

Meredith Walsh keek echter niet onthutst en ze zag er niet uit alsof ze reageerde op nieuws over een tragedie. Integendeel, even leek het bijna alsof ze een opwelling van vrolijkheid onderdrukte. Haar ogen fonkelden, haar huid kreeg een verrukkelijke, perzikachtige blos; ze bracht een hand naar haar mond alsof ze een glimlach wilde smoren. Toen was het moment voorbij en de mengeling van verwondering en verdriet op haar gezicht en in haar ogen deden het een illusie lijken, een wrede misvatting van haar stemming.

'Luister je wel eens naar Joe Ruddler op de plaatselijke NBC-zender?'

'Ik heb hem de laatste keer dat we daar in de buurt waren gehoord. Hij is een idioot, maar hij probeert de waarheid te vertellen.'

'Wij hoorden van Ruddler dat het vliegtuig was neergestort. Hij wist al dat twee mensen die vlucht geboekt hadden en op het laatste moment van gedachten waren veranderd. Hij maakte er een heel punt van dat die twee mensen gered waren met een of ander doel.' Hoewel ik niet geloofde dat de ideeën van Ruddler ook maar iets van waarde bevatten, voelde ik me na het uitspreken ervan alsof ik door goudkleurig licht werd omhuld.

'Wat een onzin,' zei Meredith.

'Volgens hem hebben onze levens nu betekenis.'

'Zo'n betekenis bestaat niet. Als je volkomen egocentrisch wilt zijn, prima, wees egocentrisch, maar doe dan niet alsof het universum het met je eens is.'

Bij haar woorden slonk mijn gevoel omhuld te zijn door goudkleurig licht en verdween. Ik merkte ook op dat de blijken van plastische chirurgie minder subtiel waren dan ik eerst had gedacht. Noch was ze zo vlekkeloos mooi als ze eerst had geleken – in haar gezicht zag ik sporen van verbittering. Verbittering was fataal voor schoonheid.

'Wat wel interessant is aan je verhaal, is dat je gewaarschuwd werd om niet te vliegen,' ging ze verder. 'Wie waarschuwde jullie dan?'

'Ik heb de man helemaal niet gezien,' zei Don. 'Hij benaderde Lee toen ik aan de andere kant van de terminal was.'

Haar bijzondere krachten hadden Meredith Walsh niet verlaten. Weer namen die wonderlijk diepe, warme, speelse ogen me op en slokten me in één keer naar binnen.

'Vertel eens, Lee.'

Ze had een apart spel gecreëerd, met slechts twee spelers.

'Het was een gedistingeerd ogende man. Helemaal in het zwart. Veel lang, wit haar; gebeeldhouwde trekken. Ik dacht dat hij een orkestdirigent zou kunnen zijn, of een fantastisch goede oplichter. Hij kwam op me toe en zei dat hij van mijn boeken hield. Hij verontschuldigde zich voor zijn onbeleefdheid. Toen zei hij dat hij een voorgevoel had dat ik mijn vlucht niet moest nemen. Als ik op dat vliegtuig stapte, riskeerde ik alles en zou ik alles verliezen. Toen ik naar zijn naam vroeg, zei hij: "Raspoetin." Daarop draaide hij zich om en liep weg.'

Glimlachend sloeg Meredith Walsh haar handen ineen in een geruisloos applaus. 'Misschien was hij vanuit de toekomst gestuurd om je leven te redden! Misschien was hij je nog ongeboren kind!'

'Dat lijkt me niet erg waarschijnlijk,' zei ik.

'Nee, nu ik erover nadenk, om een toekomstig kind te hebben zou je een nieuwe vrouw moeten nemen. Lee Truax, dat lieve meisje dat iedereen de Eel noemde, moet de vruchtbare leeftijd ruim voorbij zijn. Je bent immers met de Eel getrouwd, Lee?'

'Ja,' zei ik, niet gelukkig met de toon.

'Gaat het goed met haar, met de Eel?'

Plotseling realiseerde ik me dat Meredith Walsh om de een of andere reden een gloeiende hekel had aan Lee Truax.

'Ja,' zei ik.

'Ik – en ik moet eigenlijk *wij* zeggen, om Spencer Mallon erbij te betrekken, de man die we allemaal beminden – en we hielden echt van hem, niet, Don?'

'Nou en of,' zei Olson.

'*Wij* hebben jou nooit gezien, nooit ontmoet, hoewel we wel iets over je wisten. Jij en de Eel leken zoveel op elkaar dat jij "de Twin" werd genoemd, nietwaar?'

'Ik was "Twin"de tweeling,' gaf ik toe.

'Jullie moeten zo schattig zijn geweest. Leken jullie echt zoveel op elkaar?'

'Het schijnt zo.'

'Zou jij jezelf narcistisch noemen, Lee?'

'Ik heb geen idee,' zei ik.

Haar armen en haar hals waren pezig en haar handen begonnen te verdorren. Over tien jaar zouden de handen van Meredith Walsh op apenklauwtjes lijken.

'Je hebt een gezonde dosis narcisme nodig om voor jezelf te zorgen, om er goed uit te blijven zien. Maar je zou denken dat iemand wiens partner op hem lijkt, nogal behoudend moet zijn. Hoe lang is je vrouw al blind? Daar wist Donald het antwoord niet echt op.'

Ik wierp een blik op Don, die schouderophalend neerkeek op de boterzachte veterschoenen die ik hem op onze eerste dag samen had gegeven.

'Helemaal blind? Sinds ongeveer 1995, rond die tijd. Het is nu al lang geleden. Ze begon haar gezichtsvermogen geleidelijk te verliezen toen ze in de dertig was, dus ze zegt dat ze ruim genoeg tijd heeft gehad om te oefenen. Lee komt en gaat waar ze maar wil, ze is voortdurend alleen op reis.'

'Maak je je daar geen zorgen over?'

'Een beetje,' zei ik.

'Je geeft haar veel vrijheid. Als ik jou was, zou ik me daar misschien ongemakkelijk bij voelen.'

'Ik voel me overal ongemakkelijk bij.' Ik glimlachte. 'Dat is mijn magische geheim.'

'Misschien voel je je niet ongemakkelijk genoeg,' zei ze.

Haar blik was helder maar niet stralend, haar voorhoofd was ongerimpeld maar niet jeugdig, haar glimlach lieflijk maar helemaal niet oprecht. Onder de blik van Meredith Walsh, onverschillig en wreed en nieuwsgierig, begreep ik dat ik in die eerste paar tellen nadat ze het vertrek had betreden mijn verstand kortstondig, maar wel heel grondig was verloren.

'Wat een vreemde opmerking, mevrouw Walsh.'

'Zo'n mooie meisje, zo grappig jongensachtig en aantrekkelijk.' Nu ze haar klauwen had laten zien, gaf ze weer toe aan haar nieuwsgierigheid. 'Het andere mooie kind bij jullie was Hootie. Echt, Hootie was om op te eten! Een porseleinen pop met blauwe ogen! Hoe is het met hem, zoveel jaren later?'

'Hootie is heel lang erg ziek geweest, maar de laatste paar dagen maakt hij fantastische vorderingen. Hij zat in een psychiatrische inrichting, maar nu is er hoop dat hij naar een beschermde woonvorm kan.'

'Hij had een echte, onvervalste doorbraak,' zei Don. 'Sinds die dag op dat veld kon Hootie alleen nog maar communiceren door te citeren uit *De Rode Letter*. Later voegde hij daar nog een boek of wat aan toe, maar hij gebruikte zijn *eigen* woorden pas toen zijn dokter probeerde om ons eruit te gooien.'

'Gut, zeg,' zei Meredith; ze leek slechts oppervlakkig betrokken. 'Hij wilde dat jullie bij hem zouden blijven, neem ik aan.'

'Het is eigenlijk een mooi compromis,' zei ik. 'Hootie besefte dat hij elk woord onthield uit elk boek dat hij ooit had gelezen, wat betekende dat alles wat hij ooit zou willen zeggen er al was! Hij kon het ook nog allemaal naar boven halen. Binnen een paar tellen kon hij vaststellen waar elk woord vandaan kwam.'

'Een prachtig verhaal,' zei Meredith. 'Lee, heb je nooit gewenst dat je had meegedaan, dat je erbij was geweest?'

'Niet echt,' zei ik. 'Ik zou mijn versie van de gebeurtenissen niet tussen de andere deelnemers en hun versie willen laten komen.'

'Als je erbij was geweest, had je je vriendinnetje in de gaten kunnen houden.'

'Wat wil je daarmee zeggen?'

Meredith Walsh verbrak het oogcontact. De manier waarop ze haar hoofd bewoog en de uitdrukking op haar gezicht brachten mij levendig het beeld in herinnering van een hardvochtige, meedogenloze vrouw die ik verscheidene keren had ontmoet op een Turkse straatmarkt. Zij had geprobeerd om haar aanblik te verzachten met veel rouge en kohl en zat half op haar hurken achter een tafel vol armbanden en oorbellen: een straatverkoopster, onderhandelend voor eigen gewin.

'Ik vind het niet erg om dingen weg te gooien,' zei ze. 'Ik vind het niet erg om dingen af te danken, dingen te vernietigen. Dat gaat over keuzes maken, het is een manier om je passie te uiten. Sieraden, huizen, dure auto's, mensen die zich vrienden noemen, mensen die toevallig minnaars zijn – alles heb ik op zeker moment weggegooid. Zonder een spoor van berouw. Maar weet je waar ik een hekel aan heb? Aan dingen verliezen. Verliezen is een belediging, een kwetsuur. Een vrouw zoals ik zou nooit iets moeten verliezen.'

Ze keek me weer aan, woede vlammend in haar koude ogen. 'Vroeger was ik heel anders dan nu. Geloof het of niet, ik was ooit vrijwel een kind. Verlegen. Naïef. De Eel was dat niet, is het wel?'

'Nee, niet echt. Hoewel ze natuurlijk ook erg jong was. En onschuldig.'

'Ik herinner me haar onschuld. Meisjes van die leeftijd zijn zo onschuldig als narcissen, als eendagsvliegen. Ik ook, al vond ik mezelf ontzettend geraffineerd, omdat ik met Spencer sliep en wauwelde over "psychologisch manipuleren". Spencer had onze campagneleider eens moeten kennen, die weet pas hoe je psychologisch moet manipuleren!'

Ze glimlachte, maar niet tegen ons, en zonder enige warmte.

'Gek eigenlijk, we doen nu niets anders dan psychologisch manipuleren, waarbij het er alleen om gaat te weten hoe je de score moet bijhouden. Dat is eigenlijk het enige wat telt, als je eenmaal doorhebt hoe het zit.'

Ze proefde wat ze had gezegd en vond het zuur genoeg om accuraat te zijn.

'Wanneer kreeg jij door hoe het zat? Toen je met je eerste man trouwde? Toen je van hem scheidde? Toen je in de politiek ging?'

Even omhulde ze zich tot mijn verbijstering weer met het merendeel van haar voormalige psychische vermogens en erotische krachten en richtte die met een schouderbeweging en een knikje op mij, een vlaag van lust en verwachting. Ik vroeg me af hoe dat talent zich zou manifesteren in de loop van een lange campagne.

'Hoe denk je dat ik met Luther Trilby getrouwd ben? Door voor zijn limousine te gaan staan en met mijn wimpers te knipperen? Hoe denk je dat ik twaalf jaar lang met dat weerzinwekkende psychotische varken getrouwd ben *gebleven*?'

'Ik begrijp het.' Het was hartverscheurend – de gruwelen die erna kwamen hadden haar bespaard kunnen blijven.

'Is dat zo?' vroeg ze gulzig.

'Daarbuiten. Op dat veld.'

Ik had haar verrast, en ze hield niet van verrassingen. Haar gezicht versmalde zich rond de kleinste glimlach die ik ooit gezien heb. 'Misschien ben je niet helemaal idioot. Donald zou het antwoord op die vraag nooit hebben geweten, is het wel, Donald?' Ze zocht iemand om zich op af te reageren en Vardis Fleck hield zich gedeisd in een afgelegen vertrek.

'Ik weet alleen wat ik weten moet,' zei Don. Hij was onverstoorbaar: Meredith Bright Trilby Walsh had niet langer de macht om hem te kwetsen. Dat hadden ze tientallen jaren geleden al afgehandeld.

'Zal ik je dan maar geven waar je voor gekomen bent?' Haar stem was vlak en ijskoud, en in het geheel niet vrouwelijk. 'Dat is immers een van de dingen waarin ik zo goed word geacht te zijn.'

'Graag,' zei ik, en vroeg me af waar zij zelf vond dat ze goed in was.

De versie van Meredith

Je kon niet pas op het veld met de ceremonie beginnen, daar moest al veel eerder mee begonnen zijn. Koppig en arrogant als hij was, was Mallon vastbesloten geweest om indruk te maken op zijn volgelingen met het flitsende vuurwerk dat hij hoopte aan te vuren. Mannen zoals Mallon verslinden aanbidding, ze slokken alle liefde in het vertrek op en jammeren dan dat er niet meer is. Het gaat altijd om hen, wat ze ook beweren.

En hoe meer talent deze mannen hebben, hoe meer schade ze meestal aanrichten.

Dus voordat je zelfs maar kon beginnen over wat er gebeurde in University Avenue en contreien, moest je het verhaal over het begin van de middag kennen.

Die zondag verliep vanaf het begin al moeizaam. Omdat het zijn grote dag was en zo, was Mallon nerveus. Zijn vage voorgevoel dat al zijn werk en studie en abracadabra deze keer op een splinternieuwe manier resultaat zouden hebben, maakte hem nog zenuwachtiger. De studenten zouden wel op tijd op de ontmoetingsplek zijn, maar hoe moest dat met die maffe schoolkinderen? Het waren net stuiterballetjes, hun vreselijke ouders hadden duidelijk geen idee hoe ze hun kroost ook maar het kleinste beetje discipline moesten bijbrengen. De enige reden dat ze de meeste van hun lessen bijwoonden, was dat ze zich allemaal samen van lokaal naar lokaal verplaatsten, behalve natuurlijk op de dagen dat ze allemaal tegelijk door deuren vielen en uit ramen doken en de kuierlatten namen.

Om hun deelname aan zijn ritueel te garanderen, beval Mallon de kinderen hem rond twaalven aan de zuidkant van de hoofdstraat te ontmoeten en wonder boven wonder was hun toewijding zo groot dat ze inderdaad verschenen. Hij bracht ze naar de oude bioscoop op het plein, kocht kaartjes voor *The Russians are coming, the Russians are coming!*, begeleidde ze naar de bar en liet ze alle snoep, popcorn en cola bestellen die ze maar wilden; daarna ging hij ze voor naar een lege rij en droeg ze op te gaan zitten en zich vol te stoppen met hun snoepgoed. Aardbeienslierten en dropstaafjes bij wijze van lunch, wat een geluksvogels! Ze moesten de film twee keer uitzitten en dan naar buiten komen. Hij zou op de stoep staan wachten, en dan zouden ze samen naar de anderen op University Avenue toelopen.

Mallon bleef zitten tijdens de lachwekkende en verbazende voorstelling van de bioscooporganist op het grote wurlitzerorgel dat uit de orkestbak opsteeg. De kinderen moesten lachen om de manier waarop het kale mannetje met zijn rubberen armen flapperde en boog en zwaaide terwijl het enorme orgel zo hard loeide en balkte dat de muren en de vloer ervan trilden, en toen het nog steeds zwalkende kale ventje weer onder het toneel zakte en de lichten gedempt werden en het gordijn omhoogging (door de goeroe zelf allemaal aan Meredith beschreven toen ze eindelijk weer op het juiste spoor zaten) vertelde de grote man aan de kindertjes dat hij nog wat details moest regelen, maar dat hij ze binnen vier uur buiten weer zou zien. Geniet van de film!

Op dat punt verliet hij het theater en holde met zijn pik ongetwijfeld kloppend in zijn suède broek rechtstreeks naar het appartement van Meredith Bright op Johnson Street, waar hij zijn toenemende onrust probeerde te verdoven door zich de kleren van het lijf te rukken en haar het bed in te trekken. Niet dat ze veel verzet bood. Mallon was toen, nog steeds en nog even haar geliefde, haar mentor, haar Meester. Door de spanning ejaculeerde hij te snel en Meredith was nog zo'n baby dat ze dat aan zichzelf weet. Daarom prikkelde ze hem tot nog een tweede, veel geslaagdere vrijbeurt, waarna hij zo diep in slaap viel dat hij op haar kussen kwijlde. Oh, *maestro*!

Hij sliep terwijl zij zijn prachtige haar streelde en verder las in *Love's Body*. Twee keer genaaid leerde Meredith dat documenten een inherente tegenstelling creëren tussen fetisjisme en magie, wat op een natuurlijke manier leidt tot gedachten over prefiguratie en de erkenning dat niets, maar dan ook niets, ooit voor het eerst gebeurt. Omdat alles telkens opnieuw plaatsvindt in een eeuwige cyclus, vinden vernieuwing – zoals die van Spencer! – telkens en telkens weer plaats in de loop der tijd. Toen haar minnaar zich uitrekte en met zijn lippen smakte, deed ze haar best om een tweede vernieuwing te orkestreren, maar Spencer, zo leeuwachtig als hij maar zijn kon, zijn pik op zijn zijdezachtst zwengelend, zijn borst op zijn breedst en mannelijkst, zijn handen zo welgevormd, wees haar aanbod af en verkondigde dat hij iets te eten moest hebben voordat hij de kinderen ophaalde aan het einde van de tweede voorstelling van *The Russians are coming, The Russians are coming*! Sorry, de Meester had een van die momenten van ik-moet-even-alleen-zijn, zo'n aanval van mijn-ziel-is-van-mij-alleen-en-moet-dat-blijven, zo bekoorlijk als anderen er de dupe van waren.

Alleen achtergebleven vond ze dat haar appartement er slordig en verwaarloosd uitzag. Nu Spencer niet zacht ademend in haar bed lag, bestond *Love's Body* nog slechts uit stapeltjes onsamenhangende zinnen. Meredith gooide het boek op een stoel. Vervolgens stak ze in een opwelling van afkeer een hand uit en smeet het op de grond. Ze probeerde de tv, maar vond alleen maar soaps die veel te veel op haar echte leven leken om ernaar te kunnen kijken, hoewel sommige acteurs erg aantrekkelijk waren. (Meredith Bright had weliswaar nooit in coma gelegen of aan geheugenverlies geleden en ook nooit het bestaan van een boosaardige tweelingzus ontdekt, maar toch leek er zich altijd veel te veel *drama* af te spelen in haar leven: jongens wierpen zich minstens drie keer per jaar aan haar voeten, jongens dachten onweerstaanbaar origineel te zijn als ze onder haar raam op hun gitaar tokkelden, jongens werden vlak voor haar neus krankzinnig, en om eerlijk te zijn, meisjes ook, vaak, in een of andere zin. En wat haar ouders betrof, vergeet het maar, die *leken* zelfs op de bekende personages en gezagsdragers in soaps: presidenten van grote ondernemingen, politiecommissarissen, hooggeplaatste medici, en mooie maar verraderlijke grootouders.) Ten slotte zag ze de nietigheid van haar bestaan onder ogen en slenterde de deur uit om op haar gemak naar het ontmoetingspunt te lopen.

Ze was pas een klein stukje van State Street verwijderd toen ze het soort geluiden begon te horen dat ze associeerde met antioorlogsbetogingen en burgerlijke ongeregeldheden.

In het geheim hield Meredith zelfs niet van het woord 'meningsverschil'. De werkelijkheid die dat in het leven riep maakten haar bijna ziek van afkeer – zo rommelig, zo onordelijk, zo gewelddadig! Alleen als ze boos was op Spencer Mallon kon ze voor zichzelf toegeven dat ze absoluut niet geïnteresseerd was in Vietnam of in het hele deprimerende onderwerp gelijke rechten voor zwarten. In Arkansas maakte bijna niemand zich ze druk over die onderwerpen; waarom waren de mensen in Madison zo onredelijk? Waarom konden ze de dingen zichzelf niet gewoon laten oplossen, dat gebeurde immers altijd?

Door luidsprekers vervormde stemmen, in leuzen uitbarstende stemmen, politiesirenes, de geluiden van de massa, het gestamp van gelaarsde voeten op asfalt, dat alles wees op de nabijheid van chaos die ze al kon ruiken zonder iets te zien. Meredith probeerde het oproer te ontlopen, waar het ook was, en bedacht dat Mallon het geweldig zou vinden, hij zou het opvatten als een teken!

Ze liep een tijdje in westelijke richting en probeerde vast te stellen waar de problemen waren, zonder ze echt tegen te komen. Het protest, de betoging was klaarblijkelijk elders begonnen dan op het bibliotheekplein tussen State en Langdon, de gebruikelijke locatie van politieke onlusten, hoewel er eigenlijk overal op en rond de campus protesten en demonstraties, teach-ins en stakingen plaatsvonden en er overal gepost werd en petities werden getekend. Je wist nooit waar je een vent met een megafoon tegen zou komen, of een norse menigte die de toegang tot een leslokaal blokkeerde, rijen boos uitziende politiemannen tegenover jongens met baarden en wervelende meisjes in leggings en balletpakjes. Of politiemannen te paard die als opzichters neerkeken op een rij blanke hippies uit Wisconsin in spijkerjack en jonge zwarte mannen in het leer met zonnebrillen op, met in elkaar gehaakte armen deinend in een extase die Meredith als kunstmatig beschouwde.

Nog een straat verderop begon ze eindelijk sporen van de gebeurtenissen op te merken en in elkaar te passen. De stoepen en de straat die ze in noordelijke richting achter het volgende huizenblok zag liggen, waren bezaaid met verkreukelde en gescheurde posters en folders. En versplinterd hout, van een tafel, of een zaagbok. Tussen de rondgestrooide papieren slingerden hier en daar kledingstukken – T-shirts, sweatshirts, sportschoenen. Meredith zette wat meer vaart, hoewel ze wist dat ze verwarring en gewelddadigheid tegemoet ging. Het geschreeuw en het rumoer werden luider naarmate ze dichter bij het volgende kruispunt kwam, dat toevallig een straat ten oosten lag van hun ontmoetingspunt op de hoek van University Avenue en North Charter Street. Toen verscheen er plotseling een groepje jongelui, misschien een man of zes die hard over het kruispunt holden. Sommigen huilden onder het rennen. Een van de jongens had een T-shirt om zijn hoofd gebonden waarop een ronde bloedvlek steeds verder uitdijde. Ze riep een vraag naar de rennende studenten, maar in hun vlucht negeerden ze haar.

De politie had geprobeerd een demonstratie buiten de campus op te breken, een poging om de politiek bij de massa te brengen waarover ze vaag iets had opgevangen. In plaats van zich over te geven of zich te verspreiden, was de menigte demonstranten met hun protest de straat op gegaan, waarop de politie een charge uitvoerde en de studenten op hun beurt in westelijke richting University af liepen met de agenten zwaaiend met hun wapenstokken achter hen aan. De herrie die precies van het punt waar haar groepje bij elkaar zou komen afkomstig was, vervulde Meredith van angst, walging, weerzin en paniek. Geen van haar vele instincten spoorde haar aan om zich naar de hoek van University en North Charter te reppen, maar toen ze uiteindelijk bij North Charter was en overweldigd werd door het ontzettende kabaal, vermande ze zich, wendde zich naar het noorden en baande zich een weg door de vele studenten die de andere kant op renden.

Het was een verbijsterende chaos. De straat lag vol met bizarre rommel, zakken vuilnis, lange slingers die van banieren waren afgescheurd, flessen, bierblikjes, gescheurde boeken, gebroken stukken hout. Het was allemaal *in beweging.* Hier en daar bleek het vuilnis van dichtbij deels uit menselijke lichamen te bestaan met vastberaden, langharige en in broeken met wijde pijpen gehulde studenten eromheen, brullend naar razende politiemannen in sciencefictionachtige helmen met maskers, die met geheven wapenstok terugloeiden. De mensen die op straat waren gevallen, omvergeworpen door hetzij een klap van een politieman, hetzij een duw van iemand met vliegende haast, deden hun best om ongemerkt weg te kruipen. Agenten met open vizier beenden over het slagveld om kinderen van de straat te plukken en met meedogenloze, mechanische doeltreffendheid in zwarte politiebusjes te gooien.

Even ving Meredith een glimp op van Hayward en Milstrap die aan de andere kant van University Avenue met grote ogen naar het pandemonium stonden te kijken. Een enorme agent op een kolosaal zwart paard reed dwars door het tafereel, zijn wapenstok opgestoken als een zwaard, en voor hem uit verspreidden jongelui zich als verwaaide confetti. Aan de overkant van het kruispunt draaide hij om en veegde het grootste deel van het resterende verzet definitief opzij. In zijn kielzog keek Meredith weer naar de overkant van de straat en zag dat Hayward en zijn huisgenoot naar haar staarden en gebaarden dat ze moest blijven waar ze was; zij zouden wel naar haar toe komen.

'Diezelfde dag was er een enorme studentenbetoging die op een rel uitliep?' barstte ik uit. 'Waarom krijg ik dat nu pas te horen?'

'Jezus, man,' zei Olson. 'Er waren constant overal protesten en demonstraties in die tijd. Het kostte ons alleen wat vertraging. Niet belangrijk. Zelfs in de *Capital Times* stond er niet veel over. Misschien twee alinea's.'

'Omdat de *Cap Times* alle antioorlogsverhalen wilde bagatelliseren, snap je dat niet? Jullie gingen zo op in je luchtbel, jullie merkten niet eens dat om ons heen alles instortte, en het kon jullie niets schelen dat we in de verste verte niet meer op schema lagen!'

'Welk schema?' Olson keek oprecht verbaasd.

'O!! Waarom toleréér ik jou toch?!' gilde Meredith. Er ging een deur open en het glimmende hoofd van Vardis Fleck verscheen tussen deur en sponning. Zijn werkgeefster wuifde hem weg.

Ik herinnerde me een detail uit de verhalen die mijn vrouw me met tegenzin had verteld over de dagen onder Mallons bekoring, vóór de ceremonie op het veld.

'O ja, het schema,' zei ik.

Meredith Walsh wendde haar strakke, woedende gezicht naar me toe en doorpriemde me met een onuitgesproken vraag.

'Je bedoelt het tijdsbestek dat je had vastgesteld door een horoscoop van de groep te trekken. Jullie moesten beginnen om... ik weet het niet meer. Twintig over zeven?'

'Precies,' zei ze. 'Donald, weet jij dat nog? Hij wel, en hij was er niet eens bij! Weet je hoeveel werk het is om planeetstanden te bepalen en een uurhoekhoroscoop uit te rekenen? Ik deed het gratis, ik deed het uit liefde, en niemand van jullie sukkels nam het serieus!'

'Hé, er was van alles aan de hand,' zei Olson. 'Dan moet je wel een beetje met de stroom meegaan.'

'Nee, dat moet je niet. We werden zo'n anderhalf uur opgehouden, misschien wel meer. Tegen die tijd was alles *anders*. Toen bestond de optimale situatie voor succes niet langer. We hadden het moeten opgeven, we hadden een andere datum moeten kiezen.

We hadden ons in ons hol moeten terugtrekken om te wachten tot ik de volgende tijd kon uitrekenen waarop we in ieder geval een *kans* van slagen hadden.'

'Maar anderhalf uur,' zei Don.

'Zelfs een uur maakt verschil, Don.'

'Spencer had daar zijn twijfels over, weet je.'

'En daar heeft hij spijt van gekregen,' zei ze.

Toen de groep eindelijk weer bij elkaar was, weigerde Mallon naar haar te luisteren. Dat wil zeggen, hij weigerde niet ronduit, maar hij schoof haar zorgen terzijde en negeerde haar advies. Hij schoof háár terzijde, dat was het. De feitelijke situatie, de situatie waar hij voldoende vanaf had moeten weten om er belang aan te hechten, was dat het halfnegen was tegen de tijd dat ze zich verzamelden tussen de puinhopen en de plassen die de politie en de betogers hadden achtergelaten, en het werd al donker. Al haar berekeningen waren uit balans en naar wat ze zich herinnerde van de astrologische configuratie zagen de planeten er vanaf dat moment behoorlijk grimmig uit. Als je de opening miste die net was dichtgeklapt, was het beter om een paar dagen te wachten. Zo had zij de uurhoek in ieder geval geïnterpreteerd. Maar toen ze erover stonden te praten op de door het spuitwater donker gekleurde stoep vol drijfnatte, verpulpte, flyers, begreep Meredith dat haar waarschuwingen niets betekenden voor Spencer. Hij was op stoom, en dat wilde hij zo houden.

Als je iemand iets wilt verwijten, moet je bij HEM zijn.

De studenten waren gevlucht en politieagenten en brandweermannen waren eindelijk weer naar hun bureaus vertrokken om verklaringen op te stellen en arrestaties te verwerken. Mallon en de schoolkinderen waren tevoorschijn gekomen vanachter de betonnen muren van de parkeergarage waar ze hun toevlucht hadden gezocht tijdens het oproer. Meredith zag dat de hele groep, op een uitzondering na, geschrokken was van wat er zich zojuist had afgespeeld. Keith Hayward, de uitzondering, leek wel opgemonterd door de rel waarvan ze getuige waren geweest. Die jongen knapte helemaal op van geweld, zag Meredith, zijn tred was lichter, zijn ogen straalden. Als hij in deze energieke, levendige stemming was, merkte ze ook op, zag Hayward er niet meer zo afstotelijk uit. Je zou hem bijna aantrekkelijk kunnen noemen, op een hele excentrieke manier. Ze vond de metamorfose een beetje eng, maar vooral interessant. Het duidde op een essentiële, tot nog toe onvermoede kracht in Hayward – een kracht die bijna zeker verband hield met het 'privévertrek' – kennelijk een of ander sekskamertje – dat hij in gesprekken met haar een paar keer had genoemd.

Hij speelde het allemaal zo cool als hij kon en de manier waarop hij haar blik ontmoette toen ze Mallon links liet liggen en zich naar de vernielde straat wendde – Keith Hayward die haar blik ontmoette! – suggereerde dat hij het seksvertrek weer in gedachten had. En waarom ook niet? Misschien zou ze eens gaan kijken. Meredith twijfelde er niet aan dat ze Hayward onder de duim kon houden, wat hij ook in gedachten had, en als ze hem liet denken dat hij met haar mee uit zou gaan, dat ze een 'date' hadden, zou Spencer Mallon vast wel wakker schrikken.

Ze schonk Keith Hayward een glimlachje om te koesteren en in zijn broekzak te stoppen, en zag het midden in de roos belanden.

Mallon hield een korte toespraak, vroeg hun om te kalmeren, hun gedachten te concentreren en alle kwade energie los te laten ('Zelfs jij, Keith,' zei hij, waarop Hayward chagrijnig keek en Milstrap grinnikte, en zij begreep dat Milstrap echt *gesteld* was op Haywards negatieve energie, wat een engerd), en na te denken over de taak die hen wachtte. Straks in het veld moesten ze zuiver zijn. Konden ze dat? Konden ze deze ongelukkige vertraging achter zich laten? (Complete flauwekul, natuurlijk. Hij was al vastbesloten.) Hij keek naar Donald, en vroeg: 'Wat denk je, Dilly-O? Kunnen we onszelf bij elkaar rapen?' Een schok, eigenlijk, want hij liet merken dat hij dacht dat Donald, niet die jongen, 'Boats', de aanvoerder van het groepje was. En Donald zei, weet je het nog, Donald?

'Ik zei: "We zijn al bij elkaar,"' zei Donald met een grimmig gezicht.

Precies. Donald sprak zich uit; Donald gaf hem wat hij hebben wilde. Dat vond Spencer prachtig. Het gaf hem nieuwe energie. Hij zei: 'Oké, dan kunnen we de wagens op de rit zetten, goed?' Hij keek niet naar Hootie en de Eel, maar Meredith wel en ze moest zeggen, ze zagen een beetje pips, zoals dat vroeger heette. Een beetje *afgetrokken*. Vooral Hootie. Haar leven lang had Meredith zelden iets van een moederlijke impuls gekend, zo zat ze niet in elkaar, sorry, maar Hootie had die dag iets waardoor ze hem bijna wilde optillen om hem naar het landbouwterrein te dragen. En het vreemde was dat Hootie vanaf dat moment tot aan het afschuwelijke einde van de dag zijn blik strak gevestigd hield op de Eel, ook al wist Meredith dat hij net zo smoorverliefd op haar was als die andere jongens. De Eel *betekende* iets voor hem, dat kon je zien.

Ze liepen de stad door en hoe verder ze van University Avenue verwijderd raakten, hoe verder alle opwinding verwijderd leek. Alles zag er zo normaal uit, je kon je amper voorstellen hoe barbaars de wereld elders was. In sommige woonwijken van Madison waande je je in New England of San Francisco. Lanen met aan weerzijden fraaie huizen, plaatsen waar je denkt dat je grip op het leven hebt. Door deze vriendelijke, professorale straten liepen ze, bewogen ze zich – dankzij hun stompzinnige aanvoerder – vastberaden in de richting van dood en verderf. Toen vielen de professorale straten weg en de huizen werden kleiner en stonden verder uit elkaar, en daarna liepen ze langs metaalgieterijen en machinewerkplaatsen en winkels voor auto-onderdelen en hekken van harmonicagaas die vuile ramen afsloten waar toch nooit iemand door zou willen kijken, en daarna struinden ze, zwierven ze, paradeerden ze, al naargelang hun individuele stijl, de Glasshouse Road in.

Instinctief gingen ze dichter bij elkaar lopen. Spencer hield zijn pas even in om hen vanuit de achterhoede te beschermen en maakte opmerkingen zoals: 'Gewoon blijven lopen, lekkere landrotten, beste maatjes van me, hier valt niets te vrezen, tenzij de vader van Eel naar buiten wil komen om nog een rondje te boksen...'

Wat wel bewees dat hij niet zo fier en vol vertrouwen was als hij zich voordeed, want sinds wanneer riep Spencer Mallon afgezaagde onzin zoals landrotten en maatjes? Hootie fluisterde ook iets tegen de Eel. Geen wonder, na die stomme opmerking. Niet dat Meredith destijds bijzonder sympathieke gevoelens koesterde voor de Eel, want die was een paar avonden eerder met Spencer uit geweest; was Lee Harwell, de zogenaamde tweeling van dat meisje, wel op de hoogte van dat uitje?

Is dat een schok voor je? Het was een schok voor Meredith, reken maar. Haar minnaar, haar Meester, haar gids had haar bedrogen, in zekere zin, door dat *schoolmeisje* mee uit te nemen nadat ze een lelijke ruzie hadden gehad over, wat denk je: datzelfde *schoolmeisje*. De rat, haar minnaar – van wie Meredith hoopte dat hij bij haar zou blijven of haar op zijn minst zou meenemen als hij inderdaad na de ceremonie vertrok, zoals hij beweerde – was op een *date* geweest met dat meisje, dat kind, dat, laten we wel wezen, best aardig was om te zien, een soort Audrey Hepburn in het larvestadium. En dat niet alleen, hij nam haar mee naar het beste restaurant in de stad, de Falls.

Dat wist je zeker niet, Harwell? De Falls.

Ik wendde me naar Donald Olson en las het antwoord op de vraag die ik nog stellen moest op zijn gezicht. 'Dat wist ik niet, nee. Maar jij wel.'

Olson aarzelde en zei toen: 'Ja. Spencer voelde zich met haar verwant.'

'"Spencer voelde zich met haar verwant",' herhaalde Meredith spottend. 'Is dat zo? Hij voelde zich *hechter* verwant met mij.'

'Hmm,' zei ik. 'Hij nam haar mee naar de Falls? Dat heeft ze me nooit verteld.'

Olson perste zijn lippen op elkaar, zodat hij eruitzag alsof hij op een pit had gebeten en iets hoorde kraken wat een tand zou kunnen zijn.

'Het is allemaal heel erg lang geleden,' zei ik, waarmee ik de slapeloze uren van de nacht tevoren ontkende. 'Ik bedoel, ik ben wel verbaasd, maar uiteindelijk is het van geen enkel belang.'

'Ik ben nieuwsgierig,' zei Meredith. 'Heeft je vriendin je nog iets verteld toen ze die avond thuiskwam, of misschien de dag daarna? Je hebt er vast wel naar gevraagd.'

'Ik heb haar die avond niet gezien. Ik had haar trouwens die hele dag vrijwel niet gesproken. 's Avonds werd de telefoon bij haar thuis niet opgenomen. Later bleek dat ze het veld af was gerend met Boats, Jason Boatman, en de nacht bij hem op de bank had doorgebracht. Toen ik erheen ging, wilde Boats me niet binnenlaten. Hij zei dat alles verkeerd was gegaan, hij kon er niet over praten en de Eel was ingestort en wilde helemaal niemand zien, zelfs mij niet.'

'Maar toen jij en zij weer bij elkaar waren en ongestoord konden praten, wat heeft ze je toen verteld?'

'Niets. Ze zei dat ze me niets kon vertellen. Het had geen zin, want als zij het al niet begreep, kon ik dat zeker niet. Lee was heel boos op Mallon, dat was duidelijk. Ik dacht dat het kwam omdat hij vertrokken was en hun met de brokken had laten zitten – en omdat hij Don min of meer van haar had afgepakt, haar beste vriend, naast mij. Onze beste vriend, nu ik erover nadenk.'

'Dat is aardig van je,' zei Olson. 'Maar Meredith, vertel verder.'

'Ja, ga alsjeblieft verder,' zei ik. 'Ik wil horen wat er tijdens het ritueel gebeurde.'

'Nou, veel geluk ermee,' zei Meredith. 'Het werd volkomen waanzinnig op dat veld. Sommige mensen vertellen maffe dingen over opgestapelde lijken en miljoenen honden, en monsters die uit oranje wolken kwamen vliegen... Zulke dingen heb ik allemaal niet gezien. De waarheid is dat wat ik zag me best beviel. Ik was er niet bang van. Dat was het moment waarop ik alles begon te begrijpen, daar op dat veld. Een koningin gaf me een geschenk, en daardoor veranderde alles.'

Nu ze dichter bij het veld kwamen, kwamen ze ook dichter bij elkaar, zoals Donald het noemde. Je kon iets voelen gebeuren, daar onderweg op Glasshouse Road. Moeilijk te zeggen wat het precies was, maar voor de eerste en de laatste keer van haar leven voelde Meredith zich deel van een eenheid – participerend lid van een groep die haar identiteit bepaalde. Zoals een bij in een bijenkorf, of de korte stop van een goed honkbalteam. Teams hadden captains, bijen hadden koninginnen, en zij hadden Spencer Mallon. Volledig vertrouwen, volmaakte loyaliteit. Hoe vaak voelt iemand zich zo? Spencer Mallon verzamelde onschuld, inderdaad, maar Meredith had nooit kunnen raden dat de hare daar ook bij hoorde.

Wat een sukkel.

Hoe dan ook, daar liep ze, een dauwfris jong ding, hopeloos verliefd op haar knappe avonturier/filosoof/magiër, over de Glasshouse Road met deze mensen met wie ze zich plotseling intens verbonden voelde, en er heerste een gevoel van dreiging dat eerst onopvallend en nauwelijks merkbaar was, maar sterker werd met elke meter die ze aflegden. Iets, misschien veel meer dan iets, hield hen in de gaten. Toen werden er subtiele geluiden hoorbaar achter hen en die geluiden kwamen steeds dichterbij terwijl de groep als één man ademend doorliep, met Mallon voorop. De dingen die hen volgden, klonken niet als motorrijders. Ze klonken niet eens menselijk. Niemand keek achterom, zelfs Hayward niet, zelfs Milstrap niet, die voor een keertje leek te zijn vergeten hoe hij een snerend gezicht moest trekken. Hij wierp Meredith een blik toe om te zien hoe zij eraan toe was of misschien alleen om te zien of haar shorts opkropen, en zijn gezicht was zo wit als kwark.

Uiteindelijk keek er iemand om, ze wist niet meer wie, en daarna keken ze allemaal. Behalve zij. Meredith wilde doorlopen, want volgens haar was dat wat die *dingen* wilden dat ze deed, dus dan was alles goed en hoefde niemand zich druk te maken. Ze liep achter Mallon en Don en Eel en in haar herinnering keken die min of meer op hetzelfde moment achterom – de Eel wendde haar gezicht binnen een tel weer af, maar Spencer en Don keken wat langer en hun gezichten werden even bleek als dat van Milstrap. Ze keken haar beiden recht in de ogen om te zien hoe het met haar was...

'Ik keek niet hoe het met je was,' zei Don. 'Ik moest je gewoon zien.'

... of omdat ze haar moesten zien, wat dat dan ook mocht betekenen. Mallon zei: 'Doorlopen, jongens, ze zijn er niet echt, en ze zien er trouwens ook niet echt zo uit.'

Weer onderbrak ze haar verhaal. 'Maar hoe zagen ze er dan wel uit, Don? Dat heb ik nooit geweten.'

'Motorhonden, honden in motorjacks,' zei hij, bijna grinnikend om de combinatie van dreiging en absurditeit die dat beeld opriep. 'Grote, woest uitziende, grauwende honden, rechtovereind. Op hun achterpoten. Ik was te bang om lang naar ze te kijken, maar ik meen dat ze voeten hadden in plaats van poten. Ze droegen motorlaarzen.'

'Mallon bleef doorlopen,' zei ze. 'Ongelooflijk. Zou je niet denken dat zoiets voldoende zou zijn om hem duidelijk te maken dat hij moest stoppen? Maar nee, hij dacht dat hij de wereld ging veranderen, hij dacht dat hij ging zien wat er aan de andere kant was.'

'Zij wilden dat hij bleef lopen, en weet je waarom? Ik snap het nu eindelijk. Zij hadden ook geen idee van wat er zou gebeuren, net zo min als hij.'

Mallon hield hen bij elkaar, hij kreeg hen zover dat ze deden wat hij wilde, namelijk het einde van die straat bereiken, over de betonnen afscheiding klimmen en het veld op lopen. Zonder te vermoeden dat hij werd gedreven door krachten die hij niet begreep en niet kon beheersen – Spencer niet! Hij dacht dat hij een van de Heren der Schepping was en dat alles wat hij deed goed zou aflopen, vooral die avond. Want het was nu ook bijna avond; het was donker en het werd almaar donkerder. Meredith zou de plek die ze hadden uitgezocht niet hebben kunnen vinden, maar Donald leek zich goed te herinneren waar het was en Mallon liep vlak naast hem mee. Hij keek maar één keer achterom en toen ontspande zijn gezicht zich, zodat Meredith ook om durfde kijken. Een eenzame dronkaard kwam het House of Ko-Reck-Shun uit en wankelde weg, midden op de nu verlaten Glasshouse Road. *Dat is de oude wereld*, zei Meredith bij zichzelf, *de wereld die we achterlaten – zo treurig en verloren. Hoe zal de nieuwe wereld eruitzien?*

Mallon zei: 'Het is zover, jongens, jullie moeten je concentreren en je rol vervullen. Ondertussen moeten we de plek vinden.'

En Donald leidde ons er rechtstreeks heen. Jij wist waar het was, hè Don? Precies daar, en je stem klonk triomfantelijk toen je zei: 'Hier is het, precies hier, in deze holte of kuil of hoe je dat ook noemt.' Je was zo trots op jezelf! Ik zit niet te katten, het is gewoon het vermelden waard, meer niet. Er was even iets van ijdelheid, van egoïsme, en het kwam allemaal van hem – van Mallon. Hoe dan ook, Donald had natuurlijk gelijk, ze stonden aan de rand van die plooi die het veld in ging, en zelfs in het gebrekkige licht konden ze de witte cirkel onderscheiden die Donald en zijn vriend aan die oprijzende rechterkant hadden geschilderd, of eigenlijk gegoten.

En weet je wat? Hij zag er behoorlijk goed uit, die cirkel! Stralend, echt stralend! Hoe denk je dat dat kwam, was het de weerspiegeling van de maan? Van de sterren? Wat het ook was, het werkte, het gaf ze het gevoel dat ze zich in de aanwezigheid van iets bevonden, dat ze ingewijden waren en op precies de juiste plek waren beland. *Kom naar beneden, kom binnen*, zei die glanzende cirkel, *laten we beginnen*. Tot op dat moment had Meredith niet eens gemerkt dat Mallon een grote aktetas bij zich droeg. Tot dat moment had ze niet eens geweten dat hij een aktetas *had*.

'Die had hij ook niet,' zei Don. 'Later vertelde hij me dat hij hem had "geleend" van die knul met die rode baard. "Alles is alles." Weet je nog?'

'Alsof ik dat ooit zou kunnen vergeten,' zei ze.

Dat groepsgevoel, die verbondenheid werd sterker en het was echt magisch, zoals alles daar ongeveer vijftien minuten lang aanvoelde, voordat iedereen hysterisch werd.

We staan aan de rand van iets, zei Mallon. Ik kan het voelen. Laat niemand er verder nog iets over zeggen, anders bederven we het misschien.

Net voordat ze zich in die plooi in de aarde lieten zakken, zag alles om hen heen, alles, vooral de maan en de miljoenen sterren, er absoluut schitterend uit. Zelfs de koplampen van de auto's op de snelweg in de verte waren net juwelen, maar dan levend! Meredith wilde bijna niet met de rest mee, maar Brett en Keith keken haar weer aan met die hongerige, verdwaasd verliefde blik, die blik die suggereerde dat ze hoopten dat er een op hol geslagen paard aan zou komen galopperen zodat zij het op de grond konden werken voordat haar één honingblonde haar gekrenkt werd.

Eel en de schooljongens hadden alleen maar oog voor Mallon, en Hootie, Hootie ving één keer een blik van Meredith en ging prompt weer door met het bestuderen van de Eel, alsof hij binnenkort een examen over haar zou moeten afleggen.

Ze liepen naar beneden en schaarden zich om Mallon heen toen hij op zijn hurken ging zitten, de aktetas openmaakte en de kaarsen en de lucifers uitdeelde. Toen deden ze dat met die touwen; ze legden ze in een lus voor de cirkel, voor het geval er iets langskwam dat zij niet gewoon konden bespringen.

Weet je hoe je soms ineens het gevoel krijgt dat alles een tandje bijzet? Zo was het toen de touwen eenmaal op hun plaats lagen. Alsof de lucht strakker werd, en de maan en de sterren helderder. Alsof de ruimte tussen degenen die daar bij elkaar stonden, plotseling gekrompen was. Merediths ademhaling werd ook korter, alsof haar longen werden samengeperst.

De een na de ander staken ze hun kaarsen aan en hielden ze omhoog. Je weet hoe ze stonden, toch? Mallon in het midden met zijn gezicht naar de witte cirkel. Boats en Donald aan weerszijden van hem, nog geen twee meter van hem af, minder dan eerst. Links van Boats stonden Hootie, Eel en Meredith bij elkaar, met Hootie in het midden. Eel en Meredith wilden niet naast elkaar staan – als het erop aankwam, mochten of vertrouwden ze elkaar helemaal niet. Ze kwamen in hetzelfde groepje terecht omdat ze niet te dicht in de buurt van Hayward wilden zijn. Hij stond met zijn huisgenoot rechts van Donald, en ze zagen er een stuk ontspannener uit dan de rest.

Boats brak Merediths hart; hij wilde zo graag Mallons lievelingetje zijn, degene die bij hem zou zijn als het getij keerde. Hij had de koepel van het parlementsgebouw wel willen stelen als hij had gedacht dat Mallon dat zou waarderen. Hayward zat daarentegen met zijn hoofd heel ergens anders. Hij bleef maar steelse blikken op Meredith werpen.

Toen Mallon om stilte vroeg, kalmeerde zelfs Hayward. Houd jullie kaarsen in je rechterhand omhoog, zei Mallon. Concentreer je op je ademhaling. Maak je hoofd leeg. We zullen ons een poosje bezighouden met het leegmaken van onze geest en kijken naar onze witte cirkel. Dan zal ik de woorden gaan uitspreken die bij me opkomen. Die zullen in het Latijn zijn, en ik geloof, ik bid dat het de juiste woorden zijn. Die woorden en wat wij in het veld brengen, alles wat wij samen toevoegen aan dit veld, dit moment, bepaalt wat er hier gebeurt.

Aan zijn kant van de cirkel mompelde Hootie: 'Ze zijn er weer. Ik mag ze niet, ik wil ze hier niet.'

Mallon zei: 'Er is nog niets bij ons, Hootie, wees alsjeblieft stil.'

En die gekke kleine Hootie zei: '*Moet ik daar gaan liggen, en meteen maar sterven*?' Als ik het me goed herinner.

'Stilte,' zei Mallon.

'Kweine Hawthorne,' fleemde Hayward.

'Zwijg,' zei Mallon. 'Alsjeblieft.'

'Jullie mogen je ogen sluiten,' zei Mallon.

Meredith gehoorzaamde. De stilte duurde heel erg lang. Na een minuut of twee kon Meredith hen in haar hoofd heel duidelijk *zien*, gek genoeg. Maar zoals zij hen zag, stonden ze allemaal, allemaal dicht bij elkaar; ze kon hun ademhaling horen en ze rook de ranzige, sterke geur van de stinkende adem van Keith Hayward. In haar hoofd zag ze Hootie zijn mooie kleine rozenmondje dichtklemmen en zichzelf dwingen om naar de glimmende cirkel te kijken, en ze zag de Eel haar ogen wijd opendoen en haar mond wijd opendoen en haar hoofd achterover gooien en haar ruggengraat achterwaarts buigen zodat ze niet naar de witte cirkel keek, maar naar de stralende sterren erboven, de Eel *keek*, en Meredith dacht *Waar kijkt dat rotkind naar, en waarom kan ik het niet zien*? en in haar hoofd, waar haar blik zuiver was, zag ze de Eel geleidelijk rechtop gaan staan en voor zich uit kijken, niet naar de witte cirkel, maar ongeveer drie of vier meter rechts ervan, naar een onbestemd deel van de helling dat half grond, half gras was, bruin en verdroogd en zelfs dat werd moeilijker te onderscheiden naarmate het licht vervaagde en verdween; ze zag Hayward dampend ademen, met zijn flakkerende kaars en zijn ogen vredig gesloten dankzij een innerlijk tafereel dat een zweem van een glimlach om zijn mond bracht; en naast hem Milstrap, het hoofd schuin en de ogen toegeknepen alsof hij een bizar fenomeen bekeek dat hem zojuist was verschenen; en Mallon, dierbaar en verraderlijk, Mallon met zijn omhoog gestoken kaars en de opwellende tranen in zijn fantastische ogen, heel zijn aantrekkingskracht als een dynamisch geladen veld om zich heen, Mallon die zijn mooie magiërshoofd hief, klaar om te spreken of te zingen.

De wereld veranderde in dat eindeloze moment voordat Spencer Mallon op zangerige toon in het Latijn begon, die tijd waarin de gloeiende woorden ingebed in dat onophoudelijke gezang vlakbij aanwezig waren als puur potentieel, gesproken maar nog niet uitgesproken, en desondanks aanwezig. In die gespannen stilte kon Meredith de verandering voelen in elk aspect van haar huidige wereld: het gelijktijdige verstrakken en ontspannen van de lucht, die zich nu voor het eerst openbaarde als een vlies dat om hen heen zat, nu eens los en veerkrachtig, daar weer stevig en onbuigzaam. In dat lange, lange moment waarin Mallon afwachtte tot zijn diepste zelf hem woorden zou geven, voelde Meredith de grond onder zich beven en rook onmiddellijk de geursporen van iets wat rauw, heet, zoet en seksueel was. Geplette mandarijnen, rietsuiker, gesneden chilipepers sissend in de koekenpan, het binnenste vlees van de sappige onderlip van Bobby Flynn, haar eerste echte vriendje, vers bloed dat uit een wond spoot, zweet, vlezige witte lelies, sperma, een pas opengesneden vijg, al die aroma's, geuren en walmen kronkelden om elkaar heen, wreven tegen elkaar en zweefden op hen toe vanuit de euforische, gulzige wereld die Meredith achter het vlies van lucht voelde, een wereld die ze evenzeer wilde ontvluchten als omhelzen.

In dat lange moment zag Meredith hen nog steeds: de schoolkinderen achter haar die nu angst uitstraalden (nee, dat was alleen Hootie, wiens angst ze kon ruiken, kon onderscheiden van de sexy geur van hete pepers/lelies/de onderlip van Bobby Flynn die zich opbouwde onder het zwellende vlies om hen heen), Hootie straalde doodsangst uit en de kleine Eel die om de een of andere reden straalde van... *straling*, een fenomeen dat Meredith Bright opmerkelijk vond, meer dan dat zelfs, meer dan opmerkelijk, ja, verbijsterend, met haar ogen wijd open, haar ziel zichtbaar voor iedereen die kijken wilde, een kwajongen in vuur en vlam, naar wie Meredith juist op het moment dat alles begon te veranderen en verduisteren, niet langer verkoos te kijken; de arme Boats staarde naar de cirkel alsof zijn leven erdoorheen weg zou vloeien en alsof hij vermoedde dat hij dat op een dag ook zou moeten stelen; en dan Mallon, met de woorden die nu zijn keel binnenstroomden vanuit zijn mysterieuze innerlijke bron, zijn ogen dichtgeknepen, kaars omhoog als de fakkel van het Vrijheidsbeeld, Mallon die *higher* was dan een vlieger, zo high als een wolk, zo opgewonden dat hij een stijve had, elk bloedvat en elke zenuw in zijn lichaam bevend van verwachting, bezield van het gevoel dat alles op het punt stond te veranderen, *nu*, het moment net voor het moment, het mooiste, de laatste druppel en essentie van *wat was geweest*, van alles wat verloren zou gaan...

En dan jij, Donald, met haar ogen dicht zag Meredith jou, zo knap, Mallon dienend zoals de geheime dienst de president dient, met je geheime hoop sissend in je hart en die net ontluikende talenten waarvan je niet wist dat je ze bezat, arm kind, en een paar meter verderop, die studenten, zo onaantrekkelijk – hoe ter wereld had Meredith Keith Hayward ook maar een moment aantrekkelijk kunnen vinden? – in de val, onzeker, zonder enige overtuiging in de manier waarop ze hun kaarsen omhoog hielden, Hayward die zijn ogen even op Meredith richtte, zijn doffe, dierlijke lust zo lelijk in vergelijking met die rare vreemde sexy zoete macht die op hen af kwam denderen vanuit een verafgelegen punt achter het kronkelende vlies van de lucht, het verafgelegen punt dat zonet de aandacht en de nieuwsgierigheid van de gedoemde Brett Milstrap had opgeëist, die nu echt zijn best deed, zijn allerbest deed om het te vinden en erin te kijken, met zijn nek gebogen en zijn hoofd scheef en een stroompje zweet dat uit de donkere, scherp afgetekende haarlok midden op zijn voorhoofd droop...

Toen pas besefte Meredith hoe vreemd het was om zo gedetailleerd te kunnen zien met dichtgeknepen ogen.

En precies op het moment dat de woorden van Mallon uit zijn keel begonnen te stromen, op het moment dat ze zijn mooie stem hoorde en besefte dat hij *zong*, en sterker nog *zong in het Latijn*, opende ze haar ogen en aanschouwde wat er plaatsvond op dat veld.

Het was helemaal niet één ding, dat was wat haar het eerst opviel. Op die flauwe helling voor hen speelden zich overal kleine drama's af, elk even diep verontrustend en even volkomen fascinerend. De cirkel was nauwelijks meer te zien en de touwen zouden nutteloos zijn, zag Meredith. Deze visioenen konden niet aan banden worden gelegd, ze konden niet *gebonden* worden. Ze waren niet solide, niet echt, en het waren eerder taferelen dan alleen maar wezens of schepsels. Maar het enige tafereel dat ze duidelijk kon zien, was wat zich afspeelde voor de Eel, Hootie en haar. Voor hun groepje stonden een oude man met een lange baard en een oude vrouw geleund op een stok (maar het was geen stok, fluisterde een koele stem in haar hoofd, dat stuk hout heette een spinrokken) op doodse, uitgebleekte aarde voor een grote jeneverbesstruik. Naast hen op de witte grond lagen een enorm varken en een kleine, schubbige draak met afhangende vleugels die met half geloken, achterdochtige ogen naar Mallon staarden, alsof ze op instructies wachtten. Zodra het oude stel zag dat ze bekeken werden, draaiden ze hun hoofd rond om aan de achterkant een tweede gezicht te openbaren met lange, snavelachtige, onderzoekende neuzen en glinsterende ogen.

'Wacht,' zei Don met een stem als donker fluweel. 'Zag jij die shit echt? En die honden, je weet wel, die hondendingen?'

'Kun je misschien het geduld opbrengen om te luisteren naar wat ik te vertellen heb? Hoe dan ook, die honden waren niet belangrijk, wat Mallon jou er ook over verteld mag hebben.'

'Natuurlijk waren ze *belangrijk*,' zei Olson, iets te luid.

Kon ze nu weer verdergaan, ja? Een stukje verder op de helling, voor Boats, leek het alsof een grote man met een rood gezicht gekleed in bloederige vodden met een zwaard zwaaide, maar Meredith kon hem niet erg goed zien. Achter hem steigerde een of ander beest. Misschien ook een hert, met een gewei. Die dingen leken aan de andere kant van een spiegelruit te staan, al die taferelen waren zo, van hen gescheiden door grote ruiten, zodat ze hen niet konden horen. Elk tafereel had zijn eigen weersomstandigheid. Achter de grote vent met het zwaard flitste herhaaldelijk bliksem, maar de mensen van Meredith, dat afschuwelijke oude stel, kwamen uit een hele witte wereld, verstoord door een krachtige wind die de baard van de man verwrong en aan hun haren rukte.

Voor Mallon ving ze een glimp op van een naakte vrouw, wat een verrassing, maar slechts lang genoeg om op te merken dat de naakte vrouw een groenachtig witte kleur had. Hij had ook een dier, iets raars, ze kon niet zien wat het was. Een duif fladderde door de lucht om de groenachtig witte vrouw, die vrouw met de kleur van een lijk...

Weet je wat? Nu ze erover nadenkt, leek het wel alsof ze in een museum waren. De taferelen waren net diorama's, maar de diorama's leefden en de dingen erin bewogen. Het enige wat zij kon zien, helemaal aan de zijkant waar Don en de studenten stonden, was een krankzinnige wereld, als een wild feest. Een koning reed er op een beer en zwaaide met zijn armen terwijl hij wild tekeerging, en een koningin, een boze koningin, schreeuwde en wees hierheen en daarheen met een lange stok – de Berenkoning en de Brullende Koningin, noemde Meredith hen. Ze hadden een grote hond, een soort jachthond, en ze waren allemaal gemaakt van glimmend zilver of zoiets, en geen van allen hadden ze een gezicht, alleen maar die gladde, glimmende vloeiende vlakken. Achter hen sprongen allerlei andere figuren rond en je kon zien dat het heel erg lawaaiig was in die wereld...

Donald was rondjes aan het rennen en Mallon staarde recht voor zich uit alsof hij op het punt stond om in shock te raken en Keith Hayward besteedde helemaal geen aandacht aan al die verbijsterende *toestanden* die zich voor hen afspeelden, net zomin als Milstrap. Keith keek recht naar Meredith, en het afstotelijke gezicht van Hayward – want het was afstotelijk, dat ze ooit iets anders had gedacht was helemaal verkeerd geweest – zag eruit als een betonnen masker dat voor een razend vuur hing. Bij zichzelf zei Meredith: *Die knul kan maar beter blijven waar hij is, want hij is volkomen gestoord.*

De wereld van de Berenkoning en de krankzinnige koningin spoelde uit zijn diorama en rolde door alle anderen heen, zodat hun ruimtes en de ruimtes ertussenin gevuld werden. Alle zilverige mensen sprongen rond, voor zich uit declamerend met dronken, weidse gebaren. In Merediths ogen had dit tafereel een wilde, griezelige bekoring. Ze was er verrukt van, vooral toen de waanzinnige koningin zich naar haar toe wendde en de staf op haar hoofd richtte.

Een soort lichte, korrelige straal vloog uit het einde van de staf en raakte Merediths voorhoofd met de impact van een vliegende mot, drong toen door de wand van haar schedel in haar hersenen, waar het een korte, koele staaf werd. De staaf pulseerde één keer, en verdampte toen in haar hersenweefsel.

De grote zegen was verleend en in ontvangst genomen.

De Berenkoning zwaaide met een bierpul en sloeg zijn rijdier op zijn kop en de Brullende Koningin zwaaide haar arm een paar centimeter verder en richtte haar spinrokken (volgens Meredith) op de Eel. Daarna besteedde Meredith geen aandacht meer aan iets of iemand anders, of het nu visionaire koninklijke personages of visionaire dierlijke schepsels of gewone alledaagse menselijke burgers waren, want al haar aandacht was gevestigd op de drie grote beginselen die zich in de kern van haar hersens hadden genesteld en net op dat moment hun keel schraapten om te gaan oreren. Toen ze eenmaal spraken, was het echter niet met de galmende tonen van een politicus uit de zuidelijke staten die ze verwacht had in deze context, maar met een slanke, koele, vrouwelijke stem.

En dat, heren, was het moment waarop Meredith Bright het eindelijk begon te begrijpen. De grote zegen was, zou je kunnen zeggen, een visioen van een nieuwe hemel en een nieuwe aarde. Alleen waren de nieuwe hemel en aarde helemaal niet wat mensen zich daarbij voorstelden, nee, nee, nee. Meredith giechelde over de onvergelijkbaarheid van de wereld zoals die werkelijk was met wat bijna iedereen, waaronder haar voormalige, verwarde zelf, zich erbij voorstelde. Dat wat uit die punt van die spinrokken kwam, was wijsheid – de wijsheid van die drie grote beginselen.

Ja, Meredith wist, Meredith begreep dat de mannen die hier voor haar zaten meer wilden weten over die wijsheid die zo efficiënt was doorgegeven vanuit een rijk dat alle begrip te boven ging, maar ze zouden moeten wachten, want ze hadden nog meer te leren over de gebeurtenissen van die belangrijke avond.

Er leek een heleboel tegelijk te gebeuren. Het waanzinnige tafereel dat zich voor hen afspeelde begon dichterbij te komen, alsof het hen wilde omsingelen, waardoor ze voor altijd zouden verdwalen in een eeuwige griezelshow, maar het had pas het kleinste deel van een centimeter, zeg maar de kleinst mogelijke afstand afgelegd, wat niemand behalve Meredith en misschien de Eel zelfs maar had opgemerkt, en de hondendingen begonnen net een beetje op te vrolijken, toen er twee dingen gebeurden aan het uiteinde van hun rij. Het eerste was dat Keith Hayward, die uiteraard het gevaar waarin hij zo meteen terecht zou komen niet zag, de idioot, van zijn plaats sprong en op Meredith af begon te hollen. Hij wilde haar grijpen en meesleuren – Hayward wilde haar ontvoeren, dat begreep ze: ze wist *echt* zeker wat zijn doel was. Het lag in zijn afschuwelijke, afschuwelijke ogen, die intentie. Of die lust, of hoe je het ook noemen wilt. Hij had lang genoeg gehunkerd, en nu ging hij zijn kans grijpen.

Tegelijkertijd kreeg Brett Milstrap eindelijk dat vreemde punt in de ruimte te pakken waar hij al zo lang verwonderd naar had staan kijken. Hij concentreerde zich zo intensief dat hij niet eens merkte dat zijn partner vertrokken was en hem alleen had achtergelaten. Terwijl Hayward op Meredith afstormde, boog Milstrap zich voorover en trok aan iets dat op een zoom leek, aan de rand van het eeuwige diorama. Toen hij zijn vingers eenmaal in de scheur had die hij had gevonden, klemde hij zijn vuisten eromheen en trok heel hard. Spieren waarvan Meredith niet had geweten dat het joch ze bezat spanden zich in zijn onderarmen en hij zette kracht met zijn hele lichaam. Ruim een meter van het diorama krulde omhoog als een flexibel scherm, en zowel de Berenkoning als de waanzinnige koningin draaide zich om en keek wat hij deed. De koning schopte zijn hakken fel in de flanken van de beer, de onthutste koningin brulde en zwaaide met haar lange stok, ze wilden dat hij ophield...

Maar toen zag Meredith niets meer omdat een grote donkere vorm voor haar gleed en haar het zicht belemmerde. Eerst dacht ze dat het een van de hondschepsels was, want al die dingen begonnen naar voren te komen om (begreep Meredith) hun groepje te beschermen tegen die vrolijke fransen in de eeuwigheid, of wat het ook was. Maar het was geen hondending, het was te groot, en bovendien had het een hele vreemde geur, zo ontzettend dat het bijna mooi was. Eerlijk waar, als je van die geur een parfum maakte zouden sommige vrouwen het altijd dragen, en veel vrouwen zouden het misschien eens per jaar opdoen, als er serieuze zaken moesten worden afgehandeld. Die lucht, die vreemde geur maakte Meredith duizelig zodat haar gezichtsvermogen iets aan betrouwbaarheid inboette, want het is moeilijk om te weten of je de dingen wel goed ziet als de grond onder je voeten deint en je knieën niet werken en een raar zwevend gevoel dat wat vroeger je hoofd was, heeft overgenomen.

Toch? Ik bedoel, *je kunt het niet zeker weten.*

Terwijl Meredith echter de effecten onderging van die geur – waarvan ze zich realiseerde dat het vrijwel dezelfde was als de rauwe hete sexy geplette mandarijnenschil-binnenste-van-Bobby-Flynns-onderlip-geur waar ze eerder van had genoten, maar dan veel krachtiger – meende ze dat het wezen voor haar zich heel langzaam naar haar toe wendde en haar een gelukzalige glimlach schonk, slechts ietwat ondermijnd door het feit dat de glimlachende lippen rood waren van het bloed van Keith Hayward, en het evenredige feit dat het slappe en volslagen dode lichaam van Keith Hayward, minus het hoofd en de rechterarm, in de handen van het grote wezen hing. Ze kon het ding niet echt beschrijven. Het scheen van vorm te veranderen, van iets dat leek op een kleine King Kong tot een afschuwelijke naakte oude reus met golvend wit haar, zijn muil vol vlees en versplinterde botten, en dan een bijna cartoonesk paars geval dat naar haar glimlachte terwijl het rode en witte brokken Keith Hayward uitspoog. Ze glimlachten trouwens allemaal naar Meredith Bright, de grote aap, de naakte reus, en de stripfiguur – ze glimlachten allemaal en restjes van Keith Hayward druppelden en sijpelden uit alle drie hun monden, die eigenlijk allemaal een en dezelfde mond waren.

Op dit punt had ik de vreemde gewaarwording dat Meredith me weliswaar de waarheid vertelde over al dat toelachen, maar dat ze ook loog, misschien zonder zich er werkelijk van bewust te zijn, en wel over iets wat ik alleen als obsceen kon definiëren. Meredith Walsh, hield ik mezelf voor, hield er een duizelingwekkende moraal op na. Ik stelde haar een vraag.

Nee, dat glimlachen verbaasde Meredith niet, waarom zou het? Indertijd en nog heel lang daarna, tientallen jaren zelfs, glimlachte iedereen wiens pad Meredith Bright kruiste, zelfs mensen die vanaf de overkant van de straat naar haar keken, en niet te vergeten de mannen die pizzawagens door de straten van Madison, Fayetteville, Greenwich, Connecticut en zo reden, al die mensen, al die stomme mannen, glimlachten haar toe tot hun gezicht er pijn van deed. Zo werkte het. Als de Berenkoning en de Brullende Koningin gezichten hadden gehad, zouden ze ook naar haar gelachen hebben. Trouwens, al hadden ze geen echte, zichtbare gezichten, ze glimlachten toch.

Meredith glimlachte terug, natuurlijk, beleefd als ze was, en toen ze dat deed, verdween het schepsel. Door de lege ruimte heen die het nu niet langer in beslag nam, ving ze een glimp op van de onherroepelijke beslissing van Brett Milstrap, als het dat al was. Het kon een opwelling zijn geweest, een ongelukje zelfs. Milstrap was erin geslaagd om een lange strook van de chaotische wereld van de Berenkoning los te pellen en daarmee een diepzwart duister te onthullen, doorboord door een enkele straal laserachtig wit licht. Dat was althans het enige wat zij daarachter zag. Milstrap boog zich naar het gat en werd meteen naar binnen gezogen, weg. Het gat trok dicht en een paar tellen later zag Meredith hem helemaal achter in de wanordelijke wereld van glimmende mensen en glimmende dingen staan. Hij zwaaide met zijn armen. Hij wist dat Meredith hem had gezien en hij wilde dat ze hem hielp ontsnappen! Brett Milstrap liet zijn armen zakken, boog zich voorover en begon zo hard als hij kon te rennen, alsof hij dacht dat hij zijn lotsbestemming kon ontlopen. Maar voordat hij drie grote stappen had gezet, verdween hij in een ruk uit het zicht.

Meredith keek naar haar medereizigers en vroeg zich af of zij die twee uitzonderlijke gebeurtenissen hadden gezien; tot haar verbazing ontdekte ze dat ze allemaal op verschillende golflengtes zaten. Hoor eens, ze wist niet *hoe* ze die dingen wist. Empathie was nooit haar sterkste punt geweest. Maar toen ze naar Boats keek, wist ze meteen dat hij in een veld vol lijken zat en overeind kwam in de buurt van een grote toren die bestond uit de lijkjes van dode kinderen. Donald en Mallon zagen beiden neerstromende wolken oranjeroze licht en rechtopstaande honden in mensenkleding, behalve dat Mallon meer en gemenere honden zag. De honden van Mallon wilden hem vermoorden vanwege zijn roekeloosheid en zijn onbekwaamheid, en hij moest maken dat hij wegkwam. Die haast was bovendien om een andere reden van belang, want Mallon had ook gezien hoe Keith Hayward aan stukken werd gereten door een of ander gigantisch en meedogenloos schepsel dat hij niet kon identificeren, maar waarvan hij wist dat hij het naar dat veld had gesommeerd.

Toen Meredith haar blik op Hootie richtte, werd ze bijna gevloerd door wat ze zag: een machtige brandende zon volgepropt en volgestouwd en helemaal gevuld met woorden en zinnen. Ze dacht dat het misschien het aangezicht van God was dat ze zag branden door al die neuriënde kronkelende, wringende zinnen en alinea's heen, die allemaal de aandacht opeisten en allemaal heilig waren... Hootie was te veel voor haar. Ze wist dat ze in scherven uiteen zou barsten, als een gebroken kruik, als ze nog een moment langer in het enorme, met zinnen volgepakte gezicht van God keek, dus deed ze wat ze moest doen en holde weg. Aangezien Mallon en Donald zich nog steeds een weg door het stromende neonlicht vochten, had ze als eerste weg kunnen zijn. Tenminste, als eerste die nog in leven en op aarde was.

En nu, veronderstelde Meredith, zou Donald ongetwijfeld willen dat zij hem iets verduidelijkte over de honden. Hij had iets gehoord, nietwaar? Een hele tijd geleden had hij een van zijn vrienden iets horen zeggen over een 'hond' – of hij had de Eel iets horen zeggen wat hij niet begreep over 'honden', toch? – en hij was slim genoeg om iets bedacht te hebben. Nu, dit was wat zij erover te zeggen had: die schepsels die de mannen honden noemden en waar Lee Harwell over schreef in zijn vermakelijke boek – nee, natuurlijk had ze het niet gelezen, maar ze had genoeg over de roman gehoord om te weten wat hij had gedaan – waren geen honden of 'agenten' of iets van dien aard. *Zij waren wat ons belette dat te zien waarvoor wij niet toegerust waren om het te zien.* Al de Mallon-mensen waren nu gebrandmerkt, en de 'honden' hielden een oogje op hen, niet om hen te beschermen – want ze gaven niets om menselijke wezens, volgens Meredith beschouwden ze mensen als vuilnis – maar om te zorgen dat geen van hen ooit nog over de schreef zou gaan. Meredith had de honden zien oprukken naar het eeuwige, chaotische rijk en ze wist hoe ze er echt uitzagen, maar ze kon ze niet beschrijven en dat zou ze ook nooit kunnen. Dat kon niet. Zo ver reiken onze woorden niet, helaas.

'O ja, die drie grote beginselen?' vroeg Meredith Walsh, genietend van haar grote moment, ook al verafschuwde ze degenen met wie ze het deelde. 'Willen jullie weten wat dat zijn? Willen jullie graag horen wat die maffe koningin me stuurde, zodat mijn leven volkomen veranderde?'

'Als je het ons zou willen vertellen, graag,' zei Lee.

'Jullie willen dolgraag weten wat ze zei. En dat krijgen jullie te horen. De drie grote beginselen zijn:

Een. Als iets vrijelijk genomen kan worden, neem je het.

Twee. Andere mensen bestaan opdat jij ze kunt gebruiken.

Drie. Niets op aarde betekent iets anders, of kan ooit iets anders betekenen, dan wat het is.'

Meredith Walsh zweeg om zich ervan te verzekeren dat de twee mannen haar wijsheden in zich hadden opgenomen. Kennelijk was ze voldaan over wat ze zag. Ze stond op en schonk hun een kille glimlach. 'En dan is onze bijeenkomst nu ten einde. Vardis laat jullie wel uit. Goedemiddag.'

Gehoorzamend aan een mysterieuze oproep kwam Vardis Fleck kruiperig het nietszeggende vertrek binnen, in zijn handen wrijvend en met veel geknik zijn instemming betuigend met een voorstel dat hij alleen had gehoord. Hij wees met griezelige, onderdanige gebaren naar de deur en ze liepen erheen.

'Donald,' klonk de stem van Meredith. Beide mannen keken om. 'Het zal heel lang duren voordat jij mij weer om geld vraagt.'

DE DONKERE MATERIE

'Ze is leeg,' zei ik tegen Don toen we de I-94 op reden en aan de reis terug naar Madison begonnen. 'Het leegste menselijke wezen dat ik ooit heb ontmoet. Niets anders dan honger en het verlangen om te manipuleren.'

'Wat had ik je gezegd?' vroeg Olson.

'Toen ze binnenkwam, werd ik verliefd op haar, ik zweer het je. Twintig minuten later vond ik haar een onaangenaam kreng met een geweldige plastisch chirurg. Tegen de tijd dat we vertrokken – niet dat het niet interessant was, want dat was het heus wel – maar tegen het einde kon ik niet wachten om bij haar weg te komen. En nog hield ze iets voor zich.'

'Tja. Dat doet ze altijd. Wat denk je dat ze net voor zich hield?'

'Ze vertelde ons niet wat ze zag toen ze naar Lee keek.'

'Eerlijk gezegd denk ik niet dat ze naar Lee heeft gekeken. Ik denk niet dat ze dat kon. Te veel haat.'

Ik keek hem verbaasd aan. 'Is dat niet een beetje overdreven?' Olson reageerde niet. 'Hoe dan ook, ik bedoelde eigenlijk dat ze iets verborgen hield over die krankzinnige koning en koningin. Het kan iets zijn waarvan ze niet echt *wist* dat ze het achterhield.'

'Ze hield een heleboel achter wat ze niet wist,' vertelde Olson me. 'Al die figuren in haar diorama's vertegenwoordigen geesten waarvan Heinrich Cornelius Agrippa beweerde dat ze konden worden opgeroepen door bepaalde specifieke rituelen uit te voeren. De Berenkoning en de Brullende Koningin met de spinrokken, die geleidelijk alles overnamen, zijn de Geesten van Mercurius, die volgens Agrippa angst en vrees opwekken in eenieder die hen oproept. Meredith zegt dat ze tegen haar glimlachten, maar volgens Meredith zou zelfs Jack de Ripper tegen haar glimlachen. Het naakte groene meisje en de kameel en de duif die ze bij Spencer zag waren de verschijningsvormen van de Geesten van Venus, die geacht werden verleidelijk en provocerend te zijn. De rode man en dat andere spul bij Boats waren de vormen van de Geesten van Mars, die problemen veroorzaken.'

'Misschien een domme vraag, maar waarom zou iemand die personages willen oproepen?'

'Ten eerste, omdat ze het konden – het bewijst hun macht, hun kennis, hun meesterschap. Ten tweede, omdat je geacht wordt de figuren dingen voor je te laten doen. Alle personages die Meredith zag waren kwade geesten, en als je die oproept, moet je pentakels en zegels hebben om ze te beheersen. Pentakels en zegels zijn in principe geschreven symbolen of heilige afbeeldingen, gevat in een dubbele cirkel en omringd door Bijbelverzen en de namen van engelen. Al die magische amuletten worden speciaal gekozen voor het effect dat je wilt bewerkstelligen.'

'Maar Mallon deed dat allemaal niet. Hij had alleen maar touwen.'

'O, hij had ook wel spreuken, maar van wat ik je net vertelde wist hij niets. Dat komt allemaal uit het boek van Cornelius Agrippa, *Over Magische Ceremoniën*, dat pas in 1565 verscheen, dertig jaar na het overlijden van Agrippa. Mallon en de weinige anderen die onderzoek deden naar Agrippa hielden zich eigenlijk alleen bezig met zijn *Drie Boeken over de Occulte Filosofie*, omdat iedereen meende dat het vierde boek bedrog was. Nou ja, behalve Aleister Crowley, maar geen enkele wetenschapper heeft Crowley ooit serieus genomen.'

Ondertussen waren we Milwaukee al uit en reden op de I-94; aan weerszijden scheen de zon op de uitgestrekte akkers.

'Tot jij over hem begon, had ik nog nooit van Cornelius Agrippa gehoord. Was hij belangrijk in de zestiende eeuw? Een beroemde filosoof?'

'Dat kun je wel zeggen, denk ik. Voor iedereen zoals wij – Spencer en ik – was hij de grootste van alle renaissancemagiërs, maar Agrippa had een behoorlijk zwaar leven. Hij was soldaat, geleerde, diplomaat, spion, dokter zonder medische opleiding en docent en hij trouwde een aantal keren. Salaris kreeg hij zelden. Om de steun te verwerven die hij nodig had om zijn werk te kunnen doen en zijn ideeën te verspreiden, moest hij heen en weer blijven reizen tussen Duitsland, Frankrijk en Spanje. Het hoogtepunt van zijn leven was misschien zijn benoeming tot professor in de theologie op drieëntwintigjarige leeftijd.

Natuurlijk beschuldigde de conventionele geestelijkheid hem overal waar hij kwam van ketterij, omdat hij geïnteresseerd was in magie, Raymond Lully, de kabbala, astrologie, die dingen. Hij moest voortdurend manieren verzinnen om zijn boeken uitgegeven te krijgen. De man werd in een Brusselse gevangenis gegooid omdat hij zijn schulden niet kon betalen, en de dominicaanse monniken in Leuven beschuldigden hem van goddeloosheid. Voor dat vergrijp werden mensen destijds wel ter dood veroordeeld. Andere monniken beweerden dat hij goud had gefabriceerd en zich daarmee aan de kant van de duivel had geschaard. In feite zei hij dat hij het had zíén doen en wist hoe het moest, maar het zelf niet kon. Toen hij negenenveertig was, veroordeelde de keizer van Duitsland hem wegens ketterij en hij vluchtte naar Frankrijk, waar hij ziek werd en stierf. Tegen die tijd had de man ongeveer een miljoen woorden geschreven en vijf of zes levens geleid.'

'God, hij moet Mallons held zijn geweest.'

'Jazeker. De mijne ook. Zijn *Drie Boeken* en het vierde zijn de belangrijkste boeken over occulte wijsheid in de westerse wereld. En desondanks, of misschien juist daarom, stierf Agrippa arm en alleen, omringd door vijanden. Het ziet ernaar uit dat ons soort magie daarop uitdraait, op de lange duur.'

Ik uitte een nietszeggend gebrom. Donald Olson leek het zich niet aan te trekken. Ik stak mijn elleboog uit het raam, voerde de snelheidsmeter op naar honderdtien en wist hem daar merendeels te houden tijdens onze lange en vreemd rustige terugtocht naar Madison. Bij het dorpje Wales was de zwarte rookzuil verdwenen uit de velden en de lucht.

'Verdomme,' zei Don. 'Ik zou er wel een miljoen voor over hebben om te weten welke tekst Mallon op dat veld declameerde. Weet je wat het gekke was? Hij wist het zelf ook niet! Hij vertelde me dat het gewoon bij hem opkwam en achteraf kon hij zich niet herinneren wat hij in vredesnaam had gezegd!'

'Goddank,' zei ik.

In het gestage tempo van honderdtien kilometer per uur kwamen we Madison binnen en reden al snel om de Square heen waarna we afdaalden in de parkeergarage. Nadat we ons hadden opgefrist en elkaar in de lounge weer hadden getroffen haalde ik mijn iPhone uit mijn zak en voerde een lang gesprek met mijn vrouw. De Eel, want zo was ik haar in gedachten weer gaan noemen, zat vol nieuws over haar vrienden en collega's in de ACB, haar ervaringen in de stad (een toneelstuk van Tina Howe, *de Negende* van Mahler door het nationaal symfonieorkest in het Kennedy Center, eten bij oude vrienden in hun appartement in Watergate), en haar plannen voor de komende dagen. De mensen van Rehoboth Beach, plus Missy Landrieu, hadden haar gevraagd om hun vergadering aanstaande woensdag te komen voorzitten en ze dacht dat ze dat wel zou doen. Ze was al zo lang weggeweest, die paar dagen zouden ook niet veel uitmaken. Lee zou een ticket kopen voor zaterdag. Bovendien was Missy een geweldig mens waar je enorm mee kon lachen, en zoals hij zelf altijd zei kreeg je in Maryland de beste krabkoekjes ter wereld. Hij vond het toch zeker niet erg? Ze nam aan dat Don Olson nog steeds op zijn zak teerde.

'Hij is nog bij mij, ja, maar hij teert niet op mij. Ik had hem wat geld geleend toen hij aankwam, maar hij heeft me meteen terugbetaald. En hij is heel behulpzaam geweest bij dat nieuwe project van me.'

Lee Truax had zo haar twijfels over dat nieuwe project.

'Vanmorgen hebben we de voormalige Meredith Bright ontmoet. Ze is afschuwelijk, maar ze had een interessant verhaal over wat er die dag is gebeurd.'

Lee Truax nam aan dat Meredith Dinges zoiets moest zijn als de bètaversies van sommige tekstprogramma's voor blinden, die elk derde woord verhaspelden en van saaie rapporten surrealistische verhalen maakten!

'Als we allebei weer thuis zijn zal ik je vertellen wat ze zei. Ik wist bijvoorbeeld niet dat jullie onderweg naar dat veld midden in een antioorlogsbetoging terechtkwamen.'

'O, dat stelde niet veel voor. We verstopten ons achter een muur op een parkeerplaats en niemand merkte dat we er waren. Meredith maakte een hoop stennis omdat we achterlagen op het schema, maar zij was de enige die dat belangrijk vond. En wat zijn de berichten over Hootie?'

Alles aan Hootie, Howard zoals hij nu genoemd werd, was fantastisch, zei ik. Zijn schijnbare instorting op de dag dat Don en ik hem voor het eerst in jaren mee naar buiten hadden genomen, had tot een verbijsterende doorbraak geleid. Vier verbazende dagen lang had Howard Bly, die goeie ouwe Hootie, de ene reuzenstap na de andere gezet.

'Het begon er allemaal mee dat hij op de vloer van het ziekenhuis lag en iets heel simpels zei. Hij zei: "Niet doen. Neem het terug." Dat was voor het eerst in zevenendertig jaar, in al die tijd dat hij daar is, dat hij woorden uitsprak die geen citaat waren. Toen ging een meisje dat daar werkt naar hem toe – wij wisten dat niet, maar ze had heel veel gesprekken met hem gevoerd – zij knielde bij hem neer en hij fluisterde iets. Je raadt nooit wat hij tegen dat meisje zei.'

De Eel veronderstelde dat ik daarin gelijk had. En aangezien ze het toch niet zou raden kon ik het haar wel vertellen?

'Hootie fluisterde: "Zij is onze leeuwerik, en ik weet het." Toen Pargeeta me dat vertelde, vroeg ze of het mij iets zei. "Heel veel," zei ik.'

'Ja,' zei mijn vrouw, met hoorbare tegenzin in haar stem. 'Het zegt een heleboel, en alleen Hootie kan dat weten. *Echt* weten, bedoel ik.'

Ik zweeg even aarzelend voordat ik haar de vraag stelde die ze ooit had weggewuifd met een kwetsende afwijzing. 'Ik ga vandaag met Hootie praten over wat er op dat veld is gebeurd. Hij weet ervan en hij is erop voorbereid. Zul jij me ooit vertellen wat *jij* denkt dat er toen gebeurd is?'

Zij aarzelde ook, langer dan ik had gedaan. 'Na al die tijd zou ik het kunnen proberen. Is Dilly er dan ook?'

'Misschien wel. Dat weet ik nog niet. Denk je dat ik dan zal begrijpen waarom je zo lang gewacht hebt om het me vertellen?' Met mijn vraag doelde ik op iets specifieks; met haar antwoord 'Dat zul je zeker' bedoelde zij iets anders.

'Wat jij me gaat vertellen kan nooit zo volkomen krankzinnig zijn als het verhaal van Meredith Walsh.'

Ze grinnikte. 'Het mijne gaat zoveel verder dan volstrekt

krankzinnig dat het alle perken te buiten gaat, denk ik. Vergeet niet dat ik de Leeuwerik ben.'

'Dat *weet* ik, maar ik weet niet hoe ik dat weet.'

'Soms vind ik dat jij een heel vreemd huwelijk hebt.'

'Alle huwelijken zijn vreemd. Als je ze maar genoeg tijd geeft.'

'Of misschien had je gewoon een heel vreemde vrouw.'

In mijn binnenste kwamen woorden op vanuit de plek waar ze rechtstreeks verbonden zijn met gevoelens en ik zei: 'Toch zou ik zo weer met mijn vrouw trouwen.'

'O, Lee. Dat is zo ongelooflijk lief van je.'

'Moet je echt terug naar Rehoboth Beach?'

Ze haalde diep adem en ik wist al wat ze me ging zeggen. 'Nee, natuurlijk niet, maar ik wil wel graag. Het is niet ver van Washington en ik blijf niet lang weg.'

'Je bent van plan om er volgende week van woensdag tot zaterdag te blijven.'

'Ja, als je het niet erg vindt. Ik neem waarschijnlijk een kamer in het gebruikelijke hotel.'

Net als ik haar had horen beslissen wat ze zou doen, hoorde ik haar nu verlangen om doelbewust van onderwerp te veranderen. 'Ik denk dat ik Hootie ook graag zou willen zien. Hij was altijd zo'n knappe jongen.'

'Hij is wel wat veranderd in de afgelopen veertig jaar.'

'Voor mij zal hij nog altijd knap zijn. Als hij echt uit dat ziekenhuis komt, zou hij dan naar Chicago kunnen komen? Over een poosje?'

'Meen je dat serieus?'

'Ik ben hem iets verschuldigd. In de tijd dat ik hem had kunnen bezoeken, weigerden ze me bij hem te laten. Toen gingen we naar New York en werd het leven zo druk, dat ik hem een deel van het verleden heb laten worden. En daar is hij al die tijd geweest, op die vreselijke plek. Zou hij kunnen functioneren in de buitenwereld? Is hij te beschadigd om ooit op zichzelf te kunnen wonen?'

'Wel, hij is beslist heel veel vooruitgegaan, en in heel korte tijd. Ik moet zeggen, hij is op zijn manier charmant. Die jonge vrouw die in het Lamont werkt, Pargeeta Parmendera, is dol op hem! Ze zijn beste maatjes! Zelfs toen hij alleen nog kon praten in citaten uit *De Rode Letter* en uit een roman die op de afdeling rondslingerde, hadden ze hele gesprekken over van alles en nog wat.'

'Pargeeta is ongetwijfeld heel aantrekkelijk.'

'Ze is een stuk. Eerst dacht ik dat ze de maîtresse was van de hoofdpsychiater, maar het bleek dat ze vroeger op zijn kinderen paste.'

'En hoe ziet Hootie er nu uit?'

Ik zocht naar iets treffends en vond de volmaakte beschrijving. 'Hij lijkt op een personage uit *De Wind in de Wilgen*. Hij zou Mol kunnen zijn.'

'Hij klinkt schattig.'

'Hij is schattig. Het is verbazend. Hij zit daar al zijn hele leven, maar hij voelt geen wrok. Hij denkt dat het de juiste plek voor hem was. Hij zegt dat hij wachtte tot hij goed genoeg zou zijn, zodat wij konden komen om hem nog beter te maken.'

'Geloof jij dat?'

'Ik weet amper meer wat ik geloof.'

'Jij bent van plan om contact met Hootie te houden, is het niet?'

'Eel, ik ga hem nu niet in de steek laten.'

'Je noemde me Eel!'

'Sorry! Don heeft echt geprobeerd om je echte naam te gebruiken, maar hij bleef maar terugvallen. Voordat ik het wist, deed ik het ook.'

'Ik vind het niet zo erg, eigenlijk. De Eel was een goed kind, als ik het me goed herinner. Maar je mag me alleen Eel noemen als Hootie en Dan er zijn.'

'Akkoord.'

Lee Truax zweeg even voordat ze zei: 'Je lijkt meer gesteld te zijn op Don dan eerst.'

'We hebben veel tijd samen doorgebracht. Je weet hoe je gaat wensen dat mensen vertrekken nadat ze een dag of vijf in je gezelschap hebben doorgebracht? Dat is nu niet gebeurd. Ik heb hem graag in de buurt, en ik moet zeggen dat hij me heel goed heeft geholpen.'

'Je bedoelt dat hij dat nieuwe project goed geholpen heeft.'

'Nou, ja. Hij was indertijd een fatsoenlijke vent en ik denk dat hij dat nog is.'

'Heb je er nu spijt van dat je niet met ons bent meegegaan?' Ze was even stil. 'Vind je het jammer dat je Spencer Mallon niet hebt ontmoet?'

Ik denk dat ik dat misschien vanmorgen heb gedaan, dacht ik en ik zei: 'Nee.'

'Dat kan niet waar zijn.'

'Als ik erbij geweest was met de rest van jullie, zou ik nu niet vanuit deze hoek over alles kunnen nadenken. Ik heb het naar mijn zin, hier in mijn hoekje. Het is net alsof je op de stoep voor iemands etalageruit naar binnen staat te turen en probeert te begrijpen wat je precies ziet.'

Ze dacht over mijn woorden na en ik zag haar voor me met de telefoon in haar hand, blind voor zich uit starend in de donkere hotelkamer, haar gezicht half in de schaduw. Toen ze eindelijk iets zei, klonk in haar stem zoveel warmte dat het me verbaasde. 'Op een dag zal ik je ook proberen te helpen, maar ik moet er naartoe werken.'

Toen ik had opgehangen, realiseerde ik me dat ik haar niets had verteld over onze wonderbaarlijke ontsnapping aan een fataal vliegtuigongeluk. Het was beter zo, dacht ik. Over dat incident hoefde ze nooit iets te weten.

Toen we de parkeerplaats van het Lamont op reden, verscheen er een slanke, donkere gedaante in de schaduw van de grote okkernotenboom. De huivering van onbehagen die me beving verdween toen de gestalte het zonlicht in gleed en Pargeeta Parmendera werd.

'Hoi,' zei ik, al zag ik wel dat Pargeeta niet in de stemming was voor beleefdheden. Uit de vastberaden manier waarop ze naar de auto kwam, bleek duidelijk dat een gesprek met de vrienden van Howard Bly al enige tijd de boventoon voerde in haar gedachten.

'Ja, hoi,' zei ze en ze hield recht voor mij stil. 'Sorry. Ik moet dit gewoon even zeggen. Ik heb hier gewacht omdat ik er vrij zeker van was dat jullie rond deze tijd zouden aankomen.'

'Hoe lang stond je daar al?' vroeg ik.

'Dat maakt niet uit. Twintig minuten?'

'Heb je twintig minuten onder die boom staan wachten?'

'Het kan ook best een halfuur zijn geweest. Alstublieft. Ik wist dat u vroeg of laat zou verschijnen en ik wil iets uitleggen voordat we naar binnen gaan. Ik wil niet dat u me een vreselijk mens vindt.'

'Dat zou niemand kunnen denken, Pargeeta.'

'Oké, maar u zag mijn gezicht, de uitdrukking op mijn gezicht, waarvan ik zelf niet eens wist wat het was. U was de enige die het zag.'

'Ik weet niet waar je het over hebt, meisje.'

'Ik zag dat u het opmerkte. Toen Howard op de grond zat en dokter Greengrass met hem praatte.'

Ik wist wel wat haar dwarszat, besefte ik. Op Pargeeta's gezicht had ik iets bezorgds en tegenstrijdigs gezien, en ze had gelijk dat het mij verontrust had. 'O, ja,' zei ik. 'Ja.'

'U weet waar ik het over heb.'

'Ja, hij misschien wel...' begon Don, maar hij zweeg toen ik hem een boze blik toewierp.

'Het is niet erg,' zei ik.

'Voor mij wel! Ik werd bijna gek van de ongerustheid over wat u wel van me moest denken. Ik ben geen slecht mens. Howard is geweldig en ik ben dol op hem, maar ik wil hem heus niet voor altijd hier houden.'

'Je begreep meteen dat hij weg zou gaan.'

'Hij praatte zonder te citeren! En hij zei twee keer "vaarwel"!'

'Je hebt gelijk.' Ze dacht dat het vaarwel van Hootie voor haar bedoeld was.

Ze wierp haar armen in de lucht en haar gezicht vertrok. 'Waarom ben ik de enige die hem ooit hoort? Howard kan je alles vertellen, je moet alleen begrijpen hoe hij praat.'

'Je wilt je vriend niet kwijt, is het wel? Nu Howard gemakkelijker te begrijpen is, kan hij naar een behandelcentrum verhuizen.'

'Ja, duh,' zei ze. 'U begrijpt mijn dilemma.'

'En om het nog moeilijker te maken, ben je ook nog eens echt trots op hem.'

'Zou u dat niet zijn! Het is fantastisch dat hij weer heeft durven praten. En dat kwam door jullie. Hij bloeide helemaal op toen jullie verschenen!'

'Jij doet al het werk, en dan vallen wij even binnen en gaan met de eer strijken.'

'Ja, ook dat. Alleen voelde het niet als werken.' Ze bracht beide handen omhoog en veegde tranen weg die ik niet had opgemerkt.

'Howard heeft heel veel aan jouw vriendschap te danken. Dat weet hij.'

'Howard wil de Eel zien. Dat is uw vrouw, nietwaar? Haar bijnaam was de Eel, en hij was Hootie.'

'Je hebt hele gesprekken met hem gevoerd.'

'Nu het nog kan,' zei ze. 'Maar ik wil wel dat hij uw vrouw terugziet. Echt waar.'

'Dan moeten we zorgen dat jij er ook bent, op een dag.'

'Is het geen tijd om naar binnen te gaan?' vroeg Don.

Dokter Greengrass wenkte ons zijn kantoor binnen en verzocht ons te gaan zitten. De vooruitgang van ieders lievelingspatiënt zette zich met verbijsterende snelheid voort, al vertoonde hij vandaag in afwezigheid van zijn vrienden wat tekenen van een terugval. Wat humeurigheid, gebrekkige eetlust en een paar keer het gebruik van zijn 'citaat'-gebaren om aan te geven dat hij zijn zinnen uit een bredere context koos.

'Maar voor zover ik het begrijp, komt alles wat Howard nu zegt in zekere zin uit de veel bredere context van veel verschillende bronnen. Een vrijwel oneindig aantal bronnen. Dat zegt hij, in elk geval. Ik kan me niet voorstellen dat een menselijk geheugen zoveel kan opslaan, en ik vraag me zelfs af of het menselijk gezien eigenlijk wel mogelijk is. Howard lijkt die mentale documenten van hem nooit te hoeven doorzoeken voor een uitdrukking, hij komt er gewoon mee, wat het ook is.'

'Denkt u dat hij vals speelt?' vroeg ik glimlachend.

'Ik denk dat hij nog steeds de geruststelling van een onderliggende tekst nodig heeft, zelfs als het een oneindige lappendeken is die... eerder theoretisch dan werkelijkheid is.'

'Of misschien begrijpen wij gewoon niet hoe zijn geheugen werkt.'

'Dat kan,' gaf Greengrass toe. 'Naar mijn mening zou het beter zijn als Howard inderdaad alleen maar doet alsof hij uit altijd beschikbare, grote hoeveelheden teksten citeert, begrijpt u. In praktische zin maakt het natuurlijk weinig of niets uit. Ik wil alleen dat u zich ervan bewust bent dat Howard aanzienlijk zekerder is in zijn vooruitgang als hij weet dat u in de buurt bent.'

'Hij was ongelukkig dat wij de stad uit waren?'

'Het had invloed, laten we het zo zeggen. Wij staan open voor het idee om Howard te laten verhuizen naar een residentieel behandelcentrum, maar op dit moment is onze eerste zorg dat we niets overhaasten en niets doen wat zijn toestand ook maar enigszins zou kunnen benadelen.'

'Wij delen uw bezorgdheid,' zei ik. Don knikte. 'En ik ben blij dat u openstaat voor het idee van een behandelcentrum.'

'Ach, dat is heel anders dan beschermd wonen, is het niet? Ik kan niet doen voorkomen dat Howard nog iets nieuws zou kunnen leren door in het Lamont te blijven. Eigenlijk denk ik al jaren dat hij veel baat zou kunnen hebben bij een nieuwe omgeving, maar Howard heeft dat idee nooit ook maar enigszins acceptabel gevonden. Dan sloot hij zich af. Tot nu toe.'

'Dat is heel interessant,' zei ik.

Greengrass hield zijn hoofd even schuin en stak nadenkend een balpen in zijn mond. 'Weet u nog dat u heeft beloofd om mij eventuele nieuwe informatie over de oorzaken van Howards ziektebeeld te vertellen?'

'Als ik iets had dat iets voor u zou kunnen verklaren, zou u het al hebben gehoord.'

'U heeft het incident waar meneer Mallon bij betrokken was vast al wel besproken.'

'We hadden eigenlijk besloten dat we vandaag over dat veld zouden beginnen.'

'Laat me u in dat geval niet langer ophouden,' zei Greengrass glimlachend en hij maakte aanstalten om op te staan.

'Ik wil eerst graag een voorstel doen,' zei ik. 'Dan kunt u me zeggen of het een optie is.'

Greengrass ging weer zitten. 'Gaat uw gang.'

'Onze aanwezigheid in Howards omgeving lijkt een positieve invloed op hem te hebben?'

'Op zijn vooruitgang, ja.'

'Zijn er speciale beperkingen of omstandigheden wat betreft de behandelcentra die u voor Howard zou overwegen?'

'Wat een vraag! Ja, ten eerste natuurlijk beschikbaarheid. Geschiktheid. De algemene toestand van de unit.'

'Is de locatie een probleem?'

Dokter Greengrass leunde achterover in zijn stoel en keek me afwachtend aan. 'Wat is dat voorstel van u precies, meneer Harwell?'

'Ik vroeg me af of het goed zou zijn voor Howard om in Chicago geplaatst te worden. Ik weet helemaal niets van dit soort zaken, maar via haar werk kent mijn vrouw veel mensen die kunnen helpen om daar een goede plek voor Howard te vinden.'

'In Chicago.'

'Het eerste wat Howard tegen Pargeeta zei, was dat hij mijn vrouw wilde zien.'

'Hij noemt uw vrouw de Eel?'

'Dat was haar bijnaam op de middelbare school. Ze heet Lee, en achterstevoren wordt dat...'

'U heeft dezelfde voornaam als uw vrouw?'

'Het schijnt zo. Trekt u daar psychologische conclusies uit?'

'Nee, helemaal niet. Waarom vraagt u dat?'

'Iemand die we vanmorgen hebben gesproken suggereerde dat het iets onaangenaams betekende.'

'Namen hebben weinig van doen met romantische relaties,' zei Greengrass.

'Bovendien zagen we er in die dagen uit als tweelingen.'

'Geen wonder dat jullie verliefd werden!' De psychiater hield zijn hoofd schuin en glimlachte. Ik vond hem ook een beetje op een personage uit *De wind in de wilgen* lijken. Toen Greengrass zijn aandacht weer op ons voorgaande onderwerp richtte, vervaagde zijn glimlach. 'Ik geloof niet dat er ernstige bezwaren tegen zijn om Howard in Illinois te plaatsen. Als we een staatsziekenhuis waren geweest, zou het natuurlijk onmogelijk zijn. Maar die normen en beperkingen zijn op ons niet van toepassing. Zoals ik u al uitlegde, ben ik volkomen bereid om Howard naar een goed behandelcentrum te laten vertrekken. Voor mij persoonlijk, en ik wil daar heel eerlijk in zijn, is uw betrokkenheid bij de verdere behandeling van Howard het belangrijkste. Hoe betrokken bent u bij Howard? Ik vraag het u beiden. Hoe ziet u de betrokkenheid van uw vrouw, meneer Harwell?'

'Wij zouden beiden al het mogelijke doen.'

'En ik ook,' zei Don. 'Ik had me al lang ergens moeten vestigen, en Chicago lijkt me een prima plek. Ik wil niet arm en eenzaam sterven.'

Ik draaide me naar hem toe en keek hem verbijsterd aan.

Don haalde zijn schouders op. 'Ik bedoel, man, ik word te oud om zo door te gaan met mijn leven. Wat ik zou kunnen doen, weet je, is op zoek gaan naar een flat en naar leerlingen. Al die tijd dat ik bij jou heb gelogeerd denk ik daar al over na, Lee. Als Mallon kon stoppen met zwerven, dan kan ik het ook.'

'Zou je daar je geld mee kunnen verdienen?'

'Zeker weten dat ik daarmee kan verdienen. Niet te veel, maat, ik zal nooit een chic huis aan de Goudkust kopen, maar het zou voor mij genoeg zijn. Weet je waarom?'

'Nou?'

'Als je wijsheid verkoopt, heb je altijd klanten. Ik laat een paar folders drukken, leg ze in kroegen en apotheken en bibliotheken, en binnen een maand heb ik vijftig, zestig verzoeken om informatie.' Hij verschoof op zijn stoel om Greengrass aan te kijken. 'Ik zou het een eer vinden contact te houden met Hootie – Howard, bedoel ik. Verdorie, man, ik zou hem elke dag opzoeken, in elk geval tot hij ziek van me werd.'

'En ik zou goede, betrouwbare gegevens over de patiënt nodig hebben. Maandelijkse rapporten, bijvoorbeeld, gedurende ten minste de eerste vierentwintig maanden.'

'U wilt maandelijkse rapporten?' vroeg Don. 'Huuu, peerd. Ik denk dat ik dat aan onze schrijver overlaat.'

'Ik geloof niet dat de dokter ons bedoelde,' zei ik.

'Dat is correct, meneer Harwell. Ik zou maandelijkse rapporten verwachten van het behandelcentrum dat Howard opneemt. In zekere zin zal Howard altijd mijn patiënt blijven. Het is voor mij van essentieel belang dat ik op de hoogte word gehouden van zijn conditie.'

'Dat moet toch geen probleem zijn?'

'Nee,' zei Greengrass. 'Dat moet geen probleem zijn.' Hij keek op en legde zijn handen op zijn bureau. 'Ons grootste probleem is dat we er allemaal kapot van zullen zijn als en wanneer Howard uiteindelijk vertrekt. Vooral Pargeeta.'

'Ik heb haar beloofd dat ze ons kon komen opzoeken.'

'Dat is erg aardig van u, meneer Harwell. Zullen we nu eens bij onze patiënt gaan kijken?'

In een vertrek met de felle kleuren van een kleuterschoollokaal zat Howard Bly op de rand van zijn keurig opgemaakte bed, gekleed in een rood poloshirt dat hem iets te klein was, een gestreepte tuinbroek die zo vaak gewassen was dat het denim zich plooide als kasjmier, en glimmende gele werkschoenen van Timberland. Hij zag er schitterend uit. Zijn spaarzame haar was achterovergekamd en met wat water tegen zijn schedel geplakt en zijn gewoonlijk kalme blauwe ogen glommen van plezier en opwinding.

'Je draagt je verjaardagsschoenen,' zei Greengrass glimlachend en wendde zich tot ons. 'Die hebben we Howard vorig jaar gegeven. Hij bewaart ze voor speciale gelegenheden.'

'Ja, dat doe ik,' zei Howard. 'Ik houd heel veel van mijn Timbs.'

'Vandaag zouden jullie weer in onze tuin aan de picknicktafel kunnen gaan zitten. Dat is een goede plek om te praten.'

'Ik ga vandaag praten,' zei Howard glimmend tegen Don en mij. 'Ik ga jullie dingen *vertellen*. Het wordt niet zoals vorige keer.'

'Je voelt je nu beter,' zei Greengrass.

We stonden daar met ons drieën op een rij naast Howards bed als dokters die hun ronde deden.

Hootie knikte. 'Dill en Lievaniel zijn weer terug, en veilig.'

'Dill en wie?'

Een brede glimlach van Howard Bly.

'Howard, hoe noemde je meneer Harwell?'

De glimlach verbreedde zich nog verder. 'Lievaniel. Want dat is hij. Vroeger was hij Twin, maar nu is hij Lievaniel.'

'O,' zei ik. 'Ja, ik begrijp het. Ik ben de Lee van Eel.'

'Natuurlijk ben je dat,' zei Hootie. 'En ik voel me beter omdat jij en Don weer in Madison zijn. Maar nu wil ik graag naar buiten met mijn vrienden, alstublieft.'

'Verberg je iets voor me, Howard?'

Howard knipperde met zijn ogen, en glimlachte toen. 'Niet meer dan een donker schijnsel aan de hemel.'

'Waar komt dat citaat vandaan?'

'*De weddenschap van mevrouw Pembroke*, door Lamar Van Gunden. Permanent Press, New York, New York, 1957. Ik vond het achter een bank in de recreatieruimte, maar toen ik weer eens keek, lag het er niet meer.'

'Heren, u moest uw vriend maar meenemen naar de achtertuin,' zei dokter Greengrass. 'Als hij boeken begint te verzinnen, heeft hij duidelijk genoeg van mij.'

'Hij denkt dat ik het verzon, maar *De weddenschap van mevrouw Pembroke* was echt,' zei Howard. 'Ik verzin nooit boeken. Om boeken te verzinnen, moet je schrijver zijn.' Ze liepen in een doelbewust tempo door zacht, mild zonlicht naar de picknicktafel, die onder het schaduwbaldakijn van een enorme eik met een brede kruin stond.

'Maakte je je zorgen om ons?' vroeg Don.

'Natuurlijk maakte ik me zorgen. Jullie hadden bijna dood kunnen gaan.' Howard glipte de schaduw in, liep naar de achterkant van de tafel en ging zitten op de plek waar hij de hele achtertuin van het Lamont kon overzien.

Don liep om de tafel heen en ging naast hem zitten. Samen zagen ze eruit als een boer en een cowboy die even op dezelfde picknickbank zaten: een slimme, geestige boer, en een leerachtige, door de zon verweerde oude cowboy met iets aan zijn hoofd.

'*Hadden bijna* dood kunnen gaan?'

'Ja, wat betekent dat?' vroeg ik terwijl ik me op de andere bank liet glijden en mijn ellebogen op tafel plantte.

'Het betekent dat jullie het bijna hadden gekund, maar het niet zijn, omdat jullie het niet konden. Het is niet hetzelfde als "bijna waren". Ja, toch?'

'Ik denk dat ik het begrijp,' zei ik. 'Maar hoe wist jij dat? Van een klein vogeltje gehoord?'

'Het donkere zinderen aan de hemel,' zei Howard. 'Ik vond het een keer achter de bank in de recreatieruimte, maar toen ik het had weggehaald, was het er niet meer.'

'Oké,' ze ik. 'Geen "bijna hadden" dat zich onderscheidt van "bijna waren", en geen woord meer over wat er dan ook achter de bank in de recreatieruimte mag hebben gelegen. Oké?'

'Ja, wat mij aangaat,' zei Howard. Deze keer kon ik het citaat bijna proeven: om de woorden heen leek zich een spookachtig boek te vormen, zoemend van taal in een nooit vergeten smaak die voortvloeide uit allerlei details en via die specificaties in de personages. De hele ervaring deed denken aan een warme smaak in mijn mond.

Ik wendde me af van de mannen aan de andere kant van de tafel en keek naar de tuinen van het ziekenhuis.

Voor me uit ontrolden zich lange, aflopende terrassen als een smetteloos groen tapijt. Op deze brede, serene terrassen reden mannen en vrouwen in rolstoelen over gladde, zwarte asfaltpaden naast nette, anderhalve meter hoge heggen. Midden door elk terras liep een lang, felgekleurd bloembed, aan beide uiteinden omsloten door kleinere halfronde bloembedden. Precies genoeg eiken en esdoorns wierpen precies genoeg schaduw. Fonteinen speelden en druppels water spetterden in een zachte bries. Het zou een aardige plek zijn om terecht te komen, bedacht ik. Binnen was het ziekenhuis natuurlijk minder comfortabel. Gezien hun context waren de tuinen een verrassend gegeven; ik nam aan dat ze later waren toegevoegd, door iemand die begreep dat uitgestrekte tuinen zoals deze de genezing van de patiënten in het Lamont zou bevorderen.

Zonder naar de twee anderen te kijken, zei ik: 'Hootie, zag het er zo uit toen je hier eerst kwam?'

'Indertijd was het hier echt lelijk, sergeant.'

'Sergeant?'

'Laat maar,' zei Hootie. 'Trek je er niets van aan, trek je nergens iets van aan. Dat doe ik ook niet.'

'Is alles wat je zegt nog steeds een citaat uit een boek?'

'Alles wat ik zeg,' begon Hootie, en scheen toen even, zo kort als het klapwieken van een vogelvleugel, zijn opmerkelijke geheugen te doorzoeken, 'bestaat uit een combinatie van citaten. Als in een... mixer. Snap je, maatje? Zinnen die elkaar nooit hebben ontmoet groeien ineens aan elkaar vast! Mijn dokter wil niet dat dat waar is, maar het is waar, en dat is alles. Hij zou liever willen dat ik een volkomen oorspronkelijke taal gebruikte, terwijl ik dat liever niet wil. Niemands taal is echt oorspronkelijk. Mijn manier van praten is in elk geval oneindig vrij.'

'Het is fijn dat je jezelf heb weten los te maken van Hawthorne, al vermoed ik dat hij er nog steeds is, ergens daarbinnen.'

'"Bij wijze van literaire gedachtewisseling, weliswaar,"' zei Hootie met een grijns van plezier.

'Hoe kwam het dat je het kon loslaten?' vroeg Don. 'Ik bedoel, ik weet dat dit egocentrisch klinkt, maar kwam het door ons?'

'Ik herinnerde me mijn lessen Engels van vroeger.' Hij sloot zijn ogen en fronste zijn wenkbrauwen. 'Ik wil zeggen, ik herinnerde me dat ik me ze herinnerde. Al die fantastische boeken die we lazen. Herinner jij je dat? Weet je het nog?'

'Ik herinner me waarschijnlijk de meeste wel,' zei ik.

'Ik heb er maar de helft van gelezen,' zei Don. 'Omdat ik meer een typische middelbare scholier was dan jullie.'

'*De vanger in het graan*,' zei Hootie. '*Spaar de spotvogel. Heer der Vliegen. Tom Sawyer. Huckleberry Finn. De Laatste der Mohikanen. Het teken van moed. Mijn Ántonia. Hamlet. Julius Caesar. Driekoningenavond. Grote Verwachtingen. In Londen en Parijs. Dombey en Zoon. Een Kerstvertelling. De rode pony. De druiven der gramschap. Van muizen en mensen. En de zon gaat op. Afscheid van de Wapenen. Rosencrantz en Guildenstern zijn dood*. 'De beer', 'Een roos voor Emily', 'De pop van de kapitein', 'De hemelse paardentram', 'In Michigan', 'De dubbelhartige rivier', en nog zo'n vijftig andere korte verhalen. *Negerjongen. Dood van een handelsreiziger. Pygmalion. Rebecca. Fahrenheit 451. De roep van de wildernis. 1984. De boerderij der dieren. Monteriano. Trots en Vooroordeel. Ethan Frome. Emma. Vanity Fair. Tess van de d'Urbervilles. De grote Gatsby*. Het begin van *De Canterbury Tales*. Veel gedichten – Elizabeth Bishop, Robert Frost, Emily Dickinson, Tennyson, Whitman. En nog veel meer. Gewoon voor mijn plezier heb ik vijf James Bond-boeken gelezen en ik herinner me elk woord van elk boek. En de *Harrison High*-reeks, van John Farris. Dat heeft onze hele groep gelezen.'

'Al die boeken zitten in jou.' Ik voelde iets van ontzag.

'Die, en meer. L. Shelby Austin. Mary Stewart. J. R. R. Tolkien. John Norman. E. Phillips Oppenheim. Rex Stout. Louis L'Amour en Max Brand.'

'Ik was vergeten hoeveel we lazen op school,' zei Olson.

'Om eens iets voor de hand liggends te zeggen, ik niet.' Hootie grijnsde weer.

'Puur uit nieuwsgierigheid, waar kwam dat uit?'

'*The Moondreamers*,' zei Hootie. 'Een geweldig boek. Echt. Maar je stelde me een vraag, en die wil ik graag beantwoorden. Ja, ik denk dat het door jullie kwam. Jullie beiden. Toen jullie bij me kwamen en ik huilde en we praatten, herinnerde ik me wat ik wist. Ik herinnerde me wat ik altijd had geweten, al die tijd, elke minuut van al die lange jaren, die geliefde, dwaze jaren, die lange, verdwenen jaren.'

'Geen citaten meer uit dat boek,' zei ik. 'Dat soort geschrijf maakt me horendol.'

'Sorry,' zei Hootie. 'Ik dacht dat je het leuk zou vinden. Maar je vroeg naar de tuinen. De brave dokter en zijn vrouw zijn verantwoordelijk voor alles wat je voor je ziet. Veel hebben ze zelf geplant, maar ze namen ook tuinmannen aan.'

'Waar kwam "tuinmannen" vandaan?'

'Zo uit de losse pols, minstens vijf of zes boeken. Als je daarnaar blijft vragen, maak je jezelf gek.'

'Ik geloof je niet,' zei ik. 'Ik ben het met Greengrass eens. Soms, ja, dan citeer je, maar meer dan de helft van de tijd praat je net als iedereen.'

'Splijt de Leeuwerik – en je vindt de muziek, noot na noot in zilver verpakt. De zon ging op boven een vredige wereld en straalde weldadig op het vredige dorpje neer.'

'Emily Dickinson, maak kennis met *Tom Sawyer*,' zei ik. 'Ik weet dat je dat kunt. Je hoeft het mij niet te bewijzen.'

'Het kan mij niet schelen of hij uit boeken citeert of niet,' zei Don. 'Het belangrijkste is dat het niet meer allemaal in code is! Hij klinkt als een normaal mens, het grootste deel van de tijd tenminste.'

Hij wendde zich naar Howard en legde een hand op zijn schouder. Hootie keek hem met een verwachtingsvolle glimlach aan, alsof hij al wist wat Olson zou gaan zeggen. Howard Bly was nu in staat om het onbekende volkomen bedaard tegemoet te gaan.

'Hootie, voordat je ons iets gaat vertellen over het veld, willen Lee en ik je iets vragen.'

'Het antwoord is ja,' zei Hootie knikkend.

'Ho, wacht even tot je hoort wat ik wil zeggen.'

'Als je erop staat, maar het antwoord blijft toch ja.' Hij wierp een snelle blik mijn kant op. 'Die was helemaal van mij. En die ook. En idem dito.'

'God zegen je,' zei ik.

'Dit is het geval, Hootie. We hebben over je gepraat met dokter Greengrass en we vroegen ons gedrieën af of jij misschien het idee had dat je binnenkort bereid zou zijn om naar een nieuwe omgeving te verhuizen.'

'Ik zei het toch. Ja. Ja, ik denk dat ik... Waar jullie zijn? Waar is dat?' Hij keek weer over de tafel, een ondeugende flakkering in zijn ogen. 'En waar woon jij? Wat ben jij?'

'Kom op, je citeert weer,' zei ik. 'Ik woon in Chicago. En wat was dat?'

'*Tess van de d'Urbervilles*. Als ik naar Chicago ga, zou ik de Eel dan kunnen zien? Zou ik jullie samen zien?'

Ik knikte.

'En Dilly? Waar woon jij? Wat ben jij?'

'Ik ben eigenlijk op doorreis, maar ik ga misschien in Chicago wonen,' zei Don. 'Dat denk ik echt. Hartstikke fijne stad.'

Hootie knikte. 'Ik heb van Chicago gehoord.'

'Een man kan niet eeuwig een tiener blijven.'

'En ook geen klein kind.'

Nadat hij die mooie zinsnede had uitgesproken, die al dan niet een citaat kon zijn geweest, wendde Hootie zijn gezicht weer naar mij en zei opnieuw iets verbijsterends. Het bleke, vredige blauw dat ik me herinnerde van veertig jaar geleden was nog steeds in zijn ogen te zien. 'De Eel is blind, is het niet?'

Ik keek hem lange tijd aan. Howard Bly knipperde niet.

'Hoe weet jij dat, Hootie?'

'Het was de glimmende vrouw met de stok. Ik heb het allemaal gezien. Jullie weten niet wat ik heb gezien. Ik weet het zelf niet eens.'

'Maar je gaat het ons proberen te vertellen.'

'Daarom zijn we hier.' Nog een dansende, snelle blik op mij. 'Daarom dobbert de kleine *Nuhiva* hier langszij.'

'Joseph Conrad.'

Hootie giechelde en drukte een hand tegen zijn mond. Hij vond me duidelijk heel komisch. 'Jack London. Zijn jullie er klaar voor?'

'Als jij zover bent.'

Hootie sloot zijn ogen en leunde zijn hoofd achterover. Langzaam en in Hooties eigen tempo kwam zijn verhaal naar buiten.

It was the best of times, it was the worst of times; het was intens donker en stralend licht. Wat je wist was alleen wat je dacht te weten, niets meer. Het ging over Eenheid. Het ging over Allesheid. Als Spencer voor hen stond, als Spencer zijn gouden mond opende en *sprak*, hoorde Hootie Bly engelenkoren zingen. Maar Hayward, die erbij was op de eerste dag dat Meredith Bright in hun bijzijn de Tick-Tock Diner zo glorieus had verlicht door er zomaar binnen te lopen, die binnengekomen was minuten nadat Hooties stralende godin was vertrokken... Keith trok alles omver en bracht de wriemelende kevers en de kronkelende slangen aan het licht. Keith had iets te maken met die vreselijke god-en-duivelshow aan het eind, dat wist Hootie wel, dat Cornelius Agrippa-gedoe waar Mallon zo dol op was.

Niet iedereen die je in het gekkenhuis tegenkomt is gek, weet je. En op een plek als Madison kunnen zelfs de gekken in het gekkenhuis interessante dingen te vertellen hebben. Je hoeft geen professor te zijn om een boek te lezen. Die glimmende mercuriusmensen waren geen groot mysterie voor het soort jongen dat in de bibliotheek rondneusde op dezelfde planken als die waar Spencer Mallon vaak te vinden was, als hij geen meisjes uit het eerste jaar van de universiteit of zelfs nog jonger aan het verleiden was.

Hootie had het steeds geweten.

Er zijn mensen die zeggen dat die oude Cornelius Agrippa iets opende waar hij zo van schrok, iets wat hem zo doodsbang maakte dat hij zich helemaal terugtrok en een vroom katholiek werd.

En we waren destijds immers voor heel veel dingen bang? Wij allemaal, het hele land. Iemand zoals Mallon kon voelen hoe alles naar een uitbarsting tikte. Dat is een geweldige gave, laat me je dat vertellen. Hij voorzag dat al die grootheden zouden worden neergeschoten, hij wist dat waanzin op ons allemaal af raasde... JFK, Martin Luther King, Robert Kennedy, Malcolm... Telkens als een van die dingen plaatsvond, dacht Hootie Bly aan Hayward en zei bij zichzelf *Ik ben hier al geweest; dit is niet mijn eerste keer.* John, Martin, Robert, Malcolm, en wie je er allemaal nog meer bij wilt hebben. Wat denk je van die keer dat ze dat gebouw op de campus hier opbliezen en een ouderejaars doodden?

Wereld barst in vlammen uit, rook trekt van de brand op, gewonde mensen schreeuwen. Zo voelt het, snap je, zelfs als iedereen alleen maar stokstijf blijft staan. Zo voel je je vanbinnen, midden in een oorlog. Dat einde-van-de-wereldgevoel. Om oorlog te hebben zijn wapens en uniformen niet vereist.

Op die vreselijke dag was Spencer zo springerig als een sprinkhaan. Hij nam zijn vrolijke troep kindertjes mee naar de oude bioscoop om de ouderwetse organist en een waardeloze film te zien, en hij liet ze daar achter! Om een van zijn geheime dingen te doen. En toen hij daarmee klaar was en de film was afgelopen, wachtte hij ze op de stoep op en nam ze rechtstreeks mee de strijd in! Dacht hij soms dat de wereld zichzelf per ongeluk opblies op precies dezelfde hoek waar hij had afgesproken met Hayward en Milstrap? Had Hooties aanbeden leidsman daar ooit over nagedacht? Nee, hij had ze achter een betonnen muur geplant en afgewacht! En toen het eindelijk voorbij was, tot Hooties enorme opluchting – want Hootie was niet zoals Keith, hij had een hekel aan geweld en oproer en uitzinnig geschreeuw van alle kanten – was er eindelijk zoiets als rust, al was het geen stilte. Gedruis van druppend water en wegtrekkende menigten, geen gegooi van stenen meer of bierflessen die tegen muren uiteenspatten. Ze kwamen naar buiten kruipen in de doorweekte rommel, en wie stuiterde er op en neer aan de overkant? Goeie ouwe Keith. Helemaal opgewonden. Gloeiende ogen.

Maar de Eel, dat is het belangrijkste. Later zag Hootie Bly haar *reizen* zoals niemand daarvoor of sindsdien ooit heeft gereisd. En Spencer Mallon zag het ook, en het werd hem bijna te veel. Voor de arme Hootie was er echter geen 'bijna'. Voor Hootie wás het te veel. Hij wist zich er niet onder staande te houden. Sterker nog. Erger. Niet alleen wist hij zich niet staande te houden, dat waar hij zich niet onder staande kon houden, was niet eens het geheel. Hij kwam niet eens in de buurt van het geheel. Hij bezweek, hij stortte in, hij werd uitgeschakeld.

Maar toen ze zich daar verzamelden in het midden van de verwoeste straat, keek Hootie naar de Eel en de Eel keek terug en glimlachte, en uit haar ogen vloeide een hele wereld die hem omarmde... warm en donker en liefdevol, in staat om hem overeind te houden en door te laten lopen... let maar niet op mijn tranen, het zullen de laatste niet zijn, dat is zeker. Dat deed ze voor Hootie en dat was pas het eerste fantastische dat ze die dag voor hem deed.

Dus ze liepen en ze liepen, en uiteindelijk kwamen ze bij die enge straat, die Glasshouse Road, waar de dwergen en trollen leefden, de hele godganse dag, en op Glasshouse Road waren ze niet alleen. Hootie hield zijn ogen voortdurend gericht op zijn liefste, de Eel, maar Eel keek om over haar schouder en Hootie was er vrij zeker van dat Mallon dat ook deed, en de manier waarop het gezicht van Eel verstrakte en zeg maar *droog* werd zodra ze omkeek, vertelde Hootie alles wat hij wilde weten. Zolang zij kon blijven lopen, kon hij dat ook, maar niemand kon hem dwingen om achterom te kijken. Hij kon het leerachtige gefluister horen van stof en het geluid van laarzen... het waren niet-honden, dat wist hij. On-honden. Het is een treurig feit dat het Hootie, na alles wat er die dag gebeurde, heel veel tijd kostte ook maar een beetje aan honden te wennen.

Mensen in Lamont, sommige mannen op zijn afdeling, hadden vroeger *gezelschapsdieren*, zoals ze dat noemden.

Waarom hadden ze die? Wisten ze het dan niet? *Alles* kan zich wel vertonen als hond, begrepen ze dat dan niet? Die dingen, die on-honden, die gedachtehonden, Spencer haatte ze en zij konden hem ook niet luchten. Op sommige dagen dacht Hootie dat ze helemaal niets waardeerden, dat ze als een bende boze politiemannen rondhingen, klaar om iemand tot moes te slaan. Op andere dagen dacht hij dat menselijke wezens hun niets konden schelen, dat wij alleen maar deel uitmaken van een of andere klus die wij nooit zullen begrijpen omdat die onze pet mijlenver te boven gaat.

Maar Hootie... Soms keek Hootie op een ochtend uit het raam van zijn kamer, op zomaar een ochtend, en dan zag hij een van die dingen op het grasveld naar hem kijken... en zeggen, *misschien zijn alle anderen je vergeten, maar wij niet.*

De rest van zo'n dag kon Hootie dan niet eten. En 's nachts zou hij ook niet slapen.

Hij had nog liever de hand van Keith Hayward vastgehouden dan op Glasshouse Road achteromgekeken.

Zo kwamen ze bij het veld en alles was al helemaal mis omdat het donker aan het worden was. Meredith Bright was nijdig vanwege haar horoscoop. Dat vond Hootie vervelend, want hij was van mening dat de fantastische Meredith Bright altijd gelukkig moest zijn. Maar toen ze eenmaal dichtbij genoeg waren, konden ze de witte cirkel heel gemakkelijk zien. Hij straalde. Straalde? Joh, die cirkel leidde hen er bijna rechtstreeks naartoe. Oké, Meredith was over haar toeren en wilde alles afblazen, maar alle anderen, man, die zaten er helemaal in, zelfs Keith en Milstrap.

Eigenlijk kon je die witte cirkel helemaal niet zien als je het veld op liep. Om hem echt te *zien*, moest je eerst in dat kleine dal klimmen, die plooi, en dan lag hij recht voor je op de met gras begroeide berm. Alleen, en dat was het gekke, voordat ze daar aankwamen konden ze hem eigenlijk wel zien. Ze zagen in elk geval iets, een schittering als een ring van witte vonkjes boven de donkere, half zichtbare grond – een teken! Er werd hun verteld waar ze heen moesten!

Toen moesten ze dat met die touwen doen. Daarna moesten ze zich, met hun kaarsen in hun hand, tegenover die glanzende cirkel opstellen. Meredith en Eel waren ook boos op elkaar, dus moest Hootie als een soort barrière tussen hen in staan, niet dat hij dat erg vond. Naast de Eel staan betekende dat hij gemakkelijker een oogje op haar kon houden. En de Eel, man, die keek overal naar: naar Mallon natuurlijk en naar Boats en Dill, maar ze keek ook naar Hayward en Milstrap.

Die jongens, die waren echt ver heen. Het had iets van, doen jullie je ding maar, dan doen wij het onze. Wij hebben hier ons eigen ding. Daar leek het op. Iedereen was opgewonden, iedereen ging helemaal op in het ritueel, alleen die twee zagen eruit alsof ze samen een onderonsje hadden. Grappig, als je bedenkt wat er met hen gebeurde – ze bekeken Mallon bijna geringschattend. Hootie werd er misselijk van, want minachting had geen plaats in dit ritueel. Wat zij van elkaar nodig hadden was liefde en respect, en in plaats daarvan kreeg je… minachting! Het kolken in zijn onderste regionen vertelde Hootie *Je kunt je maar beter schrap zetten, want dit gaat helemaal niet goed komen, kijk maar, het gaat nu al fout*. Negeer nooit de waarschuwingen van je ingewanden. Dat hij die wél negeerde, betekende dat de kleine Hootie alle ellendige narigheid accepteerde die hem te beurt viel. Hij zei: *Ik doe het niet ik kan het niet ik blijf hier wat er ook gebeurt, ik laat Spencer Mallon* NIET *in de steek*.

En net als de dag tevoren was gebeurd, kwamen die andere dingen dichterbij op het moment dat Spencer hun opdroeg om hun lucifers tevoorschijn te halen en hun kaarsen aan te steken en ze omhoog te houden. Als een vlucht motten, helemaal glimmend grijs en schaduwbruin, maar het waren geen motten. In korte, felle beelden verlichtte het opvlammen en sputteren van kleine vlammen poten en snuiten en puntige tanden en glanzende knopen op gilets en colberts. Een satijnen hoedenband ving het oplaaien van een lucifer, gleed weer terug in het krioelende donker. En er kwamen ook andere dingen, verborgen tussen die rechtop gaande niet-honden. Boze dingen. Eel wist ervan, maar niemand anders.

Ik vind dit niet leuk, dacht hij. Ze zijn er weer.

Mallon maande hem tot zwijgen en om de een of andere reden ontvouwde zich een droevige, bittere regel uit *De Rode Letter* in zijn gedachten en rolde uit zijn mond: *Moet ik daar gaan liggen en meteen maar sterven*?

Mallon maande hem weer tot zwijgen en Hayward vloekte tegen hem, en Mallon maande Hayward ook tot stilte.

Hayward zond een sneer en een knikje naar Meredith, maar haar gezicht betrok tot een masker van afkeer en ze wendde haar blik snel af. Meredith wist niet van de Anderen, en Keith ook niet. Eel wel? Hij dacht dat de Eel alles wist, want zij was al in andere sferen, ja, hij kon zien dat Eel een stap had gezet, een stap *weg*. Zijn arme hart kromp en verschrompelde van pijn, want hij wist dat hij haar nooit zou kunnen volgen. Maar tegelijkertijd zwol zijn verschrompelde en gekrompen hart van liefde voor de wonderbaarlijke Eel, die zo'n vrijheid kon kennen. Haar jongensachtige hoofd in haar nek, haar donkere, wijd open stralende ogen, de glimlach die lichtjes haar mond raakte. Dit is wat er gebeurde: voor Hootie werd de Eel op dat moment de Leeuwerik, net als Mallon had gezegd. Ze vloog op en ze zong, al kon hij geen noot horen, zo grof en aardgebonden waren zijn oren.

Wat toen zijn ogen vulde was het binnenstebuiten gekeerde geluid van Mallon op het punt van spreken. Het was een groots, groots moment. Elektrisch. Heet. Als een onzichtbare bliksemflits, een diepe, onhoorbaar rollende donderslag. Spencer Mallon ademde in, en de lucht zelf veranderde. Binnen een seconde, terwijl Mallon op zijn plek stond met zijn geheven kaars, gesloten ogen en mooie, iets geopende mond, op het punt om de geïnspireerde woorden te laten ontsnappen, verstrakte de lucht en wikkelde zich om hen heen. In elk geval om Hootie Bly heen! Net als stof, als een laken, zacht, glibberig, koel bij het aanraken. Omdat het nog steeds alleen maar lucht was, konden elementen en wezens er doorheen blijven komen, maar niet zonder inspanning.

Overal om hen heen gleden schaduwachtige vormen door de atmosfeer aan de andere kant van het membraan dat om hen heen gewikkeld was, en Spencer ademde dieper in, bevend vanwege de macht van wat er zo dadelijk uit zijn mond zou vloeien, en de wereld rondom hen werd donkerder, en kleine Hootie begon te beseffen dat een deel van wat er in de wereld buiten hun membraan op hen lag te wachten, puur vijandig was. Onmiddellijk nadat hij de schemerige aanwezigheid voelde van die schepsels die *op de loer lagen*, begon hij hun hete, scherpe, ranzige stank te ruiken. Die felle stank dreef op hem af, kringelde zijn neusgaten binnen, prikte in zijn bijholtes en droop als zuur in zijn keel.

Mallon was al aan het zingen. Misschien is chanten wel het juiste woord. Omringd door muziek barstten woorden uit hem los en ontploften in de atmosfeer – Hootie merkte de overgang van de onstuitbare binnenstebuiten gekeerde stilte naar deze schallende, bronzen glorie niet op: hij had het idee dat er een pertinente seconde of twee uit de film van zijn leven waren geknipt. Toen vielen ze binnen.

Hij had slechts tijd om een glimp op te vangen van een rode reus met een zwaard, een reusachtig zwijn, een eeuwenoude man en vrouw, een dronken koning gemaakt van natte spiegels. In doodsangst sloot hij zijn ogen. Uit angst om de Eel en zijn dierbare Mallon deed hij ze weer open. Hij kon zijn hoofd niet in het zand steken terwijl die twee in gevaar waren.

Het was alsof zij allemaal, behalve Eel, naar de hel waren gegaan. Hoewel het nacht was, was de rode zon opnieuw verschenen, enorm en veel te dicht bij de aarde.

Op de donkere helling drie meter rechts van de geverfde cirkel flakkerde iets vaags, donkers en ontzettend nijdigs in en uit het zicht. Een paar vliegen sponnen er duizelig omheen, in vervoering door de vreselijke stank van geiten, varkens, rioolafval, dood, zowel alles tegelijk als niets van dat alles – de walm van volstrekte leegte, volstrekte afwezigheid. Het smerige schepsel *wilde* niet gezien worden; het was niet zoals de vreselijke godduivels die in het rond sprongen; zij eisten aandacht en het kronkelende, flakkerende ding wilde aan elke aandacht ontsnappen. Het deed zijn werk ongezien, begreep Hootie. Ondanks zijn altijddurende activiteit was het door een afgrijselijke hand of macht geschapen om onder de menselijke radar te blijven.

Toen dit besef tot hem doordrong, verdroeg Hootie er nog een dat veel en veel erger was. Het nagelde hem aan de grond. Het was alsof een bovennatuurlijke hand een klep had opengezet en al het bloed aan zijn lichaam had onttrokken. Hootie was in de verlamming terechtgekomen van een confrontatie met volkomen, volstrekte leegte, waarin geen daad, geen combinatie van woorden, geen emotie, hoe krachtig of verfijnd ook, betekenis had of iets kon veranderen. Alles was gesloopt door een zweepslag van de staart van dit wezen, als het die had; door de beweging van zijn ogen, een veeg van zijn godslasterlijke hand door de weerspannige lucht. Alles was met de grond gelijk gemaakt, in zout veranderd, in stront veranderd.

Zijn benen begaven het, hij zakte door zijn knieën en bij die overgave onderging het duivelse ding een gewelddadige stuiptrekking en wist zich eindelijk aan het zicht te ontworstelen. De beweging van de tollende vliegen en een spoor door het gras verrieden Hootie waar de gruwelijke obsceniteit heen ging. Net als de blakende zon leek het zijn kant op te komen. Hootie kon zich niet bewegen, net zo min als hij de Latijnse zinnen had kunnen vertalen die als gegoten brons uit Mallons mond kwamen. De demon van de middag, de Middagduivel, want die was het, gleed nog een meter dichterbij. Alleen hij en de Eel zagen hem, verder niemand.

Er restten hem nog slechts enkele seconden, dacht Hootie. Aan de andere kant van Spencer Mallon, die hij eenvoudigweg zou verliezen door de dood, begreep hij nu, nee, niet de dood, de *totale vernietiging*, gaven de twee minachtende, verwoestende huisgenoten toe aan verschillende impulsen: de verachtelijke Keith Hayward kwam op de groep van Hootie af met grote, heftige stappen die hem rechtstreeks naar de Eel zouden brengen. Zijn ogen waren zwarte stenen en zijn handen reikten als klauwen. Brett Milstrap, nog steeds met een gezicht alsof alles om hem heen vaag lachwekkend was, wist een opening te maken in de zoom van het gekkenhuistafereel dat zich voor hem afspeelde. Hootie ving een glimp op van een eindeloos duister en een enkel, afgrijselijk mechanisch licht.

Toen realiseerde hij zich dat de reusachtige bol van de nachtelijke zon, eerst geel, dan rood, dan weer geel, pulserend met wat hij voor een soort bewustzijn aanzag, vanuit de verten van de hemel steeds dichter bij het veld kwam. In wat de laatste tel van het leven van Howard Bly had moeten zijn, en precies gelijktijdig met de verdwijning uit onze sferen van Brett Milstrap, kruiste het pad van Keith Hayward dat van het wezen dat snel op Hootie af kwam. Dwars door de fontein van bloed heen waardoor de psychotische student ineens vervangen werd, keek Hootie, heel even maar, naar de pulserende, flagrante bal die op hem af stormde en besefte het gevaar. Pas op de laatst mogelijke seconde begreep hij dat die bol niet slechts een enkel ding was, maar bestond uit heel veel woorden en zinnen: *hete* woorden, *kokende* zinnen, duizenden en duizenden zinnen, zwiepend en zwaaiend als monsterlijke, eindeloze, in elkaar verstrengelde slangen. En hij kende al die zinnen; ze zaten binnen in hem.

De wirwar van tegenstrijdigheden die daarop volgde zou hij nooit kunnen beschrijven. Op het moment dat de kokende, kolkende zinnenzon hem raakte, werd hij erin opgenomen en verdween uit deze sferen. Hij gleed uit zijn lichaam dat verteerd werd en kwam terecht in een troostende opeenvolging van onderwerp-gezegde-lijdend voorwerp; vervolgens in een aaneenschakeling van hoofdzinnen die hem weer in een wespennest van puntkomma's wierpen. Hij werd een indiaan in een groot bos, en zijn naam was Uncas. Tegelijkertijd waren er verveelde en onverschillige ambtenaren in de vorm van rechtop gaande honden in ouderwetse kledij die hem half droegen en half sleepten naar een kale kamer met een enkel hoog raam en hem daar op een dunne pallet lieten zakken die langs de verste muur uitgerold was. Iemand die hij niet kon zien bracht hem soep. Iets onzichtbaars maakte hem zo bang dat hij in zijn broek pieste. Verschillende samengestelde zinnen tilden hem op, droegen hem de winter in en gooiden hem achter in een kar die door wolven werd achtervolgd. Hij zei *Ik heb geen medicijnen nodig*, al waren zijn wangen bleker en dunner en beefde zijn stem erger dan tevoren. Een forel sprong uit een Spaanse forellenbeek en belandde in zijn tenen fuik. Een woeste, formeel geklede vrouw in het zwart tolde uit een raamopening boven de rotsachtige, woelige kust van Cornwall. Zou hij, nu een naamloze zij, zo vriendelijk willen zijn om te springen? Spencer Mallon brak zijn hart voorgoed door zomaar, zonder een blik, zonder een woord, te vertrekken in een opbollende oranjegele wolk die naar lijken, rottende riolen en eeuwigheid stonk. Een vrouw met een smerig gezicht castreerde een gillend zwijn en wierp hem zijn piemel toe. Er stierf een konijn. Er stierf een jong hondje. Er stierf een keizer. Hij werd verliefd op een Italiaanse verpleegster en na haar dood liep hij door de regen naar huis. Er viel een boekenkast op een onaangename, onbemiddelde man en doodde hem. Een man in een fraai uniform wierp een boek op een brandstapel die helemaal uit brandende boeken bestond. Huilend piste Hootie Bly weer in zijn broek en kroop hij wist niet waarheen, onder de ogen van ideehonden, vogelverschrikkerhonden, kleerhangerhonden.

Achttien uur later trof een argwanende bewaker hem aan tussen de rommel van vervaagde kauwgomwikkels en lege sigarettenpakjes, stoffige gebruikte condooms en gebroken halve-literflessen onder de tribune van het Camp Randall-stadion. Hij kon zich niet herinneren dat hij de aanzienlijke afstand tussen het agronomieveld en het footballstadion had afgelegd en had maar een heel vaag idee van de locatie van het stadion. Het leek waarschijnlijk dat hij er in een blinde zoektocht naar beschutting per ongeluk op was gestuit en het bouwwerk was binnengedrongen zonder de functie ervan te beseffen. Toen de terreinwachter hem aan zijn schouder schudde en zei dat hij verdomme onmiddellijk weg moest, wat hij dan verdomme ook dacht dat hij aan het doen was, knipperde Hootie met zijn ogen en citeerde Hawthorne, dat hij zich zo veel mogelijk op de achtergrond zou houden en zo zijn eenvoud en kinderlijkheid zou bewaren, met een frisheid en zuiverheid van geest en gedachte.

De terreinwacht van het stadion sleurde hem mee naar het kantoor en belde de politie.

Even na zessen keerden Don en ik terug naar het Concourse en gingen even naar onze kamers voordat we elkaar weer troffen in de lobby. Terwijl ik Don begroette in de bar toen hij binnenliep, een glas wijn bestelde, een momentje babbelde met de barkeeper en onze drankjes meenam dwars door het vertrek heen om opnieuw ons ronde tafeltje op te eisen, vertoonde ik de halve glimlachjes en verwachtingsvolle blikken die aangaven dat ik met moeite belangrijke nieuwe informatie onderdrukte.

Toen we eenmaal zaten, zei Don: 'Je kunt het me maar beter vertellen, anders ontplof je nog.'

'Ik weet het, ik weet het,' zei ik. 'Het is echt ontzettend toevallig. Je gelooft het nooit.'

'Ik geloof het nu al niet.'

'Maar dat komt wel.' Even aarzelde ik. 'Er stond een bericht op het antwoordapparaat op mijn kamer. Het was van Boats. Hij had naar mijn huis gebeld, en mijn assistente, die net terug is uit Italië, heeft hem verteld waar we waren. Wil je soms raden waar Jason Boatman tegenwoordig woont?'

'Tuurlijk,' zei Don. 'Madison, lijkt me. In zijn kleine schuilhut.'

'Hij kan natuurlijk best verhuisd zijn. Tegenwoordig woont Jason op zo'n tien tot vijftien minuten rijden aan de oostkant van de stad, in de buurt van Willy Street, waar dat ook moge zijn. Hij zegt dat hij groot nieuws heeft, en hij wil het ons persoonlijk vertellen.'

'Hoe klonk hij?'

'Hij klonk... ik zou zeggen... hij klonk gelukkig.'

'Dat is zeker groot nieuws,' zei Don. 'Hoe wist hij dat we hier waren? Hoe wist hij waar je logeerde?'

'Dat vroeg ik hem ook al. Maar als je er goed over nadenkt is er maar een manier waarop hij over ons gehoord kan hebben.'

'Wil je zeggen... heeft de *Eel* hem gebeld? Nou, waarom zou me dat verbazen? Ze heeft mij toch ook gebeld?'

'Ik denk dat ze hem gemaild heeft,' zei ik, en voegde eraan toe dat ik me niet had gerealiseerd hoe nauw ze contact was blijven houden.

'Je snapt het nog steeds niet, hè?' vroeg hij.

De aanwijzingen van Boatman brachten ons bij een breed houten huis van twee verdiepingen in Morrison Street. Het was misschien niet mooi, maar het was ook zeker geen schuilhutje. Een hellend looppad van gebarsten beton leidde naar drie houten treden en een lange veranda die ernstig behoefte had aan een schuurmachine, een paar horren en meerdere lagen nieuwe verf. Het hele huis, dat ooit in een mooie kleur bladgroen was geschilderd, zag er een beetje verlept uit. Slappe, stervende varens hingen aan weerszijden van de treden over het beton. Aan de rechterkant voerde een bandenspoor bij wijze van oprijlaan naar een garage die zich bevend aan de rand van de afgrond leek te bevinden. Tegenover het huis, aan de andere kant van Morrison Street, liep een begroeide oever een meter of zes af naar Lake Monona. Dit gebouw en zijn buren, eigenlijk de hele wijk, veronderstelde ik, waren van oorspronkelijk respectabele middenklassewoningen vervallen tot geleidelijk aftakelende studentenhuizen. Ooit had een weduwe of een alleenstaande moeder extra inkomen nodig gehad en toen maar een paar kamers verhuurd aan laatstejaars studenten – voor de eerstejaars was het te ver van de campus – en daarop waren er duizenden anderen gevolgd die zich begroeven in de huizen en vervolgens boerenmarkten, homeopathische etalages, acupunctuurcentra, slechte etnische restaurantjes, natuurwinkels en cafés met zogenaamd geestige namen opzetten. Wat moest Jason Boatman op een plek als deze?

We liepen behoedzaam over de gebroken stenen, beklommen de paar treden en drukten op de bel naast de hordeur. Al snel zwaaide de deur naar de veranda open en toonde door het gaas van de hordeur even het onduidelijke, donkere silhouet van een brede, grootvaderlijke gestalte. Deze gestalte kwam naar voren en reikte naar de knop van de hordeur, waarbij hij ver genoeg het avondlicht in kwam om zich kenbaar te maken als Jason Boatman. Hij glimlachte en voor zowel Donald Olson als mij bleek uit het gemak en de vriendelijkheid van die glimlach dat een centraal aspect van de man hem verlaten had. Er was een vlam gedoofd. Hij was te ontspannen om Jason Boatman te zijn, te oud en te dik ook: hij had nog maar een paar grijze haren die over zijn schedel waren gekamd, harde lijnen doorgroefden zijn verontrustend bleke gezicht, en hij had een klein maar zichtbaar buikje ontwikkeld dat voor hem uit door de wereld rolde.

Terwijl hij de stoffige hordeur openzwaaide, riep hij: 'Hé jongens, wat geweldig om jullie weer te zien! Kom erin, alsjeblieft!'

Zelfs dat klonk niet als de Jason Boatman van vroeger, die vaak gespannen en chagrijnig was. De oude Jason zou iets hebben gezegd als: 'Hè hè, jullie zijn er. Eindelijk.'

Voordat we de veranda op liepen, wierp Olson me een blik toe die zei: *Wat moet die vent, en wat heeft hij met de echte Boats gedaan*?

'God, jullie tweeën samen hier, dat is fantastisch.' Boatman straalde geen spanning uit maar welwillendheid toen hij zijn voordeur openduwde met een soort 'na u, heren'-gebaar van zijn vrije arm. 'Kom binnen, mannen, kom binnen. Welkom in mijn nederige stulp.'

De deur kwam uit op een grote woonkamer waar een rij klerenhaken en een stuk betegelde vloer de entree aangaven. Daarachter lag een gang naar een reeks kleinere kamers die naast de woonkamer lagen, waar comfortabele oude bruine fauteuils ineengezakt om een houten salontafel heen stonden. De gevelmuur werd grotendeels in beslag genomen door een breedbeeldtelevisie. Aan de muur rechts en de halve muur die woonkamer van eetkamer en keuken scheidde hingen donkere houten boekenplanken, waar niets anders op stond dan enkele cd's, een paar beeldjes en een stuk of wat met de hand gedraaide potten. De woonkamer, waar Jason ons naar zijn bank en stoelen wenkte, werd ondanks de grote ramen permanent verduisterd door het dak van de veranda, dat het zonlicht weerde.

'Ga zitten, ga zitten jongens. Jeetje, ik kan niet geloven dat ik jullie allebei hier heb. Hoe zit het, logeren jullie allebei in het Concourse?'

'Zeker,' zei Don. 'We kwamen eens bij Hootie kijken.'

'Ja, ik geloof dat ze me dat verteld heeft.' Jason liet zich in een stoel naast de salontafel glijden, met opnieuw een gebaar naar de bank, en voordat ik iets kon zeggen sprong hij bijna onmiddellijk weer op. 'Jongens, wat is er van mijn manieren geworden? Willen jullie wat drinken? Het is toch bijna borreltijd? Ik heb wat bier in de koelkast, een slok wodka, en dat is het wel zo ongeveer.'

We vroegen beiden om een wodka. 'Als je genoeg hebt,' zei ik. 'Anders is bier ook prima. Fijn dat Lee je gemaild heeft en dat we elkaar kunnen zien. Ik wist niet dat ze nog contact met je had.'

'Dat heeft ze ook niet echt. Ik krijg misschien eens per jaar een e-mail. De Eel wist altijd uit te vinden waar ik zat, ik weet niet hoe ze dat doet. Maak je geen zorgen over de wodka, er is genoeg. Maar ik neem zelf een biertje.'

We maakten het ons gemakkelijk op zijn bank en hij zette twee stappen in de richting van de achterkant van zijn huis, waar zich de keuken bevond. 'Hoe is het trouwens met Hootie? Weet je, ik heb er nooit aan gedacht om hem daar op te zoeken. Ik dacht dat hij niet kon praten of zoiets.'

'Dat klopt niet helemaal,' zei ik, en legde de voormalige communicatietechniek van Howard Bly uit. 'Maar nu hoeft hij Hawthorne niet meer te citeren. Omdat hij een van die supergeheugens heeft, heeft hij de beschikking over elke zin en elk woord van alles wat hij ooit gelezen heeft en die kan hij op elke willekeurige manier combineren. Eigenlijk heeft hij dus volledige verbale vrijheid. En ik verdenk hem ervan dat hij de helft van de tijd doet alsof – ik denk dat hij gewoon praat en doet alsof hij iets citeert.'

'Maar dat is een enorme doorbraak. Dan kan ik hem zeker ook wel opzoeken, of niet?'

'Natuurlijk kan dat,' zei Don. 'Maar dan moet je wel snel zijn. Er bestaat een kans dat hij voor het eind van het jaar naar een behandelcentrum in Chicago verhuist.'

'Gossiemijne. Hebben jullie daar soms iets mee te maken?'

We keken elkaar aan, en ik zei: 'We hebben wel een positief effect op hem gehad, zou je kunnen zeggen. Ik ben echt blij dat we naar het Lamont zijn gegaan, en ik weet zeker dat Don dat ook is.'

'Absoluut,' zei Don.

'Grote veranderingen overal,' zei Jason. 'Dat zet je wel aan het denken. Hoe dan ook, heren, ik ben zo terug met de drank.'

We hoorden hem met ijsklontjes rammelen en glazen op het aanrecht zetten en andere dingen doen in zijn keuken. Ondertussen realiseerde ik me twee dingen over deze andere oude vriend uit mijn middelbare schooltijd. Het eerste was dat de meest ontwortelde en ontheemde van al mijn oude vrienden, degene die nog daklozer was geweest dan Donald Olson, een thuishaven had gevonden. Olson had nog geregeld het verblijf van zijn volgelingen gedeeld, maar Boatman had van de ene groezelige hotelkamer naar de andere gezworven.

Het tweede was dat ik gelijk had: Boats was iets kwijtgeraakt, en dat was hartstocht. In onze schooltijd waren we allemaal vervuld van hartstocht voor allerlei dingen, onze muziek, onze sport, onze boeken, politiek, elkaar, onze voornamelijk afschuwelijke ouders... Spencer Mallon! Maar de hartstocht van Jason Boatman was vooral woede. Zijn behoeften waren onbedaarlijk, zijn hunkeringen onverzadigbaar, zijn verlangens allemaal naar binnen gericht, waar ze niet konden worden vervuld. Maar mensen van zijn eigen leeftijd werden aangetrokken door de enormiteit van zijn verdriet. (We waren nog jong, is mijn enige excuus.) Die hartstochtelijke woede was Boatman kwijt, en de gevolgen waren vooral gunstig. Het enige nadeel was dat Boatman nu een overmaatse zeur dreigde te worden.

Jason kwam de keuken uit en liep rakelings langs zijn eetkamertafel met boven de bobbel van zijn buikje een ovaal metalen dienblad waarop drie glazen, een flesje Budweiser en twee kommetjes stonden. Toen hij de kommetjes op de salontafel zette, zagen we dat de ene zwarte, glanzende Griekse olijven bevatte en de andere gebrande pinda's en cashewnoten. Boatman winkelde bij de natuurwinkel van de studenten; misschien had hij zelfs een groenteabonnement bij de bioboer!

'Ik vond dat we er iets lekkers bij moesten hebben,' zei hij, en hief zijn bierflesje. 'Op uw gezondheid, heren!'

We mompelden wederzijdsheden en namen een slok uit onze bijna overvolle glazen.

'Dit is echt leuk,' zei Boatman. 'Weet je, Lee, er zijn tijden geweest dat ik eraan dacht om je op te zoeken of zo, met je te praten, een gezellig samenzijn, een kleine reünie. Daar heb ik aan gedacht. Dat is wel eens door mijn hoofd gegaan.'

'Waarom heb je er niets mee gedaan?'

'Nou, tot we elkaar die keer in Milwaukee tegenkwamen wist ik om te beginnen niet hoe ik je moest bereiken. Ik bedoel, je staat immers nergens in een telefoonboek?'

'Nee, maar er zijn heel veel gidsen van uitgevers en schrijvers die mijn adres hebben of dat van mijn agent. Sommige hebben zelfs mijn telefoonnummer. Je had me op kunnen zoeken in de *Who's Who*. Daar staat iedereen in.'

'Mensen zoals jij staan in de *Who's Who*. Mensen zoals ik weten zelfs niet hoe ze daaraan zouden moeten komen. Hoe ziet dat ding er eigenlijk uit?'

'Als een dikke, rode encyclopedie in twee delen.'

'Ik heb zo'n ding zelfs nog nooit onder ogen gehad.'

'Je had de plaatselijke bibliotheek kunnen proberen. Maar Boats, toen ik je mijn kaartje gaf, zei ik toch dat je me kon bellen wanneer je maar wilde?'

'Jawel, maar ik dacht niet dat je het *meende*. En er was dat andere probleem. Die keer daarvoor, de laatste keer dat ik je zag, waren jij en de Eel bezig naar New York te verhuizen om te studeren en zo. Sindsdien ben je beroemd geworden. Je hebt op de omslag van *Time* gestaan! En je verdiende heel veel geld! Waarom zou zo iemand met iemand zoals ik willen praten? Man, als ik aan je dacht, raakte ik al geïntimideerd.'

'Dat vind ik jammer.' Maar diep in mijn hart was ik niet helemaal ontevreden dat Boats te zeer onder de indruk was geweest om me te bellen. Toen bedacht ik nog iets anders. 'Trouwens, je had mijn telefoonnummer toch van Lee gekregen? Je wilde het gewoon niet gebruiken.'

'Nee. De Eel heeft me nooit je nummer gegeven. Alleen je adres. Maar ik heb haar nooit geschreven.'

'Waarom niet?'

'Waarom? Omdat zij dat niet wilde.' Hij zei het alsof dat duidelijk had moeten zijn, zelfs voor een sukkel zoals ik.

Jason wendde zich naar Don Olson. 'Hoe heb jij hem gevonden?'

'Ik zat in de bak. Gevangenisbibliotheken hebben heel vaak van die schrijversgidsen. Zijn telefoonnummer en zo stonden er niet in, maar wel het adres van zijn literair agent. Dus schreef ik die agent, en die belde Lee, neem ik aan, en Lee zei: "Ja, die is bona fide," en toen stuurde die agent me een brief met alle info. En dat was dat.'

'Nou, ik ben blij dat ik het vandaag kon doen, man. En jullie weten waarschijnlijk niet eens dat ik al vijf, zes jaar op het rechte pad ben.'

'Jij op het rechte pad?' zei Don. 'Fantastisch.'

'Ik was het zat om rotzooi te stelen, en ik begon het gevoel te krijgen dat mijn smetteloze staat van dienst binnenkort niet meer zo smetteloos zou zijn. Dus besloot ik mezelf een test op te leggen.'

'Wat voor test?' vroeg ik.

'Ik ging naar een kleine winkel en probeerde een nietmachine te stelen, omdat de mijne kapot was. Als ik de manager niet door het raam naar me had zien kijken, zou ik inderdaad gepakt zijn. Dus begreep ik dat ik ander werk moest zoeken.'

Boatman legde uit dat hij na een korte, ellendige periode waarin hij naarstig op zoek was naar ideeën en advertenties naploos, begreep dat hij maar één verkoopbare vaardigheid had. Het moest toch mogelijk zijn om een inkomen te verdienen door aan eigenaren van franchisewinkels en managers van magazijnen en winkelcentra uit te leggen hoe ze mensen zoals Jason Boatman ervan konden weerhouden om te stelen wat ze hebben wilden als ze daar zin in hadden. Hij kon mensen laten zien hoe ze de gaten konden dichten waar hij en mensen zoals hij doorheen kropen, soms letterlijk.

'En zo geschiedde,' vertelde Boatman. 'Ik begon bij de universiteitswinkel. Tegen de manager zei ik, ga daar staan en kijk naar me. Je zult je ogen niet geloven. Ik plant hem op de tweede verdieping bij de kassa's, vertel hem nog eens dat hij me goed in de gaten moet houden en ik ga aan het werk. Hij houdt zijn blik op me gevestigd terwijl ik rondwandel, dingen oppak en weer terugleg. Ik heb een rugzak, maar het ziet er niet naar uit dat ik daar iets in stop. Een kwartier later kom ik bij de man terug en ik zeg: "En?"

"Wat en?" zei hij. "Je hebt niets gedaan."

"Dat is interessant," zei ik, "aangezien ik net voor ongeveer vijfhonderd dollar aan spullen van je heb gejat." En vervolgens laad ik mijn zakken uit en haal spullen onder mijn shirt vandaan en uit mijn broek, uit mijn sokken, uit mijn *schoenen*, en uiteindelijk uit de rugzak. Kunstboeken, studieboeken over accountancy, vulpennen, sjaals van het Badgers-team, een Badger-bureau-agenda, een Badger-lamp, halogeenpitjes, noem maar op, allemaal op de balie. Misschien droeg ik de magische voodoocape van Spencer Mallon niet meer, maar niemand kon zeggen dat ik geen goeie dief was.

"Jezus," zegt die vent. Heb je dat allemaal onder mijn ogen gestolen?"

"Ik heb niets gestolen," zei ik. "Ik heb je alleen laten zien dat het kon. Maar vroeger, toen ben ik vaak genoeg deze winkel uitgelopen met twee keer zoveel spullen als wat er hier voor je ligt, te beginnen met zo'n drie managers geleden en ook terwijl jij hier al werkte. En terwijl ik je de tanden uit het hoofd aan het stelen was, zag ik twee jongens hetzelfde doen als ik, alleen minder goed. En een van je kassamedewerkers zit trouwens met zijn vingers in de geldla."

Daarna liet ik hem zien wat ik bedoelde. We joegen twee boekendiefjes de stuipen op het lijf en twintig minuten later is die vogel met zijn lange vingers op weg naar een verhoorkamer en ik heb een nieuwe baan voor zeshonderd dollar per week. De manager was zo blij met me dat hij een aanbevelingsbrief schreef waardoor ik consultancywerk kreeg bij een pakhuis en een kruideniersketen, en nu ben ik president van It Takes a Thief, Inc.

En waar ben jij momenteel mee bezig?' vroeg Boatman aan mij. De meest onschuldige vraag, de minst beantwoordbare woorden die mensen gebruiken tegen schrijvers die ze nauwelijks kennen als ze geen idee hebben wat ze tegen zulke vreemde wezens moeten zeggen. 'Als je er tenminste over kunt praten,' zei Boatman, waarmee hij veel goedmaakte.

Wat kon ik zeggen, hoe moest ik antwoorden? Ik besloot een eenvoudige, gestroomlijnde versie te vertellen van de waarheid zoals die er in mijn ogen uitzag. 'Een tijdlang overwoog ik om een boek te schrijven over die Ladykiller-moorden in Milwaukee. Toen probeerde ik aan een nieuwe roman te werken. Dat vorderde heel moeizaam. Ten slotte gebeurde er iets dat min of meer de herinnering aan Hootie opriep, en toen kwam in zekere zin mijn hele verleden terugstromen. Wat er gebeurd was op dat veld leek voor ons allemaal zo cruciaal te zijn geweest, dat ik het uit moest zoeken. Ik moest erin duiken. Weet je wel? Ik had me er buiten gehouden, en ik geef grif toe dat ik dat helemaal zelf had gedaan, maar om de een of andere reden kon ik daar gewoon niet meer tegen.

Precies in die periode kwam Don net uit de gevangenis. Dat heeft mijn vrouw ook zo'n beetje geregeld. We kwamen overeen dat hij een tijdje bij mij kon logeren, lang genoeg om zijn draai te vinden, als hij me vertelde wat hij zich nog van die dag kon herinneren. Van Mallon in het algemeen.'

Ik knipperde even met mijn ogen en nam een slok van mijn borrel. De handelingen voelden robotachtig aan. 'En Don was heel behulpzaam. Hij regelde dat ik met de vroegere Meredith Bright kon praten.'

'Lieve hemel,' zei Boatman. 'Ik kan nog steeds een beetje wee worden als ik aan Meredith Bright denk.'

'Zorg dat je haar nooit meer tegenkomt,' zei ik. 'Of als het niet anders kan, houd de ontmoeting dan zo kort mogelijk. Maar ze maakt nog steeds een geweldige eerste indruk.'

'Ze heeft je verteld wat ze zich herinnerde, van toen?'

'In detail,' zei ik.

'En Hootie ook?'

'Hij had een paar interessante dingen te melden.'

'Nou, ik wou dat ik me er wat meer van kon herinneren, maar het heeft geen zin. Die dag dat we elkaar tegenkwamen bij het Pfister heb ik je alles verteld wat ik nog wist.'

'Ja,' zei ik. 'De dode kinderen.'

'Overal dode kinderen. Een hele toren ervan...' Hij trok een gezicht en wapperde even met een hand voor zijn ogen. 'Herinner me er niet aan. Het was altijd zo moeilijk, om dat beeld uit mijn hoofd te houden. Gek eigenlijk, nu ik erover nadenk. Wat ik dacht te zullen krijgen nadat ik de misdaad had opgegeven en de misdaadbestrijding in ging, kreeg ik inderdaad: innerlijke rust, weet je wel? Mijn leven lang geloofde ik niet eens dat het zelfs maar bestond, ik dacht dat het een gerucht was om sukkels mee zoet te houden, en toen ik een oude vent begon te worden en niet meer inbrak in pakhuizen en hotelkamers – echte vrede!'

'Laten we deze brave borst maar mee uit eten nemen,' zei Olson.

'Goed idee,' zei ik.

Alsof hij onze woordenwisseling niet had gehoord, bleef Jason Boatman onderuitgezakt in zijn stoel hangen en keek neer op zijn schoot, waar zijn handen zijn glas op de welving van zijn buik vasthielden alsof het een bedelnap was. In de donkerder wordende lucht leek het spaarzame, over zijn schedel gekamde haar bijna van zilver.

'Wacht eens. Ik maakte me vroeger enorm druk over iets heel vreemds wat ik ooit heb beleefd,' zei Boatman, tegen zijn handen, zijn glas, en zijn buik. 'Niet altijd, maar af en toe. Er was iets heel verschrikkelijks mee.'

Hij keek ons aan zonder zijn hoofd op te heffen. 'Mijn naam ervoor was... nou, ik noemde het...' Hij schudde zijn hoofd, bracht zijn glas naar zijn mond, liet het weer zakken zonder te drinken. Opnieuw schudde hij zijn hoofd. Een vreemde, bevende geest had bezit van hem genomen, veranderde zijn gelaatstrekken, verlamde zijn tong.

'Hoe noemde je het, dat ding?' vroeg ik.

De bevende geest verschoof zijn blik naar mij, slokte een mondvol bier naar binnen en werd weer Jason Boatman. Hij zei: 'De donkere materie.'

'Donkere materie? Dat wetenschappelijke gedoe, dat onzichtbare spul?'

'Nee, niet dat.' Boatman verschoof ongemakkelijk in zijn stoel en keek de kamer rond, kennelijk om zich ervan te vergewissen dat al zijn kleine potjes en zijn vijftien centimeter lange rij cd's nog op hun plek stonden. 'Ik kan nergens helemaal zeker van zijn waar het dit, eh, onderwerp betreft. Het is iets dat me overkomen is op Lake Michigan, en later nog eens op de kant. Ergens, ik heb nooit echt geweten waar. Het was niet zomaar vreemd, het ging veel verder dan dat.'

Hij wendde zich naar mij. 'Deze ervaring kwam voort uit dezelfde plek als die toren van dode kinderen, maar van verder weg *in* die plek, aan het einde ervan, op de bodem, waar alles, alles wat we weten of beminnen wegdruppelt en waar niets meer iets betekent. Daar raakte ik van overstuur. Ik begreep dat niets ook maar iets meer betekende dan iets anders.'

Boats keerde zijn gezicht naar Don. 'Het ging om jou. Jij en Mallon. Je weet hoe graag ik wilde wat jij kreeg. Ik zou er alles voor gegeven hebben om door Spencer te worden gekozen. Die ene nacht in Milwaukee voelde het alsof ik bijna, nee, alsof ik écht een tweede kans kreeg. Wil je horen wat er gebeurde? Lee, dit komt allemaal door dat veld, dat weet ik zeker. Het had alleen veel langer nodig om hier aan te komen.'

'Graag,' zei ik.

'Met wat ik kreeg viel anders niet zo gemakkelijk te leven,' zei Don. 'Het is maar dat je het weet.'

'Houd je mond en luister,' beval Boats.

De donkere materie

Het eerste wat je begrijpen moet, *vertelde Boats*, was dat hij een andere relatie had met Lake Michigan dan de meeste mensen. Voor Boats was die watervlakte onlosmakelijk verbonden met zijn vader, en niet in positieve zin. Zijn vader ging naar Lake Michigan om te werken, terwijl zijn vrouw en zoon achterbleven in Madison – het meer was een van de dingen die hem zijn vader hadden ontnomen. Vaak belde Charles Boatman 's avonds op om te zeggen dat hij te moe was om helemaal naar huis te rijden, dat hij wel op de zaak bleef slapen. Soms was zijn vader dronken als hij belde, dronken en high tegelijk, paps was een echte feestneus. Soms als Boats de telefoon opnam, kon hij achter de dubbele tong van zijn vader muziek en gelach horen. Natuurlijk mocht Jason af en toe naar Milwaukee komen om bij zijn vader te zijn in de gehuurde boothuizen, en dat was meestal een bijzondere tijd. Bij Shirley vandaan was zijn vader een stuk meer ontspannen, en hij kon leuk zijn om mee rond te lummelen. Het probleem was dat lummelen eigenlijk het enige was waar Charlie Boatman om gaf, naast boten bouwen om ze aan rijke mensen te verkopen. Dus vertegenwoordigde Lake Michigan zijn vaders afwezigheid, maar ook de wilde, roekeloze dingen die zijn ouweheer uithaalde op de oevers ervan.

En het meer was op zichzelf al anders, dacht Boats. Het zag er niet uit als Lake Mendota of Lake Monona, waar hij mee opgegroeid was; nee, het was heel iets anders. Lake Michigan leek op een oceaan. Aan Lake Mendota zag je van de kant van de universiteit de dure huizen aan de overkant, maar Lake Michigan leek niet eens een overkant te hebben. Het bleef zich maar uitstrekken, mijlen en mijlen beweeglijk water dat begon als een soort bleekgroen aan de oever en steeds donkerder werd naarmate je verder het meer op kwam, tot een koud, vlak blauw. Ver van de oever deed Lake Michigan niet meer alsof het een aardig, vriendelijk waterlichaam was zoals Mendota of Random Lake, maar toonde zijn ware gezicht, ruw, zonder enig gevoel behalve een bot en dwingend: *Ik ben, ik ben, ik ben.* Dat is wat het meer je vertelde wanneer je ver genoeg had gevaren om de oever uit het oog te verliezen. *Ik ben, ik ben, ik ben. Jij niet, jij niet, jij niet.* Als je daar geen aandacht aan besteedde, was je verloren, dan maakte je geen enkele kans.

Op een nacht in 1958, 1959 was er een jongetje in Milwaukee in een zeilboot op Lake Michigan doodgegaan van de kou. Boats herinnerde zich dat zijn vader daar met hem over had gepraat en hem had gewaarschuwd goed op te letten en zich niet te laten beetnemen zoals dat joch. Alleen wat denk je. Precies hetzelfde overkwam Boats Boatman toen hij elf jaar oud was, een paar maanden nadat zijn vader, Charlie Boatman, hun had laten weten dat hij verliefd was op een meisje, Brandi Brubaker, en dat hij dus van nu af aan bij haar ging wonen en alleen nog af en toe naar Madison zou komen. Dat was me het nieuwtje wel. Het had nogal wat effect. Shirley bleef een paar jaar lang boos en dronken, en de kleine Boats dobberde op en neer in haar boeggolven.

Op een avond deed hij iets heel stoms; hij ging aan de weg staan en stak zijn duim op. God ontfermde zich weer eens genadig over de dwazen en bracht hem met twee simpele, snelle liften naar de oostkant van Milwaukee. Het probleem was dat Boats niet precies wist waar het botenhuis en de werkplaats van zijn vader precies waren, dus begon hij ze kilometers naar het noorden te zoeken, in de buurt van de jachthavens aan het meer in Milwaukee zelf, in plaats van in Cudahy, wat minder chic was. De elf jaar oude Boats had aangenomen dat hij de schuren en boothuizen van zijn vader vanzelf zou zien als hij eenmaal was waar de boten waren, of er iemand naar zou kunnen vragen. Iedereen kende

Charlie Boatman immers? Joh, de man was het middelpunt van elk feest, en ook nog eens een eersteklas scheepsbouwer. Alleen kon Boats niemand vinden die zijn vader kende. Het begon donker te worden en hij was onderhand wanhopig van de honger. Hij besloot een bootje te 'lenen' van een steiger ergens en daarmee het meer op te zeilen om de oever langs te varen tot de bekende verzameling gebouwen in zicht kwam. Hij slenterde een poos langs de oever – in de verkeerde richting, naar later bleek – en zag uiteindelijk een Sunfish liggen aan een privésteiger onder aan een hoge, steile klif waarlangs een lange stenen trap omhoogliep.

Boats draafde de steiger op, maakte het bootje los, hees het zeil en ving al snel een mild briesje dat hem naar het diepe water pufte. Daarna ging alles mis. De jongen kon goed zeilen, maar hij ging te ver het meer op en verloor de kust uit het oog in de groeiende schemering. Een tijdlang vertelden de lichten van de stad hem ruwweg waar hij was. Maar na een paar uur doelloos drijven, zonder te weten welke koers hij voer, begon hij zich aan alle kanten fonkelende lichtjes te verbeelden. Er kwam mist opzetten. Hij wist dat hij ver op het meer was, maar hij had geen flauw benul hoe ver. Stom genoeg had hij geen kompas meegenomen. Uiteindelijk reefde hij het zeil, ging op de oncomfortabele bodem van de boot liggen en raakte bewusteloos van spanning en uitputting. Kou en honger bevingen hem, kerfden hem stukje bij beetje weg. Telkens als hij ontwaakte, hallucineerde hij. Hij dacht dat hij zich 's nachts had laten opsluiten in een groot warenhuis en terwijl hij in de Sunfish door de prachtige gangpaden dreef, trok hij overhemden en truien, lampen en dienbladen, vergieten en pannen van de schappen.

Om tien uur de volgende ochtend kwam het schip dat zijn wegstervende leven redde luidruchtig uit de dichte mist zetten, achter de ronde, lichtspoorachtige straal van een zoeklicht en het geluid van sonore alarmsignalen aan die hij niet had gehoord tot de reddingsboot vlak bij hem was. Een agent van de havenpolitie klom omlaag het zeilbootje in, wikkelde hem in een mistkleurige deken en overhandigde hem aan zijn partner, die zei: 'Klein kreng, ik hoop dat je begrijpt hoeveel mazzel je hebt gehad.'

Twee nachten in het ziekenhuis en het gevoel dat zijn kracht op de een of andere manier uit hem was gevloeid in een kleverige stroom, als olie uit een auto. Zijn vader brulde, zijn moeder stapte op de Badger Bus naar Milwaukee en nam hem met de volgende rit mee terug. Hij wist hoeveel geluk hij had gehad: het gezin in het grote huis boven op de klif met de lange trap had medelijden met hem vanwege zijn beproevingen en diende geen aanklacht in wegens diefstal van hun zeilboot. Als hem werd gevraagd naar de beweegreden voor wat hij had gedaan, antwoordde hij altijd: 'Ik denk dat ik gewoon mijn vader wilde terugzien.'

'En dat is nog steeds de enige manier waarop ik het kan verklaren,' zei Boatman. 'Maar de tweede keer dat ik Lake Michigan op ging in een gestolen boot, was ik niet van plan om mijn vader te verrassen. Ik dacht dat ik herenigd zou worden met jou, Dilly, en met Spencer Mallon. Ik dacht dat ik een tweede kans kreeg!'

Hij stond op. 'Als jullie me mee uit eten willen nemen, kunnen we nu wel gaan. Ik heb honger en er is een restaurantje dat me goed bevalt op Williamson Street dat Jolly Bob's heet. Caraïbisch eten, en als we er lopend heen gaan krijgen we tegelijk wat lichaamsbeweging.'

Jolly Bob's, herinnerde ik me toen we door de voordeur naar binnen liepen, was precies de plek die zorgde dat ik 'slechte etnische restaurants' toevoegde aan de lijst van etablissementen die zich in dit soort buurten vestigden. De studente achter de balie grijnsde toen ze ons zag aankomen en ik had de verontrustende indruk dat ze mijn gedachten had gelezen. Nog steeds glimlachend bracht ze ons naar een tafel achter in het restaurant.

Boatman gebaarde ons te gaan zitten tegenover de grote ruit en de afleiding die de drukke patio bood.

'Kan ik iets te drinken voor jullie halen? Jullie zien eruit als een dorstig groepje.'

Ze vond ons vermakelijk omdat ze de alcohol op onze adem had geroken. In haar ogen waren we drie komieke oude drankorgels die hun oude dag zwalkend doorbrachten. We gingen zitten en met het raam achter hem werd Jason Boatman een donker silhouet.

'Alleen water voor mij,' zei ik. 'Maar giet er wat wodka in.'

Opgewekt, met veel vertoon van een meegaande onderdanigheid die op geen enkele wijze impliceerde dat ze iets humoristisch had gevonden aan mijn optreden, wendde de serveerster haar gezicht naar Boatman.

'Een Purple Meanie,' zei hij.

'*Wat?*' vroeg Don.

'Dat drinken ze hier,' zei Boats. 'Vruchtendrankjes. Ze zijn erg lekker. Ik vind de Painkiller ook heerlijk.'

'Dank u vriendelijk, mijnheer,' zei de serveerster. Ze vond ons stuk voor stuk idioot.

Ik zei: 'Als dat de gewoonte is bij Jolly Bob's, wil ik mijn bestelling wijzigen en hetzelfde drinken als mijn vriend. Een Purple Meanie. Kan dat?'

'Zeker, meneer.' Haar glimlach verstarde iets.

'Voor mij hetzelfde dan,' zei Don. 'Alleen wil ik graag een Painkiller.'

'Ik kom zo terug met uw menukaarten,' zei ze, en spurtte weg.

'Deze heb je tenminste niet met een greep als een handboei bij haar pols gepakt en naar haar naam gevraagd,' zei ik.

'Wil je het woord handboeien vermijden bij mij in de buurt,' zei Boats.

'Ik ben enorm vooruitgegaan,' zei Olson. Hij wendde zich tot de donkere schaduw die Boats was geworden. 'Zodra ik in Chicago aankwam, belde ik Lee en vroeg hem naar mij toe te komen in Mick Ditka's. Dat was dus mijn eerste dag buiten de lik, en ik was iets te enthousiast tegen de serveerster. Het was een erge mooie meid. Dit grietje ook, nu ik erover nadenk.'

'Weet je wat ik me van de week nog realiseerde?' zei Boats. 'Iedereen die jong is, is mooi.' Doordat zijn gezicht nog steeds maar half zichtbaar was, klonk zijn verklaring als een orakelspreuk.

'Goede gedachte. En heel waar, ook nog.'

De jonge vrouw kwam terug met de drankjes en de menukaart, en even later bestelden we gefrituurde beignets van schelpdieren, gebakken meerval, kokosgarnalen en gekruid varkensvlees.

'Nu we eenmaal zitten en alles geregeld is, Jason, kun je ons misschien vertellen over de tweede keer dat je een boot stal en Lake Michigan op ging. Waarom dacht je dat je Mallon en Don zou zien? Was je dronken?'

'Nee. Al liep mijn drankgebruik in die tijd wel eens uit de

hand. Maar niet die keer. Ik logeerde in het Pfister, werkte er ook, maar die avond bedacht ik na het avondeten dat ik zomaar eens naar de rand van het meer wilde wandelen. Het was zomer, dus de dagen waren lang en het zou nog ongeveer een uur licht blijven. Ik liep Wisconsin Avenue af vanuit het hotel, langs het oorlogsmonument en over de parkeerplaats, naar een jachthaven die ik in de verte zag liggen. Al voordat ik er was, overkwam me iets vreemds.'

De stem van Jason Boatman, bijna die van de jongeman die hij ooit was, vloeide uit zijn schimmige vorm. Zijn gelaatstrekken werden alleen echt zichtbaar als hij zich afwendde om een van zijn toehoorders aan te kijken of als hij vooroverleunde. Ik vond dat hij er bijna uitzag alsof hij een lijkwade droeg en probeerde dat onaangename beeld te onderdrukken.

De donkere materie, II

Vanaf het water leken stemmen op hem af te komen, *zei Boats*, alsof er net buiten beeld een oceaanschip voor anker was gegaan en alle passagiers op het dek aan het feestvieren waren. Beslist het geluid van een grote menigte, beslist het geluid van een feest. In sommige dingen kun je je niet vergissen. Maar het was helemaal verkeerd; het was onmogelijk. Geluid draagt over water, dat weet iedereen, maar niet zo ver. Hij kon het schip niet zien, dus moest het zeker anderhalve kilometer van de walkant liggen. Op die afstand zou hij wel wat geluid kunnen horen, vaag, maar het kon nooit zo duidelijk zijn. Stemmen klonken op uit het lawaai en hij kon bijna afzonderlijke woorden onderscheiden. Een hoge vrouwenstem gilde van het lachen, en een man met een diepe tenorstem herhaalde telkens weer hetzelfde. Het klonk als een opdracht, een bevel. Alle anderen snaterden en kakelden, sommigen zo hard als ze konden. Boats hoorde de man met de galmende tenorstem de woorden *Ik heb nodig wat jij nodig hebt* uitspreken voordat zijn stem zich terugtrok op het water.

Het feest liep ten einde; het schip voer verder; wat de verklaring ook was, het geluid van vele stemmen verdween abrupt in de stilte.

Ik heb nodig wat jij nodig hebt?

Hij liep door. De jachthaven leek heel ver weg te liggen. De auditieve hallucinatie, als het dat was geweest, baarde hem zorgen. Hij besloot tot de verklaring dat de wind, of een vreemde eigenschap van het water, de stemmen op de een of andere manier tien of vijftien kilometer over het water had weten te blazen. Hij had een feest op een veerboot gehoord, niet op een oceaanschip, en de mensen op het feest maakten plezier en stelden zich aan. Dat gebeurde vaker op feestjes, al had dit feest, nu hij tijd had om erover na te denken, bijna hels geklonken. Heel wild en een beetje duivels. Hij was blij dat hij niet op die veerboot zat.

Nu was hij bij de smalle, verste uithoek van de enorme parkeerplaats achter het kunstmuseum aangeland. Voor hem lagen tuinen die naar een stuk grasland met een eendenvijver leidden. Daarachter had je de jachthaven, een ingewikkelde verzameling lange, kromme steigers in de vorm van golfbrekers waar honderden plezierboten aangemeerd lagen, sommige met dunne, hoge masten, sommige massiever, breder, met stuurhutten erop als stijve witte hoeden. De boten dobberden op een bries die hij niet kon voelen. Aan zijn rechterhand stuurde Lake Michigan steeds nieuwe golven van ruches en schuim naar de oevers, fonkelend van het licht dat verder weg op de reusachtige waterspiegel in het diepere blauw glinsterde. Boats stapte over de lage betonnen barrière aan het einde van de parkeerplaats en zette één in een sportschoen gestoken voet op het verende gras.

Een tumult van stemmen stak op in de lucht aan zijn rechterkant, een vrouw gilde hysterisch, gevaarlijk, van het lachen. Een tenorstem als een trompet weergalmde *Ik heb nodig wat jij nodig hebt*.

Hij verstijfde en de geluiden verdwenen. Het zelfbeschermende instinct van de dief die hij was, zei hem dat hij terug moest naar het hotel om zijn spullen te pakken en de stad zo snel mogelijk te verlaten.

Hij zette zijn rechtervoet op het gras. Jason Boatman liet zich niet de stuipen op het lijf jagen door een speling van geluid over water. De aanblik van de grote jachthaven beviel hem. Die herinnerde hem aan zijn vader, een beetje, op een prettige manier: de zeilboten van Charles Boatman waren prachtig gebouwd, elk ervan (wist Boats nu) een kunstwerk, als een met de hand gemaakte gitaar van mahonie en walnoothout, elke glimmende centimeter het product van zorgvuldige en deskundige arbeid. Het zou een kick zijn om er een paar naast de steiger van die ongetwijfeld particuliere jachthaven te zien dobberen. Waarom zou hij niet even gaan kijken?

Tegelijkertijd waarschuwde een angstig instinct hem om terug te gaan naar het hotel, uit te checken en de eerste trein te nemen die het station verliet. Is dat niet vreemd? Er komen een paar flarden geluid over het water, en door dit *fenomeen* liet hij zich bijna wegjagen.

Iedereen bestaat uit twee mensen, weet je, de man die nee zegt en de man die ja zegt, de man die zegt: 'O Jezus, ga daar niet heen/Raak dat spul niet aan,' en de redzame, riskantere die zegt: 'Het komt allemaal goed/Kom op, een beetje kan geen kwaad.' Boats koos meestal voor de tweede stem, hoewel die andere hem er een keer of vier, vijf voor had behoed om ergens in te lopen wat evengoed drijfzand had kunnen zijn. Zijn lange carrière aan de verkeerde kant van de wet had een overtuiging bevestigd die hij in zijn jeugd al had, namelijk dat je nergens in springt als je er niet voor minstens tachtig procent zeker van bent dat je er ook weer uit kunt springen. Waag een gokje, maar wees niet te optimistisch over je kansen.

Deze keer had hij echter niets te verliezen, omdat hij niets op het spel zette. Die paar rare geluiden hadden Meneertje Kom-op-we-smeren-'m gewekt en de zenuwen van dat kereltje maakten overuren. Het sloeg nergens op. Boats besloot die hysterische waarschuwingssignalen terzijde te schuiven en later uit te puzzelen, als hij kon.

Het was wel waar dat de schallende, trompetachtige stem en het gillende gelach die uit het tumult opklonken hem van zijn stuk hadden gebracht, bijna alsof die afschuwelijke feestgeluiden hem ergens aan herinnerden, iets wat zijn voorzichtigere en wellicht verstandigere zelf stevig had ingepakt en achter in de kast had opgeborgen. Heel even, minder dan een tel lang, wankelde zijn zelfvertrouwen door iets anders, een ander element, een geur: ozon en nat graniet, maar ook een geur die deed denken aan weidse, vreemde streken, een zweem van elektriciteit die uit het duister van het heelal vloeide, een zweem van rottend vlees...

Op het laatste moment van de dag waarop hij nog enig beschikkingsrecht zou hebben over wat hij deed, dacht Boats: *Man, er is iets geks met dat meer*. Maar zelfs toen, voordat hij merkte dat hij weer naar de verre jachthaven liep, was alles al in gang gezet. Hij zou een boot stelen die zijn vader had gemaakt, Lake Michigan opzeilen, het meer dat hem ooit bijna had weten te vermoorden, en daar, op zijn verre oevers of uitlopers, ontmoeten wat er op hem wachtte. Als in verzet tegen een al geldende overeenkomst keek Boats over zijn schouder en zag een vlugge, onverwachte wervelwind in de lucht bevriezen en verstijven tot een man van een type dat hem ooit bekend was, in elk geval van het feest in het Bèta Delta-huis en het beroemdste boek van Lee Harwell, in het gebruikelijke gezelschap.

En deze verschijning vanuit het niets en nergens, een slinger in de stof waar lucht van is gemaakt, vanuit hetzelfde enorme heelal waarvan hij zojuist de geur had opgevangen, een opmerkzaam ogende vent in een keurig grijs pak met een broskuif, bekrachtigde slechts wat er zojuist gebeurd was. Naast de man sprong een grote donkere hond overeind met een dikke zwarte kraag en een staart als een kromzwaard en zwaaide met zijn kop terwijl hij Boats opnam met glanzende, aandachtige ogen. Hij kon nog zo vaak overwegen om zijn spullen te pakken en een trein te nemen naar lucratieve slaperige stadjes, maar hij kon niet terug naar het Pfister. Die weg was versperd.

Dus nu hield een van die 'agenten' – zo konden ze ze nu wel noemen – Boats van achteren in de gaten, en zijn hond had helemaal niets van een gewone hond. Volgens Boats werd hij daardoor nog enger. Die agent en zijn straathond kwamen van dezelfde plek als die geluiden, die misschien of misschien niet afkomstig waren van een groot privéjacht waar zuiplappen een feestje bouwden.

Als iemand roept *Ik heb nodig wat jij nodig hebt*, zegt hij dan *Ik heb jou nodig?* Zegt hij *Jouw verlangens vullen mij?*

Boats moest om de eendenvijver heen lopen. Het gras voelde stijf aan, borstelig. De eenden staken hun kop onder hun vleugels toen hij dichterbij kwam, en toen hij er voorbij was en omkeek bleven ze zo drijven met hun vleugels over hun hoofd; ze leken op gevouwen enveloppen, onbezielde dingen zonder bewustzijn. De agentfiguur slenterde vijftien meter achter hem, en besteedde lang niet zoveel aandacht aan Boatman als de gevaarlijk uitziende hond.

De hemel verduisterde. De wolken joegen niet langer door de lucht en zagen er dadelijk uit alsof ze op de vlakke, harde achtergrond boven hen geschilderd waren. Het resterende licht, zo bleek dat het bijna blauw was, bevatte geen warmte. De sfeer om de jachthaven heen kreeg iets neutraals en levenloos, werd inert en onbeweeglijk. Het gras onder zijn voeten, dat niet langer veerde, voelde droog en korrelig aan, alsof het breekbaar was geworden, maar het felle groen ervan was niet veranderd. Na nog twee krakende stappen was Boats nieuwsgierig genoeg om neer te hurken en het paradoxale gras aan een onderzoek te onderwerpen.

Elke identieke halm was, alsof het lopendebandwerk was geweest, in een opstaande kegel van donkerbruin plastic gestoken. Met hun volmaakt cirkelvormige randen leken de kegels op kleine vulkaantjes. Boats probeerde een halm uit een van de kegels te trekken en moest er zo'n felle, harde ruk aan geven dat hij bang was dat hij zou knappen. De groene halm kwam echter keurig los, gevolgd door een wolkje rook uit de krater en het geluid van dichtklikkende metalen onderdeeltjes. Hij hield de halm die hij uit de fitting had gehaald omhoog en zag hem in zijn hand verdorren. Toen het ding eruitzag als een verzakte tandenstoker liet hij hem vallen, stond weer op en liep krakend verder over het gras tot hij bij het witte beton aan de rand van de jachthaven aankwam.

Hij stapte van het gras af, merkte dat de voetafdruk die hij had achtergelaten bleekbruin werd en keek achterom. Overal langs de eendenvijver deden zijn voetafdrukken verslag van zijn voorbijgaan met dood, zandkleurig gras. Op de stoep strekte de man in het grijze pak zijn hand evenwijdig aan de grond en hief hem een paar centimeter omhoog. De grote hond, die al waakzaam op zijn poten stond, stak zijn staart in de lucht, ontblootte zijn puntige tanden en draafde het gras op. Het namaakgras leek onder de kussentjes van zijn poten te verschoeien, en het schepsel liet rijen keurige pootafdrukken achter op zijn weg naar Jason Boatman. Op zeven meter afstand stond het dier stil. De lucht was vervuld van effen, roerloos blauw. Boats dwong zich om te blijven staan en bekeek de hond. Het leek wel een opgezet ding op een plank met wieltjes. De borstelkraag zag er kunstmatig uit en hij meende te zien dat elk van de angstaanjagende en volmaakt witte hondentanden gevat was in een kleine, gemodelleerde roze zwelling die in niets op tandvlees leek.

Op dat moment werd de lucht bewogen door vleugelslagen en vogelgezang en Boats keek op. Boven zijn hoofd steeg een veldleeuwerik wervelend omhoog. De vogel was uitbundig, glorieus aanwezig, hartstochtelijk vol leven, en goot een heldere, vurige, eindeloze melodie over hem uit die zijn hart bijna tot stilstand bracht. Boats dacht: *Dit pijnlijke godvergeten leven zit vol zegeningen*. Daarop verdween de leeuwerik, even plotseling als ze was verschenen.

Hoe wist hij dat het een leeuwerik was, vraag je? Hoe dan ook, hij moet zich vergist hebben, zeg je. Die kerel is toch een mislukte crimineel, geen vogelaar? Weet hij niet dat er op dit continent nog nooit een leeuwerik is gezien? Dat ze op dit continent niet eens voorkomen? De man heeft een boerenzwaluw gezien. Nou, raad nog maar even verder, jongens, want toen Boats eindelijk thuiskwam na zijn ontmoeting met de donkere materie zocht hij 'leeuwerik' op in de encyclopedie. En daar stond hij, een vrij lange, bruine vogel met zwarte strepen boven de vleugels en dofwit eronder. Er stond een plaatje bij en het was de vogel die hij had gezien, zeker weten, precies dezelfde. Laat me je één ding vertellen, dat lied, die melodie van de leeuwerik... nou, het enige wat hij kon zeggen was dat hij het heeft gehoord, en dat het heel bijzonder is, dat staat vast.

('Ik had erbij moeten zijn,' zei ik bijna.)

In de blauwe lucht onder de sprankelende zon, de herinnering aan de leeuwerik al vervagend, liep hij de lange, halfronde pier op en zag binnen een paar minuten een van zijn vaders boten, een kleine sloep met een felgele nylon spinaker die slap en voddig langs de mast hing. Om er zeker van te zijn dat hij gelijk had, hurkte hij aan de rand van de steiger en bekeek het bovenste deel van de romp. Precies op de verwachte plaats vond hij het licht ingebrande merk van zijn vader, C. BOATMAN, 1974, samen met zijn logo, de letters C en B samen zonder spatie ertussen, zodat het een letter uit een onbekend alfabet leek. Maar eigenlijk had hij het logo niet eens hoeven zien: de sloep bood de keurige *alles in ordnung*-aanblik die al Charlie Boatmans producten gemeen hadden. Zodra je er een zag, wist je meteen dat hij zo snel zou zijn als het licht. Het was grappig, als je erover nadacht. Die vent wiens leven een grote puinhoop was, die grote delen van de dag zo stoned mogelijk doorbracht, een hekel had aan gezag en een levenslange, sentimentele band met de arbeidersklasse voelde, bouwde volmaakte schepen die in essentie speelgoed voor de rijken waren. De armen konden leren zeilen, als ze op de juiste plek opgroeiden, maar je moest heel veel geld hebben om je een product van Charles Boatman te kunnen veroorloven.

De sloep was met een enkele landvast om een ijzeren bolder aan de steiger gebonden. De spinaker had moeten worden gereefd en opgevouwen in de kleine tas die de schildpad genoemd werd, maar hing in plaats daarvan als een dood ding aan de mast. De eigenaar was vast in grote haast teruggekeerd naar de jachthaven, was van boord gesprongen, had aangemeerd en was naar een vergadering gerend, van plan om zo snel mogelijk terug te keren naar zijn boot. Maar waar was het grootzeil? De gehaaste eigenaar was nergens te bekennen. Ook niemand anders, behalve het schepsel met de oplettende hond. Die beiden nog steeds naar hem staarden, wachtend op wat hij nu zou gaan doen.

Het beeld dat de wereld bood, leek *fout*. Er snelden geen auto's over Memorial Drive, er holden geen joggers of hardlopers over de paden, de eenden zaten bevroren ineengedoken onder de dwarse hoek van hun vleugels, en wat hij van de stad kon zien leek doods. De stoplichten gloeiden allemaal rood. Voor hem uit had het hele meer nu de doffe, donkere kleur van een blauwe plek aangenomen.

De gedachte aan wegzeilen, aan ontsnappen, bracht de herinnering met zich mee aan het losknopen van een Sunfish aan een privésteiger en uitvaren op zoek naar zijn vader.

Alsof er een raam in het heelal was opengeslagen tetterde het rauwe tumult van het drijvende feest op hem af alsof het op tien meter afstand plaatsvond: het vreselijke gelach dat op gillen leek, de schallende stem met zijn geheimzinnige, agressieve verklaring. Zodra de spreker zijn boodschap had uitgegalmd, werd het hele gebeuren weer afgesneden, alsof het raam was dichtgewaaid, of een reusachtige radio ineens het signaal van de Partijzender niet meer opving. Wat daarna kwam was geen zuivere stilte, maar een stilte waar twee stemmen in doorklonken. Hoewel hij de woorden die ze spraken niet kon verstaan, kwamen de stemmen hem bekend voor, meer dan bekend, even bemind als de stemmen van beschermengelen uit zijn jeugd. Lang voordat hij die stemmen identificeerde, begreep hij dat hij ze intiem kende, en dat niets van wat zij zeiden op dit moment van zijn leven zinloos of onnodig kon zijn. Dat ze waren teruggekomen betekende dat ze *voor hem* waren teruggekomen, dat ze *hem* hadden opgezocht. Hij *moest* horen wat ze zeiden.

Toen zette de hond een stap vooruit en de stervende zon kreeg de kleur van roest en de zwaardere van de twee stemmen zei hoorbaar *Denk je niet…* (onverstaanbaar gemompel) *… dat wij nodig…?* Waarop de tweede stem antwoordde *Ik heb nodig wat jij nodig hebt…*

Reusachtige bewegingen als van vooruitschuivende ijzeren platen en op hun plaats zakkende enorme blokken beton bewerkstelligden complexe geestelijke verbanden, en Boats wist wie er aan het woord waren, daar op het meer. De eerste stem was Spencer Mallon, en de tweede was van Donald 'Dilly' Olson.

Hij is op een nieuwe plek zei Mallon.

Wij zijn wat hij nodig heeft zei de Dilly-stem.

Zonder langer na te denken dan nodig was om zich de handelingen voor de geest te halen, trok Boatman de landvast los van de bolder, stapte vanaf de steiger in de boot en duwde af. Hij zag het zichzelf doen en deed het, stap voor stap, zonder aan de gevolgen te denken. Net toen hij uitgedreven was en bijna helemaal stillag, werd tot grote verbazing van Boats de gele spinnaker bol en de boot het meer op geblazen door de enige bries in die vreemde kleine wereld om hem heen.

Het was niet dat hij een slechte zeiler was, want hij was goed genoeg om niet om te slaan en zijn doel te bereiken, en hij kende alle basisregels, maar hij had last van twee grote handicaps. Zijn gevoelens voor zijn vader hadden hem verhinderd om van zeilboten en zeilen te houden, dus waren zijn instincten primitief en soms gebrekkig; en hij was nog nooit op het water geweest in een boot die alleen voorzien was van een spinnaker. Net zomin als iemand anders, voor zover hij wist, in ieder geval niet uit vrije wil. Door het ontbreken van het grootzeil werd de hele onderneming exponentieel bemoeilijkt. Een spinnaker was een extra zeil waarmee je sneller voor de wind kon varen, en het was niet opgetuigd of in de positie om het werk van het grootzeil te doen.

Hij moest zowel het roer als de spinnakerboom gebruiken om te sturen, maar eerst moest hij het zeil trimmen, een onmogelijke taak als er geen wind stond. Op dat moment stak er een fikse bries op en hij moest zich haasten om de fokkenval en de schoten aan de drie hoeken van de spinaker te haken; terwijl hij aan de schoten sjorde, maakte de boot slagzij en draaide zo heftig rond dat het dek bijna in het meer dook. Hij bedacht dat er eigenlijk drie mensen nodig waren, een om te sturen, een om de spinnaker te trimmen en een om de boom te bedienen. Een man alleen kon de boot slechts met de grootste moeite enigszins in bedwang te houden. Tegen de tijd dat Boats achteroverleunde om de schoten te bedienen, was de jachthaven verdwenen en had hij geen idee waar hij heen was gedreven. De lucht was steeds blauwer geworden, al was hij nog steeds doorzichtig. De zon was verdwenen; het water leek bijna zwart.

Om wat een hoek zou zijn geweest als meren hoeken hadden, schalde het feestgedruis hem plotseling weer tegemoet. De krijsende vrouw, de schreeuwende krankzinnige, het tumult van kwebbelende stemmen: hij verwelkomde hun terugkeer. Hij beschouwde ze als een oproep, een luidruchtig 'te wapen'. Toen een frisse wind het zeil vulde, trok hij aan de schoot en de boot vloog als een windhond uit het starthok in de richting van het onzichtbare feest. Binnen een paar tellen nam het lawaai af en verhieven zich twee bekende stemmen in de stilte. Hij ving de intonatie en de cadans van hun zinnen op, maar niet hun woorden.

Toen zag hij een stuk zandstrand dat uitliep op een rij bomen. Het zag eruit als een striptekening van een eiland. Een donkere mist dreef als een lage wolk tussen de boomstronken en langs de zoom van het zand. Als hij niet snel iets deed, zou hij aan de grond lopen en de boot onherstelbaar beschadigen. Boats rukte aan de spinnakerboom en trok aan het roer, zodat de boot opzij draaide en tegen de wind in kwam te liggen. Het gele zeil sloeg neer. Niets bewoog meer.

Boven het dreunen van zijn hart uit hoorde Boats Spencer Mallon zeggen De tijger *IS de dame, en de dame IS de tijger, en dat is het stuk dat niemand...*

Begrijpt? Bedenkt?

Boatman liet zich in het water glijden. Zijn huid raakte verdoofd en verschrompeld en hij voelde zijn penis krimpen. Hij kwam terecht op een wriemelende, slijmerige substantie als rottend zeewier, dat zich om zijn enkels wikkelde en brandde onder zijn voetzolen. Alleen met veel inspanning kon hij zijn voeten uit de greep van het wier losmaken, en hij moest die inspanning bij elke stap herhalen terwijl hij zich voortbewoog en de boot naar het strand en de drijvende mistbank sleepte. Toen de kiel over de bodem schuurde, trok hij zich los uit het wier, liep het zand op en begaf zich naar de neus van de boot om hem voor driekwart op de oever te trekken.

Boats wist bijna zeker dat de stemmen vanuit het bos bij hem waren gekomen. Subtiele, lage geluiden die gemakkelijk de stemmen hadden kunnen zijn, op een lager volume dan voorheen, bleven vanuit de bomen tot hem doordringen.

Zodra hij verder het zand op liep, golfde de laaghangende mist op hem af en overspoelde hem, zodat alles binnen zijn gezichtsveld verdween. Hij riep: 'SPENCER! SPENCER MALLON! HELP ME!'

Er kwam geen geluid en hij strompelde voort, terwijl zijn stemming met gruwelijke snelheid van verwachtingsvol naar wanhopig daalde. Hij was naar dit deel van de kust gelokt, dat een eiland moest zijn want het bestond beslist nergens aan de kustlijn van Lake Michigan tussen Milwaukee en Chicago, nee, zeker niet. De wereld was bitter en doods geworden en de dode wereld had hem gevangengenomen. Met uitgestrekte armen zette hij een stap vooruit, toen nog een.

Wetend dat het zinloos was riep hij: 'MALLON? KUN JE ME HOREN?'

De mist verkilde zijn huid en drong in zijn neus en zijn mond. Hij had zich zijn hele leven nog nooit zo verloren gevoeld. Wat was er met hem gebeurd?

Sinds die krankzinnige stemmen over het water hadden geklonken, had de wereld om hem heen zich verdraaid en verdonkerd. Gras dat geen gras was stierf onder zijn voetstappen, het meer werd één gigantische kneuzing, de zon koelde af en kreeg de kleur van roest, een van de afgrijselijke honden was slechts een levenloze constructie. De verdonkerende wereld had hem in een boot zonder grootzeil gelokt en naar zijn ellendige hart geblazen, dit bijna-eiland waar hij niets kon zien vanwege een mist die naar ammoniak stonk en naar chloor smaakte als die zijn keel binnen druppelde.

Hij zei tegen zichzelf dat hij in elk geval moest blijven bewegen. Hoestend en rondtastend liep Boats naar voren en voelde dat zijn vingers boombast raakten. Hij was een idioot en hij was aan het einde van de lijn gekomen. Dat hij een van zijn vaders boten had gestolen, leek deel uit te maken van de hele wrede grap.

Het onmiskenbare timbre van de stem van Spencer Mallon kwam hem tegemoet vanuit de diepte van het bos en hij stevende eropaf. Een dikke tak schramde zijn gezicht en een forse handvol twijgen drong zich in zijn haar. Boats dwong zich om niet te schreeuwen, al wilde hij niets liever. Toen hij zijn haar uit de twijgen had gewerkt, hoorde hij Mallon verder praten; hij was kennelijk in een gesprek verwikkeld. Met zijn handen als een kooi om zijn hoofd zette hij kleine stappen in de richting van die zich ontrollende stem. Hij tuurde door zijn samengeknepen, brandende ogen en zag alleen de zware, vochtige wol van de mist.

De stem van Mallon zei ... *pakte die afgehakte hand en gooide hem in de hoek... hond... droeg de hand naar buiten, de pols van de gewonde man... dronk een slok uit een glas...*

'Kleverig van zijn eigen bloed!' riep Boats, die zich herinnerde wat zijn held had gezegd in de kelderkamer van het Italiaanse restaurant. 'Het glas was kleverig van zijn eigen bloed!'

Het tafereel in de kelderkamer stond hem weer compleet en helder voor de geest, alsof het onder een glazen stolp bewaard was gebleven. Hij zag de vosachtige, overdreven aantrekkelijke Mallon aan zijn tafel, geflankeerd door die beeldschone vrouwen. Terwijl Boats het tafereel bezag met de heldere blik van een hervonden herinnering, wendde Mallon zijn hoofd met een ruk naar links en kneep zijn ogen even toe bij iets wat hij alleen kon zien:

een gedaante die in een flits verscheen en vrijwel meteen weer verdwenen was.

Boats zei: 'Toen zag je een van die hond-dingen, hè?'

De stem van Dilly kwam naar hem toe zweven vanuit de verre bomen die in mist gekleed leken; de dichtheid van de mist nam af naarmate die van de bomen toenam.

...wat hij nodig heeft, wat wij allemaal nodig hadden, wat we nu nodig hebben...

'DILLY!' riep Boats. 'MAN, JULLIE TWEEËN ZIJN PRECIES WAT IK NODIG HEB!'

...Kleverig van zijn eigen bloed, jochie... terwijl de hond die hand aan flarden reet...

De ogen van Boatman traanden nog steeds en zijn keel was rauw van de vochtige mist die hij had ingeslikt. Hij zag de mist rond de stevige bomen voor hem kronkelen, ertussenin hangen als spinnenwebben, dunner wordend naarmate hij dieper in het bos doordrong.

...aan flarden... knokkels en kraakbeen... droop langs de zwarte snuit...

Boats werd aangegrepen door twee tegenstrijdige, volkomen paradoxale gemoedstoestanden. Hij was uitgelaten, bijna blij; en hij had het gevoel te moeten overgeven. Al zijn uitbundigheid leek te worden bespot door een of andere onderliggende valsheid, een cynisch duister, kortstondig belichaamd door het beeld van een verminkte, van bloed druipende menselijke hand in een gruwelijk wrede bek.

'HÉ! IK BEN HIER!' riep Boats, zich afvragend waarom ze hem niet hoorden. Gestriemd door dunne, laaghangende takken zette hij twee stappen vooruit en moest toen stilstaan, zijn mond opendoen en zich vooroverbuigen. Zijn maag verkrampte, maar er kwam niets omhoog. Het was de giftige mist, dacht hij (en zei onmiddellijk tegen zichzelf: Nee, dat was het niet, mist is niet giftig, en je gaat er niet van braken). Zijn misselijkheid verdween.

...deze onbezonnen jonge dwaas, zei de Mallon-stem. *...wijsheid, iets daarvan kwam net door.*

'Nee,' zei Boats. 'Dat bedoelde je niet.'

Geweld zit in de stof van onze tijd geweven...

Geboorte is geweld.

'De goddelijke vonken verlangen naar hereniging,' citeerde Boats. Hij dook onder takken en de optrekkende mist door. 'Dat klopt ook, is het niet?'

Mild, vaagblauw getint licht vulde een open plek ongeveer zeven meter het bos in. Op die open plek, slechts zichtbaar in de flitsen licht die de tussenliggende bomen doorlieten, bewoog zich een man met blond haar die zei *We leven in een tijdperk van diepgaande transformatie.*

Het hart van Boats zwol van liefde. 'Spencer! Spencer Mallon! Kijk achter je!'

Hoewel hij zijn stem moest hebben gehoord, besteedde Mallon geen aandacht aan hem. Boats bewoog zich sneller voort, roekelozer; hij botste tegen boomstammen en struikelde over blootliggende, slangachtige wortels. Hij schraapte met zijn voorhoofd langs een tak en meteen droop er bloed langs zijn oog en over zijn wang omlaag. Een veeg van zijn hand smeerde het bloed over de hele zijkant van zijn gezicht. Hij veegde zijn hand af aan zijn hemd en liet een rafelige vlek achter. Boats liep tot binnen drie meter van de open plek en zag de bron van alle betekenis in zijn leven, Spencer Mallon, van hem afgewend staan in spijkerbroek, katoenen overhemd, safari-jack en cowboylaarzen. Zijn warrige, iets te lange, haar had de neiging mee te deinen als hij bewoog. Zelfs van achteren bekeken zag hij er schokkend jong uit. Jason 'Boats' Boatman had de vermoeide leeftijd van vierenvijftig jaar bereikt; een paar lange en even vermoeide jaren later zou hij Lee Harwell, de ooit beroemde schrijver, tegenkomen op de stoep net vlak bij de zijingang van het Pfister Hotel. Donald 'Dilly' Olson zag er zelfs nog jonger uit. Met zijn rug tegen een boom, een sigaret, waarschijnlijk een Tareyton, bungelend tussen de eerste twee vingers van zijn rechterhand en gekleed in zijn schooluniform – T-shirt, versleten spijkerbroek en instappers – zag Don Olson er zo schokkend jong uit omdat hij pas achttien was.

Boats was vergeten wat een knappe jongen Dilly was geweest. Echt, hij had bij de film moeten gaan of zo.

'Ja, vast,' zei Olson. 'Overigens is dat allemaal nooit gebeurd.'

'Jou niet,' zei Boats. 'Maar mij wel.'

Boats deed wat meer moeite om het bloed van zijn gezicht te vegen en liep naar de rand van de open plek, waar hij tussen twee esdoorns ging staan. Blauw zonlicht viel zonder enige warmte in pailletten op zijn armen en benen. Hij drukte zijn vuile zakdoek tegen de kloppende wond op zijn voorhoofd.

'Hé, jongens,' zei hij. 'Weet je wat? Ik ben behoorlijk in de war van al dit gedoe. Wat hebben we gedaan, zijn we terug in de tijd?'

Dilly keek hem aan vanaf de overkant van de open plek en bracht de rokende sigaret naar zijn lippen. Hij inhaleerde en blies een dunne, gejaagde stroom rook uit. Zijn gezicht was een masker van verveling.

Mallon keerde zich om, langzaam, met een bijna balletachtig zelfbewustzijn. Nu Boats veel ouder was dan de Spencer Mallon die hem zo had bekoord, herkende hij in het gezicht van de man alle eigenschappen die hem op de middelbare school waren ontgaan – luiheid, ijdelheid, zelfzucht, en de bereidheid om te bedriegen. En nog iets: de aangeboren opmerkzaamheid van de ware uitslover. Al die karaktertrekken waren in hem zichtbaar, maar dat was niet het enige. Terwijl Mallon zijn armen over elkaar sloeg en zijn hoofd schuin hield, zodat zijn haar charmant één kant op viel, zag Boats dat Mallon inderdaad die éxtra eigenschap had, een aura van net iets méér, en ook dat hij iets groter leek dan zijn lichaam, waarvan Boats nu merkte dat hij het zich herinnerde met een machteloze liefde. De man was een geboren magiër.

'Nou, nee, eigenlijk niet, Jason,' zei Mallon glimlachend. Hij had elk van de Boats' waarnemingen begrepen. 'Het is ook fijn om jou weer te zien. Maar dat kan niet. Niemand kan teruggaan in de tijd. Tijd is niet lineair. Helemaal niet. In plaats van voor- en achteruit te gaan, verloopt tijd *zijdelings*. Tijd is een enorm veld van gelijktijdigheid. Een van de leden van mijn vrolijke clubje heeft deze les op de *moeilijke* manier geleerd, zou ik kunnen zeggen, maar misschien kan ik beter zeggen dat hij hem *grondig* heeft geleerd. Daarmee bedoel ik dan natuurlijk Brett Milstrap, de huisgenoot van Keith. Keith was spectaculair veelbelovend, dacht ik, omdat hij zo verdorven was, maar om Brett heb ik nooit veel gegeven. Ik veronderstel dat jij hem op je rondes af en toe wel bent tegengekomen.'

'Ja,' zei Boats. 'Dat klopt. Maar... dus dit ben ik nu, waar ik ben, en jij en Dill zijn van 1966, en daar zou ik helemaal van flippen als ik niet al zo geflipt was, en om je de waarheid te zeggen... Goh, het spijt me dat ik zo bloed, ik heb mijn hoofd gestoten tegen een tak daarachter... nou, wat ik wilde zeggen is, ik heb altijd gehoopt jullie terug te zien, omdat ik dacht dat jullie me alles uit zouden kunnen leggen.'

'Wacht maar,' zei Dill, verveeld en vijandig.

'Wil je ophouden met bloeden? Geen probleem.' Mallon stak zijn wijsvinger uit naar het voorhoofd van Boats. De wond hield op met kloppen. 'Helemaal beter. Gooi die weerzinwekkende zakdoek weg, wil je?'

Boats vond het raar om dat te doen, maar wat maakte het uit, het was 1966. Milieuvervuiling was nog niet uitgevonden. Hij haalde de zakdoek van zijn voorhoofd en gooide hem achter zich op de grond.

'Voel je je nu beter?'

'Niet echt. Wat gebeurt er?'

'Jezus, jong. Je ziet ons eindelijk terug na al die jaren en dat is het enige wat je te zeggen hebt? Goed dan. Ik zal het nog eens uitleggen.'

Hij kwam naar voren en stak zijn rechterarm recht voor zich uit.

'Dit is een snelweg. In de tijd. Een grote snelweg, die door de hele tijd heen loopt. Goed?'

Hij stak zijn linkerarm uit naar opzij, en hield hem stijf, zodat hij eruitzag als een demente verkeersagent. 'En dit is een kleinere, smallere weg, een autoweg, geen snelweg. Ze doorkruisen in mij, ik ben het kruispunt hier. Als je bij mij aankomt, kun je afslaan, je kunt overal heen waar je wilt, want dit soort kruispunten heb je overal.'

'En zo ben ik bij jou aangeland?'

Mallon liet zijn armen zakken en glimlachte zonder hartelijkheid of vriendelijkheid. 'Nou, het gaat meer over hoe wij bij jou zijn terechtgekomen, Boats.'

Hij wendde zich af en zwaaide theatraal met zijn rechterarm. 'Het bloed droop langs de kaak van de hond. Bevlekte zijn snuit met rood. Er stroomde bloed over de hele bovenkant van de toog. Denk je niet dat dat een *boodschap* was?'

'Geef jij me nu een boodschap?' vroeg Boats.

Het feestgedruis explodeerde overal om hem heen, heel dichtbij, jouwend, krankzinnig en vijandig. De ongeziene menigte brulde en giechelde, de onzichtbare vrouw gilde haar gelach. Alsof hij door de herrie bevolen werd om zijn partij te spelen, krabbelde Dilly overeind, opende zijn mond idioot wijd, en blèrde, in een compacte, doordringende tenorstem die dwars door de omringende kakofonie heen drong *IK HEB NODIG WAT JIJ NODIG HEBT IK HEB NODIG WAT JIJ NODIG HEBT IK HEB NODIG WAT JIJ NODIG HEBT*...

Mallon keerde zich weer om naar Boats en wuifde hem weg. Met een zachte stem, half verstikt door het kabaal, zei hij: 'Heb je niet geluisterd? Ga terug en begin overnieuw.'

Het oorverdovende lawaai zweeg; het blauwe licht verflauwde. Drie beelden lang werd de wereld donker: een moment maar, nauwelijks merkbaar, maar toch een pauze, een totale – zij het nog zo kortstondige – uitwissing.

De laatste esdoorn belemmerde Jasons zicht op de open plek, maar toch had hij het gevoel dat die leeg was. Op deze afstand zou hij een glimp moeten hebben kunnen opvangen van de figuren wier stemmen hem tot hier hadden gebracht, maar het enige wat hij tussen de stammen van de esdoorns kon onderscheiden was een zonbeschenen ovaal van hoge grassen met opnieuw een opeengepakte groep bomen erachter.

'SPENCER!' schreeuwde hij. 'DILLY! WAAR ZIJN JULLIE?'

... pakte die afgehakte hand op en gooide hem in de hoek, zei de stem van Mallon. *...hond... droeg de hand naar buiten, de pols van de gewonde man... een slok uit een glas...*

'Kleverig van zijn eigen bloed,' fluisterde Boats. 'Het glas was kleverig van zijn eigen bloed.'

Hoe kende hij die woorden?

Op de grond naast een grote blootliggende wortel als een niet voldoende ingegraven brandweerslang ving een rood-met-wit vod zijn blik, en hij boog zich voorover en raapte het op. Hoe onmogelijk ook, het leek op een van zijn eigen ongewoon grote en uitzonderlijk zachte zakdoeken, waarvoor hij verschillende toepassingen had. Boats zou bijna gezworen hebben dat het zijn zakdoek was, maar hij was hier achtergelaten, nat en verkleurd door bloed, door iemand anders. Hij was nog nooit van zijn leven op dit eiland – deze kust? – geweest. Boats liet de drijfnatte zakdoek naast de bult van de wortel vallen, en het vod vouwde zich op, als een origamiversie van een eend met zijn kop onder een uitgespreide vleugel.

Toen herinnerde hij zich waar hij de woorden van Mallon had gehoord. 'Dat zei je in La Bella Capri, in...'

De stem van Dilly bracht hem tot zwijgen voor hij kon zeggen *de kelder daar.*

...wat hij nodig heeft, wat hij nodig heeft, dat is het enige wat hij weet, het enige waar hij aan denkt, zo is hij al sinds hij klein was... ik moet, ik moet, ik moet, het is mooi geweest, andere mensen hebben ook dingen nodig, en zij stelen toch ook niet voor hun levensonderhoud...

De stem van Mallon kwam tussenbeide, en schakelde die van Dilly uit ... *de hond scheurde die hand aan flarden... knokkels en kraakbeen... bloed droop langs die godvergeten zwarte snuit...*

Boatman liep tussen de laatste bomen door en keek wild om zich heen, al wist hij dat de open plek leeg was. Toen de illusie vervloog dat hij zijn kwelgeesten om hem zou zien grinniken vanachter de bomen aan de andere kant van de open plek, werd hij bevangen door een vlaag van bittere ontgoocheling, die zowel specifiek als vertrouwd aanvoelde. Boatman had het gevoel dat hij die al het grootste deel van zijn leven om zich heen droeg, als een oude jas. Nu klonk de stem van Spencer Mallon uit een onzichtbare bron, maar die bron was niet Mallon zelf.

Mallon was niet aanwezig, Mallon was de afwezigheid die zichzelf binnenstebuiten keerde.

De stem van Mallon zei *Geweld zit in de stof van onze tijd geweven...*

'Dat blijf je maar zeggen, maar wat schieten we daarmee op?' vroeg Boats, terwijl hij zich dichter naar de plek waar de stem vandaan kwam bewoog.

Het hoge, mosterdkleurige gras werd schaarser, zodat er bijna een mini open plek ontstond binnen de open plek. Uit dit gat in de gele grassen kwam de stem van Spencer Mallon die zei ...*deze onbezonnen jonge dwaas... wijsheid, iets daarvan kwam net door.*

Boats boog zich over de kring in het gras en keek omlaag. Vijftien of twintig centimeter onder de pluizige top van de grashalmen bevond zich een onregelmatig gevormde boomstronk met een scherpe, gerafelde rand waar de boom was afgeknapt. Tegen het bovenste deel van die rand stond een kleine bandrecorder geklemd. Uit het apparaat klonk de stem van Spencer Mallon die hem vertelde *In plaats van voor- of achteruit te gaan, beweegt de tijd zich* zijwaarts.

Boats stak zijn hand uit en raapte de bandrecorder op. Die was in Duitsland gemaakt en werkte perfect. Lang voordat hij zijn functie niet meer zou kunnen vervullen zou hij uit de tijd zijn, een historische nieuwigheid, een stuk speelgoed dat niemand meer zou willen gebruiken om geluid door de tijd te vervoeren.

Gooi die weerzinwekkende zakdoek weg, wil je? vroeg Mallon.

'Heb ik al gedaan,' zei Boats. Hij keek rond in de buurt van de boomstronk en zag op iets meer dan een meter afstand een flinke steen in het gras liggen. Stukjes mica glinsterden op de scherpe randen. Boats zette een stap en tilde de zwarte machine boven zijn hoofd.

Voordat hij de Duitse bandrecorder op de steen stuk kon slaan om zo de zinloze volmaaktheid ervan voorgoed te vernietigen, zei de stem van Mallon *Laatste kans, sukkel.*

Nog een onderbreking; nog een uitwissing tot volmaakte duisternis.

Deze keer kwam hij in volstrekte verwarring uit het donker, beneveld, met het gevoel alsof hij net uit een geweer was afgeschoten en als een kogel met ongelooflijke snelheid een enorme afstand had afgelegd. Zijn hele lichaam deed pijn, vooral zijn benen en zijn borst. Zijn armen voelden aan als spaghetti, en zijn hoofd bonsde. Langzaam werd hij zich ervan bewust dat hij met een draadijzeren kleerhanger een dunne driehoek van gepolijst hout achter zich aan sleepte, aan de onderkant ongeveer anderhalve meter lang, over een stoffige betonnen vloer die onlangs in een harde, donkerblauwe kleur was geverfd. De haak van de hanger paste in een gat dat in het driehoekige stuk hout was geboord, en zijn vingers haakten in een van de hoeken van de kleerhanger. Verbijsterd en vermoeid stopte Boats met het slepen van de houten driehoek en probeerde te bedenken waar hij was.

Een groot deel van de betonnen vloer was geschilderd in het donkere blauw waarop hij stond. Waar het blauw ophield, was een stuk vloer van drie meter in een licht kakibruin geverfd, dat op zijn beurt plaatsmaakte voor een donker mosgroen. Van de drie geschilderde stukken was het blauw verreweg het grootst, en het kakibruin het kleinst. Boats begreep het niet. Hij was op een soort eiland geweest, daar was hij bijna zeker van, en Spencer Mallon had hem weggestuurd naar... een grote kelder? Een verlaten fabriek?

Boats liet de draadijzeren kleerhanger vallen en daarop kletterde de zware houten driehoek op de vloer. Midden in het gepolijste hout zag hij een vertrouwd stel letters en een symbool dat hij goed kende. Het handelsmerk van zijn vader, de samengevoegde C en B. Op korte afstand lag een vel papier, uit een van de schriften gescheurd die hij op de middelbare school gebruikte. Hij liep weg en raapte het van de blauwe vloer. Er stond LAKE MICHIGAN op geschreven.

'Lake Michigan,' zei hij, en liet het vel papier vallen.

Boats keerde zich om en keek naar de brede bruine streep op misschien zeven meter afstand. Hij had geprobeerd de houten driehoek uit het blauw en op het bruin te krijgen. Op de bruine verf lag een tweede vel papier en in de verte, op het groene stuk, lag er nog een. Hij sjokte de bruine verf op en boog zich over het slappe vel papier. Daar stonden in grote blokletters de woorden STRAND OF OEVER op.

'Oké,' zei hij. 'Ik begin het te begrijpen.'

Het kostte hem maar een paar tellen om over het geverfde strand te lopen en de groene sector te betreden en na nog een stukje voortstrompelen raapte hij opnieuw een velletje uit een schrift op. Daar stond vanzelfsprekend WOUD OF BOS op. Hij kwam overeind en zag dat het vertrek, dat toch al enorm was, nog groter was geworden. Ver voor hem vormden drie vouwstoelen min of meer een kring rond een klein voorwerp dat hij niet kon onderscheiden. Eerder had hij de aanwezigheid van muren opgemerkt, waarschijnlijk van betonblokken, aan de zijkanten en de voorkant en de achterkant van de kelder; nu zag hij geen muren, niets dat de ruimte waarin hij zich bevond afbakende.

Eigenlijk was het helemaal niets, begreep hij. Het was de plek waar niets iets was, en alles alles.

Jason Boatman kreeg een plotselinge flits van het gezicht van Keith Hayward op het agronomieveld; het verscheen en verdween, weer ziek van angstige verwachting in het flakkerende kaarslicht. Had hij dat gezien, indertijd? Boats dacht van niet, maar daar was het, het beeld van Hayward die naar iets staarde, ziek van hunkering, uitgehongerd, in afwachting van dit vreselijke moment. Boats dacht dat hij wist naar wie Hayward had gekeken met die uitdrukking op zijn gezicht. En het was niet degene die je dacht dat het was, nee, zeker niet.

Boats veronderstelde dat hij geacht werd naar de stoelen toe te lopen. Zijn benen voelden aan alsof ze geen stap zouden kunnen zetten en in zijn hoofd had zich een stevig, gestaag bonken vastgezet. Zijn borst deed pijn alsof een razende dommekracht hem daar verscheidene keren had gebeukt. Hij had geen zin om ergens heen te gaan, maar op de plek waar alles alles was, was geen ergens, want alle plekken waren gelijk.

Hij zette een ongelukkige stap vooruit en een onzichtbare tak raakte hem op zijn voorhoofd, en opende een wond die klopte en bloedde. Op een witte kaart op de vloer stond ZAKDOEK.

'Ja, bedankt,' zei Boats en drukte zijn mouw tegen de wond.

Terwijl het bloed op de geverfde betonnen vloer droop, verliet Boats de bruine streep en liep het groene stuk op, dat nu tot aan de horizon leek te reiken. Hij keek over zijn schouder en zag dat hetzelfde gold voor het blauwe deel van de vloer – net als het meer dat het verbeeldde, was het gezichtsvermogen te beperkt om het helemaal op te nemen. Toen dwong hij zijn pijnlijke benen naar de stoelen.

Een kaartje op een van de vouwstoelen luidde MALLON. Briefjes op de andere twee luidden DILLY en BOATS. Onmiddellijk achter de stoel van Dill lag een ander briefje met de tekst BOOM. Met een blik op wat de stoelen omringden, ging Boats op het briefje met zijn naam zitten, legde zijn benen over elkaar en vouwde zijn handen. Zes of zeven oude, versleten poppen waren ontdaan van alle kleding die ze hadden gedragen en op elkaar gestapeld. In de ronde hoofdjes waren de meeste ogen gesloten, maar twee van de poppen staarden met open ogen omhoog, even opmerkzaam als eeuwig blind. Geen van de kleine lijfjes had meer geslachtskenmerken dan hun onduidelijke gezichtjes suggereerden. Vuil dat ingebakken leek, verduisterde de plastic gezichtjes; barsten en spleten hadden een spoor getrokken over de keramische hoofdjes. Het poppenhaar was merendeels uitgetrokken of weggebrand.

'Dat is leuk,' zei hij. 'Een kind is hetzelfde als een pop. Ze betekenen allebei niets. Het is een waardeloze schijtwereld.'

En daar ging het allemaal om, nam hij aan. Een pijnlijk lichaam, een lege ruimte, een stapel aftandse oude poppen. Briefjes, achtergelaten door een afwezige en geïrriteerde god. Het was een parodie van betekenis, lege spotternij – spotternij zonder enige humor. Niets betekende ook maar iets meer dan de draadhanger die hij had gebruikt om zijn 'BOOT' op 'STRAND OF OEVER' te slepen. De draadhanger sprak van een dood-bij-leven. Aan alle kanten, oneindig verstrekkend, werd hij omringd door dood-bij-leven.

In een opwelling, en in de wetenschap dat hij toch het laatste woord niet zou krijgen, boog Boatman zich over de stapel poppen heen om een van de briefjes te bestuderen en zag dat de versleten oude poppen tijdens zijn overpeinzingen in dode baby's waren veranderd. Wat er nu recht onder zijn uitgestrekte hand lag, was een verkleinde versie van wat hij op het veld had gezien. Te geschokt om adem te halen, zelfs te geschokt om naar adem te happen trok hij snel zijn hand terug. Bloed van zijn hand droop op het hoopje lijkjes met hun mondjes open, geknakte hoofdjes, slappe vingers, rijen tandjes, wit tegen het doffe rood van hun mondjes, de gekneusde, korstige, doodsbleke huid, de piepkleine witte penisjes, de smalle, gevouwen gleufjes... Om de een of andere reden gruwde hij het meest van de tandjes: zo levenloos, zo naakt.

Binnen een tel keerde de verandering om en was hij terug bij de stapel naakte poppen in de platte, dode wereld van de kleerhanger. Zelfs zijn opluchting was een bittere, humorloze aanfluiting.

Boatman stak zijn hand opnieuw uit over de slordige stapel doodogende poppen, langzamer dan eerst, en boog zich voorover tot hij het kaartje kon aanraken waarop MALLON stond. Hij sloot zijn vingers om de rand van de kaart en trok het naar zich toe. Door de naam op de kaart heen kon hij vaag zien dat er iets op de andere kant geschreven stond.

Langzaam draaide hij het om. Op de achterkant van de kaart was een enkel woord geschreven in vierkante, zorgvuldige blokletters. GEFELICITEERD.

HET FENOMEEN VLIEGEN

Een week later

Ik kon zelf nauwelijks geloven wat ik aan het doen was toen ik na een oncomfortabele en onevenredig vertraagde reeks vluchten een vuurrode Honda Accord huurde op de regionale luchthaven Salisbury-Ocean City Wicomico en daarmee via de Ocean Highway naar de US13 reed, af en toe luisterend naar de gospelzangers en verlossingverkopers waar de radio van de Accord me op trakteerde – Ik weet wel dat ik dit zou moeten laten, nog nooit zoiets stoms gedaan – en vervolgens naar Rehoboth Beach. Op zoek naar een parkeerplaats zwierf ik over eenrichtingswegen langs cadeauwinkels, pensions, en cafés. Ik reed doelloos over Lake Avenue en Lakeview Avenue en Grenoble Place. Twintig minuten later stopte ik, volkomen verdwaald, naast een politieman die op een fiets een ijsje zat te eten en vroeg hem of er misschien een parkeerplaats was in de buurt van het Golden Atlantic Sands Hotel and Conference Center, waar dat dan ook wezen mocht. De politieagent zei: 'U heeft geluk vandaag, meneer, welkom in ons stadje,' en wees naar een lege parkeerplaats aan de overkant. 'Dat grote, lange gebouw precies voor ons is namelijk uw bestemming, het fraaie Golden Atlantic Sands.

'Mag ik hier draaien, agent?'

'Voor deze keer dan,' zei de politieman, en hielp de wetschender door zijn fiets tegen een lantaarnpaal te leunen, naar het midden van de straat te wandelen, een gebiedende hand op te steken (onderwijl nog steeds zijn ijsje etend) om het schaarse aankomende verkeer tegen te houden. Snel draaide ik aan mijn stuur en stak twee lege rijbanen over, waarna ik achteruit de parkeerplaats in kon glippen. Ik stapte uit, vulde de parkeermeter en riep: 'Bedankt!'

Ik keek op naar het langgerekte hotel en had spijt van de impuls die me hierheen had gevoerd. In zekere zin, wist ik, was het Jason Boatman die me in deze situatie had doen belanden: het verhaal van Boats had ertoe bijgedragen dat ik tickets reserveerde en deze stunt echt doorzette. In 1994, uitgehold door een leven lang stelen, had Boats gezien hoe het universele cynisme van Meredith Bright tot het uiterste werd doorgevoerd. Als de dingen in deze wereld al als fysieke entiteiten bestonden, betekende dat niet meer dan de nietszeggende leegte van een draadijzeren kleerhanger. George Cooper was naar datzelfde sombere wereldbeeld afgegleden, en het had de rest van zijn leven verwoest. In een dergelijke wereld telde heel weinig, en het belangrijkste daarvan was de waarheid.

Ik wilde begrijpen wat mijn lange huwelijk werkelijk was geweest: ik wilde de ware vorm ervan kennen. Was het het verhaal van samenwerking en aanpassing dat ik me had voorgesteld, of was mijn eigen rol erin slechts secundair geweest, omdat die lang geleden – misschien wel vanaf het begin! – was ingenomen door een ander? Was dat, zelfs na al die tijd, niet iets waarover je duidelijkheid moest hebben?

Nadat Olson en ik waren teruggekomen in Cedar Street had ik me een tijdje beraden en vervolgens de receptie gebeld van het hotel waar ik nu voor stond. Toen de receptioniste opnam, vroeg ik een gast te spreken met de naam Spencer Mallon. De receptioniste informeerde me dat meneer Mallon weliswaar verwacht werd in het Golden Atlantic Sands, maar dat zijn aankomst pas over vierentwintig uur genoteerd stond. Ja, de receptioniste kon met genoegen verklaren dat meneer Mallon geregeld te gast was in het Golden Atlantic Sands. Meneer Mallon was een heer, een indrukwekkende verschijning in de informele wereld van Rehoboth Beach.

'Aristocratisch,' zei ik.

'Dat vind ik een uitstekende beschrijving van de heer Mallon,' zei de receptioniste.

Zou de receptioniste ook willen kijken of er rond dezelfde tijd een mevrouw Lee Truax werd verwacht?

'O! Mevrouw Truax!' riep de receptioniste uit. 'Die kent iedereen, ze is een fantastische vrouw! We zijn allemaal dol op haar, echt waar. Nou, moet je mij horen, ik lijk wel een ekster met mijn gekwebbel. Maar ze is echt bijzonder. Dat weet u ook wel, als u haar kent.'

'O, heel beslist,' zei ik.

'Wij zeggen graag dat ons hotel een tweede thuis is voor mevrouw Truax, ze komt hier zo vaak... Laat me eens kijken. Nee, ik kan geen reservering voor haar vinden, ik denk dat het even zal duren voordat we weer het genoegen van haar gezelschap zullen hebben. Kan ik u nog ergens anders mee helpen, meneer?'

Nee, maar bedankt voor het aanbod.

Waar zou de Eel logeren tijdens haar verblijf in deze strandgemeenschap, als het niet in het hotel was waar iedereen zo van haar hield?

Eigenlijk was er een logisch antwoord op die vraag. Ik belde terug en vroeg of de ACB in de komende paar dagen accommodatie had gereserveerd. Nee, meneer, klonk het antwoord, de ACB had niet om accommodatie verzocht tot hun vergadering in mei volgend jaar. Die deur klapte dus dicht. De Eel had me verteld dat ze 'waarschijnlijk' op de gebruikelijke plek zou logeren: de vraag die me nu voortdreef was of ze daar al dan niet met iemand anders zou logeren.

Ik belde haar mobiel, maar ze nam niet op. Drie uur later belde ik weer, met een niet veel bevredigender resultaat. Ze had het te druk om te praten, ze zou later terugbellen. Waar ze logeerde in Rehoboth Beach? Nee, ze was er nog niet, ze ging morgen pas weg uit Washington. En waar logeerde ze dan in Washington? *Waar*? Dat was een vraag die ik zelden stelde? Maar als ik het echt wilde weten: ze sliep in de logeerkamer van haar ACB-vriendin Heidi Schumacher, die een prachtig huis had in Georgetown – zij was voor Heidi wat Dilly voor mij was! Wat Rehoboth Beach betreft waren er een paar mogelijkheden. Wat was er aan de hand, maakte ik me ongerust om haar?

Gewoon nieuwsgierig, zei ik. Ik ben een blind oud vrouwtje, ik kan niet zulke hele wilde dingen doen, vertelde ze me. Maak je geen zorgen, nergens over. Hou vol, ga lekker werken, na het weekend kwam ze weer thuis en dan konden ze regelingen treffen voor Hootie.

Bel me als je in Rehoboth Beach bent, had ik gevraagd. Ze beloofde het en ze belde ook, maar de ontvangst was zo slecht dat ik nauwelijks een woord kon verstaan. Vanaf dat moment, niets meer. Omdat ik het niet kon laten, had ik Don verteld dat ik een dag of twee de stad uit moest voor zaken. Mijn accountant, mijn zaakwaarnemer, het was te saai om uit te leggen, maar ik moest weg. En daarna had ik een paar telefoontjes afgewerkt, een koffer gepakt, en was – wanhopig – vertrokken.

Ik *wist* dat ik idioot deed. De enige vrijwaring in mijn belachelijke plan was dat Lee Truax, als ik de pech had dat zij toevallig op de Boardwalk liep terwijl ik daar stond te loeren, mijn schande in elk geval niet zou kunnen zien. Die overweging had op zich al iets beschamends, namelijk dat ik er überhaupt aan had gedacht. Ik stond naast het lelijke autootje naar het hotel te kijken waar mijn vrouw een geliefde gast was, en zei bij mezelf dat het nog niet te laat was om zowel het hotel als mijn achterlijke plan de rug toe te keren. Het enige wat ik hoefde te doen was weer achter het stuur kruipen, de auto starten en terugrijden naar het Wimico Regional Airport om daar te wachten op de volgende vlucht zodat ik kon beginnen aan mijn terugkeer naar wat nu het rijk van het gezonde verstand leek. Waarom was ik hier eigenlijk? Omdat ik me afvroeg of mijn leven was gered door een man die gemotiveerd werd door schuldgevoel omdat hij me had bedrogen met mijn vrouw? Omdat mijn vrouw nauwelijks de moeite had genomen om een goede reden te bedenken voor haar bezoek aan dit badplaatsje? Omdat ik wist dat Spencer Mallon nog leefde en alle reden had om dit plaatsje te blijven bezoeken?

Ik sloot de auto af en liep om het billboard aan de zijkant van het hotel heen naar de Boardwalk. Als ik ze te zien kreeg, zou het daar zijn, dacht ik, en besefte voor het eerst dat mijn vrouw me weliswaar niet zou kunnen zien, maar Mallon wel.

Zodra ik de Boardwalk op liep, stond ik voor het tweede onaangename feit van die dag, namelijk dat het begin juni was, en dat de kust van Delaware wel heet, heiig en even vochtig was als New York City in juli, maar dat het seizoen nog niet was begonnen. Hoewel er wat toeristen en plezierjagers de winkels en de snackbars in en uit liepen, waren het er veel minder dan ik had verwacht. Ik voelde me onbeschut, alsof ik onder een schijnwerper stond. Als ik niet herkend wilde worden, had ik een vermomming nodig.

In de eerste geschikt ogende winkel bekeek ik een plank vol petten en hoeden en betaalde $32,99 voor een strooien geval met een brede rand die uitliep in een korte franje van afgeknipte halmen. In dezelfde winkel schoof ik twintig dollar over een andere balie en kocht een enorme zonnebril met zulke donkere glazen dat ik bijna de uitgang niet kon vinden. Een stukje verder op de Boardwalk kocht ik een *Cape May Gazette* uit een automaat en ging ermee naar een bankje naast de reling boven het lange strand. Een paar diepgebruinde stelletjes, sommige voorzien van boeken die ze niet lazen, lagen uitgestrekt op handdoeken en ligstoelen.

Ik ging op de bank zitten, sloeg mijn krant open, leunde achterover en keek vanachter de beschutting van de strofranje van mijn hoed door mijn inktzwarte glazen langdurig in beide richtingen, alvorens mijn aandacht te richten op de brede glazen deuren van het hotel waar mijn vrouw zo'n beminde persoonlijkheid was geworden.

En dat deed ik gedurende de volgende vijf uur, met veel geknisper van de krant en zijdelingse blikken, naast een paar snelle inspecties van het lange strand en een enkele plaspauze. Om zes uur vouwde ik uitgehongerd de krant op en stak hem onder mijn arm, haalde mijn weekendtas uit de auto en liep door de hoofdingang het hotel binnen om in te checken.

Ik kreeg een kamer op de vijfde verdieping, wat een vage echo opriep; niet van iets wat ik had gehoord of gezien, maar van iets wat me was beschreven, als deel van een verhaal, een anekdote. Ik had dit horen zeggen: *Je ziet de wijzer oplopen en stoppen op de vijfde verdieping... De volgende lift komt omlaag en de deuren gaan open, je springt erin en drukt op 5 en de knop Deur Sluiten voordat er nog iemand kan instappen.* De anekdote, het verhaal, had te maken met Spencer Mallon en de 'hallicunogene' onzin die hij voor wijsheid had laten doorgaan. Het feit dat het op dit moment gefragmenteerd opdoemde in mijn gedachten was een volkomen onbeduidend toeval.

De lift voerde me zonder incidenten naar mijn verdieping. In volstrekte rust, comfort en stilte volgde ik de pijlen verscheidene hoeken om naar mijn kamer, nummer 564. Waar ooit de piccolo de lichten aandeed, de kastdeuren openzette en de badkamer aanwees, moest de vermoeide gast het nu zelf uitzoeken, wat hem dan weer wel de flinke som van een dollar of vijf bespaarde. In ongestoorde rust, comfort en stilte verwijderde ik mijn hoed en mijn bril, ritste mijn weekendtas open, legde mijn kleren op de ladekast en droeg mijn toilettas naar de badkamer, waar een ongeïnteresseerde blik in de spiegel een einde maakte aan iedere rust en comfort en stilte. Bij het beeld in de spiegel kreunde ik: 'O, mijn god.'

Ik leek minstens tien tropenjaren ouder te zijn geworden. Vanuit de spiegel keek een verschrompelde, verslagen oude man me aan. De oude man was Lee Harwell, maar niet in een incarnatie die ik ooit aan iemand wilde laten zien. Mijn ogen lagen diep in hun kassen verzonken en waren zo rood dat ze vol bloed leken te staan. Rimpels doorgroefden mijn gezicht en mijn haar was dof en had de kleur van lood. Mijn hele hoofd leek verschrompeld en mijn tanden waren geel en gigantisch. Mijn schouders kromden zich boven een schijnbaar ingevallen borst. Elke aantrekkelijkheid of charme die ik ooit had vertoond was verworden tot een spookachtige parodie van zichzelf. Dat ik me een paar tellen tevoren zo goed had gevoeld, verbaasde me. Aan mijn spiegelbeeld te zien bevond ik me op de rand van uitputting.

De spiegel had me een morele schok bezorgd, besefte ik: dit ben jij, dit is wat jij van jezelf hebt gemaakt.

Om niet langer in mijn bloeddoorlopen ogen te hoeven kijken plensde ik koud water in mijn gezicht en boende stevig. Onder mijn handen voelden mijn gelaatstrekken en huid vertrouwd en onveranderd aan. Toen ik mijn handen liet zakken, staarde dat verloederde, stervende dier me nog steeds vanuit de spiegel aan. Ik ontvluchtte het vertrek nadat ik onderweg mijn bril had opgeraapt die ik voordat ik bij de lift was op mijn neus plantte.

Onderweg naar beneden leunde ik in een hoek van de lift en vroeg me af hoe lang het zou duren voordat ik een wandelstok nodig had. De lift stopte op de derde verdieping en er stapten twee tengere meisjes van een jaar of twaalf in, gevolgd door hun moeder, ook slank en blond, en net als haar dochters gekleed in een strak T-shirt en een spijkerbroek. Uit hun slippers staken de kleine, rode nagels van verse pedicures. Ik trok me verder terug in mijn hoek en zorgde dat ik mijn tanden niet liet zien. De meisjes wierpen me hooghartige, ontstemde blikken toe en de moeder negeerde me volkomen. In de lobby sloegen ze op de vlucht als voor een smerige lucht. Ik keek rond tot ik een trap zag die naar een donkere houten boog leidde, ging op onderzoek uit en ontdekte het voornaamste restaurant van het hotel, de Ocean Room.

Het restaurant was gedempt verlicht en aan gelambriseerde muren hingen reusachtige opgezette vissen. Omdat mijn brillenglazen zo donker waren had ik zelfs moeite om achter haar lessenaar de gastvrouw te zien, die van onderen verlicht een vage overeenkomst met een zwevend, afgehakt hoofd vertoonde. Ze wierp even een nieuwsgierige blik op mijn bril, maar was te beleefd om vragen te stellen. Ik voelde me net een bejaarde vampier.

Uit de eindeloze opsomming van de ober koos ik Franse uiensoep, gegrilde kip met champignons en pijnboompitten. Met een glas pinot noir. Onopvallend keek ik het vertrek rond, op zoek naar twee gezichten waarvan ik zeker wist dat ze als schijnwerpers door het duister van mijn brillenglazen zouden branden. Hoewel het restaurant heel veel grijze hoofden bevatte, behoorde geen ervan toe aan Lee Truax, noch aan de op een magiër lijkende figuur die me had aangesproken op de luchthaven van Dane County. Mijn soep werd opgediend.

Op de meer dan acceptabele soep volgde een ongeïnspireerde kip. Op de borst van de te droge en te gare kip deden champignons en pijnboompitten bepaald geen vrolijk dansje samen. Omdat ik nog steeds honger had, zwoegde ik me door de maaltijd, tekende de rekening en schoof mijn stoel van tafel.

Vanaf de bovenste trede van de trap keek ik op de lobby neer. Ik verveelde me en de pijnboomnoten hadden zich nog steeds niet verzoend met de champignons. Een priester in een soutane schreed gevolgd door een snikkende vrouw door de lobby. Wat was dat nu weer? In een wolk van giechelig gebabbel kwam een groepje tieners de lift uit en liep in de richting van de uitgang naar de Boardwalk. Gefrustreerd ogende mannen en vrouwen stonden in de rij te wachten om in te checken. Een kluitje mensen stapte in de lift die de tieners hadden verlaten, en onder hen bevond zich een opvallende grijsharige man in loszittende zwarte kleding, die zich net omdraaide om uit de lift naar de lobby te kijken toen de deuren dichtschoven. Ik had alleen tijd om zijn prominente jukbeenderen op te merken. Was zijn haar ongebruikelijk lang geweest voor een man van zijn leeftijd, drong zijn blik door het duister? Naast de man hadden drie of vier vrouwen gestaan die ik nauwelijks had bekeken. Snel liep ik de traptreden af terwijl ik mijn blik gevestigd hield op de oplichtende rode cijfers die de stijgende lift volgden.

Was een van die vrouwen in de lift klein, witharig en verbazend knap geweest? Was ze geliefd bij receptionistes en kamermeisjes?

Precies op het moment dat het getal vijf verscheen in het ledscherm, herinnerde ik me de hele context van het geheugenfragment dat me had overvallen aan de balie van de receptie. Het maakte deel uit van een verhaal dat de Eel me had verteld over Spencer Mallon. Mallon had een naamloze discipel beschreven – een *jij* – die hem was gevolgd naar een hoek op de vijfde verdieping waar hij zich moest verbergen achter een van twee deuren. Je moest er een uitkiezen, en dan besluiten of je er al dan niet zou aankloppen. Als je de juiste kamer koos, beloonde Mallon je met wijsheid; als je de verkeerde koos, zou je geliefde door vreselijke plagen worden getroffen. Je koos; je klopte aan, het maakte niet uit op welke deur, want je had het kwaad al ingecalculeerd in je berekening. Zoiets was het, in elk geval. Het verhaal eindigde op het punt waarop je zou verwachten dat het begon, wanneer de deur opengaat.

Terug op mijn kamer was ik te gespannen om naar bed te gaan. Ik pakte de telefoon en vroeg om te worden doorverbonden met de kamer van de heer Mallon. Toen luisterde ik naar het harde, enerverende geluid van een telefoon die maar bleef rinkelen. Uiteindelijk vroeg een stem op een bandje me om een bericht achter te laten op het antwoordapparaat. Ik verbrak de verbinding.

Ik ging naar de badkamer en knipte alle lichten aan. Ik zag er niet normaal uit, niet echt, maar wel jonger en gezonder dan eerst. Mijn ogen waren bloeddoorlopen, maar niet helemaal rood meer, en mijn wangen waren niet ingevallen en doorgroefd met kloven. Mijn haar zag er ook gezonder uit, de kleur van tin, niet van lood. Mijn tanden waren nog lang niet zo wit als die van Moby Dick of van een filmster, maar ik had een normaal gebit, geen paardentanden. Ik plensde weer koud water in mijn gezicht, draaide me om en trok een handdoek van het rek. Na het afdrogen van mijn gezicht zag ik er fris en blozend uit, alsof ik patrijzen had gejaagd op de Schotse heide. Mijn schouders leken nog steeds gekromd. Ik rechtte mijn rug. De verbetering was licht, maar bepalend – ik leek niet meer op een vampier. Ik besloot mezelf te belonen voor mijn lichamelijke renovatie met een uitstapje naar de bar in de lobby. Bij mijn maaltijd had ik maar een enkel glas wijn gedronken en het was nog voor negenen. Bovendien las ik altijd graag in bars, en het was maanden geleden dat ik mezelf dat plezier had gegund.

Alleen in de lift controleerde ik mijn haar en mijn houding in de rokerige spiegels. Ja, daar was ik weer, levend en klaarwakker.

De lobbybar, de Beachcomber, lag verscholen achter de trap naar de Ocean Room. Achter een wand van ramen met klapdeuren strekte zich een langgerekt, gedempt verlicht vertrek uit bezaaid met tafeltjes en banken, met een glanzende, lichtgevende toog aan het andere korte eind. Op de banken zaten ontspannen stelletjes in vrijetijdskleding druk met hun armen gebarend te praten. Aan twee van de tafeltjes probeerden atletische jongemannen aantrekkelijke jonge vrouwen te versieren. Een paar vrijgezellen met verwachtingsvolle gezichten treuzelden aan andere tafels met hun biertje. Een korte pauze in hun reizen, in afwachting van het volgende avontuur. Ik wenste hun veel geluk.

Aan de bar koos ik een kruk en legde mijn boek naast me neer; toen een kwieke blonde vrouw van een jaar of veertig in een blauw linnen blouse en een zwart gilet waarop THE BEACHCOMBER was geborduurd me glimlachend om mijn bestelling vroeg, noemde ik de eerste *single*-malt whisky die me te binnen schoot. Puur, met een glas water ernaast. Ik keek waarderend hoe ze de rijen flessen afliep die in rekken van drie stonden opgesteld, trok mijn boek naar me toe en sloeg het open.

Toen de barkeepster terugkwam met mijn whisky vroeg ze: 'Leuk boek?'

'Tot dusver wel,' zei ik. 'Bijt niet, rookt niet, doet altijd netjes de bril omlaag.'

'En toch zit het graag in de kroeg,' zei ze. 'Pas maar op, 't kon wel eens een wild kantje hebben.'

'Waarschijnlijk wel.' Ik liet haar het omslag zien. 'Kijk maar waar het vandaan komt.'

'Mijn moeder is een grote fan van Tim Underhill.'

'Goed zo. Tim is een vriend van me.'

Ze deed een stap achteruit, sperde gespeeld verbijsterd haar ogen wijd open, grinnikte toen en kwam dichterbij staan. 'En... wat is hij voor iemand?'

'Rare, vreemde vent,' zei ik.

Terwijl ik me afvroeg hoe fantasievol ik moest zijn over de vermeende vreemdheid van Underhill, nam ik een slok whisky en wendde mijn gezicht naar de glazen muur, de lelijke klapdeuren, en de lobby daarachter. Daar wandelde net de grijsharige, in het zwart geklede man voorbij die ik van boven aan de trap had gezien en verdween uit het zicht. Een kleiner iemand haastte zich naast hem voort, een vrouw.

Ik liet me van mijn kruk glijden en viste een biljet van twintig uit mijn zak. 'Oeps, ik moet weg, sorry.'

Toen ik de grote, lege lobby bereikte zag ik het stel net in een van de liften stappen. De vrouw verdween uit het zicht naar de zijkant van de lift voordat ik haar zelfs maar kon bekijken. Een gezin van drie mensen in korte broek en T-shirt drong naar binnen en ik ving slechts een glimp op van de man toen hij vooroverleunde om op een van de etageknoppen te drukken. Toen verdween ook hij naar de zijkant en voegde zich bij de vrouw die naast hem had gelopen.

De man in de lift zou Mallon hebben kunnen zijn, maar evengoed een grijsharige vreemde. Ik had het gevoel dat het laatste het geval was, maar dat gevoel bevatte een onaangenaam grote hoeveelheid twijfel, vijfentwintig procent, misschien wel dertig. Van de vrouw had ik vrijwel niets gezien.

Ik liep de verschillende vertrekken van de lobby door en keek naar de oplopende LED-cijfers boven de lift. Op de derde verdieping stopte hij. De toeristen, of de grijsharige man? Het getal drie bleef veel langer op het schermpje staan dan ik had verwacht. De lift aan het eind van de rij ging open en er stapte een klein, zonverbrand groepje uit, levendig en spraakzaam en jong, waarschijnlijk op weg naar een club. Verder wachtte er niemand op een lift. Op het moment dat ik mijn besluit nam bewoog ik al; ik haastte me de lift in, stak mijn elleboog uit en drukte op vijf en Deur Sluiten. Waarom mijn elleboog? Al sinds het inchecken in het Golden Atlantic Sands opende ik deuren met mijn onderarm en de rug van mijn hand. Tot op dit moment was ik me niet eens bewust geweest van dat bizarre gedrag. Het was net alsof een verborgen aspect van mijn persoonlijkheid plannen maakte om een vijand te vernietigen en in het duister doorwerkte, in afwachting van het juiste moment.

De deuren gleden snel naar elkaar toe en de lift ging omhoog. Mijn hart sloeg op hol. Of deze lichamelijke transformaties werkelijk plaatsvonden of niet, ik meende dat ik de volgende lijfelijke veranderingen kon waarnemen: mijn schouders kromden zich boven mijn ingevallen borst, mijn ogen vulden zich met bloed, en alle leven en vitaliteit verdwenen uit mijn gezicht. Mijn lippen trokken zich op boven mijn tanden. In mijn linnen pak leek mijn lichaam te slinken en te verzwakken.

Op de vijfde verdieping schoven de deuren open. Een heldere, zware stem vervaagde aan het einde van de gang. Ik stoof net op tijd naar buiten om de zoom van een zwarte jas en een zilverkleurige jurk om de hoek te zien verdwijnen. Ze liepen in de richting van mijn kamer. Waarschijnlijk kwam ik telkens als ik wegging of weer terugkwam langs hun kamer. Ik liep naar het einde van de gang en sloeg de hoek om, precies op het moment dat er halverwege de volgende hoek, naast elkaar in de gang, twee deuren dichtsloegen.

Ontzet sloop ik erheen en ging ertussenin staan, tussen de kamers 515 en 517. Sliepen ze in aparte kamers, Eel en Mallon, of wie het ook waren? Ik bedacht dat de drie mensen die samen met het stel in de lift waren gestapt misschien wel geen gezin waren geweest, dat het oudere echtpaar misschien een kamer op de derde verdieping had en de jongedame hier. Of andersom.

Ik wilde niet te dicht bij elk van de deuren gaan staan om zo misschien iets onthullends te horen, nee, maar ik deed het wel. Het resultaat was teleurstellend. Ik hoorde niets. Om precies te zijn, ik hoorde het brommende gemompel van een donkere mannenstem achter de deur naar 517, en iets vogelachtigs, katachtigs, iets korts en hoogs en dierlijks achter de deur van 515.

Pardon. Ik dacht dat een vriend van mij deze kamer had. Pardon, ik heb me waarschijnlijk in het kamernummer vergist. Het spijt me, mijn vriend heeft me gevraagd om hierheen komen, dat wil zeggen, ik dacht dat het hier was. Neem me niet kwalijk, het spijt me dat ik u gestoord heb.

Ik wilde alleen maar weten of jij het echt was. Ik wilde alleen maar weten hoe vaak ik belogen ben in de loop der jaren. Lee, dit is begonnen toen je op de *middelbare school* zat, en het is *al die tijd* doorgegaan?

Ik stak mijn hand uit om te kloppen, het maakte niet uit op welke deur. Goed, het was 515, vanwege dat vreemde geluid. Ik stak mijn hand uit naar de deur, en liet hem weer zakken. Weer hief ik mijn hand en deze keer zag ik dat mijn huid papierachtig en breekbaar leek, zo dun dat hij bijna doorzichtig was. Op mijn benige hand waren hier en daar tot dusver onopgemerkte, vlekkerige verkleuringen te zien, als van een giraf.

'O god, nee,' zei ik, en vluchtte de gang door tot de volgende hoek en de volgende en verder, tot ik de betrekkelijke veiligheid van 564 bereikt had, waar ik het magneetkaartje met trillende handen in de deur stak en toen half struikelend mijn kamer binnenviel. In het donker plensde ik water in mijn gezicht. De zware gordijnen voor het raam waren al dichtgetrokken, zodat de kamer zelf zo donker was als een crypte, als een graf. De spiegel raadplegen was overbodig. Op de tast bereikte ik het bed, ging zitten en draaide de lamp op het nachtkastje zo laag mogelijk. Toen trok ik de minibar open, inspecteerde de inhoud, vond twee vliegtuigflesjes van een single malt whisky waarvan het merk maar iets minder goed was dan wat ik op de bar had achtergelaten en goot de inhoud in een geschikt glas. Daarop liet ik me in een van de comfortabele stoelen in de kamer vallen en overdacht mijn situatie.

Ik was een uitgestrekte woestijn in gereden en stond zonder benzine. Over een paar minuten zouden de gieren boven mijn hoofd komen cirkelen. Ik had me levensecht voorgesteld dat mijn lichaam dat van een bejaarde vampier was geworden. In het schemerige licht stak ik mijn linkerhand uit. Hier en daar leek mijn huid een beetje te glimmen, maar er zaten geen lelijke, girafachtige vlekken op. Die vervormingen waren veroorzaakt door schaamte. In mijn al te levendige fantasie had een derderangs magiër me behoed voor een dodelijk vliegtuigongeluk, uit schuldgevoel, omdat hij een lange, lange liefdesverhouding had met mijn vrouw; die hersenschim had me het halve land door gejaagd en me ertoe gedreven om me te gedragen als een domme parodie op Lew Archer, de privédetective van Philip Marlowe. Als een nagemaakte speurneus op onderzoek naar de ontrouw van mijn vrouw, kon het nog stommer?

Ik liep het gevaar om Jason Boatman achterna te gaan, Lake Michigan op in een gestolen zeilboot. Nog een dag kamperen op de Boardwalk achter een franje van stro en een krant zou me van de pier verdrijven om te gaan zoeken in de mist.

Ik haalde mijn mobiel uit mijn zak, keek er een paar tellen naar en drukte toen op de één, de sneltoets voor mijn vrouw. Haar telefoon sprong meteen op voicemail. Ik zei: 'Ik ben het. Ik bel alleen om te zeggen dat ik van je houd.' Ik hing op, zette mijn telefoon uit en nam een slok uit het glas in mijn hand. Toen goot ik de rest van de whisky in de wasbak.

Voordat ik uitcheckte uit het Golden Atlantic Sands, legde ik de zonnebril en de strooien hoed op wat mijn bed was geweest en schoof er een briefje van tien dollar tussen.

Lee en ik voerden veel intensieve gesprekken in de eerste weken na haar terugkeer. Ik wilde haar geloven dus dat deed ik, in ieder geval voor zover ik kon. Dit zijn een paar dingen die Lee Truax me vertelde:

– Ja, ik ben met hem naar bed geweest, één keertje maar, toen ik zeventien was, in oktober 1966. Daarom deed Meredith Bright zo chagrijnig tegen me.

– Technisch gesproken was het misschien misbruik van een minderjarige, maar het was zeker geen verkrachting. Ik werkte helemaal mee. Ik wilde het zelf.

– Ja, ik hield van hem, en ja, dat doe ik nog, al is het op een hele andere manier. Nee, je weet best wat ik bedoel. Heb jij dan geen mensen van wie je op heel veel verschillende manieren houdt?

– Natuurlijk bedoel ik dat niet op een romantische manier.

– Ja, sinds die tijd – 1966. Met lange periodes ertussenin toen jij op de NYU zat en ik barkeeper was en daarna, toen jij met je doctoraal bezig was en ik op de NYU zat.

– Ja, er waren andere lange periodes waarin we elkaar niet zagen.

– Ik beteken iets voor hem. Iets belangrijks.

– Weet je wat we doen? We praten. Soms gaan we lunchen, of dineren. Elke vijf jaar of zo gaan we naar een bar. Een mooie, niet zo'n kroeg waar jij heen gaat.

– Hij praat vooral. Hij houdt van de manier waarop ik luister, en hij vertrouwt op wat ik terugzeg. Hoe ik reageer op wat hij zegt.

– Hij wil weten wat ik vind van de dingen die hij me vertelt.

– Waarom niet? Omdat jij altijd zo wantrouwig was over Spencer, en wat wij deden kon helemaal geen kwaad. Bovendien. Hij was van mij. Jij wilde erbuiten gehouden worden, en dat deed ik, ik hield je erbuiten. Je hoorde er niet bij. Je hoort er niet bij.

– Dilly – Donald – wist van een paar keer, ja. Maar ik heb hem nooit gezien.

– Dat zou ik je niet kunnen zeggen. Hij heeft me er niets over verteld, maar dat zou hij ook niet doen, hij zou me nooit vertellen dat hij iets positiefs had gedaan, vooral zoiets niet. Dat zou hij opschepperig vinden. Zo te horen aan wat je vertelt over die man op het vliegveld zou het Spencer hebben kunnen zijn. Maar vergeet niet dat hij ook van Don Olson hield. Ze zijn jarenlang partners geweest.

– Nee, hij zou je leven niet redden uit schuldgevoel. Hij zou je leven redden omdat je met mij getrouwd bent en omdat hij weet dat ik van je houd.

– Nou, er waren eigenlijk twee andere redenen waarom ik naar Rehoboth Beach ging. Ik besefte dat een van de vrouwen met wie ik over het gestolen geld had gesproken me een vreselijke leugen had verteld, en daar wilde ik haar mee confronteren. Het andere probleem was dat een van hen weer was gaan stelen.

– De leugen? Ik zal je vertellen over de leugen. Dat zul je een mooi verhaal vinden. Herinner je je de vrouw die me vertelde over de man die haar blind had gemaakt en hoe ze hem per ongeluk had vermoord nadat hij haar in een ravijn had gesleurd? Op een ochtend realiseerde ik me dat het helemaal andersom was gebeurd. Zíj nam contact op met de man nadat hij uit de gevangenis was vrijgelaten, en zíj nodigde hém uit om haar te bezoeken. Die jongen uit het café, Pete, stond al in het ravijn te wachten – hij was gek op haar, hij zou alles hebben gedaan wat ze vroeg. Ze haalde de man over om naast haar te komen liggen en Pete sloeg zijn hersens in met een steen en verborg het lijk. Daarna had ze seks met die jongen. Ze heeft alles toegegeven. Ik wilde het haar alleen horen zeggen.

En die nieuwe diefstallen, dat was heel simpel. Ik ging rechtstreeks naar de vrouw die ik de eerste keer had geïdentificeerd en zij biechtte alles meteen op. Tranen met tuiten huilde ze. We hebben de politie gebeld en haar laten arresteren. Dat had ze absoluut verdiend.

– Spencer heeft zoveel vertrouwen in mij vanwege wat ik die avond deed. Vanwege wat hij me zag doen en wat hij raadde dat ik later had gedaan.

– Wat ik deed? Ik reisde veel verder dan waartoe hij in staat was. Geloof het of niet.

– Wat ik deed? Ik vloog, ik vloog en vloog als een leeuwerik, overal heen. Ha!

– Ja, dat zal ik je vertellen. Dat heb ik je gezegd en dat zal ik ook doen. Maar ik wil er maar één keer over praten. Dat zal moeilijk genoeg zijn, maar ik wil het ook niet gemakkelijker maken om erover te praten. Begrijp je dat? Echt waar? Goed zo. Maar als ik er dan die ene keer over praat, moet Howard Bly erbij zijn en Don Olson en Jason Boatman ook. Hootie, Dill en Boats. Zij moeten me ook kunnen horen en ze moeten in orde zijn en op orde, ze moeten *levens* hebben. Want het gaat over wat zij hebben meegemaakt. Over wat wij allemaal hebben meegemaakt, onze hele groep.

– Oké dan, zoek een plek voor Hootie hier in de stad, dan zorgen we dat hij zover komt dat hij weer in de wereld leven kan. En we wachten tot jij, Donald, je ook ergens hebt gevestigd, voor zover je daartoe in staat bent.

– Dan duurt het maar jaren. Prima. Ik ga nergens heen, en jullie ook niet.

Drie maanden na dat laatste gesprek reed ik terug naar Madison en haalde Howard Bly op bij het Lamont. Toen hij het instituut uit liep waar hij het grootste deel van zijn leven had doorgebracht, droeg Howard zijn hele bezit in een nieuwe Samsonitekoffer, die dokter Greengrass en zijn vrouw voor hem hadden gekocht als afscheidscadeau: vijf ongelezen pocketboeken, een tandenborstel, een scheermes, een kam, twee overhemden, twee broeken, vijf onderbroeken, vijf paar zwarte sokken, een paar werkschoenen van Timberland, en een doosje tandzijde. Alle medewerkers en verzorgers stonden bij de deur opgesteld om afscheid te nemen van hun favoriete patiënt en hem geluk te wensen. Pargeeta Parmendera klemde zich aan Hootie vast terwijl ze naar mijn auto liepen en liet hem pas gaan, met bevende armen en zichtbare tegenzin, toen ik haar beloofde dat ik haar heel binnenkort zou uitnodigen in Chicago. Op zijn beurt beloofde Howard haar, eveneens in tranen, om haar wekelijks of zelfs dagelijks te bellen.

Voordat ik met Hootie naar Chicago reed, nam ik hem mee op een rondrit door Madison om hem onze oude school en de wijken die we van vroeger kenden te laten zien. Het vroegere huis van Dilly, van Boats, het bouwvallige krot waar de verbijsterende Eel ooit verbleef. Aan het einde van de rondrit, die Howard glanzende ogen had bezorgd, nam ik hem mee naar State Street. Auto's waren er niet langer toegestaan en terwijl we aan de ene kant van de straat heen en aan de andere kant weer terug liepen, merkten we de meedogenloosheid van de veranderingen op. De kleine kruidenierswinkel op de hoek was er nog en vervulde nog steeds zijn oude functie, maar vrijwel al het andere dat we hadden gekend was verdwenen. Geen Aluminium Room meer, geen Rennbohms Rexall Drugstore, geen Brathaus, geen tweedehandsboekenwinkel.

'Ik vraag me af hoe Glasshouse Road er tegenwoordig uitziet,' zei Hootie. 'Maar ik wil er niet heen, hoor.'

'Ik heb zelfs nog nooit van Glasshouse Road gehoord,' vertelde ik hem.

Hootie grinnikte en bracht zijn vingertoppen naar zijn mond. 'Dat is een goeie,' zei hij. 'Dat is een beste. Dat is een mooie. Dat is een koninklijke.'

Ik dacht dat hij uit een boek citeerde, ik wist niet welk boek. 'Waarom is dat zo geweldig?'

'Glasshouse Road is de plek waar alle slechte dingen heen gaan,' zei Hootie. 'En jij weet hem niet te vinden.'

'En dat vertel je me nu pas,' zei ik.

'Houd op met treuzelen en breng me naar Chicago, alsjeblieft,' zei Hootie.

Op de rit naar het zuiden bleek Hooties gespannenheid uit kleine dingen. Hij trommelde met zijn vingers op de knieën van zijn broek. Hij glimlachte en bewoog zijn hoofd van links naar rechts zonder echt iets te zien. Hij zei: 'Ik vind je zonnebril mooi. Ik wou dat ik een zonnebril had. Zonnebrillen zijn vet. Kan ik er een krijgen, Lee? Kan ik een zonnebril krijgen? Kosten ze vijf dollar?

Kosten ze meer? Ik had nooit gedacht dat een zonnebril meer dan vijf dollar kón kosten.' Toen ik Hootie liet weten dat de meeste dingen meer kosten dan het indrukwekkende bedrag van vijf dollar, moest ik zijn angst voor armoede weer zien weg te nemen. In zijn nieuwe huis zou alles geregeld zijn en de maaltijden waren bij de prijs inbegrepen. Hij zou zakgeld krijgen om dingen als koekjes en scheerschuim te kopen bij het winkeltje van het tehuis.

Zou hij zijn nieuwe huis prettig vinden? Kreeg hij een eigen kamer of zou hij hem met een kamergenoot moeten delen? Zag het er leuk uit? Was het er mooi? Was het er comfortabel? Zou Pargeeta er kunnen komen werken? Hadden ze een tuin, stonden er bloemen? En een picknickbank? Hoe heette zijn nieuwe huis ook alweer, kon Lee hem de naam nog een keertje helpen herinneren?

'Natuurlijk, Hootie. Wil je dat ik het ook voor je opschrijf, met het adres en het telefoonnummer? Je krijgt ook je eigen telefoon. Je gaat wonen in het Des Plains-Whitfield Residential Treatment Center, net buiten Chicago, en het is een heel goed tehuis. Om je de waarheid te zeggen is het mooier dan het Lamont.'

Ik had geleerd dat de enige manier om Hootie rustig te houden als hij nerveus werd was door hem aan te spreken alsof hij een kind was. Hij had gesprekken in primaire kleuren en eenvoudige antwoorden nodig.

Zou de Eel er zijn, als ze aankwamen?

'Nee, Howard, dat kan niet. Vandaag zorgen we dat je comfortabel geïnstalleerd bent en weet waar alles is en gaan we kennismaken met een paar medewerkers. Morgen breng ik Lee mee. Ze wil je heel graag weer zien.'

'Natuurlijk,' zei Hootie. 'Ik ook. Maar ik ben ook een beetje bang.'

'Om haar te zien?'

'Ben je mal?' Een uithaal van verbaasd gelach, rauw als een lach die lang niet is gebruikt. 'Om mezelf aan haar te laten zien.'

'O, Hootie. Ze zal je niet eens kunnen zien, weet je.'

'Dat weet ik,' zei Hootie. 'Maar ze kan toch wel zien. Dat heeft ze altijd gekund. En weet je wat ze gaat doen, de eerste keer dat ze me ziet? Ze gaat haar hand op mijn gezicht leggen.'

'Dat doet ze nooit, eerlijk gezegd.'

'Dat denk jij.'

De kennismaking van Howard Bly en het Des Plains-Whitfield verliep voorspoedig. Hij maakte kennis met zijn artsen; hij werd naar zijn kamer gebracht, spaarzaam ingericht en wit en zonnig; hij werd voorgesteld aan drie medepatiënten die belangstellend en vriendelijk leken; hij kreeg een rondleiding door het tehuis en over het terrein. Het centrum, dat leek op een combinatie van een kleine universiteitscampus en een schoon, goed beheerd ziekenhuis, was het prettigste van alle opties die Don Olson en ik hadden bekeken. Een behoorlijke staf van ervaren artsen, therapeuten, psychologen en maatschappelijk werkers beheerde en begeleidde de overgang van zestig tot zeventig mannen en vrouwen naar groepshuizen en uiteindelijke vestiging in de buitenwereld. Ik wist dat ik geluk had gehad toen ik een plek voor Hootie vond in het Des Plains-Whitefield. Lee was daarbij van cruciaal belang geweest. Op de juiste manier en op het juiste moment waren de juiste tandraderen op hun plek geschakeld en Hootie was door warme handen in een warm nest afgeleverd. Hij miste de tuinen van het Lamont en zijn uitzicht, maar de nieuwe tuin was bijzonder mooi, al was hij functioneler en minder zuiver decoratief. En zijn nieuwe uitzicht (een veld, een snelweg) mocht dan niet zo fraai zijn als het oude (een azaleastruik en een bosje esdoorns), zijn nieuwe kamer paste hem veel beter dan zijn oude hokje in het Lamont. Hier had hij boekenplanken en schilderijen aan de muur en een gevlochten mat op de vloer. De kamer bevatte al een fatsoenlijk houten bureau, drie comfortabele stoelen en een ruim bemeten koffietafel; hij kreeg de beschikking over een koffiezetapparaat en een televisie, en de luxe van een eigen badkamer.

Op de eerste dag in zijn nieuwe omgeving leek Hootie verbouwereerd, maar niet ongelukkig. Zelfs als hij huilde, en gedurende zijn eerste twee of drie dagen in Des Plains bracht Hootie vele minuten door met huilen of de tranen van zijn gezicht vegen, leek hij niet echt van streek. Hij huilde om wat er verloren was gegaan, hij huilde van herkenning of omdat hij plotseling verward raakte, hij huilde van dankbaarheid.

Zoals beloofd reed ik op de dag na de 'intake' van Howard Bly met mijn vrouw naar het centrum. Hootie was voorbereid op deze grote gebeurtenis en zat gekleed in een schone overall, een sweatshirt dat Pargeeta hem had gegeven met CHEESEHEAD erop zodat hij niet zou vergeten waar hij vandaan kwam, en zijn gele Timberlands op een bankje in de receptie naar de ingang te turen toen Lee en ik binnenliepen en bij de balie halt hielden om onze aanwezigheid te verklaren.

'Hij is hier,' zei Eel terwijl ze bij de balie wegliep.

'Is dat zo?' Ik draaide mijn hoofd om en zag Hootie langzaam overeind komen. De psychiater die hem was toegewezen, dokter Richard Feld, stond achter hem. Het ronde gezicht van Bly straalde van verwondering. 'Ja, inderdaad. Hoe wist je dat?'

'Wat ik op me af voel komen, komt beslist bij hem vandaan,' zei de Eel met een glimlach.

Ze keerde zich naar Hootie alsof ze hem kon zien en ik bleef heen en weer kijken tussen mijn vrouw en de herschapen man die met langzame pas op haar toe liep. Bezitterig liep Feld achter hem aan, met nu en dan een knikje naar mij; we hadden elkaar de dag tevoren ontmoet. Met zijn schildpadtempo leek Hootie het aanstaande moment niet te willen overhaasten. Hij wilde alles wat hem onderweg geboden werd op waarde schatten, met inbegrip van zijn eigen gevoelens. Ook Lee Truax nam een houding van geduldige afwachting aan, haar handen losjes gevouwen voor zich, haar hoofd geheven, haar glimlach steeds dieper. Ik vond het bewonderenswaardig, indrukwekkend, ontroerend. Ze gaven het moment de aandacht die het waard was. De Eel deed dit natuurlijk instinctief, maar Howard Bly was geen Lee Truax, zou ik gedacht hebben. En toch deed hij duidelijk moeite om het moment van hereniging niet te overhaasten: hij stelde het zelfs uit, alsof hij het nog meer wilde benadrukken. Tranen welden op in mijn ogen. Het leek wel een bruiloft, met al die tranen.

'Hallo, Eel,' zei Hootie op een halve meter afstand. 'Je ziet er geweldig uit. Ik kan niet geloven dat je hier bij me bent, in mijn nieuwe huis.'

'Ik ben blij dat we hier allebei zijn,' zei ze. 'Het is heerlijk om je weer te zien.' Ze zette een stapje naar voren en stak haar rechterhand op alsof ze een eed wilde afleggen. 'Vind je het goed als ik...?'

'Als je maar niet meteen flauwvalt,' zei Howard.

Ongelooflijk, dacht ik. *Deze twee mensen zijn heel bijzonder.* Ik bedacht dat het paar hier voor me, ondanks de beweringen van

Don Olson, het meest van Mallon had gehouden, en het zuiverst, zonder Boatmans behoeftigheid, Dons ambitie en Meredith Brights neiging om de scores bij te houden. Eel en Hootie hadden niets gewild en geen verborgen agenda nagejaagd.

Lee Truax legde haar hand tegen de zijkant van Hooties gezicht. 'Je bent warm,' zei ze.

'Ik ben verlegen.' Hij grinnikte. 'Je maakt me... ik weet het niet.'

Ze bewoog haar hand als een roze, vriendelijke spin over zijn gezicht, zijn voorhoofd, onder zijn kin, over zijn andere wang. 'Je bent anders, maar je bent nog steeds knap,' zei ze. 'Ik kan je heel goed zien, en alles wat ik zie is tiptop.'

"lo, Eel,' zei Blythe en de Eel zei: 'Ja, hallo, Hootie,' en ze omhelsden elkaar en huilden een poosje.

'Het spijt me dat ik je nooit eens heb opgezocht in al die jaren.'

'Toen was ik er nog niet klaar voor. En er was toch altijd veel te doen.'

'Zoals wat, Hootie? Wat deed je daar allemaal?' Ze zette een stap achteruit, wreef haar ogen droog. Even legde ze een hand op zijn schouder en liet die toen weer vallen.

'Boeken lezen. Werken aan de grote puzzel. In de mooie tuin zitten. Met Pargeeta praten. Mijn evaluaties en mijn sessies en mijn groepswerk. Opruimen. Over dingen nadenken. Me dingen herinneren. Écht herinneren, zoals teruggaan naar toen. En vaak was ik zo bang, dat ik uit de buurt van honden moest blijven.' Hij wees naar mij. 'En ik heb zijn boek gelezen, *Het Nachtgespuis*. Hij zat er helemaal naast.'

'Dat weet ik. Daar kon hij niets aan doen.'

'Het is heel natuurlijk om bang te zijn. Ik was heel lang heel erg bang.'

'Dat was Don ook,' zei ik, het duet onderbrekend.

'Maar het zijn net verkeersagenten.'

'Of klaar-overs,' zei Lee. 'Ze horen ons geen pijn te doen.'

Dokter Feld kwam naar voren en legde een hand op dezelfde schouder als waar Eel de hare had gelegd. 'Dit is allemaal heel interessant, maar op dit moment heb ik geen idee waar iedereen het over heeft. Helemaal niet. Honden als klaar-overs? Klaar-overs doen nooit iemand pijn.'

'Dat hóren ze niet te doen,' zei Hootie somber.

Feld ging recht tegenover Hootie staan en leunde voorover. 'Howard, vergeet niet dat we om drie uur een afspraak hebben. Dan kun je me vertellen over honden en verkeersagenten en klaarovers, zoveel als je maar wilt.'

In de periode dat Hootie in Des Plains verbleef, begon Don Olson aan de uitvoering van de plannen die hij in Madison had beschreven. Hij liet kaartjes drukken waarop hij zijn diensten aanbood als ervaren docent in hogere parapsychologische waarheden, die zich na vele jaren onderweg te zijn geweest in Chicago wilde vestigen met een klein aantal serieuze leerlingen. Voorkeur voor langjarige inschrijvingen, redelijke tarieven. Toen Lee Truax terugkeerde naar ons huis aan Cedar Street had Don zich discreet teruggetrokken in zijn vertrekken, een kleine gastensuite die alleen een eigen ingang ontbeerde om volkomen zelfstandig te zijn. Hij at de meeste maaltijden alleen en kocht een mobiele telefoon met het nummer dat hij op zijn kaartjes had laten zetten. Don en de Eel konden het uitstekend met elkaar vinden, maar hij wist dat hij geen gebruik of misbruik moest maken van haar vroegere genegenheid. Hij was die Don niet langer, zij was die Eel niet langer, en er heerste stilzwijgende overeenstemming dat onze driewegvriendschap er het meest bij gediend zou zijn als de voormalige Dilly zo snel als hij kon naar een eigen plek verhuisde. Olson en ik waren tot de typische gewoontes en patronen van mannelijke huisgenoten vervallen – waaronder het laten bezorgen van pizza's en Chinese maaltijden, te laat naar bed gaan en de neiging om de vuile was te lang te laten liggen – die bedwongen moesten worden toen mijn vrouw weer thuis was. Ze bracht wat meer pit aan in de dagelijkse routine en door het tempo wat op te schroeven konden Olson en ik meer werk verzetten dan toen we alleen woonden. Lee Truax bracht ook dagelijks vier of vijf uur door in haar kantoor, waar ze de zaken van de ACB behartigde of met behulp van Microsoft Narrator of de Freedom Box van Serotek artikelen schreef op haar computer.

Na een paar maanden had Olson genoeg geld bij elkaar om een klein tweekamerappartement te huren in Webster Street, ergens in de 600-nummers, het gedeelte van Lincoln Park dat vlak bij de DePaul Universiteit lag, en ik hielp hem met de aanbetaling op een oude Accord die nog verbazend goed reed.

Jason Boatman meldde dat *It Takes A Thief, Inc.* filialen had geopend in Milwaukee en Racine. Hij had het drukker dan ooit. 'Voorheen wist ik niet hoe lui de meeste criminelen zijn,' zei hij in een groepsgesprek over de telefoon met de Eel en mij. 'Inbrekers en dieven hangen de hele dag thuis rond tot het tijd is om te gaan werken, en hun werk neemt maar een uurtje of twee in beslag.' Boats zou naar Chicago komen wanneer we hem maar uitnodigden; nadat hij Don en mij had gedwongen zijn eigen treurige verhaal aan te horen, was dat wel het minste wat hij kon doen, zei hij.

Dokter Feld meldde dat dokter Greengrass, aan wie hij geregeld verslagen stuurde, nu deel uitmaakte van het bestuur van het staatsziekenhuis in Madison. Het Lamont had een nieuwe eigenaar en men had hem gedwongen te vertrekken. 'Hij is redelijk tevreden, voor zover ik het kan beoordelen. Zijn enige verdriet betreft die jonge vrouw die vriendschap had gesloten met Howard, juffrouw Parmendera. Was ze niet ooit assistente? Ze is onderdirectrice geworden in het Lamont, en hij is nog altijd boos over de manier waarop hij door het bestuur daar is behandeld.'

'Ik neem het hen geen van beiden kwalijk,' zei ik. 'Ze weten hun vriendschap vast wel te herstellen.'

'Bewonderenswaardig optimisme,' zei Feld.

Kort daarna werd Howard Bly ontslagen uit het tehuis en overgedragen aan de wijde wereld en de zorg van zijn vrienden.

Ik had de geleidelijke metamorfose van het oude Cedar Hotel aan de overkant van Rush Street in de gaten gehouden, van een haveloos luizenhotel tot een fatsoenlijker project voor langdurige verhuur aan armere stadsbewoners met een baan. De eigenaren hadden aanzienlijke financiële garanties gekregen van het bestuur van zowel de stad en de staat als op federaal niveau. (Niet dat ze behept waren met burgerzin, maar ze hadden gezien dat er aan armoede flink wat te verdienen was.) In april 2004 had het nieuwe Cedar Hotel net zijn deuren geopend, het interieur glom en schitterde, en slechts de helft van de kamers was bezet. Howard Bly, nu in het gelukkige bezit van een vaste invalidenuitkering die hij verbazend gul vond, werd toegelaten na ontvangst van het inschrijfformulier dat ik hem had geholpen in te vullen. Hij betrok het appartement op dezelfde dag als hij het Des Plains-Whitefield verliet. Meerdere malen herhaalde hij dat het de mooiste dag van zijn leven was.

Hootie nestelde zich alsof hij er zijn leven lang op had gewacht om zelfstandig te kunnen wonen. Op zijn eerste dag in het Cedar Hotel ging hij naar Michigan Avenue met zijn overdaad aan zijstraten en haalde er goedkope lakens en handdoeken vandaan, een tweedehands biezen mat, gloeilampen, een vreemde lamp in de vorm van een naakte vrouw die haar rug strekte, niet bij elkaar passend bestek en twee borden, en een stevige stoel en een minder stevige ladekast die hij op de stoep had gevonden. Later die middag leverden de straten en stoepen een ingelijste poster van een stierengevecht op en een ingelijste aquarel van een rode schuur die hem deed denken aan een foto in het Lamont. De volgende dag kocht hij een gietijzeren koekenpan, een middelgrote steelpan, een vergiet, een spatel, een koksmes, een soeplepel en twee kookboeken: *The Joy of Cooking* en *Mastering The Art of French Cooking*.

In het begin at Hootie tussen de middag en 's avonds bij de Eel en mij of bij Don Olson. (Hij leerde koken in onze keuken en gebruikte zijn recepten om te helpen bij het bereiden van sommige van onze maaltijden.) Binnen twee maanden had hij een zelfstandiger schema opgezet. Twee keer in de week stak hij Cedar Street over om het avondmaal bij ons te gebruiken. Op zondagen kwam Donald Olson naar ons huis om samen met Hootie wat te drinken en te eten. Hootie dronk druivensap en Olson grote hoeveelheden tequila met kleine hoeveelheden ijs.

De Eel belde zelf met Jason Boatman en Boats maakte een afspraak met ons allemaal in Cedar Street voor een zaterdag, eind augustus. Hij klonk zowel verwachtingsvol als aarzelend bij het idee te moeten luisteren naar wat de Eel te vertellen had. Op de middelbare school, herinnerde hij zich beschaamd, had hij zo absoluut niet willen horen wat zij van Mallons ritueel vond, dat hij het had vermeden om met haar te praten of zelfs maar naar haar te kijken. Als ze elkaar tegenkwamen in de gangen van Madison West, wendde hij zijn blik af en bestudeerde de voorkant van de kluisjes.

Op zaterdag 28 augustus kwam Hootie Bly de zonovergoten Cedar Street net af slenteren toen Jason Boatman zijn bestelbusje, met 'IT TAKES A THIEF SECURITY & PROTECTION SERVICES' erop, in een parkeerplaats manoeuvreerde en uitstapte. Omdat Boats twee keer bij Hootie in het Lamont op bezoek was geweest voordat hij werd overgeplaatst naar Des Plains, omhelsden ze elkaar hartelijk bij wijze van begroeting, compleet met schouderklopjes. (Dat wil zeggen, Boats sloeg Hootie twee keer op zijn rug; Hootie sloeg nooit iemand, van voren noch van achteren.)

'Als die slogan waar ook ter wereld voorbij kwam rijden, zou ik weten dat jij het was,' zei Hootie.

'Dat is ook de bedoeling,' zei Boats. Toen betrok zijn gezicht en verschenen de groeven weer die er door zijn langdurige vertrouwdheid met pessimisme en nervositeit in waren gekerfd. 'Weet je, ik heb de Eel niet meer gezien sinds de middelbare school. En toen praatten we niet tegen elkaar.'

'Maak je maar nergens zorgen over,' raadde zijn oude vriend hem aan. 'Zij zal er zeker geen last van hebben.' (Dit is mijn reconstructie van het onderhoud.)

'Bijzonder, hè?'

'Wacht maar af, Henry Higgins, wacht maar af.'

'Ze was altijd al verdomd aantrekkelijk.'

In Hootie Bly werd een komische plaaggeest wakker en hij trok een uitgestreken gezicht. 'Dat was toen, dit is nu.'

'Wat bedoel je?'

Alsof hij ergens verdriet om had, sloeg Hootie zijn ogen neer en schudde zijn hoofd.

Boatman rolde met zijn schouders en schudde zijn armen uit. 'We kunnen het maar gehad hebben.' Behoedzaam drukte hij op de deurbel.

Van binnenuit klonk het geluid van een klokkenspel. Voetstappen naderden de deur.

Boats wierp een blik op Hootie, die hem een plechtig, meelevend knikje schonk.

'O, jee,' zei Boats.

'Wees niet zo'n Charlie Brown, Charlie Brown.'

De deur zwaaide open en onthulde mijn glimlachende persoon, die natuurlijk later pas zou horen van Hooties plagerij. Ik schudde Boats de hand en omhelsde Hootie. 'Dit belooft een interessante dag te worden, denk je niet?'

'Alles komt goed en alles komt goed en alle dingen komen goed,' zei Hootie.

Boatman zei: 'Lee, is alles echt...?'

Ik trok mijn wenkbrauwen op, omdat ik zijn vraag helemaal niet begreep.

'Het spijt me,' zei Boats.

'Maak je er geen zorgen over, wat het ook is,' adviseerde ik hem. 'Kom binnen, jullie beiden, alsjeblieft. Boats, jij bent hier toch nog nooit geweest? Als we klaar zijn, kan ik je misschien een rondleiding geven, als je belangstelling hebt.'

Boatman vermande zich merkbaar om iets van zijn gebruikelijke gedrag te herstellen. 'En misschien kan ik jou dan vertellen hoe je je huis kunt beveiligen tegen inbrekers, als jij daar belangstelling voor hebt. Ik weet dat je denkt dat je dat al hebt gedaan, maar geloof me, het stelt nog niks voor.'

'Is dat zo?'

'Je weet niet half...'

'We zullen elkaar rondleiden,' zei ik, terwijl ik beide mannen door de mooie vestibule naar de woonkamer leidde.

Don Olson stond op van de bank waar hij zat en stak zijn hand naar Boatman uit. 'Daar ben je eindelijk,' zei hij. 'Heb je een goede rit gehad deze kant op?'

'Tot ik in de buurt van Chicago kwam, waar het de hele weg bumper aan bumper stond. Hoe jullie het uithouden met al dat verkeer zal ik nooit begrijpen.'

Boatman wierp een blik door de kamer, keek naar de deur, toen weer naar zijn gastheer.

'Gaat het?' vroeg ik. 'Kan ik iets voor je halen?'

'Ik zou wel een pitstop kunnen gebruiken. Zou je, eh...'

'Die kant op,' zei ik. 'Lee komt over een paar minuten. Ze kijkt er erg naar uit om je te zien.'

Met een zweem van monterheid liep Boatman in de richting van de wc.

'Is hij wel in orde?' vroeg ik.

'Charlie Brown, Charlie Brown,' zei Hootie half zingend.

'Je boekt enorme vooruitgang in populaire cultuur,' zei ik.

'*Peanuts* heeft overal een antwoord op.'

'Vertel eens, Don,' zei ik. 'Heeft onze Hootie ironie ontdekt? Hij heeft vandaag iets...'

'Ik denk dat hij zelf de ironie heeft uitgevonden,' zei Olson.

'Net zoals primitieve gemeenschappen het vuur moesten uitvinden, of hoefijzers, of zo.'

Zacht gedruis op de trap deed de drie mannen naar de deur kijken. 'Ha, fijn,' zei ik.

De voetstappen bereikten de onderste trede van de trap. Ik duwde mijn handen in mijn zakken en leunde licht voorover; ik kon een glimlach niet onderdrukken. De twee mannen die niet met de Eel getrouwd waren, keerden zich als windvaantjes naar de deur.

Klein, tenger, in een mouwloze zwarte tuniek en een zwarte, linnen broek, met een lange, kleurrijke shawl om haar hals, kwam Lee Truax zelfverzekerd de woonkamer binnen. Zoals gewoonlijk gebruikte ze thuis geen witte stok. Het onwankelbare innerlijke vuur dat haar van binnenuit verlichtte vergezelde haar als altijd, als een vertrouwde beschermengel.

'Lee,' zei ik, om haar een referentiepunt te geven.

'Hallo, lieverds,' zei ze terwijl ze naar ons toe zweefde. 'Het spijt me dat ik een beetje laat ben. Ik moest beslissen over deze shawl.'

'Je hebt de juiste beslissing genomen,' zei Hootie, en tegelijkertijd zei Don: 'Goeie keus.'

'Je ziet er prachtig uit,' zei ik, ten overvloede, en de andere mannen mompelden instemmend.

Ik vroeg me af hoe ze het deed. Hoewel ik het duizend keer had zien gebeuren, had ik nooit begrepen welk mechanisme ervoor zorgde dat ze van mooi naar stralend ging zonder menselijke of bovennatuurlijke assistentie. Ze gebruikte nauwelijks make-up en ze maakte nooit veel werk van haar uiterlijk. Ze wond een shawl om haar hals, duwde haar haar de ene of de andere kant op, deed wat lippenstift op, en dan was het wonder weer geschied.

'Jullie zijn net jonge hondjes. Waar is Jason Boatman? Ik hoorde de bel gaan en ik hoorde stemmen. Ik dacht dat Jason hier zou zijn.'

'Hij komt zo terug,' zei ik.

'En hij zit nu in de beveiliging?'

'Zijn bedrijf heet *It Takes A Thief*,' zei Hootie.

Ze lachte even en zei toen weer ernstig: 'Geweldig. Hij heeft een hele ommekeer gemaakt. Ik ben trots op hem.'

'Vertel hem dat zelf maar,' vroeg Don. 'Hij komt net weer binnen.'

Jason Boatman was zojuist van de andere kant de kamer binnengekomen en hij leek aan de grond genageld door de aanblik die zijn gastvrouw bood.

'Hij beweegt niet,' zei de Eel. 'Wat is er aan de hand?'

'Het arme, oude, blinde dametje heeft alweer een slachtoffer gemaakt,' zei ik.

'Stil, jij. Dit is anders.'

Diep in zijn keel maakte Hootie een donker, knarsend geluid dat vrolijkheid uitdrukte.

'Lach ons niet uit, Hootie. Wat doet hij nu? Aha. Hij komt op ons af, nietwaar?'

'Hoe doe je dat?' vroeg Don. 'Ik bedoel, is het iets wat je voelt of iets wat je hoort?'

'Laat me even je ogen uitsteken. Dan weet je er over twintig of dertig jaar alles van.'

'Sorry,' zei Don. 'Hoe dan ook, hier is hij, onze oude vriend en tot inkeer gekomen schurk, Jason Boatman. Hij kijkt een beetje gespannen, een beetje bij de neus genomen, als je het me niet kwalijk neemt, Boats.'

'Hoe zou ik dat kunnen,' zei Boats, zijn ogen strak op het gezicht van de Eel gevestigd, 'als ik niet weet waar je het over hebt?'

Hootie bekeek het fraaie plafond.

'Het maakt niet uit, let maar niet op hen,' zei de Eel. 'Ik bepaal zelf wel hoe je eruit ziet, Boats.'

'En ik was geen schurk,' zei Boats. 'Ik was een professionele dief.'

'Een belangrijk onderscheid,' zei de Eel. 'Maar laat me even een goed beeld van je krijgen, oké? Het is heerlijk om je weer eens bij me te hebben en ik wil je in me opnemen.'

'Eel, jij mag me nemen hoe je maar wilt,' zei Boats.

Lee Truax ging eenvoudig voor hem staan, haar voeten in platte zwarte schoenen stevig op de vloer, haar hoofd geheven, niet glimlachend, maar ook niet ernstig. Uiteindelijk zei ze: 'Ja, ik zie het. Hallo, Jason.'

'Je zou me Boats kunnen noemen.'

'Ik zei net dat ik heel trots op je ben. Het is bijna een beetje raar, dat je van het slechte pad af bent.'

'Op een scheve schaats slijt het systeem te hard.'

'Je kunt zeggen wat je wilt, ik blijf mijn eigen scheve schaats rijden.'

Ik legde mijn arm om haar schouders. 'Goddank, anders zou je alles voor ons bederven. Maar wat denk je, zullen we beginnen? Nu we er allemaal zijn?'

'Toe maar,' zei de Eel.

'Goed dan, iedereen, iets drinken, koffie? Wat jullie maar willen, jongens. Laten we beginnen. Liefje, ben je zover?'

'Zeker,' zei ze. 'Wil je voor mij alsjeblieft wat water inschenken?'

'Ik wil graag een tequila, met ijs.'

'Koffie.'

'Druivensap, alsjeblieft,' zei Hootie.

Toen ik terugkwam met de drankjes namen we plaats op de stoelen en de bank tegenover de vrouw in het middelpunt van onze aandacht. Ze zat met een air van diepe, innerlijke rust te wachten. In die houding, met haar hoofd recht op haar schouders en een peinzende uitdrukking op haar gezicht, scheen de Eel even doorzichtig als het koele water in haar hoge glas.

'We zijn er allemaal klaar voor,' vertelde ik haar.

'Dat weet ik,' zei ze.

Als Lee Truax haar gezichtsvermogen had gehad, zou de manier waarop ze haar gezicht van de ene kant van het vertrek naar de andere bewoog om ons op te nemen ons duidelijk hebben gemaakt dat ze tijdens haar verhaal niet onderbroken wilde worden.

'Ik ben ook klaar.' Deze keer liet haar blinde blik geen twijfel bestaan over haar verlangen naar elk greintje van onze aandacht.

'Don, Hootie, Boats en jij ook, Lee, jullie moeten begrijpen wat er hier gaat gebeuren. Ik ga zo grondig mogelijk beschrijven wat ik heb gezien en beleefd voor, tijdens en na het ritueel dat Spencer Mallon uitvoerde op dat veld. Wat er ook gebeurt, onderbreek me alsjeblieft niet. Doe of zeg niets waardoor ik me gedwongen zou zien om te stoppen met praten. En dat meen ik. Zelfs als je om de een of andere reden geschrokken bent, of iets wat ik zeg verschrikkelijk vindt of beledigend, zet je emoties dan alsjeblieft opzij en laat me zo goed mogelijk mijn verhaal afmaken. Ik kan dit maar één keer doen. Ik ga mezelf niet herhalen en ik ga niet proberen om dingen te verklaren die niemand zou kunnen verklaren, dus vraag me niet om dat te proberen. Begrijpen jullie dat, jongens? Is dat duidelijk?'

'We begrijpen het,' zei ik, en de anderen maakten instemmende geluiden.

'Dan zal ik maar beginnen.' De Eel stak zonder zichtbare aarzeling haar hand uit naar het glas water en vouwde haar vingers eromheen. Na een slokje dat de dorst van een kolibrie misschien zou hebben gelest, zette ze het glas op precies dezelfde plek terug. Ze legde haar handen in haar schoot en schonk ons een zweem van haar geruststellende glimlach.

'En ik wil beginnen waar wij die dag begonnen, in het Coliseum Theater. Ik vraag me af of een van jullie zich de bizarre opmerking herinnert die Spencer maakte voordat de organist weer onder het toneel zakte en de lichten dimden en de gordijnen openschoven. Ik durf te wedden van niet – ik wed dat jullie dat vergeten zijn.'

'Mogen we daar antwoord op geven?' vroeg Don.

'Voor deze ene keer, ja.'

'Ik kan me niets herinneren van wat hij zei, behalve dat hij ons na de tweede voorstelling aan de overkant zou zien. Dat bedoel je niet, is het wel?'

'Nee, ik bedoel wat hij zei over films en geheime boodschappen. Spencer was van mening dat bepaalde films verborgen berichten bevatten die alleen bedoeld waren voor de weinigen die in staat waren om ze te begrijpen. Die ochtend wilde hij ons vertellen over een geheim dat in het slot van *Shane* verborgen was. *Shane* was een van zijn lievelingsfilms.'

De leeuwerik

Behalve Lee, *zei de Eel*, konden ze zich waarschijnlijk allemaal wel herinneren hoe Spencer voor hen uit door het gangpad naar de tweede rij liep, maar wie van hen wist waarom hij dat deed? Het scherm straalde een eigen licht uit, daarom; zelfs als de rest van de enorme bioscoop helemaal donker was werden de eerste drie of vier rijen verlicht door een dunne, zilveren glans die op maanlicht leek. Mallon wilde dat ze *zichtbaar* waren.

Jaren later meende de Eel dat Mallon wilde zorgen dat ze zich aan zijn plan zouden houden. Hij stopte ze in een jaszak tot de tijd kwam om ze er weer uit te halen en ze op pad te sturen. Daar had de Eel geen bewijzen voor, maar het leek haar heel waarschijnlijk dat hun grote leidsman de ouvreuse vijf dollar had gegeven om te zorgen dat ze op hun plaats bleven zitten.

Spencer meende dat een complete, onzichtbare wereld zich bewust was geworden van zijn groepje jongeren en hij wilde hen beschermen tegen de ingezetenen van die wereld tot alles correct gerangschikt was. En bovendien had hij privézaken te regelen. Zijn zogenaamd vaste vriendin, Meredith, was woedend op hem over iets wat dat hij haar had aangedaan en dat moest hij naar beste kunnen goedmaken, en wat hij het beste kon was haar neuken tot haar hersens haar oren uitdropen. Vergeef me de taal die ik uitsla. Zo praatte Mallon als hij over dat onderwerp begon. Vergeef me de taal die ik uitsla, jongedame. Wat dacht hij eigenlijk dat ze voor oren had? Van kristal misschien?

Eel Truax wist wat er speelde, ze was niet gek. Ze vond het niks – ze vond de hele situatie niks, als je het echt weten wilt. Hij had haar in een moeilijke positie gebracht en ze kon er niets aan doen. En wat Mallon hun verkoos te vertellen – hun allemaal, trouwens, maar vooral haar, de Eel – hielp ook al niet, helemaal niet zelfs. Hij wilde iets uitleggen over de dood.

Dus de dood was er al vanaf het begin bij. Mallon legde het hun helder voor. Alleen dachten zij allemaal dat hij het had over die wildwestfilm van tien jaar geleden, met dat jongetje dat op Hootie leek. Ze hadden hem allemaal op televisie gezien; ze wisten waar hij het over had. Alan Ladd, Van Heflin en Jean Arthur, die blonde vrouw die in duizenden films speelde, Jack Palance, de ultieme sluwe slechterik. Man arriveert in een stadje, helpt een keuterboertje, sluit vriendschap met zijn gezin en de hele gemeenschap, die bedreigd wordt door ranchers. Uiteindelijk onthult de man dat hij een beroemde revolverheld is en gaat de strijd aan met de revolverheld van het andere team. Hij wint, alles loopt goed af, en de revolverheld rijdt richting zonsondergang. Alleen, vertelde Mallon voordat hij wegholde om zijn vriendin weer in een goed humeur te krikken, gaat deze revolverheld, Shane, dood aan het slot van *Shane*.

In het laatste beeld hangt Alan Ladd in zijn zadel. De andere kerel heeft hem een kogel door het lijf gejaagd en hij is stervende, alleen wil hij dat niet aan het jongetje Billy laten merken. De film gaat over het mysterie van de dood in onze cultuur, hoe dat mysterie verborgen wordt. Shane is een moordenaar. Dat is wat hij doet. Als Shane geen moordenaar is, werkt de film niet, snap je? Als hij gewoon een huurling zou zijn, zou Van Heflin, de vader van Billy, neergeschoten worden op die modderige straat. En als dat zou gebeuren, zou het kwaad winnen. Maar het grootste deel van de film komt deze dolende moordenaar Shane over als een aardige, hulpvaardige vent... dus moet zijn dood worden verbeeld in een soort code, een gebaar dat de meeste mensen nooit zullen opmerken...

Mallon wist het, dacht de Eel nu. (Indertijd was ze tot een andere conclusie gekomen.) Hij wist wat Keith Hayward was, en dankzij haar echtgenoot wist Lee Truax nu veel meer over dat onderwerp dan ze had willen weten, en nu meende ze dat Spencer ook al wist dat Hayward daar op dat veld zou worden gedood. Hij *vertelde* het hun ook allemaal, alleen vertelde hij het in geheimtaal, net als zijn versie van de film.

Daarna zaten ze twee voorstellingen van die stomme film van Alan Arkin uit en propten hun mond vol weerzinwekkend bioscoopsnoep.

Eindelijk was de tweede voorstelling voorbij en mochten ze naar buiten, waar die goeie ouwe Jeweetwel op hen stond te wachten, met een brede grijns op zijn gezicht. Wonder boven wonder was Miss America, Miss Badger Beauty, nergens te bekennen. Wat betekende dat hij haar had geloosd om hen zelf te komen ophalen.

Natuurlijk was Mallon net uit haar bed komen rollen, dat was duidelijk ook al was zij nergens te bekennen, en de arme Eel voelde zich alsof er een groot mes in haar buik was gestoken, maar toen hun groepje de straat over liep om zich bij de andere twee te voegen, werd haar ineens iets duidelijk. Het was een plotseling inzicht over dat Gouden Grietje, Meredith Bright, de ideale vrouw van elke man, en de Eel kon het waarschijnlijk alleen krijgen als het onderwerp nergens te bekennen was. Als Meredith in de buurt was, leidde ze te veel af! Weet je wat het was, het inzicht van de Eel? Dat ze niet veel voorstelde, die Meredith, en dat ze tot ver in de middelbare leeftijd op haar uiterlijk zou varen. Het enige wat ze had, was die vreemde combinatie van onschuld en hebzucht, en als de onschuld haar eenmaal ontnomen was, zoals onvermijdelijk zou gebeuren, bleef alleen de hebzucht nog over: fraai verpakte hebzucht. Meredith wist niet eens dat ze Mallon op een dag zou haten, maar dat zou ze zeker, want Spencer Mallon zou nooit al die behoeftigheid kunnen bevredigen, al dat *verlangen*...

In zekere zin deed Meredith de Eel aan Boats denken, maar Boats verlangde alleen maar naar *spullen*, dingen die je kon oppakken en in een zak kon stoppen. De dingen waar Meredith opgewonden van raakte, waren van een heel andere orde. Macht en geld, het ultieme Amerikaanse cadeaupakket, daar aasde zij op.

Toen Mallon hen meevoerde naar het punt waar ze met Hayward en Milstrap hadden afgesproken, liepen ze een helse protestmars in, met politieagenten te paard en brandweerslangen en jongelui die op hun kop kregen met wapenstokken, mensen die in megafoons brulden, complete chaos. Totale verwarring.

Tegen de tijd dat hun groepje arriveerde, hadden de politieagenten hun zelfbeheersing verloren en waren ze druk op hoofden aan het slaan en jongelui in politiebusjes aan het gooien. De politieagenten waren *woedend* dat de aanvoerders van de protesten de moed hadden gehad om buiten het universiteitsterrein een actie op te zetten. Door de actie naar de burgerij te brengen, verbraken ze het enige contract dat het gedrag van de agenten nog enigszins in toom had gehouden. De politie was laaiend en niet te beroerd om dat duidelijk te laten merken, en daardoor werden de demonstranten steeds razender. De herrie die ze hoorden kwam van de studenten die op University Avenue stonden te schreeuwen en te krijsen, niet om te ontsnappen aan de politieagenten met hun schilden en hun paarden, maar om hen te provoceren tot de grove uitwassen en wetteloosheid die hen nu eenmaal eigen waren, als vertegenwoordigers van de staat. En jongens, wat hadden ze een succes! Tegen de tijd dat Mallon en zijn kerngroep tussen de rennende menigte door North Charter Street hadden bereikt, was het een slagveld.

Zonder een mazzeltje op het laatste moment – of het echt mazzel was, laat ik aan jullie over – zouden ze onvermijdelijk zijn meegesleurd in het strijdgewoel, met wapenstokken zijn bewerkt, door de paarden onder de voet zijn gelopen en murw gebeukt door de politie in de gevangenis zijn beland. Maar Mallon keek over zijn schouder en zag een grote nieuwe parkeergarage, en meer had hij niet nodig. Hij wees, hij draaide zich om en hij zette het op een lopen en alle vier renden ze hem achterna, een tel voordat de brandweermannen arriveerden en de studenten omverbliezen en wegspoelden met hun hogedrukspuiten. Ze doken net op tijd weg om niet in verzopen afval te worden getransformeerd.

Natuurlijk was het niet gelijk afgelopen toen de brandweermannen van start gingen met hun optreden. Er waren nog genoeg studenten die de strijd wilden aangaan, en de meeste politiemannen vermaakten zich veel te goed om te stoppen. Je kunt een brandslang immers maar naar een kant tegelijk richten. Toen ze eenmaal allemaal veilig achter hun betonnen muur zaten, was er dus nog van alles te zien. Alleen zag de Eel meer dan ze wilde zien, en het leek allemaal voort te komen uit wat Spencer Mallon had verteld over het slot van Shane, toen ze eenmaal op hun plek in de bioscoop waren gaan zitten.

Eerst keek ze echter naar Keith Hayward en Brett Milstrap, en zag voor het eerst echt hoe vreemd ze waren, zowel samen als ieder apart. Toen de Eel de twee studenten in het oog kreeg, glipten ze net langs de gevels van de gebouwen op University Avenue, zo ver als ze konden van de stoep en de straat waar alle actie zich afspeelde. Ze waren onderweg naar de kruising aan dezelfde kant van de straat als de parkeergarage en kwamen haar kant op, dus zag de Eel vooral de jongen die voorop liep, Hayward. Achter hem verscheen Milstrap in flitsen en beelden. Ze slopen als spionnen, hun handen plat op de muur achter hen, licht voorovergebogen bij hun middel, de blik op het oproer gevestigd. Hayward *genoot* van wat hij zag – de Eel had dat moeten voorzien, maar toen ze zijn reactie op chaos zag, was ze geschokt.

Het was zo onmenselijk, zijn genot, zo verdorven... zo ingeboren slecht. Zijn ogen straalden; hij grijnsde en wipte met zijn borst op en neer in een onbewuste, verrukte kippendans. Hayward wist zelf niet eens dat hij het deed, dacht de Eel. Waarschijnlijk kakelde hij er ook nog bij. Het vreemdste was het koude, gruwelijk onpersoonlijke karakter van zijn bewegingen.

Dat was het moment waarop een ijselijk besef tot haar doordrong. Mallon zei dat Shane stierf aan het slot van de film: was

Mallon niet hun versie van Shane? Het was nu zo duidelijk voor de Eel dat ze niet snapte waarom ze hem niet meteen begrepen had. Hij had haar de boodschap gegeven, en zij had ermee lopen spelen, al die tijd dat ze achter hem aan trokken door de straten van Madison naar deze gillende chaos. Mallon had haar verteld dat hij hen naar een moment van metamorfose zou leiden en dat met zijn leven zou bekopen. Daarom had hij zo uitdrukkelijk gezegd dat hij hen zou verlaten na afloop van het ritueel, en ze hadden hem stuk voor stuk verkeerd begrepen. Mallon zou niet zomaar de stad verlaten. Als hij zei verlaten zei, bedoelde hij *verlaten.*

Ontzet wrikte de Eel zich half overeind tegen de witte betonnen muur en staarde naar Spencer Mallon, die op de zitting van een verdwaalde metalen stoel was gesprongen en met zijn ellebogen boven op de muur leunde. Zijn leren jasje, zijn laarzen, zijn volmaakte kapsel en zijn licht verbrande gezicht, die aspecten van zijn wezen kregen plotseling een iconisch gewicht, alsof dat beeld al op duizenden posters had gestaan: de aantrekkelijke plooien in zijn gezicht als hij lachte, de kraaienpootjes naast zijn ogen, een hand opgestoken in een groet aan een onzichtbare relschopper.

'Ga niet dood,' zei ze, en haar woorden gingen meteen verloren in het gebrul en geraas op straat.

Hij kon het niet gehoord hebben, maar hij draaide zich om en keek glimlachend op haar neer. Er hadden raketten moeten ontploffen in de hemel daarboven, witte krullen en lussen hadden zich moeten aftekenen op de lichtere, hogere luchtlaag. Zijn mooie mond vormde woorden die ze bijna kon onderscheiden en hij wees met een wijsvinger naar de straat. Wat er ook was, hij wilde dat zij het ook zou zien. Ze liet zich op haar knieën zakken en schoof naar het uiteinde van de muur, waar ze relatief veilig naar buiten kon kijken.

En daar in de straat vol geweld zag de Eel het eerste echte teken dat de wereld zich op deze dag binnenstebuiten zou keren. En zelfs midden in de waanzin en chaos die daarbuiten heersten was wat ze zag zo onverwacht, zo onmogelijk, dat ze dacht dat ze zich vergiste. Want om te beginnen zag ze een glimp van een bot.

Maar dat wat de straat voor dit visioen schoonveegde was op zichzelf al uitzonderlijk. Het leek wel een Bijbels monster dat in het zicht sprong met een onstuimige duivel op zijn rug, een gedaante zo groot en angstaanjagend dat alle studenten, politieagenten en brandweermannen in de omtrek alles uit handen lieten vallen en haastig dekking zochten. Het was het allergrootste, meest gigantische paard dat de Eel ooit had gezien, een inktzwart reuzenpaard dat leek op een tot leven gewekt, heldhaftig, steigerend standbeeld. En op zijn rug had de gemaskerde agent met de gezwollen spieren van zijn dijen en zijn armen een monumentale generaal kunnen zijn die zijn enorme zwaard hief om het met een reusachtige klap te laten neerdalen. Samen leken ze bovenmenselijk, bovennatuurlijk, versmolten tot een toonbeeld van woeste vergelding, uit een onrustige slaap gewekt om de burgerlijke orde te handhaven.

Het reusachtige paard steigerde inderdaad en de reusachtige oproeragent in het zadel verhief zijn lange wapenstok inderdaad als een zwaard, en hij raasde op zijn grootse rijdier als een engel der wrake over de hele University Avenue, vaagde zowel studenten als politieagenten opzij, steigerde, keerde weer om en galoppeerde met zwaaiende wapenstok terug. Niemand kon stand houden, maar toch hergroepeerden de demonstranten zich in zijn kielzog en vlogen weer uiteen bij zijn volgende uitval. In die context ving de Eel de glimp op van bot.

Die verscheen en verdween telkens weer, en waar ze keek om hem terug te vinden zag ze alleen een veeg vuil kaki toen een soldaat in een oud uniform zich afwendde van het paard en de meedogenloze ruiter. Een oud uniform, nog vol vlekken van het slagveld, met onleesbare onderscheidingstekens... ze keek nog eens goed en zag een skeletachtige arm, toen een schedel waaraan nog wat levenloos haar en rottend vlees kleefde. Het skelet van een dode soldaat had zich bij de protesten gevoegd en een paar van zijn maten waren meegekomen. Ze zag een lange, brede man met drie strepen op zijn arm en een geweer in de hand op het onstuimige paard afrennen, niet gehinderd door het ontbreken van de helft van zijn hoofd noch door de ingewanden die als een zilveren lint achter hem aan slierden. Het skelet danste en sprong en de dode sergeant glipte uit de weg, net voordat het paard hem onder de voet kon lopen.

Niemand anders zag de dode soldaten, wist Eel.

Had Mallon de rottende dode mannen opgemerkt, verheugde

hij zich over hun aanwezigheid? Dat de doden in het rond sprongen, betekende dat er een sluier was verscheurd, dat de gebruikelijke regels waren geschonden... Ze keek weer naar haar aanbedene op zijn stoel en besefte dat hij de dansende lijken toch niet had gezien; hij keek haar aan en wees naar iets dat verder weg was.

De Eel wierp een blik in die richting en zag Meredith Bright: uiteraard. Naar wie zou Mallon anders uitkijken, wie anders zou het enige zijn wat hij echt kón zien? Ze zag er een beetje geschrokken uit vanwege alle opschudding op straat, maar niet zo bang als Eel zou hebben verwacht – ze keek eerder gefrustreerd, enthousiast maar geïrriteerd, gehaast om hun bestemming te bereiken.

Haar voorspellende berekeningen waren minstens een uur uit het lood, waarschijnlijk meer. De uurhoek was haar grootse bijdrage aan de onderneming, en ze zou nijdig zijn als die irrelevant werd. Het zag ernaar uit, dacht de Eel met een woeste opwelling van vreugde, dat Meredith heel binnenkort zou moeten erkennen dat haar held/redder/koning der filosofen haar van het begin af aan slechts naar de mond had gepraat.

Spencer zwaaide naar Meredith en Meredith blikte heen en weer tussen Mallon en Keith Hayward. Geen van hen had de dode soldaten gezien. Misschien was zij de enige die het logisch vond dat de geesten van dode soldaten meeprotesteerden tegen de oorlog die hen van het leven had beroofd. De Eel vond het heel vanzelfsprekend. In vergelijkbare omstandigheden zou zij hetzelfde doen, als ze kon. Ze vonden het niet prettig om dood te zijn, die arme kerels. Ze vonden dat ze belazerd waren, wat haar volstrekt redelijk voorkwam. De Eel vond het vreemd, maar niet verwarrend dat zij die gekrenkte geesten niet angstaanjagend vond. Keith Hayward, die was echt eng. Hij stond nu van tot hysterie opgelaaide vreugde op en neer te stuiteren – natuurlijk, dat had ze eerder moeten begrijpen, Keith had de spookskeletten ook gezien. En hoe! Dat ze dat niet meteen had begrepen, het was zo overduidelijk. Waar Keith naar keek, wat hij in zich opzoog, maakte hem gek van blijdschap. Die vent raakte opgewonden van de dood! Spencer had geen idee wat hij in hun kring had binnengehaald.

Spencer speelde een spelletje, erkende de Eel. Ze vroeg zich af waarom ze dat niet altijd had geweten: vanaf het begin had hij alles als een soort spel beschreven. Het ergste spel van allemaal, het meest vernietigende, was het 'realityspel'. Hij en Meredith praatten echt zo. Spencer verried zichzelf bijna elke keer dat hij zijn mond opendeed.

'Hij wist niet wat hij deed?' vroeg Jason Boatman.

'Het antwoord is nee, maar ik heb je gevraagd om me niet te onderbreken, vooral niet met vragen,' zei de Eel. 'Als er nog iemand me in de rede valt, ben ik klaar, dan schei ik ermee uit.'

'Neem me niet kwalijk,' zei Boats.

Tot dusver hebben we alleen proloog gehad, *ging de Eel verder*. De proloog heeft te maken met de dood, en het verhaal van wat zij die dag deed draait om de dood en het kwaad, het kwaad en de dood, met steroptredens van twee volkomen verschillende demonen, en ze zijn beide angstaanjagend. Maar er is ook nog iets anders, iets groters en wijzers en beters in elke zin, iets wat zij niet dichter zou durven naderen dan wie van hen dan ook, namelijk helemaal niet, want het was het angstaanjagendste van allemaal. Haar ervaring was niet helemaal eenzijdig, verre van dat, alleen blijken de twee kanten uiteindelijk niet te zijn wat je denkt dat ze zijn. De Eel probeert het nog steeds allemaal te begrijpen.

Toen de politie en de brandweer weg waren, verzamelde de groep zich weer vanuit hun verschillende verstopplekken en de Eel zag dat ze gelijk had gehad wat Meredith betrof. Het meisje was beledigd en gekwetst. Ze voelde zich bedrogen. Mallon nam niet eens de moeite om te doen alsof het effect van een lange vertraging op hun horoscoop hem iets kon schelen. Wat ze ook zei, hij geloofde niet dat dit een van de zeldzame keren was dat een vertraging ernstige gevolgen zou hebben. Spencer, zei ze, ik denk dat onze tijd voorbij is. Nou, zei hij, dan nemen we een andere.

Mensen moeten oppassen met wat ze zeggen.

Woedend wendde Meredith zich van Mallon af en wierp een opzettelijk wulpse blik naar Keith Hayward, die bijna een luchtsprong maakte. Meredith dacht dat het romantiek was en liefde en jonge lust, of wat dan ook, en deels was het dat natuurlijk ook, maar het was vooral iets anders, het aspect van Keith dat de Eel pas zo kort tevoren echt had opgemerkt. Eel had nog geen idee van de vorm of de dimensies ervan, ze wist alleen dat hij nog verdorvener was dan ze al dacht. Een groot deel van haar ervaringen van die avond zou bestaan uit het leren kennen van de aard en de omvang van Haywards verdorvenheid.

Mallon pepte hen met een paar woorden op en brak Jasons hart door aan Don te vragen of hij dacht dat ze het voor elkaar zouden kunnen krijgen. Ondanks de verknoeide horoscoop, bedoelde hij, maar dat begreep Don niet, en Boats ook niet. In hun ogen had Spencer Dill zojuist tot zijn leerling en opvolger gezalfd. *Wat moet er van die arme Dill worden als Spencer vanavond sterft? Wat moet er van ons worden?* vroeg de Eel zich af.

Hoe dan ook, Don zei wat Spencer wilde horen en ze gingen op weg. Hootie hield de hele rest van de avond zijn blik op de Eel gericht, tot het moment waarop hij het bewustzijn verloor – Hootie wist iets, hij had iets gezien en de Eel dacht dat hij waarschijnlijk had gemerkt dat zij de dode soldaten had gezien. Zij maakte zich zorgen om hen allemaal, maar hij maakte zich zorgen om haar... Hun onderlinge band was zo innig dat hij de wandelende doden bijna zelf had gezien... dus moest ze hem weer tot zichzelf brengen, wat ze deed met een glimlach en een blik vol liefde. De Eel hield van Hootie, en met die blik verklaarde ze haar voornemen om hem helemaal tot aan het einde te beschermen.

Op de Glasshouse Road hield ze hem geconcentreerd en in beweging, en nadat ze had omgekeken naar de bron van de vreemde geluiden die ze achter zich hoorden liet ze hem stilzwijgend weten dat hij zijn hoofd niet moest omdraaien. Dat was een vreemde ervaring, Glasshouse Road. De meeste jongens keken om en zij wist dat ze het tafereel moesten zien met die overmaatse honden, in mannenkleren rechtop op hun achterpoten, honden die wel uit dat stomme schilderij gestapt konden zijn dat haar vader had meegebracht uit de kroeg, behalve dat ze niet vriendelijk of ongevaarlijk meer waren, toch? Ze moesten er woest hebben uitgezien, als Hell's Angel-honden, motorbendehonden die Mallon en zijn kleine bende zouden aanvallen als ze niet doorliepen. Dat was wat zij allemaal zagen, en de Eel zag het ook, maar dat was niet het enige wat ze zag.

Brett Milstrap marcheerde mee met de nauwelijks beheerste razernij van een krankzinnige. Toen ze voor zich uit keek naar het einde van de straat, zag ze Brett Milstrap daar ook, rechts van Keith Hayward slenterend met een zijdelingse sneer op zijn bijnaknappe gezicht. De Brett in de voorhoede wist niets van de razende Brett die meestampte in de achterhoede, maar die Brett daarachter haatte zijn positie en wilde ruilen. Onbewust begreep Eel dat dat niet ging gebeuren. Het was een onmogelijkheid. Brett was het slachtoffer geworden van een van die vergissingen, een van die fouten die nooit meer kunnen worden goedgemaakt.

Nu komen we opnieuw bij een heel vreemd deel van de avond. Tijdens de verontrustende wandeling door Glasshouse Road waren ze tot een echte eenheid verkleefd geraakt – zij had het voelen gebeuren, en ze wist dat dat voor de anderen ook gold, zelfs voor Hayward en Milstrap – en midden in die eenheid bevond zich Eel Truax, wist ze. Niet Spencer, want Spencer, die ze op dit moment volkomen liefhad, zou slechts het mechanisme van haar lancering zijn. Hij besefte het maar half, want zijn ijdelheid stond een dergelijke erkenning in de weg; dat hij een eigen, centrale rol speelde in wat er om hem heen gebeurde, was een belangrijke hoeksteen van zijn bestaan, maar hij was zich in elk geval half bewust van wat zijn werkelijke functie zou zijn. Dat stelde hem in staat om die te vervullen.

En Spencers rol zou groot zijn, dat wist de Eel. Alles hing in feite van hem af, want zij zou haar rol nooit kunnen spelen als hij in de zijne tekortschoot. En kijk toch eens naar die man! Zelfs voordat Don hen naar dat kleine geplooide stukje weiland voerde, zelfs voordat ze die witte cirkel uitnodigend zagen stralen, gloeide Spencer al van de overtuiging dat het goed was wat hij deed.

Ze werden allemaal meegesleept door Mallons krachtige geloof dat zij op deze avond allemaal iets uitzonderlijks zouden bereiken, dacht ze. Na een poosje leek zelfs Meredith haar verlangen om alles onder controle te houden te laten varen. En zelfs de manier waarop de studenten naar haar staarden leek te suggereren dat hun ideale vrouw een rijk had betreden dat boven het simpelweg sensuele uitsteeg. Dat rijk, vol sporen van transcendentie, leek zich overal om hen heen te bevinden. Tegen de tijd dat ze echt aan de voorbereidingen begonnen, was het de mooiste avond geworden die de Eel ooit had gezien. De maan en de sterren kwamen op, bleek stralend en steeds helderder naarmate de avond vorderde. Hootie hield nog steeds zijn blik op de Eel gevestigd, die kon zien dat hij de sterren en de gloeiende lichtpuntjes van het verkeer twee keer zo mooi vond omdat ze door haar heen waren gegaan – Hootie zag ze net als zij, en hij was vastbesloten om niets te missen.

De Eel zelf had een voorgevoel over Spencer Mallon: dat hij ondanks alles diep genoeg in zichzelf zou kunnen reiken om de sleutel te produceren die haar in staat zou stellen om los te laten en de onvoorstelbare dingen te doen die ze voorbestemd was te doen. De man gonsde van doelbewustheid, geconcentreerd, elektrisch, vreugdevol. Hij was zo knap dat het bijna pijnlijk was om naar hem te kijken. De Eel moest zichzelf ervan overtuigen dat deze man zo fijn afgestemd was op zichzelf en zijn doel dat hij onmogelijk kon sterven bij de uitvoering van zijn taak. Deze ceremonie zou hem *niet* doden. Wat slechts kon betekenen dat hij toch gewoon zou vertrekken naar een ander deel van het land. Die versie van de toekomst maakte de Eel niet gelukkiger dan toen Mallon het haar voor het eerst had verteld, maar als uitkomst was het duizend keer zo goed als de dood.

Vermengd met haar vreugde en bewondering voor de aanbeden Spencer Mallon terwijl hij de jongens hielp om de touwen voor de witte cirkel te leggen en de kaarsen en de lucifers uitdeelde, en met haar gevoel van naderende transcendentie, was daar dus het pijnlijke besef dat hij binnenkort voor altijd voor haar verloren zou zijn, ongeacht wat zij tweeën die nacht ook zouden bewerkstelligen. Denk eens na – zou dat geen effect hebben gehad op wat er daarna gebeurde, op precies dezelfde manier als de vreselijke verdorvenheid van Keith Hayward? Ook de Eel had dood en verlies in gedachten, zelfs terwijl ze zichzelf voelde gonzen en beven in afwachting van de... *voltrekking* die onzichtbaar voor haar hing.

Toen ze hun hele uitrusting hadden klaargelegd, leek het bijna alsof ze gezamenlijk ademhaalden. Ze ademden allemaal tegelijkertijd in en uit. De Eel was zich intens bewust van de intimiteit van dat moment. Het maakte niet uit dat zij en Meredith zo dicht bij elkaar stonden, ze leken bijna uit dezelfde materie te bestaan. Hun wederzijdse afkeer bleef van kracht, maar had geen gewicht meer.

Toen het moment aanbrak waarop ze hun aangestoken kaarsen ophieven en wachtten tot Mallon zou beginnen, verstrakte Hootie in zichzelf en klaagde over het feit dat 'zij' er waren, en iedereen die nog denken kon veronderstelde dat hij het over de honden had, is het niet, Hootie?

Geef geen antwoord, alsjeblieft. Ik weet dat je ook nog iets anders zag, iets dat met de honden meegekomen was. Iets dat zich tussen hen in verschool. Dat zag je ook op die dag vorig jaar, toen mijn man en Don je voor het eerst uit het Lamont mee naar buiten namen. Tegen die tijd begreep je hen zo goed dat je wist dat het afscheid nam, en je had verschrikkelijk veel medelijden. Het zal Jason Boatman versteld doen staan dat dat waar jij zoveel medelijden mee had, was wat hij de Donkere Materie noemde, maar dat was het wel.

Hootie, die mededogen kon voelen voor zoiets, moet een van de zuiverste harten ter wereld hebben. De Eel weet het. Zij heeft er ook een gezien, voordat ze op haar lange reis vertrok die eindigde op de meest fantastische plek die ze ooit heeft bezocht, de meest wanhopige... aan het einde van de reis die begon met zo'n gevoel van rijkdom en volheid, van luxe bijna, stond ze weer tegenover het vuile stuk stront dat in en uit het zicht bewoog, vanaf het moment dat Mallon diep inademde om te spreken, te *zingen*: het schepsel dat haar vertelde hoe misleid Spencer was geweest, hoe dwaas, maar ook hoe dicht hij de doorbraak had genaderd waarnaar hij al zijn hele leven al lang op zoek was. Een rood bebaarde duivel met een paardenstaart, slechte tanden en een ouderwets New Yorks accent...

Maar eerst... eerst werd ze de leeuwerik. Het allermooiste moment dat ze ooit had beleefd of ooit zou beleven. Alsof het toetje voor de maaltijd kwam, of de gratie voor de straf.

Hootie keek toe en wist dat er iets was gebeurd waarin hij niet kon delen. Het was haar te snel, te overweldigend overkomen om gedeeld te worden. Ze was in een ervaring terechtgekomen die hem had buitengesloten. De enige reden dat ze niet van streek was, Hootie, was omdat ze wist dat jij het heerlijk zou vinden, wat er met haar gebeurde. En op zijn eigen manier zou ook Spencer Mallon het heerlijk voor haar vinden, om dezelfde reden. Hij begreep dat ze hem voorbijgestreefd was, en als hij haar daarom al benijdde, was dat slechts tijdelijk.

De lucht verdikte zich op de een of andere manier, als een vlies. Onzichtbare dingen, onzichtbare levens vlogen en wentelden rond – ze was zich er maar heel even van bewust. Want toen vond Mallon zijn woorden of zijn woorden vonden hem en zijn hoofd helde achterover en zijn borst zwol, zijn vingers spreidden zich en uit hem kwam een enorm *geluid*.

Precies op dat moment, hoe waanzinnig het ook klinkt, werd ze twee mensen, of een mens en een ziel, of iets dergelijks. Haar ziel leefde in haar verbeelding, dat wist ze wel. Hootie zag het gebeuren, en Spencer ook.

Spencer wist net zomin als iemand anders – behalve Hootie – iets over het laatste ding dat Eel op haar reis had gestuurd. Het was de doodsangst, de walging, de schok die haar beving onmiddellijk nadat ze een vreemde beweging had opgemerkt in het ruwe gras, ongeveer drie meter rechts van de cirkel. Die beweging, die *activiteit*, betekende dat de cirkel op de verkeerde plek was getekend. Mallon keek niet eens de goede kant op! De enige die ook zag wat er werkelijk gebeurde, was Hootie.

Er werd een verschrikkelijk wezen wakker, dat gebeurde er. Niet alleen had Mallon het gewekt terwijl het niet gewekt wilde worden, maar hij zag het niet eens. De Eel wenste dat zij het ook niet had gezien. Het wezen dat zich overeind worstelde in het verdorde gras was dan wel onzichtbaar, maar het joeg haar doodsangst aan – ze wilde zich op de grond storten en haar ogen in het stof drukken. Ze zag aan de bewegingen in het spaarzame gras dat het ding zich geërgerd schudde, dat het ongezien wilde blijven. Niemand werd ooit geacht het te zien terwijl het heen en weer schoof door de wereld en zorgde dat mannen van ladders vielen, baby's verstijfden en stierven, maïsoogsten verdroogden, vrouwen bloederig vloeiend ongeboren baby's verloren, dronken bestuurders op verkeerde weghelften terechtkwamen, mannen hun vrouwen sloegen, vrouwen hun mannen als kakkerlakken roosterden in hun bed, oude vrienden ruzie maakten en de band verbraken. Het bewoog zich door zijn onbegrensde territorium en bracht chaos en onrust en wanhoop met zich mee.

Uit zijn stinkende pels zoemden een paar vliegen weg. De Eel voelde dat het wezen zijn lelijke kop bewoog en een stap vooruit deed, een stap opzij. Alle hoop in haar binnenste stolde – de anderen zagen wat ze zagen, maar wat ze roken was *dit*. In haar afkeer en doodsangst besefte ze dat het demonische monster dat voor haar stond de beroemde Middagduivel was, waarover haar vader en zijn lijkachtige kornuiten geruchten fluisterden in het stervensuur van hun ellendige middagen in het House of Ko-Reck-Shun: de woeste demon van de tweede rang, de duivel van het alledaagse kwaad. Het was binnengekomen door een deur die Mallon had geopend zonder te weten hoe hij die weer moest sluiten. Dit was de zuivere demon van de wraakzucht, van de ziekelijke jaloezie. Als de demon van al wat grijpgraag en minderwaardig en onverzoenlijk was, kon hij nooit vervuld, voldaan, bevredigd of te rusten gelegd worden. Waarschijnlijk had ze zijn walmen haar hele leven al lang al ingeademd.

Mallon keek naar haar, maar hij kon haar nauwelijks onderscheiden door de stinkende oranje wolk die hij uit het niets had geschapen.

De Eel rees een trede of twee omhoog in een nauwe koker die zich om haar heen had gevormd. Hogerop kruiste de koker andere, bredere doorgangen die ze eerder voelde dan zag. In haar nieuwe positie verwierf de Eel het recht om te begrijpen wat er zes jaar eerder was gebeurd, tussen de stapels boeken in de bibliotheek van de Universiteit van Colombia: aangetrokken door de studeercel die de bron was van dezelfde gloeiende kleur die hen nu omringde, had Spencer Mallon aangeklopt en een reeks vragen beantwoord en was met tegenzin binnengelaten. Ze besefte dat ze dit alles wist omdat Don 'Dilly' Olson het zijn mentor ooit had durven vragen, en zijn mentor hem de waarheid had durven vertellen.

Die dag ging Eel de grote loop des tijds binnen en zag iets naast zich gebeuren dat ze kon bekijken door haar hoofd te draaien, al zou het pas tien of elf jaar later plaatsvinden. Wat Mallon tegen je zei, Don, was *Wil je weten wat die eikel in de studeercel me vertelde? Ik heb het nooit begrepen, dus ik kan het je net zo goed vertellen, jochie. Wat die idioot uitziende freak tegen me zei was, ik heb meelij met je. Ik heb wat ik doe onder controle, en dat lukt jou waarschijnlijk nooit.*

De Eel zag het gebeuren terwijl ze in de deuropening stond van de hotelkamer waar mentor en leerling een literfles Johnny Walker Black deelden, zonder ijs en zonder water. Toen spreidde ze haar vleugels en vloog op. Op het veld volgden Hootie en Spencer Mallon de ziel van de Eel in zijn vlucht tot ze verloren ging in de duisternis. Het lichaam van de Eel dronk even van de smerige lucht, bevend van angst voor het onpersoonlijke kwaad, en bekeek de bokkensprongen van de andere wezens die Mallon in onze wereld had weten te brengen. Deze Eel, de fysieke Eel, was getuige van de stomme, eigenwijze verdwijning van Milstrap in de roerige wereld van goden en avatars. Maar de rest van Eel, de kern van haar zelf, vloog omhoog in een verbijsterend uitspansel van sprankelende lanen en kronkelige zijsporen verbonden met brede en smalle wegen, en ze begreep dat Mallon haar onbedoeld toegang had verleend tot het hart van de tijd, die als een enorme landkaart aan alle kanten lag, niet tweedimensionaal en niet driedimensionaal, maar allebei tegelijkertijd. Met de toevoeging van adem, statische tijd, was de vierde dimensie ingezet. Op die grootse kaart was zij vrij om te reizen waar ze wilde.

De Eel vertelde dit zo goed als ze kon. Ze dacht dat ze zich in twee gelijke delen splitste, en een ervan was een leeuwerik. Dat gebeurde. Ja. Dat *gebeurde*. Zelfs als het hele verbijsterende verhaal rechtstreeks ontsprong aan de verbeeldingskracht van de Eel die op het veld was achtergebleven.

Met Mallons gezang in haar oren zweefde de extatische Eel in duizelingwekkende vlucht door vele hemelen:

In het speelkwartier in 1953 renden tikkertjespelende schoolkinderen in Milwaukee hijgend over het betonnen schoolplein en negeerden een klein jongetje dat in zijn eentje onder het klimrek zat. Hij volgde hen met zijn ogen, maar zijn hoofd bewoog hij nooit. Die afzijdige jongen, helemaal alleen op de speelplaats, keek op naar de voorbijvliegende leeuwerik. In haar vlucht wist Eel dat de jongen Keith Hayward was, en haar hart deed pijn van verdriet en medeleven;

na een snelle duikvlucht door een brede straat en een lus naar een smal laantje steeg de leeuwerik steil omhoog en floot haar uitbundige lied boven de tuin van een pub in Camden Town, Londen, 1976. Onder de mensen aan de ronde tafeltjes tussen de gepotte boompjes duwde een glimlachende donkere vrouw tegen de schouder van een man in een zwarte trui, die verbaasd en vrolijk overeind sprong en lachend wees op de eerste leeuwerik die hij ooit had gezien of gehoord;

in 1958 wervelde ze boven de hoofden van Indiase dorpelingen die in traag onbegrip omhoogkeken terwijl de magere Amerikaan in zijn leren jack die het middelpunt van hun aandacht was een hand op zijn warrige blonde haar legde, zijn hoofd schuin hield, en even leek te bezwijmen;

toen was het de zomer van 1957 en vloog ze over een fraai zwembad in een achtertuin in Fox Point, Wisconsin, waar een nukkige twaalf jaar oude jongen met een opvallende lok haar op zijn voorhoofd zijn rechterhand in zijn zwembroek duwde en zichzelf betastte terwijl hij zijn linkerhand opstak, met de loop van zijn wijsvinger naar haar wees, en tweemaal de gekromde haan van zijn duim liet neerkomen;

toen spoedde de leeuwerik zich door een glanzende passage en belandde in de toekomst, in de vorm van een hoge, zomerse werveling boven de Great Lawn en het Belvedere Castle in Central Park, New York City voor de mannen en vrouwen van middelbare leeftijd die als kralen in een ketting de paden bezetten. De vogelaars hapten naar adem en graaiden naar notitieblokken, camera's of mobiele telefoons om de verschijning vast te leggen van het nooit geziene, het onmogelijke, het binnenkort verdwijnende;

na die flagrante uitgelatenheid een zwevende draai naar een schemerige laan en een koud, dood diorama uit een hoekje van de toekomst, waar onder een geschilderde zon aan een geschilderde hemel een magere, verouderde Boats Boatman, op het punt om de ergste ervaring van zijn leven mee te maken, verbaasd naar haar opkeek vanaf het betonnen pad tussen de jachthaven en een lang stuk kunstgras met kunstmatige bruine voetafdrukken in twee rechte rijen. De afdrukken waren de zijne en die van een enorme niet-hond met scherpe, plastic tanden die het kale, maanachtige licht van blootliggend bot afgaven; een afschuwelijke seconde lang zag ze *zichzelf*, een kleine bruine vogel met gespreide vleugels, vanuit het perspectief van een oog dat zich onder de lelijke, bewegingloze muil van de hond bevond; midden tussen een schel tumult van stemmen schalde een metalige tenor *Ik wil wat jij wilt*;

de Eel vloog huiverend weg, haar gezang zo plotseling onderbroken dat Hootie, op het veld, haar een blik vol doodsangst en schrik toewierp.

Haar schok en ontzetting over de geschilderde lucht en de dode wereld eronder, de plastic tanden van de opgezette hond, de wanhoop van Boat, de dodelijke tenorstem en diens opdringerige verklaring, en Hooties angst om haar stuurden de Eel tuimelend door beeld na beeld:

rechtop voor zijn nutteloze 'werkbank' liet haar vader een borrelglas vallen, dat op de vloer kapotsloeg en whisky over de babyvoetjes van de Eel spetterde;

in de kamer ernaast slenterde de onzichtbare, door vliegen omringde Middagduivel naar een tweedehands wieg en Colby Truax, het broertje van Eel, verkrampte één keer en stierf;

het hoofd van Roy Bly explodeerde in lokken haar en bloederige hersenmassa op een junglepad in Vietnam;

over stoelen gedrapeerd in een jaar waarin de Eel nog kon zien lazen zij en Lee Harwell, gedachteloos gelukkig voor de aanvang van de grote problemen waar zij samen en ieder voor zich zouden komen te staan, de één thuis van haar baantje achter de bar, de ander voor het eerst die dag even weg van zijn bureau, elkaar op East Seventh Street hardop voor uit een boek dat *Bergen en Rivieren* heette;

het laatste beeld was van een zonovergoten State Street vroeg in de herfst en het grote, smoezelige raam van de Tick-Tock Diner waar de gevallen Eel, nu geen leeuwerik meer maar een vluchtig stofje zwevend boven de stoep, vaag zichzelf en haar metgezellen uit het groepje aandachtig zag luisteren naar de schriele figuur die tegen hen praatte, in dit beeld slechts zijdelings zichtbaar maar duidelijk herkenbaar als Keith Hayward;

met wie, begreep de gevallen Eel, iets werkelijk verschrikkelijks zou gaan gebeuren; maar niet voordat ze veel meer over hem te weten was gekomen.

Op het schemerige veld vanwaar een zielsdeel van haar was vertrokken, stond de Eel dicht bij Hootie Bly te kijken naar het oproer van de maanzieke, rellende geesten van Mallon. Dat deze geesten hem overvallen hadden, dat hij volkomen verbijsterd was door wat hij had opgeroepen en tot leven had gewekt, was zowel aan zijn gezicht als zijn houding af te lezen. Nu, op het moment dat zijn grootste triomf had moeten zijn, stond hij stokstijf stil te vloeken. Hij zag er uitgeput en onvoorbereid uit: een acteur die het podium was opgeduwd voordat hij zijn tekst kende.

Hoewel ze zich nog steeds zorgen maakte om Keith Hayward, begreep de Eel dat Mallon zag hoe hij overweldigd werd door de smerige, oranjerode mist en belegerd werd door honderden woeste honden. Van het roekeloze panorama vóór hem ving hij slechts nu en dan een glimp op. Hij had geen idee van de grootsheid van zijn falen. Voor de ogen van Don en de studenten raasde een soort dronken circus, een wild feest op een koude, verre planeet waar alle bewoners van glanzend, nat metaal waren. In een sfeer van maanzieke festiviteiten reed een krankzinnige koning wankelend rond op een beer, een brullende koningin richtte een lange stok op verschillende mensen en vuurde vervloekingen op hen af, zoals de tienjarige Brett Milstrap een zogenaamde kogel had afgevuurd op de leeuwerik-Eel die boven hem vloog. De krankzinnige, gezichtsloze koningin tolde alsof ze een springveer bevatte in de richting van de Eel, richtte haar zilveren staf en tekende er een simpel kruisje mee in de lucht. Pijnloos raakte een kleine koude capsule de lens van Eels rechteroog en gleed erin als een duiker in een zwembad. De capsule werd onmiddellijk geabsorbeerd.

Mijn oog! dacht de Eel. In het bizarre, schrikwekkende geraas dat erop volgde, slaagde ze erin het gebeuren te vergeten tot ze vroeg in de dertig was en haar verduisterende gezichtsvermogen het bij haar terugbracht.

Voor Mallon poseerde een naakte vrouw die bijna groen leek lusteloos voor een dood landschap met een traag voortbewegende kameel, een zwevende jurk, een witte duif...

Er kwam een uitzonderlijk lawaai uit de taferelen: gejoel en gegil uit de wezenloze wereld van de krankzinnige koningin, luid gekreun uit de streek achter de groene vrouw. In een knetterende onweersbui schreeuwde een roodharige reus met opgeheven zwaard tegen Boats. In het tafereel voor de Eel stond een eeuwenoud paar, de man met een baard als Don Quichote en beide met lang, golvend, wit haar, dat zich schrap zette tegen een felle wind en kwaadaardig de halzen draaide om de gruwelijke gezichten met enorme, puntige neuzen op hun achterhoofd te laten zien.

Voor deze figuren hadden zij geen enkele waarde. Voor zover zij menselijke wezens al opmerkten, bestonden die slechts om te martelen en te vernietigen. Deze dingen hadden het transparante, lege gezichtspunt van goden. (De feitelijke godheid is een andere kwestie.) Mallon had hen opgeroepen, maar nu ze hier waren zag hij ze nauwelijks en hij had geen idee wat hij met ze aan moest.

Op dat moment zag de Eel Brett Milstrap zich vooroverbuigen en ergens aan trekken, aan een rand, een zoom waar een scheur in zat. Ze had het gevoel dat dit idee zo verschrikkelijk was dat hij het meteen zou moeten vergeten. Aan de andere kant leek Brett Milstrap te zijn geschapen om verschrikkelijke ideeën te krijgen.

Het grootste probleem met de wereld aan de andere kant van het stevige luchtvlies dat om haar heen gleed, vermoedde de Eel, was dat hij zowel maanziek als giftig was. Omdat hij zo krankzinnig en giftig was, had deze wereld volgens sommige bronnen Mallons geliefde Cornelius Agrippa zo doodsbang gemaakt dat hij rechtstreeks was teruggekeerd tot het christendom. Als het niet zo was, had het wel zo moeten zijn. Deze gezichtsloze koningen en koninginnen, kwijnende meisjes, zwevende hemden, reusachtige, razende krijgers en de rest, die kamelen en draken en vreemde varkens, konden niets betekenen omdat ze helemaal niet in staat waren tot logica of samenhang. Rationaliteit had geen plaats in hun wereld. Ze konden niets betekenen; ze hadden geen betekenis. De wereld had pas laat betekenis gekregen, en zij hadden er geen behoefte aan.

Op het veld stond Brett Milstrap voor de zoom die hij had geopend, waarmee hij een enkel, onmenselijk helder licht onthulde, omringd door duister. De Eel zag dat hij zich naar de opening boog, waarschijnlijk in de hoop beter zicht te krijgen op die vreemde, lege wereld.

Naast hem leek Hayward zijn medestudent te zijn vergeten en hij toonde ook weinig belangstelling voor de geestenwereld. Aan zijn starende blik te zien had hij al een tijd naar het trio Meredith, Hootie en Eel staan kijken. Eel kon niet zien wie het doelwit van zijn blik was, Meredith of zijzelf. Ze wist alleen maar zeker dat hij niet naar Hootie staarde. Al haar intuïtieve waarnemingen over de zieke Keith Hayward zeiden haar dat hij smoorverliefd was op

Meredith. Maar zijn blik leek tussen hen beiden heen en weer te flitsen, en dat verontrustte haar diep. De Eel had geen behoefte aan de attenties van Keith Hayward.

Zijn gezicht glom van het zweet en zijn ogen leken heet, gepocheerd bijna. Verward door de gedachten die door zijn hoofd joegen, zette hij een aarzelende stap vooruit en toen nog een, vastberaden dit keer. Aan de andere kant van Hootie Bly veranderde Meredith subtiel van houding, een kleine verschuiving in de hoek van een heup en een schouder, waarmee ze Hayward voor zichzelf opeiste. Ze mocht hem hebben, die gek. Bij zijn derde stap zette Hayward het op een rennen en misschien kon of wilde Meredith het niet zien, maar hij keek recht naar de Eel. Hij was de Onverzoenlijkheid zelf – ze begreep niet dat ze dat niet eerder had gezien, dat Hayward nog meer op Boats leek dan Boats zelf – en hij wilde *haar*.

Want hij wist het ook! Hij had iets gezien. Hayward had een deel van de reis van Eel meegekregen, en wat hij had meegekregen had hem gek gemaakt. De Eel wenste dat ze zichzelf echt in een leeuwerik kon veranderen om de nachthemel in te vliegen, want haar doodsbange lichaam weigerde te bewegen. Ze was een log, passief ding geworden, een standbeeld.

En ze dacht echt dat ze zou sterven. En weet je wat ze ontdekte? Ze ontdekte dat ze sterk zou zijn als haar tijd kwam. De Eel zou haar grip op het leven niet zwetend en bevend van angst loslaten. In dat veld, op dat uitzonderlijke moment, dacht ze: *Als die achterlijke gek me echt vermoordt, heb ik in elk geval gezien wat ik vandaag gezien heb, en ik heb in elk geval liefde gekend en mijn vader mijn leven niet laten verwoesten. Een leven is een leven, en dit was het mijne.*

Nu wilde ze niet beweren dat zij precies die dingen tegen zichzelf zei in precies die bewoordingen, als zeventien- of achttienjarige of hoe oud ze ook was toen, maar die kant ging het uit. Ze vond dat ze een enorm dapper, slim meisje was geweest, en ze wenste dat ze nu meer op haar leek. In de loop der tijd was Eel zachter geworden, vond ze. Ze vond het jammer dat het niet de andere kant op ging, zodat je dapperder en slimmer werd met het klimmen der jaren.

Maar ze was blijkbaar niet gestorven, hè?

Nu komt ze bij het stuk dat echt moeilijk is om te vertellen.

Maar voordat ze bij het echt *moeilijke* stuk aankwamen, moesten ze over Keith Hayward praten. Keith Hayward van *binnenuit*.

Ondertussen vonden er echter twee andere dingen plaats. De Eel was zich er vaag van bewust dat Brett Milstrap, achter Hayward, zich dichter naar de opening boog die hij had gemaakt in de wand tussen deze wereld en die van hen – als een kat die het niet kon laten om zijn kop in een uitnodigende zak te steken. Brett leunde nog een cruciale centimeter dichterbij, en toen was hij ineens *verdwenen*, opgeslokt. Het gebeurde zo snel dat Eel alleen maar een paar instappers zag verdwijnen door het gat, dat zich onmiddellijk dichtritste – en toen, net voordat zijn huisgenoot haar zicht belemmerde, verscheen Milstrap helemaal achter in de koude wereld van de maanzieke geesten, naar de voorgrond rennend, zijn gezicht een masker van angst.

Vastbesloten om zijn klauwen in de Eel te zetten holde Hayward naar voren, een en al knieën en ellebogen. Als er zich voor haar niet een tweede proces had afgespeeld, zou de Eel zijn opgepakt en meegenomen, op weg naar het einde. Het duivelse wezen dat Mallon had gewekt tolde echter in haar richting en kreeg haar en Hootie Bly in het vizier. Van de hele bende van Mallon waren zij de enige twee die het hadden gezien! Hayward wilde de Eel, maar het *ding* wilde hen allebei. Toen het monster zich afzette – en het was veel sneller dan Hayward – werd het met tegenzin deels zichtbaar. Wat heel even op een borstelig zwijn had geleken met een vaag mannelijke kop en een houding van verongelijkte gerechtigdheid, strekte zich en werd steviger naarmate het dichterbij kwam. In stroboscoopachtige flitsen zag de Eel donkere handschoenen met gescheurde naden en een stoffige, zwarte pandjesjas met vlekken. Een paar loom lijkende vliegen bleven rond de bovenste regionen gonzen.

Toen het nijvere schepsel bijna evenwijdig was aan Hayward, en feitelijk nog maar een stap hoefde te zetten om hem in te halen, zag Keith wat er dreigde – veronderstelde de Eel – toen hij even opzij keek. Zonder een moment te aarzelen of zijn pas te vertragen doorleefde Hayward een zichtbaar gecompliceerd geestelijk proces. Toen, met een vreemde, vragende blik op de versteende

Eel (in de paar seconden sinds we voor het laatst van haar hoorden was haar sereniteit aan flarden gescheurd), wierp hij zich in de baan van het demonische schepsel dat het voornaamste resultaat van Mallons arbeid vormde.

Wat deed Keith Hayward daar? Viel hij het ding naast hem aan? Offerde hij zich op zodat de Eel, of Hootie, of allebei (maar niet Meredith, hoewel zij er ook baat bij had) de nacht zouden overleven? Hayward stierf en als Eel en Hootie niet waren blijven leven, zouden ze vanavond niet in Chicago zijn, maar wat gebeurde er eigenlijk op dat moment? En wat gebeurde er op het moment net daarvoor?

Dit is een van de dingen die er gebeurden, of wellicht gebeurde.

In het scherfje tijd tussen de vragende blik van Hayward naar Eel en zijn sprong in de baan van het schepsel, reisde de Eel weer, al dan niet als leeuwerik, met ongelooflijke snelheid naar HaywardWereld, zou je kunnen zeggen. Ze zei 'ze reisde', maar er was geen ervaring van vlucht of overgang – ze zweefde over een soort achtertuintjes in een stad als Milwaukee, maar het licht was vreemd blauwpaars en de lucht had helemaal geen temperatuur, en niets bewoog of groeide of ademde. Ze begreep dat ze in een innerlijke wereld was beland, een geheugenwereld. Deze keer was ze niet vrijgelaten en ze was niet zelf op weg gegaan. Ze was van haar plaats geplukt en hier neergeworpen. Dat was ook iets wat Mallon onbewust had gedaan: hij had de wereld van Keith Hayward voor haar geopend, de allerlaatste van wie ze dat zou hebben gewild.

Maar hier was zij, en daar was *hij*, diezelfde kleine grauwe jongen met het wat misvormd lijkende hoofd die ze als buitenbeentje op de speelplaats had gezien, maar nu een paar jaar ouder, op zijn rug in het vertrapte gras en duidelijk in gedachten verzonken. De peinzende jongen keek op en leek haar te zien op hetzelfde moment dat zij het lange keukenmes in zijn hand zag. Dit was maar een herinnering, zei ze tegen zichzelf, maar bij het idee dat ze *gezien* was, sloegen er vonken van schrik door haar borst en buik.

Natuurlijk was ze niet gezien. Zijn blik bewoog zich langs de lucht, achter een bizarre Haywardiaanse gedachte aan – of, vroeg ze zich af, een leeuwerik? – en hij kwam met een sprong overeind. Voordat ze zich kon bewegen, was de jongen zijn tuin al uit en de steeg in en toen ze over het hek vloog, zag ze hem aan het einde van het blok de hoek om rennen.

Ineens was ze vlak achter hem; hij rende de straat uit en dook een overwoekerd, braakliggend stuk land op, waar hij achter een stenen muur neerhurkte in een tierige bos wilde peen. Keith leunde naar links en haalde uit zijn rechterzak een klein plastic zakje vol stukjes gebakken bruin vlees zo groot als potloodgummetjes, die eruitzagen alsof ze van hamburgers waren gepeuterd. Hij stak zijn hand erin, haalde de helft van de kruimels en de brokjes eruit en stapelde ze diep in het welige onkruid op, als een miniatuurziggoerat. Met een laatste klopje op het hoopje gehaktbrokjes schoof Keith achteruit en leunde tegen de muur. Het heft van het mes verankerde hij met beide handen in zijn schoot, het lemmet recht overeind.

Vanaf zijn haargrens stroomde het zweet over zijn rode wangen omlaag. Hij knipperde met zijn ogen. Zijn lippen perste hij opeen tot een enkele streep met neerhangende hoeken.

Lange minuten later trippelde een magere kat het nest onder de witte baldakijn van kantachtige bloemen binnen. Hayward zei: 'Poezepoezepoes. Lust je die lekkere lunch die ik voor je gemaakt heb niet, poesje?'

Spinnend liet de kat zich door de knieën zakken en schoof half kruipend naar het hoopje hamburgervlees. De neus van het dier bewoog. De kat boog haar kop naar het voer en likte eraan.

'Ja, goed zo,' zei Keith. 'Jij mager, raar klein kreng.' Langzaam stak hij een hand uit en streelde de rug van het dier. Toen de kat haar kaken opende en een echte hap nam, verstrakte de hand van Keith zich om haar nek en trok haar overeind. Hij sloeg het sissende, klauwende dier tegen de stenen muur en duwde het mes midden in de rug. Een dunne stroom bloed spoot naar buiten en stolde al snel. De poten van de kat krulden zich naar binnen; zijn staart krulde omhoog. De jongen trok het mes omlaag door het midden van de kat, sneed haar door als een meloen, en het hele dunne lijfje werd slap.

De gezichtsuitdrukking van de jongen was die van een tienjarige advocaat die het pleidooi van de officier van justitie beluistert.

Toen Keith zijn slachtoffer op de grond liet zakken en zich eroverheen boog, snelde de Eel weg. *Niet nog meer*, dacht ze, maar er kwam nog veel meer. Ze was getuige van de huiveringwekkende herinnering aan Oom Tilly's cruciale, trage infuus waarlangs een klein aantal woorden een wereld van verdorvenheid het gewillige oor van zijn jonge leerling binnensijpelde. In Keiths geheugen gloeide de lucht boven het onwaarschijnlijk knappe hoofd en de Romeinse neus van Tillman Hayward bloedrood, paars, gekneusd blauw, grandioos als een orchidee. Een tiental katten en honden werd het slachtoffer van Keith, en nadat hij op de middelbare school eenmaal een vriend/slaaf met de naam Miller had verworven, nog eens tien. Miller, twee jaar jonger dan zijn vriend/meester, zag eruit als Pinochio, had een goed stel hersens en een ingeboren wanhopige lijdzaamheid waardoor hij – ook een hongerig, mager, raar klein schepsel – volmaakt was in zijn rol als handlanger van Keith Hayward. De Eel bezocht Haywards herinneringen aan zijn privévertrek, aan de ene groteske dierenverminking na de andere, en zag dat op die vreselijke plek toch verschillende soorten tederheid en verbondenheid en zieke liefde opbloeiden.

Uiteindelijk werd ze gedwongen om naar Haywards herinnering aan Kerstmis in het vijfde jaar van de middelbare school en de zondige uitwisseling van geschenken tussen oom en neef te kijken, alsof het een privévoorstelling betrof. Om oom Till heen speelden altijd dwaallichten, overdag hing er altijd een koude maar heldere zon aan de hemel, en de nachten waren altijd van het donkerste, rijkste, meest ademende zwart. Zijn kleinste gebaren wierpen immense schaduwen. Till gaf zijn neef een koksmes van Sabatier cadeau en vertelde hem dat het zijn belangrijkste bezit zou zijn, zijn pronkstuk. Oom Till aanvaardde het geschenk van zijn neef – Miller – met een glimlach als het fonkelen van stalen scheermessen, en zijn neef zwijmelde in liefdevolle aanbidding.

Zelfs voordat de drie het verlaten gebouw aan de Sherman Boulevard binnengingen, was Miller zichtbaar bang en geschrokken dat hij aan de gevaarlijke oom van Keith was gegeven. Zijn knieën knikten in zijn spijkerbroek en zijn poriën leken een vreemde, metalen geur uit te wasemen. Toen ze beneden in Keiths geheime vertrek waren, kondigde hij aan dat hij de ervaring graag zou willen overleven, en de oom van Keith verklaarde dat hij gerust kon zijn, omdat hij nog nooit iemand met een pik had vermoord en dat ook nooit zou doen. ('Behalve misschien per ongeluk,' voegde hij daaraan toe.) Daarop beval hij de bevende Miller zich te ontkleden en vroeg of hij flink geschapen was. Toen Miller antwoordde dat hij dat niet wist, zei oom Till dat ze daar gauw genoeg achter zouden komen. Er waren een hoop dingen waar ze gauw genoeg achter zouden komen, zei hij, allerlei dingen. En, neefje, voegde hij eraan toe, om er zo volledig mogelijk van te kunnen genieten, moest hij helaas vragen om alleen gelaten te worden met zijn kerstcadeautje.

Verassend genoeg, gezien zijn liefde voor zijn oom, leken er grillige opwellingen van verzet, opstandigheid, spijt en tegenzin door Keith Hayward te varen, maar hij behield het ware kerstgevoel en herinnerde zich hardop het bestaan van een bepaald eetcafé op de Boulevard. Probeer hun kersentaart, zei oom Till. Die was verrukkelijk.

Keiths herinnering aan zijn boetedoening van een uur in het eetcafé was een nachtmerrie vol enorme, groteske gezichten, het gezelschap van mannen en vrouwen die een vreselijke dood-bij-leven doorstonden, een monumentale worsteling met een taart van bordkarton, in de wurggreep van een overdaad aan giftige kersen. De wereld om hem heen was voos en giftig geworden. Aan het uiteinde van de bar zei een weerzinwekkende reus van een vent met een ontsierend spraakgebrek, ene Antonio, tegen de serveerster dat hij net een goede baan had gevonden in een psychiatrisch ziekenhuis in Madison. Hayward begreep niet waarom hij de dingen zag zoals hij ze zag.

Hij had een van de twee mensen die hij liefhad toestemming gegeven om de ander te doden.

Van de laatste momenten van Miller wist Eel dat het ondraaglijk zou zijn om ze te bekijken en ze vreesde wat er komen zou, maar ze ontdekte dat Hayward die momenten al evenmin helder wilde houden en ze had begraven onder lagen rook en chiaroscuro waar ze alleen bestonden als vermoedens van bewegingen, door en door vervuild door schuldgevoel. Toen ze met tegenzin hier een verkrampende voet, daar een fladderende hand in het zicht kreeg, ving ze uiteindelijk een glimp op van Hayward die achter zijn versneden, geslagen, bloedende vriend op de grond zat en op aanwijzing van oom Till zijn pronkstuk van Sabatier naar de zijkant van Millers hals bracht. Door de visuele witte ruis heen klonken vervormde woorden... *gebruik je armspieren en duw het er diep in... nu een flinke harde ruk overdwars...* Op dat moment proefde Eel een donker, bitter venijn door zich heen stromen dat haar tong, haar gehemelte, de binnenkant van haar keel bezoedelde. Tienermeisje, vogel, of een stip van bewustzijn in de geest van een ander, wat haar overkwam was ondraaglijk; ze wendde zich met stijf dichtgeknepen ogen af en hoestte en spuwde in de hoop te kunnen overgeven.

Toen raakten haar voeten een vast oppervlak en de onuitsprekelijk vieze smaak spoelde weg uit haar mond en keel. De aard van de ruimte om haar heen had een grote verandering ondergaan. Eel waagde het een oog half te openen en tuurde door een spleetje. Uit andere zintuiglijke ervaringen – voornamelijk de afwezigheid van een verstikte, oververhitte onderliggende emotionele sfeer – bleek duidelijk dat ze uit het droomlandschap van Keith was verplaatst. Wat het halfgeopende oog te melden had, stelde haar gerust: een doorgestikte roodleren bank tegen een muur met een rij tekeningen, een hoge leeslamp, een keurig volgestouwde boekenkast, een Perzisch kleed op een glanzend gewreven, hardhouten vloer.

Deze indrukken en bespiegelingen namen niet meer dan anderhalve seconde in beslag.

Eel opende haar beide ogen en zag dat de tekeningen boven de mooie bank de martelingen van de hel verbeeldden.

Met wat zij niet herkende als een ouderwets, moddervet New Yorks accent zei een stem achter haar: ‘Hé daar meidje, hoe gaat ie?’

Ze draaide zich snel om en zag een man met een keurig geknipte roodbruine baard en een kort, krullend, donker kapsel van achter een bureau naar haar glimlachen. Zijn wangen waren ingevallen en zijn ogen gingen diep schuil achter zware wenkbrauwen. De man stond op. Tussen zijn handen hield hij een stapel boeken.

‘Gaat ie nog?’ vroeg hij en liet de boeken in een kartonnen doos zakken waar ze precies in pasten, alsof ze ervoor op maat waren gemaakt. De boekenkast achter hem was halfleeg. Op het kleed naast het bureau lagen stapels kartonnen dozen met dichtgevouwen bovenkanten.

De Eel zei dat het ging, ja. Dacht ze.

Hij glimlachte, met tanden zo wit als een kunstgebit. 'Geen pwobleem, geen pwobleem. Hey, wil je soms je toekomst weetuh?'

Ze schudde haar hoofd.

'Vershtandig. Hééél vershtandig.'

Zijn verzonken ogen veranderden van kleur als hij sprak. Toen ze hem de eerste keer aankeek, waren ze bruin als het blad van een sigaar, maar toen hij vroeg of ze haar toekomst wilde weten, kregen ze een onschuldige en speelse blauwe kleur. Toen hij haar intelligentie bewonderde, waren zijn ogen glanzend goudgeel geworden.

'De meeste mensen willen hun toekomst weten, maar als ze die te horen krijgen, vinden ze het niks. Jij hep niks om je zorgen over te maken, la' me je dat vertellen. Misschien een beetje narigheid hier en daar, daar kom je wel doorheen. En in stijl, weet je wel? Eersteklas, dat ben jij.'

Hier hield de Eel op met het vette accent en gebruikte haar eigen stem. Het had immers elk accent kunnen gebruiken dat het maar wilde. Het accent deed er niet toe.

Ze vroeg waar ze waren, en wat voor soort wezen haar vriendelijke nieuwe gesprekspartner wel mocht zijn. Eel dacht dat ze de antwoorden wist, maar ze vroeg het toch.

'O, jij zit nog steeds in mijn mannetje Hayward,' antwoordde haar nieuwe vriend. 'En je weet heel goed wat ik ben.'

Ze veronderstelde van wel. Had hij een naam?

'Heeft niet iedereen een naam, schatje? Ik ben Driewerf Drol.'

Drieëndertig? Hadden ze nummers in plaats van namen?

'Nee, meissie, je moet wel luisteren. Ik ben geen Drieëndertig, ik ben Driewerf Drol. D als in demon. Drol als in je weet wel.'

Was er een hele familie Drol, met een opa en oma Drol?

'Het is geen ongewone naam voor ons. Wij hebben geen ouders, en we hebben geen kinderen. We planten ons niet voort omdat we nooit sterven, we slijten alleen na een jaar of vijf-, zesduizend. Hoe dan ook, als de wereld daarbuiten verandert, blijken wij op een dag ineens nieuwe namen te hebben. Kost even tijd om je aan te passen, natuurlijk. Tot zo'n zeshonderd jaar geleden heette ik Sassenfras. Maar het kan mij niet schelen hoe ik heet. Mijn naam maakt geen enkel verschil.'

Hij wendde zich af, haalde nog zestig centimeter boeken van een plank achter zich, en met dezelfde overtuiging dat hij het tot op het miljoenste deel van een centimeter had berekend, liet hij ze naast de eerste stapel boeken neerzakken.

'Ik moet verrekt snel inpakken. Het is hier helemaal afgelopen en ik moet nodig weg. Ik weet nog niet waarheen, maar dat maakt geen ene flikker uit. In dit werk heb je eigenlijk altijd wel een B-A-A-N.'

De Eel nam aan dat hij gelijk had. Kon zij nu alsjeblieft ook gaan? En wat ging er met Keith gebeuren? Het zag ernaar uit dat...

'Het is zoals het eruitziet. De groeten, Hayward, en vaarwel. Jammer, weet je, want dat joch is er een uit duizenden. Keith Haywards maken ze niet iedere dag, dat kan ik je op een briefje geven. Zelden. Heel zelden. Maar je hebt een glimp opgevangen van de grote baas?'

Helaas wel, ja.

'Daar zeg je wat. Die kerel, hij heet Kwaatschijt, en hij vindt het niet prettig als iemand hem ziet. Daar wordt hij geweldig chagrijnig van, weet je wel? Dat betekent dat hij zware straffen uit moet delen en Keith liep hem voor de voeten. Vrijwillig, eigenlijk, het verrekte jong. Maakt me nijdig, hij deed het zo goed. We hadden het ver kunnen schoppen samen, hij en ik.'

Vrijwillig?

'Daar zag het wel naar uit, volgens mij. Natuurlijk heeft hij geen idee wat Kwaatschijt met hem gaat doen. Mensen begrijpen niets van demonen.' Hij zuchtte. 'Jullie snappen het niet, en dat zal ook wel nooit gebeuren.'

Snappen wat niet?

De ogen van Driewerf Drol werden vuurrood. Hij pakte een koperen presse-papier van het bureau en even dacht Eel dat hij hem naar haar zou smijten. Over zijn gezicht zweemde een geringschattende uitdrukking die vervaagde tot wat er in Eels ogen uitzag als een mengeling van neerslachtigheid en berusting.

'Ben je hier wel klaar voor? Jullie hebben ons nodig. Dat is de deal. Daarom zijn wij hier.'

Ze vroeg zich af – als er demonen waren, bestonden er dan ook engelen?

De demon huiverde van afkeer. 'Wat ben jij, een sukkel? Jullie hebben geen grote beschermende politieagenten met vleugels nodig, jullie hebben *ons* nodig. Mensen zijn engelen, snap je (*mensuh bennuh engeluh, snappie*?) Maar zonder ons hebben jullie niets wat echt de moeite waard is.'

Eel vond dat volkomen krankzinnig, sorry.

Driewerf Drol schoof de presse-papier op een plek die precies de goede maat had en kwam om het bureau heen lopen. Hij krabde in zijn krullende haar en wierp haar zijdelingse blikken toe. Zijn plotselinge slechte humeur was als sneeuw voor de zon verdwenen. Een vleug feces kwam met hem mee, bijna te zwak om op te merken, en vervloog ook weer even snel. De demon leunde tegen de voorkant van het bureau, sloeg zijn benen bij de enkels over elkaar en kamde met zijn lange vingers door de rossige baard.

Ze besefte dat ze op de verschillende momenten wel heel bang was geweest, maar nooit voor haar leven had gevreesd, ook nu niet. Zij – wie dat dan ook wezen mochten – wilden haar hier hebben omdat ze haar iets wilden leren. Haar enige echte angst was dat ze het niet helemaal zou begrijpen, het niet van alle kanten zou kunnen bekijken; ze was bang dat ze er een rommeltje van zou maken als ze het aan andere mensen vertelde.

Driewerf Drol klonk helemaal niet als een universitair docent van zijn tijd, maar in zijn kakibroek, kreukelige blauwe blazer en blauwe overhemd zag hij er wel zo uit. Aan zijn voeten droeg hij leren instappers, net als Milstrap. Zijn beschouwende, geduldige houding vond ze ook professoraal.

'Jullie mensen, jullie lopen allemaal op één grote motor, dezelfde voor iedereen, in de hele wereld. Weet je hoe die motor heet?'

Liefde? gokte ze.

'Leuk geprobeerd, maar helemaal fout, sorry. (shorrrie). De motor heet verhaal.'

Hij gebaarde naar achteren, waar voor de halflege boekenplanken een groen schoolbord was verschenen. Toen hij zijn wijsvinger even ronddraaide, schreef het woord *verhaal* zichzelf in schoonschrift op het bord.

'Als je chic wilt doen, kunnen we het woord *vertelling* gebruiken.'

Weer bewoog de vinger, en *vertelling* schreef zich op het bord onder het eerste woord.

‘En wat heeft een vertelling nodig? De aanwezigheid van het kwaad, dat is het. Denk aan het eerste verhaal, over Adam en Eva en de Hof van Eden. De eerste menselijke wezens beslissen – verkiezen, uit eigen vrije wil – om het verkeerde te doen, een boosaardige daad te verrichten. En daarom worden ze uit de zondeloze Hof verdreven naar *deze* plek, die goede, oude (goeie ouwe), prachtige, verdorven wereld. Zo blijkt, wat denk je, dat deze wereld van ons alleen maar bestaat *vanwege* een boosaardige daad! De eerste demon, die verscheen in de vorm van een sexy, sexy slang, heeft jullie verdomde wereld zo’n beetje *geschapen*, zou je kunnen zeggen. En hoe weten we dat? Hoe wordt die informatie aan ons gegeven? Ons geschonken, zoals de tegenpartij graag zegt? In een verhaal, een keurige kleine vertelling verpakt in een paar korte bladzijden Genesis.’

Oké, zei de Eel. Ik denk dat ik het begrijp.

‘Probeer deze dan maar eens. *Wij* geven *jullie* vrije wil, dus zijn wij verantwoordelijk voor jullie hele morele leven. Je kunt geen verhaal hebben zonder een slechte daad of een slechte bedoeling, je kunt zeker geen verlossing hebben zonder dat je slecht gedrag hebt om het sappig te maken, en fatsoenlijk gedrag bestaat alleen vanwege de enorme verleiding die het tegendeel biedt.’

Driewerf Drol schoof op het bureau dichter naar haar toe. Hij boog zich voorover. Zijn ogen glansden verwarrend amberkleurig diep in hun kassen.

‘En hier komt een hele grote, schatje. Als je denkt aan het kwaad, moet je aan de liefde denken, en viezie-versie. Liefde, liefde, liefde, jullie mensen hebben zo graag lief, jullie praten zo graag over liefde, jullie zingen zelfs over liefde, telkens weer, de hele tijd. Ik word er winderig van. Ik word er misselijk van (MISH-elijk). Ik krijg er pijn aan me reet van. Ik zou een week lang gemalen glas en scheermesjes kunnen kotsen, al die flauwekul over liefde. Want wat is het tegengestelde van liefde? Kom op, vertel het maar, ik weet best dat je niet op je mondje gevallen bent.’

Het tegengestelde van liefde was haat, zei de Eel.

De demon gooide zijn hoofd in zijn nek en lachte. Het lachen van demonen was vol en donker en hun minachting sleep het onvermijdelijk vals.

‘O, dat zeggen jullie allemaal. En dat denken jullie ook allemaal, stuk voor stuk. Van presidenten en koningen tot zwervers in de goot, die trouwens bijna allemaal verdwenen zijn. Vroeger kon je geen halve kilometer lopen zonder een paar arme, haveloze, werkloze, dakloze, afgeleefde, drankzuchtige, lijm snuivende crack-rokende methadonjunks in de goot te zien liggen, een uur in de wind stinkend naar pis en stront. Zelfs de politie wilde die kerels niet oppikken, maar ze moesten wel, het was hun werk om ze in de auto te gooien en naar de gevangenis te slepen waar ze konden ontnuchteren tot de volgende keer. Die kerels zijn nu bijna allemaal weg, en ik snap het niet. Wat is er gebeurd? Waar zijn ze gebleven? Zijn ze allemaal doodgegaan aan hun ongezonde levenswijze en zijn er geen nieuwe bij gekomen? Waarom niet? Waar zijn de nieuwe losers, de nieuwe oude mannen met slechte tanden en vieze lichaamsgeur en smerige, gescheurde kleren en gekneusde, vuile gezichten en blote, gekneusde en gezwollen voetjes?'

De wereld verandert, zei de Eel, die nogal genoten had van het laatste deel van zijn tirade.

'Ja, dat heb je goed gezien, meid. Ze kunnen niet meer zwart met de treinen mee, Skid Row bestaat niet meer, de Bowery is van de middenklasse, helemaal naar de klote gerenoveerd, tolerantie is voorbij, bestaat niet meer – wat blijkt, om luizige, nutteloze, zelfvernietigende zwervers te hebben, heb je eerst een vrijgevige maatschappij nodig, moet je nagaan.'

Maar wat was het juiste antwoord?'

'Het juiste antwoord waarop? Je begint op mijn zenuwen te werken. Ik krijg te horen, weet je, hé, maak even een babbeltje met dat meisje, en hier zitten we dan, maar ik moet mijn spullen pakken want het is hier net de Bowery – dit blijft niet veel langer meer bestaan, begrijp je?'

Wat is het tegenovergestelde van liefde? vroeg de Eel.

'O ja, ik was het onderwerp vergeten.'

Weer bij de les trok de demon een been op en vlocht zijn vingers om zijn knie, zodat hij meer dan ooit op een geestdriftige academicus leek die voor de klas stond. Hij grinnikte haar toe.

'Haat kan niet het tegengestelde van liefde zijn, suffie. Je snap het nog steeds niet, hè? Haat *is* liefde. Het tegenovergestelde van de liefde is het kwaad. Natuurlijk *omvat* het kwaad haat, maar het is er maar een klein, ondergeschikt deel van. Als liefde vervormd en slecht wordt, dan wordt het kwaad geschapen.'

Hij liet zijn knie los, leunde voorover en stak zijn armen in de lucht. Even flitsten zijn ogen stoplichtrood op. Zijn gegroefde, bebaarde gezicht kwam naar voren, door de muffe lucht in de richting van de Eel.

'Jullie mensen zijn zo stom, het staat allemaal recht voor je neus, maar jullie gaan maar door met discussiëren over het kwaad, of het innerlijk of uiterlijk is, of het aangeboren is of ontstaat door omstandigheden. Aanleg of opvoeding, ik begrijp werkelijk niet dat jullie nog steeds over die achterlijke tegenstelling debatteren. *De wereld is niet in tweeën verdeeld*. Jullie hebben het kwaad ín je, jullie *dragen* het kwaad, dat is het basisbeginsel. Als je de deur openmaakt, wat krijg je dan, de dame of de tijger? Oeps, sorry, je krijgt ze allebei, want de dame *is* de tijger.

Laten we het over de dood maar niet eens hebben, goed? Miljoenen sukkels geloven dat de dood het kwaad is, alsof ze vinden dat ze onsterfelijk zouden moeten zijn. Zonder dood zou er geen schoonheid zijn, geen betekenis... en als je probeert om de dood heen te werken, of als je doet alsof je het zou kunnen vermijden, dan komt het kwaad juist vrij.'

De Eel vertelde hem dat ze niet echt meende te begrijpen wat hij zei. Terwijl ze praatte, voelde ze tot haar verbazing tranen op haar wangen. Ze had niet geweten dat ze huilde en ze wist ook niet hoe lang ze dat al deed.

'Dat komt nog wel, stukje bij beetje,' zei Driewerf Drol. Hij schoof van het bureau en schonk haar een vriendelijke, bruinogige blik. 'Zorg maar dat je dat stuk over die dame en die tijger onthoudt. Dat kan je helpen als je bij de laatste halte aankomt.'

De laatste halte?

'Klim die trap op en doe de deur open. We moeten onze mooie meneer Hayward verlaten voordat Kwaatschijt zijn tanden in hem zet. Loop naar de bushalte en stap op de bus.'

De bus.

'Hij staat te wachten. Schiet nu maar op. We hebben geen van allen veel tijd.'

Met haar handpalm wreef ze de tranen van haar gezicht en besefte dat het de vriendelijkheid van de demon was die haar aan het huilen had gemaakt. Dat was alles, meer niet. Toen stokte haar adem. Nee, er was nog iets. Ze begreep niet hoe ze dat tot op dit moment niet had ingezien.

Keith ging haar leven redden, en misschien ook dat van Hootie, door zich voor Kwaatschijt te werpen, klopte dat? Dat deed hij *vrijwillig*, was dat niet wat haar nieuwe vriend haar had verteld? Dus het kwaad hoefde dat niet te blijven?

'Wat niet te blijven? Jij denkt nog steeds of/of, sufferd, terwijl er geen of/of is, het is allebei. Daar had Mallon, die arme idioot, in elk geval gelijk in. En misschien was Keith meer geïnteresseerd in zoiets als Kwaatschijt dan in jou of dat vlaskopje naast je. Zo simpel zou het kunnen zijn, weet je.'

Hij zei echt 'vlaskopje', alsof Booth Tarkington of zo iemand zijn favoriete schrijver was. Later in haar leven zou de Eel zich al die boeken herinneren die hij aan het inpakken was, en ze dacht dat er waarschijnlijk veel romans bij waren geweest. Demonen zoals Driewerf Drol waren nogal literair aangelegd.

Hoe dan ook, hij had haar weggestuurd en was weer aan het inpakken geslagen, dus had de Eel naar links gekeken, tegen de muur een steile trap ontdekt die eruitzag als de trap naar een oude zolder en gedag gewuifd. Hij merkte het gebaar niet op. De geur van fecaliën die ze eerder had geroken bereikte haar weer en ze vluchtte zo snel als ze kon.

De smalle, witte deur boven aan de trap kwam uit op een lege straat in een stad, laat in de schemering. In het hardgele licht van natriumlampen aan de overkant van de brede stoep stond een dubbeldekkerbus waaraan wolkjes witte uitlaatgassen ontsnapten bij een halte te wachten; er zaten alleen een chauffeur en een conducteur in.

Aan weerszijden van de straat stonden hoge, vuile bakstenen gebouwen. In slechts een paar ramen was een paar centimeter licht te zien onder neergetrokken rolgordijnen. Het zag ernaar uit dat ze in Londen was.

De conducteur boog zich voorover om door een van de zijramen naar haar te kijken; ze draafde over de stoep naar de open achterkant van de bus en stapte in. De chauffeur schakelde meteen, zodat de bus met een ruk vertrok en zij bijna weer op straat belandde. De conducteur, een stevige kerel met diepe rimpels in zijn permanent gefronste voorhoofd, greep haar arm en trok haar met ferme hand de bus binnen.

Waar moet ik gaan zitten?

Terwijl hij haar zijn rug toekeerde vroeg de conducteur, in een accent dat ze voor volmaakt Cockney zou hebben gehouden: 'Waarom moet het mij iets kunnen schelen waar jij gaat zitten?'

Meneer, wilt u me alstublieft vertellen waar we heen gaan?

'*Wij* gaan nergens heen,' zei de conducteur met een verstikte, verontwaardigde stem. Nog steeds wilde hij zich niet omkeren om haar aan te kijken. 'Ik ga naar White City. Jij gaat ergens anders naartoe.'

Weet u ook waarheen?

Daarop draaide hij zijn bovenlichaam naar haar toe en toonde haar weer zijn gezicht. Piepkleine, toffeekleurige ogen gluurden naar haar vanuit een vervallen maanlandschap. Zijn mond vertrok naar links en scheurde open in een lach vol gebroken tanden.

'GAAT U ZITTEN ALSTUBLIEFT.'

Ze liep een paar rijen verder en liet zich op een lege bank vallen. Toen schoof ze naar het raam en zag de lege stad voorbijrollen. Waar ze ook mocht zijn, het was heel ver van het agronomieveld, Mallon en Hootie. Twin was nog verder weg. Een moment van diepe twijfel eiste haar aandacht op: ze was verdwaald in een onbekende en onechte wereld, en in plaats van eraan te ontsnappen, haastte ze zich steeds verder dat grondgebied in. De chauffeur versnelde het tempo op de lanen en de hoofdwegen en vloog bushaltes voorbij die bijna altijd leeg waren. Tot twee keer toe, en bij ver uiteen liggende haltes, probeerde een man in een lange grijze jas, met een grijze gleufhoed en een zonnebril op, de voortdenderende bus tegen te houden door een arm en een zwarte gehandschoende hand op te steken, en beide keren negeerde de chauffeur het gebaar en raasde door, tot grote dankbaarheid van de Eel. Ze had het gevoel dat de mannen in het grijs haar van de bus wilden gooien, of trekken – ze wilden haar missie verijdelen, ze wilden haar beletten om de laatste halte te bereiken.

De tweede man was achter de bus aan gerend met de bedoeling om op het achterplatform te springen, maar de roekeloze chauffeur had meer gas gegeven en hem achtergelaten, struikelend in het midden van een laan die (meende ze) het Kopje van Verbolgenheid heette. Ze reden zo hard dat Eel het merendeel van de naambordjes die ze passeerden niet kon ontcijferen. Telkens als ze een hoek om zoefden, leek de bus als een motorrijder de bocht in te leunen.

Een lange rechte weg, de Klimmersbocht? Een brede, riekende laan die Laan van Middelen heette?

Van een wijk vol grote, met een laag roet bedekte openbare gebouwen doordesemd van verduisterde ramen stoven ze brede straten in (Strijdlustlaan? Bloedplein?) waar forse, respectabele woonhuizen stonden, elk met een halfronde gevel en grote Georgian-voordeuren met pilaren ernaast.

Zonder een blik opzij stommelde de stevige conducteur door het gangpad en liet zich op het bankje net achter de chauffeur vallen. Weer namen ze een scherpe bocht, naar een verzonken, afdalende wijk van drie verdiepingen hoge handelsgebouwen waar om de twee straathoeken immense stenen kerken met torens, bogen en donkere zuilen als enorme padden aan de aarde ontsproten.

Om uit de buurt van de conducteur te komen schoof Eel uit haar rij en ging verder naar achteren zitten. Toen ze weer zat, boog de conducteur zich naar de chauffeur en fluisterde iets. Toen hij weer rechtop zat, draaide hij zijn hoofd om en keek haar recht aan, overlopend van vijandigheid en nog iets anders, iets van rancune. Hij nam het haar kwalijk dat hij op deze eindeloze busroute moest werken terwijl de avond zich de nacht in haastte. De boze conducteur en de onverstoorbare, maar roekeloze bestuurder waren haar privéchauffeurs en loodsten haar door deze eindeloze stad.

Ze lieten de winkels en kerken achter zich en de straten werden nauwer. De gebouwen werden sjofeler, kleiner, stonden vlak tegen elkaar in plaats van als soldaten in gelederen. De donkere, vuile ramen krompen. Goochemplein, de Hoedenmakers, Mandolinesteeg. Een krappe, onverwachte bocht leidde naar de Netaanstraat en toen naar de Stortinweg.

Straat na straat vol donkere woningbouwhuizen vlogen langs de razende bus, nergens licht in de schaarse ramen. De Eel liet zich onderuitzakken in haar stoel en legde haar hoofd op de leuning van de stoel voor zich. De huurhuizen werden kleiner en armoediger. De bus reed langs een naambord met daarop MYSTERIUM of MYSTERIAC (de laatste letters waren door graffiti onleesbaar) Plein. De natriumlampen waren gedimd en gereduceerd tot één per huizenblok.

Bij de Tremenspassage stoof de bus door een bocht, rolde een meter of tien door en kwam toen abrupt tot stilstand. De chauffeur draaide zich om in zijn cabine, de conducteur hees zich overeind en kwam door het gangpad aanlopen met het gezicht van een beul op weg naar het schavot. De bus was gestopt voor het armoedigste logement in de armoedigste van alle straten waar ze doorheen gevlogen waren. Het donkere, smalle gebouw zag eruit alsof het door zijn buren overeind werd gehouden.

Ik kan hier niet uitstappen, zei de Eel. Dwing me alsjeblieft niet om hier uit te stappen.

Onaangedaan liep de conducteur verder tot hij bij de bank van de Eel was aangekomen. Ze schoof opzij naar de verste zitplaats.

Hoe kom ik thuis? Wat is de bedoeling?

'Ik ben je gezeur zat,' zei de conducteur, en greep haar pols in zijn enorme hand. 'En ik ben jou zat.'

Wat moet ik doen?

'Je kan op straat gaan liggen creperen.' Hij trok haar van haar stoel het gangpad in alsof ze niet zwaarder was dan een jong poesje.

In zijn cabine lachte de chauffeur kakelend.

Ze probeerde te krijsen, maar er kwam slechts een droog, nauwelijks menselijk gekreun uit haar mond.

De conducteur trok haar mee naar het platform en gooide haar van de bus. Binnen een seconde, lang voordat de Eel zich voldoende vermand had kunnen hebben om weer op het platform te springen, had de conducteur zich omgekeerd en zijn arm om een buspaal geslagen, waarop het voertuig wegracete en steeds kleiner werd naarmate het in de nacht verdween.

Het zwakke natriumlicht leek haar zijn domme gezicht toe te keren. Misschien was dat stomme licht benieuwd wat ze nu van plan was. Een aanwijzing, een fluistering van geluid, eerder de suggestie van geluid dan een geluid zelf, een ademtocht zonder lucht, leek haar te bereiken vanuit het afzichtelijke, onveilig ogende gebouw waar de bus haar voor had afgezet. Eel keek een poosje naar het huis.

Om het beter te kunnen zien, zette ze een stap dichterbij. Op datzelfde moment klikte de voordeur open. Haar hart sloeg over. Boven aan de treden bewoog de deur zich naar voren in zijn omlijsting, niet meer dan een subtiele halve centimeter.

Iets in haar wilde die treden oplopen, die deur door. Achter een raam op de bovenverdieping leek een gordijn te bewegen. Werd ze binnengenodigd? Stomme, stomme vraag. Natuurlijk werd ze binnengenodigd in dit akelige gebouw, deze plek met zijn eindeloze opeenvolging van tranen en verdriet en om zeep gebrachte hoop. Maar waarom ter wereld zou ze...?

Toen was het alsof alle blijdschap en al het liefste dat ooit had bestaan vanachter de deur boven aan de treden naar beneden sprong, zo onzichtbaar als een geur, en zich om de Eel heen wikkelde. Een enorme, onpersoonlijke schoonheid sprak uit de kern van die blijdschap, en een enorme, exquise pijn doorboorde haar hart met het bewustzijn van verlies in het hart van al het liefste van de wereld. De Eel had het gevoel dat er een enorm gordijn voor haar gevoelsleven was weggeschoven en dat ze gedurende een lange seconde midden in ultieme betekenis stond: de betekenis die in het hart van het immense verdriet klopte, in de extravagante schoonheid en de blijdschap van elk moment op aarde. Bijna zodra het ervaren was, glipte het gevoel van geopenbaarde betekenis weer weg en zelfs op dat moment wist ze dat ze niet in staat zou zijn om zich dat verbijsterende, vlietende moment in al zijn vervlochten, exalterende aspecten te herinneren. Het verliet haar niet; het vluchtte.

Zo zat het, dacht de Eel, je deed wat je kon met het kleine beetje dat je wist te behouden. Haar volgende gedachte was dat ze, wat het haar op de lange duur ook mocht kosten, dat fantastische huis binnen moest zodra ze haar benen kon bewegen.

'Het spijt me van al die tranen,' zei de Eel, die het laatste stuk van haar verhaal snikkend had verteld.

'Lee?'

Ze stak een prop doorweekte papieren zakdoekjes uit, die ik aanpakte en verving door nieuwe droge.

'Ach, wat is dit moeilijk,' zei ze. 'Heb alsjeblieft geduld met me.'

'Wij gaan nergens heen,' zei ik. 'Kun je nog doorgaan?'

'O, ja.' Ze wierp een glimlach in mijn richting. 'Als jullie het aankunnen, kan ik het ook.'

Haar laffe benen hadden eigenlijk geen zin om te bewegen, *zei de Eel*, maar ze dwong ze om haar naar de onderste trede te dragen. Het gevoel dat haar een grootse betekenis was geopenbaard, klemde zich nog steeds aan haar vast.

De Eel beklom de treden van de stoep en stond even stil voor de deur. Die stond op een kier van misschien een centimeter. De kier onthulde alleen steenkoolkleurig duister. Even zag ze haar onderneming als twijfelachtig en vol gevaar. Een schurk in het uniform van een buschauffeur had haar op straat gegooid, voor een boosaardig ogend huis dat op het punt stond in te storten: en nu moest zij daar zo nodig naar binnen? Op advies van een *demon*?

Haar bevende hand ontmoette het ruwe oppervlak van de bladderende verf op de rand van de deur.

De verf leek geen kleur te hebben. Ze geloofde niet in het bestaan van een on-kleur, maar hier was hij, noch grijs noch wit, noch groen, noch geel, noch albast, noch ivoor, noch enige van de kleuren die hij in zijn nietsheid suggereerde. Hoewel de on-kleur doods was, leek hij te glanzen in het grijze licht en in het vonkje weerspiegeling van de natriumlamp, de tint van een regendruppel die onder uit een wolk wordt geperst.

Een versplinterde seconde lang dacht Eel dat ze op de rand van de afgrond hing, net als Brett Milstrap, maar dan erger. Toen zei ze bij zichzelf: *Ik ben hier naartoe gebracht, hoe ruw dan ook, en als ik nu niet naar binnen ga, is het allemaal voor niets geweest.* Ze greep de rand van de deur, trok hem vijftig centimeter verder open en glipte het oude gebouw binnen.

Bij haar eerste indruk, dat er niets gebeurde, overviel haar een grimmige vlaag teleurstelling. Ergens in haar hoofd had ze een openbaring verwacht, een sleutel voor de grootse puzzel over schoonheid, liefs en verdriet die het gebouw haar had voorgelegd. Nu stond ze tussen een bladderende, scheve deur en een donkere, gevaarlijk ogende trap in een groezelige entree. Zelfs het stof leek vermoeid. Generaties gedwarsboomde levens hadden die trap beklommen.

De Eel liep voorzichtig over de smerige vloer. Toen ze haar linkervoet op de eerste trede zette, verkruimelden de stofgrijze resten van de traploper – ooit vrolijk gekleurd, maar nu van dezelfde regendruppelige nietsheid als de verf op de deur – en vielen omlaag. Ze raakte de trapleuning aan met het puntje van een vinger en tilde haar rechtervoet op om hem naast de linker- te zetten, waar ze een identieke verwoesting van de versleten draden veroorzaakte. Ze nam de tweede trede, keek omhoog en riep een begroeting.

Hallo?

De stilte antwoordde met nog meer stilte.

Is er iemand boven?

Weer stilte. Ze zag voor zich hoe haar stem de trap op zweefde, zich door de kamers, kasten en badkamers wond en naar de derde verdieping steeg, zich in elk vertrek meldde, groot en klein. Als Eel haar stem even gewichtloos en snel zou kunnen volgen, vroeg ze zich af, wat zou ze dan zien? Op de bovenste verdieping had een gordijn bewogen, er was een deur opengegaan. Een kracht had haar uitgenodigd om binnen te komen, zo had ze zich in elk geval verbeeld. Meer dan verbeeld, ze had het gevoeld. Op het moment dat ze zich in de richting van het huis had bewogen, had een flits inzicht haar letterlijk van de grond getild en voorwaarts gedragen. Was dat allemaal van het gebouw afkomstig geweest, of van een wezen daarbinnen?

Voordat ze de vraag had geformuleerd, werd ze met een ruw, onmiskenbaar gezag getroffen door de overtuiging dat het antwoord een wezen was, niet het gebouw. Het was als een klap van de reuzenhand van een monsterlijk schepsel dat ongeduldig werd van haar twijfels en angsten.

Natuurlijk ben ik hier, idioot kind. Hoe kan ik je anders oproepen?

Als er demonen bestonden, bestond er vermoedelijk ook een godheid. Zelfs voordat ze had bedacht wat dit voor haar betekende, begon Eel te trillen.

In de wetenschap dat alleen de poging noodzakelijk was, ontdekte ze dat haar lichaam bereid was om nog twee treden omhoog te gaan. Toen besefte ze dat haar knieën, net als die van de arme, vervloekte Miller, zo hard trilden dat ze algauw niet meer zou kunnen staan. Het gebouw wankelde om haar heen. Eel bewoog niet meer, liet zich zakken en legde haar bovenlichaam plat tegen de treden. De muur aan haar linkerkant werd vloeibaar, toen gasvormig, toen niets meer, en de korte hal achter de trapleuning rafelde weg als de traploper onder haar voeten.

Om haar heen hing roerloze, koude lucht. Onder haar handen, haar wang en haar heup brandde de ijzige aanraking van koud marmer. Rechts van haar, waar tot voor kort nog een trapleuning en een dode, kleurloze muur waren geweest, hing een enorme, donkere, driedimensionale ruimte doorstoken met speldenprikken die ze pas na even nadenken als sterren herkende. Dit was zoveel meer dan veel te veel om op te nemen, dat ze haar ogen sloot en zich even concentreerde op het ongewone gevoel van het kloppen van haar hartslag in haar hoofd. Voordat ze haar ogen op durfde te slaan, wendde ze haar gezicht naar voren om niets meer te hoeven zien dan wat er recht voor haar lag.

De grote, maar angstaanjagende verleiding was om een blik opzij te werpen, maar een dergelijk risico kon ze zich niet veroorloven tot ze zich in haar naaste omgeving had verankerd. Plat op een stuk donkergroen marmer met witte en gouden aderen leken haar vingers klein, bleek en amper bruikbaar. Het ijzige marmer dat de trap had vervangen werd haar aandachtspunt. Al het andere zou op zijn plaats vallen zodra ze de kwestie van de onstabiele trap had opgelost. Het was zwak, maar het moest voldoende zijn. De Eel hees zich op haar knieën en zag dat de trap in het fragiele gebouw inderdaad in groen marmer was veranderd. Vreemd, ja; bizar, zeker. O, daar kunnen we het allemaal over eens zijn, dan? Ja, we zijn het eens. Maar het probleem is nu juist al het andere.

Want zodra we onze ogen laten afdwalen van deze fraaie, zij het verwarrende marmeren trap, krimpen categorieën zoals *bizar* en *vreemd* tot koude, harde steentjes; ze verworden tot niets, de stakkerds. Het zou nog heel lang duren voordat het woord *bizar* in de Eel iets anders opriep dan een vage verwondering over de ontoereikendheid van dat woord. De marmeren trap zweefde zonder steun in de lucht, niet alleen in de lucht maar kennelijk diep in de ruimte: zonder steun, als een satelliet. Aan beide kanten niets dan ijskoude, roerloze lucht, eronder en erachter, overal. In al haar zeventien jaren had de Eel zich nog nooit zo angstig gevoeld, nooit zo ontwricht en in gevaar. Ze zat vast tussen planeten en werd omringd door het koude speldenpriklicht van de sterren. Het werkelijke probleem was echter wat er boven aan de trap lag.

Eerder die dag, wat verscheidene uren geleden leek, maar dat eigenlijk maar een paar minuten was, had ze een deels geopende deur gezien boven aan de treden van de stoep voor het gebouw. Oppervlakkig gezien gold dat ook voor haar huidige situatie. Boven aan de marmeren trap waar ze heen was gevoerd, hing een deels geopende deur. Deze was hoger en breder en sowieso grootser. In tegenstelling tot de voordeur van het gebouw scheen er uit deze deur, *haar* deur, een verblindend licht.

Het licht maakte haar doodsbang.

Nee, niet alleen het licht. Alles in de kamer boven haar beangstigde de Eel. Af en toe veranderde het licht zo, dat het de aanwezigheid verried van iets wat in het vertrek *bewoog*. Een man die heen en weer liep, een vrouw die ijsbeerde. Iets wat geen man en geen vrouw was en zich langzaam, bedachtzaam bewoog, om haar te laten weten dat het er was. Over die aanwezigheid kon Eel niet nadenken. Haar speeksel verdroogde in haar mond; de blonde haartjes op haar armen stonden stekelig recht overeind.

Het vertrek, dacht ze, zou klein en stil zijn, bijna kaal. Wat de feitelijke omvang ervan ook was, het wezen daarbinnen was noch klein, noch stil. Liefde en onverschilligheid, beschaving en barbaarsheid, mededogen en wreedheid, overweldigende schoonheid en verwoestende lelijkheid – daarbinnen krioelde en gistte elke mogelijke menselijke en natuurlijke eigenschap, strekte zich uit tot ver buiten ons begripsvermogen en was daarom ondraaglijk – het was te mooi, te glorieus en ook te razend, te vernietigend en te volslagen onkenbaar om er langer dan een nanoseconde over na te denken.

Om als voorbeeld te dienen van een miljoenste deel van wat het bevatte, leverde het wachtende wezen boven aan de trap haar uit aan deze beelden, aaneengeregen tot ze niets meer kon verdragen:

een brullende koning sloeg zijn zwaard omlaag en hakte de ontstoken arm van een huilende boer af;

een barkeeper met grof zwart haar en een onaangedaan boers gezicht zwaaide een hakmes omlaag en hakte de hand van een stelende klant af;

met een doortastende snee van een botzaag sneed een chirurg in een witte operatiekamer de hand van een patiënt af;

met de meedogenloze kus van een koksmes hakte een naakte minnaar de bleke hand van zijn naakte minnaar af;

in een leeg magazijn trok een grimmige schooljongen een lang mes uit zijn broekband en hakte de hand af van de rood aangelopen, boven hem uit torenende gymleraar die met zijn andere hand in zijn gulp rommelde;

in een steegje hakte een schurk de hand van een oude vrouw af met een snelle snede van zijn mes;

een machinebankwerker beet op zijn lip en stak zijn hand in de snijmatrijs;

een Arabier in een lange mantel bracht een bijl omlaag en hakte de hand af van een driemaal veroordeelde zakkenroller;

bij deze negende iteratie smeekte de Eel om genade: en kreeg:

een veld vol gouden mosterdkruid;

een heldere, dansende bergbeek;

een straal zonlicht in het ravijn tussen de wolkenkrabbers op Manhattan Avenue;

een glimp van een stralend gezicht voor een raam;

een sputterende en weer opflakkerende kaars;

een als prinses verkleed meisje, blootsvoets huppelend over een fonkelend groen grasveld;

een glas water op een tafel in een leeg vertrek;

en wist dat, op één manier bekeken, de aanwezigheid in de kamer daarboven dat glas water was, en die zuivere, transparante entiteit was onvergankelijk en ondraaglijk; en dat de niet-honden bedoeld waren om de mensen te beschermen door hen te weerhouden van nauw contact met dat onvergankelijke, ondraaglijke wezen.

Overweldigd door zowel liefde als doodsangst, een ondraaglijke combinatie, legde de zeventienjarige, onbedaarlijk huilende Eel haar hoofd op haar onderarmen, urineerde in haar spijkerbroek en huilde door. Warme vloeistof stroomde langs haar benen, koelde af op de marmeren treden. Haar rug schokte, haar ogen stroomden over, haar buik rilde. Voor zover ze kon denken, dacht ze: *Dus het Grote Mysterie en het Laatste Geheim is dat wij het Grote Mysterie en het Laatste Geheim niet kunnen verdragen.*

Toen ze eindelijk haar hikken, snikken en kreunen wist te onderbreken, merkte Eel dat haar handen zich strekten op gras, niet op marmer, en dat er geen stenen treden in haar dijen en heupen groeven. Met een enorme, ongelovige hap naar lucht worstelde ze zich overeind. Anderhalve meter verder op de helling lag het verminkte lichaam van Keith Hayward midden in een plas bloed die het gras doordrenkte. Hootie was verdwenen. Meredith was verdwenen. Boats zat gehurkt op de grond te snikken met zijn hoofd in zijn handen.

Verdwaasd wandelde Spencer Mallon rond in een ruime, onregelmatig ovale cirkel en begreep duidelijk niets van het merendeel van wat hij voor hem zag. De rondspringende geesten en mindere goden waren weer in hun eigen rijk verzonken, en door de rozige oranje mist heen die de grenzen van zijn beeld vormde, zag Mallon Dilly Olson hem in aanbidding recht aankijken, bereid om alles te doen wat hij maar wilde. Dat Mallon de Eel ook zag, bleek uit zijn blik op haar, die haar duidelijk maakte dat hij in ieder geval iets had gezien van wat zij had gedaan. Haar gezicht was vuil en de beide pijpen van haar spijkerbroek waren donker van de urine. Deze tekortkomingen hadden geen effect op Mallon. Alles wat zij in hem beminde, brandde als een kampvuur, opgloeiend vanuit zijn oprechte nederigheid. Maar Mallon ging weg, hoezeer hij haar ook bewonderde: hij zou in gestrekte draf vertrekken, met Dilly als door een hondenriem met hem verbonden.

Hij wendde zich van haar af en begon in de richting van de Glasshouse Road te rennen. Aan de strakgetrokken, gouden riem rende Dilly met hem mee. Binnen enkele seconden waren ze verdwenen. Het verrassende gewicht van haar verdriet drong de Eel terug naar de middag van de vorige dag, toen ze als een verdwaalde witte flard over het veld werd geblazen, ongezien, behalve door Hootie Bly.

'Dat heb ik gezien!' barstte Hootie uit. 'Het moet wel waar zijn wat je zegt, daar heb ik nooit met iemand over gepraat! O! Ik val je in de rede. Neem me niet kwalijk, Eel. Het spijt me, het spijt me.'

'Je viel me niet in de rede, ik was klaar. Dat denk ik tenminste. Na wat ik net heb doorstaan, hoop ik in ieder geval van wel.'

Buiten de ramen was de wereld donker geworden. Boatman had tijdens haar verhaal een staande lamp aangeknipt en het licht creëerde grote schaduwplekken aan de randen van het vertrek.

De Eel veegde met een prop zakdoekjes over haar gezicht, snoot haar neus erin en liep toen naar de prullenbak naast de open haard om ze daarin te gooien. De prop zakdoekjes kwam enkele centimeters naast de prullenbak terecht. In het schemerige licht keken wij vieren naar de zich langzaam ontkreukelende zakdoeken en besloten te doen alsof ze in de prullenbak waren terechtgekomen.

'Zo, nou zeg, dat was mis,' zei Lee Truax. 'Het geluid van de prullenmand is echt heel anders. Dat zouden jullie zelf kunnen horen, als je erop zou letten. Bedankt, jongens. Nu heeft jullie tact me natuurlijk in verlegenheid gebracht.'

Ze hurkte neer, reikte naar de zakdoekjes en vond ze bij haar tweede poging. 'Je zou bijna zeggen dat ik een beetje van slag ben,' zei ze, en stak haar hand zorgvuldig uit tot boven de mand voordat ze de prop liet vallen.

'Waarom ga je niet zitten?' vroeg ik.

'Omdat ik geen zin heb om te zitten. Als ik op de been blijf, heb ik ten minste een kans om me goed te houden. Dat liep even helemaal uit de hand net, niet waar? Nou, ik...' Haar gelaatstrekken verslapten door een plotselinge golf van emoties. 'Ik wilde alleen...' Met neergeslagen ogen schudde ze haar hoofd, en maakte korte, wegwuivende gebaren met haar rechterhand.

'Wij zouden precies hetzelfde hebben,' zei ik. 'Huil maar zoveel als je wilt, Lee. En toe, ga even zitten.'

'Ik zou duizend keer erger zijn dan jij,' zei Hootie. 'Eel, je bent geweldig. Dat ben je echt, geweldig.'

Ze negeerde die complimenten en richtte zich, in een van die momenten waar gasten van een echtpaar dat elkaar openlijk afsnauwt altijd zo ongemakkelijk van worden, rechtstreeks tot mij: 'Ik wil staan, oké? Dat zei ik je toch net al. Ik heb nog iets te vertellen.'

'Nou... goed. Ga dan alsjeblieft verder. Wil je echt niet zitten?' Ik stond op en zette een stap naar haar toe.

'We gaan allebei zitten. Je hoeft me niet te helpen. Ik ben in mijn eigen huis. Alsjeblieft, Lee.'

'Goed,' zei ik. 'Natuurlijk ben je thuis. Neem me niet kwalijk.'

'Iedereen blijft zich maar verontschuldigen vandaag. Alsjeblieft jongens, houd daarmee op.'

Ze liep naar haar stoel, waarbij ze schijnbaar pas op het laatste moment de weg aftastte met haar voet. Lee Truax ging kaarsrecht overeind zitten, haar rug zeker 12 centimeter van de stoelrug verwijderd en haar armen op de armleuningen. Ze zag eruit als de koningin van een klein, nogal informeel koninkrijk met heel wat goud in de schatkist. Mijn ogen werden vochtig en dat leek de Eel te merken, want ze wendde me haar gezicht toe en zei: 'Ach, zo bijzonder ben ik niet, hoor. Maak niet zo'n drukte.'

'Komt voor elkaar,' zei ik, opzettelijk zonder me te verontschuldigen.

'Ik wist niet dat ik nog iets te zeggen had,' zei Lee. 'Maar toen ik net met die tissues stond te knoeien, besefte ik dat ik het jullie verschuldigd ben, nu ik jullie heb gedwongen om zoveel onzin aan te horen. Ik ben dus bijna uitgepraat, maar nog niet helemaal. Ik wil dat jullie hier evenveel vanaf weten als ikzelf. Dat lijkt me eerlijk, vinden jullie niet?'

We mompelden instemmend en de Eel zette haar ellebogen op haar knieën en leunde voorover. 'Goed dan,' zei ze.

Laatste gedachten van de Eel

De voornaamste vraag bij alles wat ze had verteld, *zei de Eel toen ze verderging*, was of het al dan niet echt gebeurd was, nietwaar? Of, om het anders te zeggen: geloofde de Eel werkelijk dat al die wilde dingen echt hadden plaatsgevonden? Had Spencer Mallon de materie van onze wereld omgevouwen, in ieder geval ver genoeg om er hordes demonen en geesten doorheen te laten tuimelen? Was zij in Keith Hayward binnengegaan en had ze daar een gezellige babbel gemaakt met een literaire demon, die zich bediende van een ouderwets New Yorks accent? Was ze van een Londense bus gegooid, had ze op marmeren traptreden voor de godheid in haar broek gepiest? Elk ding dat ze had gezien en gedaan kon evengoed het gevolg van stress en angst zijn geweest, zelfs van hormonen, het product van opgefokte chemicaliën in haar hersenen.

Maar.

Hoe maf, hoe volkomen krankzinnig zij het zelf ook vond, ze geloofde toch nog steeds dat elk stukje ervan echt was gebeurd. Zelfs als de enige plek waar het zich afspeelde haar verbeelding was, dan was het nog steeds echt gebeurd.

Heel vaak had de Eel tegen zichzelf gezegd dat ze veel meer had geleerd van die goeie ouwe Twin dan ooit van Spencer Mallon.

Ze wilde hun een specifieke reden vertellen waarom ze geloofde dat alles wat ze hun had verteld, de letterlijke waarheid was. Het ging over iets wat heel lang nadat ze als middelbare schoolleerlingen in Madison woonden was gebeurd, lang nadat Eel en Lee Harwell waren getrouwd, en zo lang na de eerste symptomen van haar blindheid dat ze al betrokken was geraakt bij de ACB, met name bij de afdelingen in Chicago en Rehoboth Beach.

En op een keer...

'Gaat het wel?' vroeg ik.

'Jawel, als je me dit laat uitleggen,' zei de Eel.

Op een keer moest ze, werd ze gevraagd naar Rehoboth Beach te gaan, om te zien of ze een probleem van de ACB kon oplossen voordat de politie erbij moest worden gehaald. Het had te maken met een misdaad, fondsen die uit de schatkist werden gestolen, steeds een klein beetje tegelijk, maar het was tot een aanzienlijk bedrag opgelopen, net in de vijf cijfers. Je moet weten dat de Eel *dol* was op de afdeling Rehoboth Beach. Ze had veel tijd en energie besteed aan het opzetten ervan, en toen ze het haar vroegen, beloofde ze te doen wat ze kon.

Het was niet nodig om alles te vertellen wat er indertijd in Delaware gebeurde. De Eel loste het probleem van de ACB op. Ze haalde de dief over tot een bekentenis, de fondsen werden volgens een afbetalingsregeling teruggestort en ze keerde terug naar Chicago, tevreden dat ze haar taak goed had volbracht. Het verhaal was echter nog niet af. Tijdens die vier dagen in de badplaats gebeurde er iets wat haar zo van haar stuk bracht, dat het bijzonder moeilijk werd om door te gaan. Het bracht alles boven wat de Eel op het veld was overkomen, en ze had erg veel moeite gehad om het van zich af te zetten en zich aan haar opdracht te houden. Hoewel ze niet kon laten merken wat haar overkwam, er niet eens iets van mocht laten merken vanwege de aard van haar functie, had ze een periode van afkeer en weerzin doorgemaakt, een misselijkheid die een flink aandeel intense antipathie omvatte. Als ze iets van dat innerlijke tumult had laten doorschemeren, zou haar hele missie volkomen mislukt zijn.

Jullie moeten je een flinke directiekamer voorstellen, met een grote tafel in het midden. Er brandden geen lampen, want iedereen die de kamer zou betreden was blind. Verder moeten jullie je voorstellen dat de omlijsting bijna verstikkend luxueus was. Zware gouden kandelaars, gouden kaarsendompers. Een paar wandkleden, een kristallen kroonluchter. Weliswaar kon geen van de betrokkenen daar iets van *zien*, maar het gaf allemaal een bepaalde sfeer – het was de lucht die je inademde als je iets enorm groots op zette, met iets vuils in de kern. In dat vertrek bracht de Eel ongeveer een uur door met een vrouw die een moord had gepleegd.

Haar verhaal, en het was maar een verhaal, kwam zomaar uit de lucht vallen. Het had niets te maken met het gestolen geld. De vrouw die de moord had gepleegd wilde haar schokken – ze wist dat Eel haar niet zou aangeven. Dat was vanaf het begin deel van de afspraak. Ze konden ongestraft praten, wat ze ook zeiden. Deze vrouw echter, de moordenares, vertelde haar een leugen. Ze gaf een verkeerde voorstelling van zaken om zichzelf als slachtoffer af te schilderen in plaats van als een moordenaar.

Een vroegere minnaar had haar blind gemaakt en door haar getuigenis kwam die man in de gevangenis terecht. Ze vertelde Eel dat hij na zijn vrijlating ontdekte waar ze woonde en haar belde om een afspraak te maken. Ze had geweigerd, maar hij bleef pleiten en smeken en uiteindelijk stemde ze ermee in om een kop koffie met hem te drinken in een gelegenheid vlak bij haar appartement. Op de dag zelf ging alles verrassend goed en ze zei ja toen hij vroeg of hij met haar naar haar huis zou wandelen. Toen de vrouw bij dit stuk van haar verhaal was aangeland, voelde de Eel – ze wist zeker dat ze het voelde – een andere aanwezigheid achter zich glippen. Het duurde een paar tellen voordat ze zich realiseerde – of, als je erop staat, zich verbeeldde – dat het Keith Hayward was, een of ander deel van Keith Hayward, dat zich bij haar had gevoegd.

De vrouw zei dat de man haar over een stuk braakliggend land naar een ravijn had meegesleurd, waar hij haar niet verkrachtte maar gewoon een poos tegen de grond drukte; vervolgens liet hij haar los en vertelde dat hij haar had willen laten weten hoe hij zich elke dag had gevoeld tijdens zijn jaren in de gevangenis. Ze was zo woedend, beweerde ze, dat ze geflipt was en hem met een steen op zijn hoofd had geslagen. En ze was met die steen blijven beuken tot ze zijn hersens had ingeslagen. Waarop er toevallig een jonge aanbidder langsliep die haar hielp om weer schoon te worden voor hij terugkeerde naar het ravijn om het lijk te verbergen.

Toen ze bij het deel over het braakliggende stuk grond kwam, glibberde de arm van Keith Hayward om haar schouders. De Eel kon zijn adem bijna hóren, zo dicht was zijn hoofd bij het hare. Het was alsof ze van achteren werd omhelsd door een slak. Ze was te bang en te vol weerzin om zich te bewegen, en natuurlijk kon ze de andere vrouw niet laten merken wat er aan de hand was. Maar dit kon ze wel voelen: Keith Hayward genoot van het verhaal van de vrouw, het bevredigde hem tot diep in zijn smerige tenen. Toen haar verhaal afgelopen was, werd hij bevangen door een soort beverige extase – een duivelse versie van een orgasme! Luisteren naar moord wond hem op, dacht ze. En ze dacht dat hij wist dat ze hem dat verschuldigd was.

Inderdaad, verschuldigd was, dat zei ze. Zij vond dat ze hem dat in elk geval verschuldigd was, het vuige genot dat het verhaal van de vrouw hem bezorgde. Op de laatste dag van zijn leven had zij immers een intensieve reis gemaakt door zijn geest en zijn geheugen. Het was zelfs mogelijk dat hij zijn leven voor haar had opgeofferd. Ze dacht niet dat het dat was geweest, maar ze kon de mogelijkheid niet zomaar verwerpen. Hoe dan ook, ze had veel tijd doorgebracht in de innerlijke wereld van Keith Hayward en ze voelde nog voldoende verbondenheid met hem om hem op dat afstotelijke moment toe te laten. Niets werkt maar één kant op, weet je, wat je daar ook van mag vinden.

Een paar maanden later dacht ze er nog eens over na, voornamelijk omdat haar hoofd haar niet anders toestond, en ze herinnerde zich haar indruk dat Hayward, hoe vreselijk het ook klinkt, te intens genoot, en dat zijn genot te gecompliceerd was voor wat hij en zij te horen kregen. Hij had meer gehoord dan zij, maar ze kon zich niet voorstellen wat dat zou kunnen zijn. Een tijdje later, op een dag dat ze hierboven aan een rapport werkte, begreep ze dat die slijmerige Keith Hayward onmiddellijk had geweten dat de vrouw loog. Zij had de afspraak gearrangeerd, zij had de man naar het ravijn gelokt, en haar aanbidder was uit de struiken gesprongen om hem te vermoorden. Het genot van Keith gold evenzeer de moord als de leugen!

'Daarom denk ik dus dat het echt was,' zei de Eel. 'Ik voelde hem daar bij me in die directiekamer – onze oude vriend, Keith Hayward, teruggekeerd om een tegoedbon met mijn naam erop te gelde te maken. Ik weet niet hoe ik dat gesprek ben doorgekomen. Voordat ik de mensen van de ACB weer onder ogen kon komen, moest ik naar mijn kamer om te douchen. *Maar goed*, zei ik bij mezelf, *nu weet ik dat het waar was, nu weet ik dat het werkelijk gebeurd is*.

Ze liet zich tegen de rugleuning zakken en legde haar handen naast zich neer. 'Ik denk niet dat ik meer kan zeggen. Behalve dat ik niet geloof dat Shane doodgaat aan het eind van *Shane*. Mallon kletste gewoon uit zijn nek.'

'Ja, dat denk ik ook,' zei Hootie. 'Ik geloof ook niet dat hij sterft.'

'Natuurlijk niet,' zei Boatman.

'Shane gaat beslist niet dood,' zei Don. 'Eel, daar heb je helemaal gelijk in.'

Ze stemden achter elkaar in met alles wat ze hun had verteld. Ze hadden getekend voor de partij van de Eel; ze waren gelovigen.

'Dat vind jij toch ook, Lee?' vroeg Don. 'Ik weet wel dat ik het niet eens hoef te vragen.'

'Aan het eind van die film is Shane er geweest,' zei ik. 'Hij was al dood voordat hij de grond raakte.'

Een geschokt zwijgen vulde de kamer.

'En aan het eind van *Casablanca* lopen Humphrey Bogart en Claude Rains rechtstreeks de propeller van dat vliegtuig in en worden aan mootjes gehakt.'

Traag wendden Hootie, Boatman en Olson allemaal hun gezicht naar mij toe. Lee Truax giechelde. De drie andere mannen in het vertrek wendden zich van mij af om haar aan te staren. Toen wees Hootie naar mij en lachte. Don schudde zijn hoofd, liet zich achteroverzakken in zijn stoel en grijnsde.

'Zulke humor begrijp ik niet,' zei Jason. 'Het spijt me, ik snap het gewoon niet.'

'Dat hoeft ook niet,' zei de Eel. 'Je bent prima zoals je bent.'

In de verwachting dat het een lange avond zou worden, hadden we een grote hoeveelheid eten klaargemaakt, en nadat ze het einde van haar verhaal had bereikt en Boatman – vriendelijk maar onoprecht – had verzekerd dat hij in onze ogen niets minder was vanwege zijn gebrek aan zelfs maar een rudimentair gevoel voor humor, volgde iedereen ons naar de eetkamer en bediende zichzelf van gebraden rundvlees, gegrilde kip, gestoomde gemengde groenten, gestoomde asperges, gebakken champignons, zoete aardappelchips en, met een knikje naar de geest van Keith Hayward, een kersentaart die ik bij een bakkertje in de buurt had gehaald. Op de zijtafel stonden flessen Russian River pinot noir, een cabernet sauvignon uit de Napa Valley, een gekoelde pinot gris uit de Elzas, zestien jaar oude single malt Schotse whisky, twintig jaar oude bourbon, ijsbergwater en druivensap naast glazen, een ijsemmer en een tang.

De conversatie was voor iedereen een anticlimax en er vielen herhaaldelijk stiltes waarin het klikken en schrapen van zilver op porselein het enige geluid was. IJsklontjes tinkelden in een glas druivensap.

Ik zei: 'Ik veronderstel dat er geen hoop is voor dat joch van Milstrap, maar kan hij in elk geval uitkijken naar de dood?'

'Ik denk het niet,' zei Don. 'Ik geloof niet dat er in die wereld ooit iets sterft. Ze worden niet eens ouder, alleen maar gekker.'

'Is er dan tenminste een soort verlossing? Een ontsnapping?'

'Voor zover ik heb meegemaakt, worden de dingen er niet beter op als je gek wordt. Ze worden meestal erger, en heel snel,' zei Hootie.

'Dat geldt misschien niet voor Milstrap,' zei Boatman. 'De laatste keer dat ik hem zag, was misschien anderhalf jaar geleden. Hij zat op de stoep in Morrison Street, zomaar naar studenten te kijken, zo te zien. Je kent het wel: korte kakibroek, poloshirt, madras jack. Instappers zonder sokken. Nog steeds gekleed als een student uit de jaren zestig.'

'Ik vraag me soms af waar hij zijn kleren vandaan haalt?' vroeg Don. 'Zou er ergens een verdeelpost zijn of zo?'

'Geen idee. Maar het punt is dat hij er niet gestoord uitzag. Hij leek niet eens zo wanhopig als vroeger. Man, soms als ik dat jong tegenkwam, stak ik liever de straat over dan bij hem in de buurt te komen. Maar die keer op Morrison Street leek hij nogal berustend en uitgeput. Hij zwaaide naar me, alleen had hij een ongelukkige glimlach op zijn gezicht.'

'Misschien wuifde hij ten afscheid,' zei Hootie. 'Ik vind het jammer dat hij mij niet is komen opzoeken.' Hij beet in een gestoomde wortel en kauwde er een paar tellen op. 'Maar ik ben er ook wel blij om.'

Al snel daarna namen de ouder wordende mannen die de gloeiende kooltjes van Dill, Boats en Hootie in zich droegen afscheid, omhelsden mij, kusten de Eel, die moe was, en gingen op weg naar hun verschillende bestemmingen.

Eel en ik sloten onze voordeur en keerden terug naar de eetkamer om de borden te halen en het overgebleven eten weg te zetten. Toen ze terugkwam uit de keuken nadat ze de borden had afgespoeld, zei ik: 'Ga maar naar bed, lieverd. Ik doe de rest wel.'

'Ik help nog even mee.' Ze schoof de stelen van een handvol wijnglazen tussen haar vingers en pakte met haar vrije hand een kort, breed cocktailglas waaruit, als in opeenvolgende kringen, de geur van dure whisky opsteeg.

'Eh... ik wil je graag iets vragen,' zei ik en de blik die ik haar toewierp was zo onzeker en verdeeld, dat ik me verbeelde dat ze daardoor haar pas inhield op haar weg naar de keuken.

Nee, dacht ik, *dat kwam niet door de manier waarop ik naar haar keek. Dat kan immers niet? Ze hoort iets in mijn stem.*

'O,' zei ze met neutrale stem. 'Ga je gang.'

Ik had het gevoel dat ze al wist wat ik haar wilde vragen. Toch waagde ik de sprong. 'Ik vond het leuk dat je ons zag in de tuin van die pub in Camden Town. Juli 1976 was een schitterende maand. Ik herinner me nog heel goed dat ik die leeuwerik zag.'

'Ik herinner me ook dat jij hem zag.'

Zij kon zich dat moment vanuit meer dan één perspectief herinneren, besefte ik.

'Maar ga door,' zei ze, en ik had de onbehaaglijke overtuiging dat ze wist wat er door mijn hoofd speelde.

'Ik vroeg me af of je ook gezien hebt dat ik me zo aanstelde op de Boardwalk buiten dat hotel van jou.'

'Het is mijn hotel niet, maar inderdaad, ik heb je gezien.' Ze zette de glazen weer op tafel en liet haar armen langs haar lichaam hangen. 'Natuurlijk kon ik toen ik zeventien was niet zeker weten dat jij het was die daar rondhing. Dat begreep ik later pas.'

'Ik was een idioot,' zei ik.

'Je wist zelfs dat je idioot deed,' zei ze. 'Daarom kocht je die stomme hoed en die vreselijke zonnebril.'

'Mag ik me alsnog verontschuldigen?'

'Je mag doen wat je wilt. Zoals ik tegen Jason Boatman zei, je bent prima zoals je bent.'

'Meen je dat?'

'Evenzeer als daarnet. Misschien iets meer.'

Ik glimlachte en wist met stellige zekerheid dat ze zich daarvan bewust was. 'We willen Jason eigenlijk niet echt meer kennen, is het wel?'

'Meer dan vier decennia het leven van een dief leiden is weinig bevorderlijk voor je karakter. Hij is saai geworden. Maar misschien was hij altijd al saai en viel het ons gewoon niet op.'

Daarop tastte ze naar de glazen en schoof ze weer tussen haar vingers, pakte het whiskyglas op en liep er zonder aarzelen mee naar de keuken. Ik ging haar achterna met twee handen vol tafelzilver. Ze zette de glazen op het aanrecht, en nadat ik me had ontdaan van het tafelzilver zette ik het whiskyglas in de vaatwasser en de wijnglazen in de gootsteen.

Ze leunde tegen het slagersblok midden in de keuken en wachtte op me.

'Dat was geweldig, wat je gedaan hebt,' zei ik.

'Bedoel je toen, of nu net?'

'Nu net. Met ons allemaal samen.'

'Bedankt. Maar nu moet ik wel naar bed, ik ben uitgeput.'

Ik legde mijn hand op mijn wang en keek haar aan.

'Nu we het er toch over hebben,' zei ze. 'Je moet weten dat ik denk dat die ellendige Keith Hayward ook iets geweldigs heeft gedaan. Iets onzelfzuchtigs, in elk geval.'

'Denk je echt dat hij zichzelf opofferde? Je zei dat je het niet zeker wist.'

'Omdat niemand het wilde horen. Jason en Hootie vonden het een verschrikkelijk idee.'

'Het klinkt ook niet erg als Hayward, dat moet je toegeven.'

'Dat weet ik. Maar ik was *bij* hem, ik ging met hem mee naar dat eetcafé. Hij voelde zich ellendig – hij wist het zelf niet eens, maar hij hield echt van Miller, op zijn eigen, sneue manier. Dat hij hem aan zijn moordzuchtige oom had overgeleverd, maakte hem ziek van schuldgevoel.'

'Maar hoe zou dat... waarom zou hij...'

'Zichzelf voor mij opofferen? Omdat hij wist dat ik het begreep, dat van Miller. Dat hij niet helemaal boosaardig was, dat er in ieder geval nog een soort vonk in hem leefde.'

'Dus ruilde hij zijn leven voor dat van jou.'

'Blijkbaar dacht Meredith dat hij het voor haar deed, om *haar* leven te redden. Misschien ben ik evenzeer het slachtoffer van waanideeën als zij. Geen van beiden zullen we het ooit weten. Maar ik zag hem denken. Hij wist dat ik het begreep.'

'Dus hij...'

'Hij wilde dat van Miller goedmaken,' zei ze. 'Ja. Dat denk ik.'

'Verbazend.'

Ik tilde haar hand op en legde die waar de mijne had gelegen, op mijn wang. Ze trok haar hand niet weg. Even bleven we roerloos en zwijgend staan.

'Zeg het maar,' zei ze.

'Ik heb het gevoel... het is net alsof we... ik heb het idee dat we bevrijd zijn.'

'Voel jij dat ook? Goed zo.'

Eindelijk glimlachte ze naar me. Met een laatste klopje op mijn wang liet ze haar hand zakken. 'Ben je van plan om een boek te schrijven over Mallon en wat we allemaal hebben gedaan, nu je een vrij man bent?'

'Ik geloof dat ik dat boek al heb geschreven.'

'Ach.' Ze glimlachte weer. 'Nou en?'

Ik kon er niets aan doen – er welde een lach in mij op en schoot mijn mond uit. *Nou én?*

Dankwoord

Dankbaarheid en bewondering voor mijn vriend Brian Evenson, wiens uitzonderlijke roman *The Open Curtain* me zowel tot het materiaal als de aanpak van het subhoofdstuk 'De Donkere Materie, II' inspireerde. Die beste Brian kan niet beweren dat hij niet gewaarschuwd was. Neil Gaiman, Gary Wolfe, Bill Sheehan en Bernadette Bosky, lezers van dit verhaal toen het nog heel erg in wording was, boden verstandige, behulpzame en stimulerende woorden en advies, waar ik diep dankbaar voor ben. Ook ben ik dank verschuldigd aan de kleine uitgevers die exclusieve edities in beperkte oplagen van eerdere varianten van een deel van dit materiaal uitbrachten, Thomas en Elizabeth Monteleone en William Schafer. Voor de oorspronkelijke 'Eel', Lee Boudreaux, neem ik buigend mijn hoed af in bewondering en verwondering. Mijn literair agent David Gernert bood me wijsheid, geruststelling en uitstekend advies bij de vele gelegenheden waarbij dat nodig was. Mijn redacteuren, Stacy Creamer en en Alison Callahan, hielpen me enorm met het in evenwicht brengen van dit lange project. Jay Andersen voerde met zijn gebruikelijke nauwkeurige en kritische blik de bureauredactie uit in de eerste fasen van het boek. Lila Kalinich weet wat ze heeft gedaan, en dat gaat bijna te diep voor woorden. Wat mijn vrouw, Susan Straub betreft, kan ik alleen maar zeggen dat mijn vrijwel levenslange schuld aan haar van geschonken, beantwoorde en beleefde liefde zeker te diep gaat voor woorden; die is even diep als ik zelf.

Over de schrijver

Peter Straub heeft negentien romans geschreven en elke prijs die zijn steeds populairder wordende genre uitdeelt meerdere keren gewonnen. Hij heeft tien jaar in Ierland en Engeland gewoond, en woont tegenwoordig in een huis in de Upper West Side van Manhattan met zijn vrouw, Susan, oprichter en directeur van het programma 'Read To Me'.